HEN DŶ FFARM
THE OLD FARMHOUSE

CW00551600

Hen Dŷ Ffarm
The Old Farmhouse

D. J. Williams

Cyfieithiad
Translated from the Welsh by

Waldo Williams

Argraffiad Cyntaf—2001
First Impression—2001

ISBN 1 84323 032 1

ⓗYstâd/Estate of D. J. Williams ©
Cyfieithiad Saesneg/English translation:
ⓗYstâd/Estate of Waldo Williams ©
ⓗCyflwyniad/Introduction: Jim Perrin ©

Cyhoeddwyd *Hen Dŷ Ffarm* gan D. J. Williams gyntaf gan Wasg Gomer, 1953.
Hen Dŷ Ffarm by D. J. Williams was first published by Gomer Press in 1953.

Cyhoeddwyd *The Old Farmhouse*, cyfieithiad Waldo Williams,
gyntaf gan George G. Harrap Cyf., 1961, ac fe'i atgynhyrchir yma
gyda chaniatâd caredig Eric Dobby Publishing Cyf.
The Old Farmhouse, translated by Waldo Williams,
was first published by George G. Harrap & Co. Ltd., in 1961,
and is reproduced here by kind permission of Eric Dobby Publishing Ltd.

Cyhoeddir y gyfrol hon gyda chymorth
Cyngor Celfyddydau Cymru.

This volume is published with the support of
the Arts Council of Wales.

Argraffwyd gan Wasg Gomer, Llandysul, Ceredigion SA44 4QL
Printed in Wales at Gomer Press, Llandysul, Ceredigion SA44 4QL

Nodyn Golygyddol

Bu i olygyddion y gyfrol hon ymyrryd cyn lleied â phosib â'r testunau gwreiddiol wrth eu paratoi ar gyfer y cyhoeddiad newydd hwn, ond diwygiwyd rhyw gymaint ar yr atalnodi.

Francesca Rhydderch
Gwasg Gomer

Editor's Note

The editors involved in the production of this volume have interfered as little as possible with the original texts, modernising and adding punctuation only where necessary.

Francesca Rhydderch
Gomer Press

Cynnwys

Contents

Cyflwyniad

Un diwrnod poeth ym mis Mehefin sawl blynedd yn ôl, es ar bererindod i Penrhiw Fawr. Fe'i galwaf yn bererindod am fy mod yn synio am y lle hwn, ac am y testun a roddodd ffocws a sylwedd iddo, fel rhywbeth arbennig sy'n haeddu parch. Nid myfi yn unig sy'n meddwl fel hyn. Ddeugain mlynedd yn ôl, pan gychwynnodd UNESCO ei gynllun ardderchog o gyfieithu llenyddiaeth y gwledydd bychain er mwyn i'r cenhedloedd mwy grymus ddod i'w deall yn well, y gwaith a ddewisodd i gynrychioli Cymru oedd *Hen Dŷ Ffarm*. Yr oedd yn ddewis ysbrydoledig a ffodus, a hynny am ddau reswm. Un rheswm oedd ansawdd cynhenid y llyfr ei hun. Ar y pryd ni fu allan o brint ond ers prin wyth mlynedd, er bod ei atgofion yn dyddio o ddegawd olaf y bedwaredd ganrif ar bymtheg. Nid oedd eto wedi cael ei gydnabod fel y clasur diamheuol o ryddiaith Gymraeg ag ydyw – un a saif yn ei ffordd dawel ei hun yn gyfysgwydd â gwaith golygydd anhysbys *Pedeir Keinc y Mabinogi*, neu â Beibl William Morgan. Mae a wnelo'r rheswm arall â chyfieithydd *Hen Dŷ Ffarm*. Yr oedd y gŵr a ddewiswyd yn fardd a feddai ar enw cenedlaethol, ar hydeimledd dwfn ac ar ddawn ragorol y mae'r parch at ei waith yn ymylu ar fod yn barchedig ofn. Hanai Waldo Williams o'r rhan Gymraeg honno o Ogledd Sir Benfro, ryw hanner can milltir, mae'n debyg, i'r gorllewin o Penrhiw Fawr. Ac yntau'n ffrind i D. J. Williams ac yn gyd-athro, aeth i'r afael â'i dasg gyda pharch a rhyddfrydigrwydd a dyfalwch, gan greu – ac nid heb drafferth am fod ei dafodiaith ef ac eiddo 'Llansawel, Caeo, Pencarreg a Llanybydder' yn wahanol iawn i'w gilydd – fersiwn Saesneg mor rhwydd a chywir ei ieithwedd fel ei fod yntau yn dwyn nodau meistrolaeth lenyddol. Cewch yn yr argraffiad cyfochrog hwn, felly, fantais dau gampwaith.

Mae'n bosibl y caiff academyddion fod cyfyngiadau eu disgyblaeth yn drysu eu hymateb i'r farn hon. Rhaid ystyried pwnc dosbarth llenyddol, ac nid oes modd categoreiddio *Hen Dŷ Ffarm*. Mae'n perthyn i'r maes 'rhyddiaith amrywiol' hwnnw lle mae llawer o'r llenorion mwyaf gwreiddiol – Montaigne, Hazlitt, Johnson, Swift, Thoreau, Orwell – wedi creu eu gwaith. Ond i'r darllenydd cyffredin, dyma lyfr y mae ei ddynoldeb a'i sylwgarwch pob dydd yn gwneud gwyrthiau. Wrth sôn am yr awdur, diffiniodd Waldo'r nodwedd hwn gyda manylder gwych:

Introduction

On a hot June day several years ago, I made a pilgrimage to Penrhiw Fawr. I say pilgrimage because I regard this place, and the text to which it gave focus and substance, as special and worthy of reverence. I am not alone in this view. Forty years ago, when UNESCO implemented its noble scheme of translations from the literature of smaller countries in order to bring about a greater understanding of them by the world's more powerful nations, the work it chose to represent Wales was *Hen Dŷ Ffarm*. It was an inspired and happy choice for two reasons. One was the inherent quality of the book itself. It had at that time been in print for scarcely eight years, though its recollections date from the last decade of the nineteenth century. It was not yet widely recognised as the great Welsh prose classic it undoubtedly is – one fit to rank quietly with the work of the anonymous redactor of the *Pedeir Keinc y Mabinogi*, or with William Morgan's translation of the bible. The other reason concerns *Hen Dŷ Ffarm*'s translator. The man chosen was a poet of national significance, deep sensitivity and marvellous skill, whose own work is held in an esteem also bordering on reverence. Waldo Williams came from that Welsh-speaking area of North Pembrokeshire perhaps fifty miles to the west of Penrhiw Fawr. A friend of D. J. Williams and a fellow teacher, he approached his task with respect, liberality and diligence, and produced – not without difficulty, for his dialect and that of 'Llansawel, Caeo, Pencarreg and Llanybydder' were very different – an English version of so relaxed and true an idiom that it has itself all the hallmarks of literary mastery. In this parallel-text edition, therefore, the reader has the unparalleled bonus of two masterpieces.

Academics may find the constraints of their disciplines bewildering when it comes to such an assessment. There is the matter of genre to be considered, and *Hen Dŷ Ffarm* is uncategorisable, belonging as it does to that area of 'miscellaneous prose-writing' in which many of the most original figures in literature – Montaigne, Hazlitt, Johnson, Swift, Thoreau, Orwell – have produced their best work. But for the general reader, here is a book whose everyday humanity and attentiveness provide marvels. Waldo, speaking of the author, defined this quality with wonderful precision:

. . . teimlech wrth wrando arno, fod ei graffter cynhenid [D. J.] wedi dod yn ddehongliad ac yn weledigaeth drwy ei hydreiddio â'i gariad at ei henfro ac at Gymru.

Y geiriau hollbwysig yma yw 'dehongliad', 'weledigaeth' a 'chariad', ac fe'u cyfryngir yn *Hen Dŷ Ffarm* gan athrylith lenyddol mor orffenedig fel mai prin y sylwch arni wrth iddi gyflawni ei hamcan. Yn wir, prin eich bod yn amau ei dyfais ganolog, gan mor dryloyw yw'r gelfyddyd y tu ôl iddi. Yr egwyddor waelodol yw mai llygad y plentyn sy'n gweld gliriaf oll. Fel y dywed D. J. – ac mae'n ddrych o hoffter Cymru ohono mai wrth y ddwy lythyren hynny y mae pawb yn ei adnabod – tua dechrau ei lyfr,

Rwyf wedi bod o'r farn ers tro byd, ar wahân i bob peth a ddywaid y seicolegwyr diweddar wrthym i gadarnhau hynny, fod cof a sylw plentyn o'r hyn sy'n mynd ymlaen o'i gwmpas yn ei ddyddiau cynnar cynnar, yn rhywbeth llawer iawn dyfnach a dwysach nag y mae pobl, yn gyffredin, wedi arfer ei gredu.

Felly daw plentyn craff *Hen Dŷ Ffarm* yn gofnodwr cymuned, cymdeithas, unigolyddiaeth a gwerthoedd a chredoau sydd wedi hen ymsefydlu. Ar un wedd dyma ystryw hunanddarostyngol sy'n ceisio celu doethineb oes a datblygiad ei ddawn fel artist. Nid gwaith plentyn chwech a chwarter blwydd oed mo'r llyfr hwn – sef oedran D. J. wrth ymadael â Penrhiw Fawr. Pan ymddangosodd y gyfrol am y tro cyntaf ym mis Hydref 1953, yr oedd ei hawdur yn wyth a thrigain a chwarter oed a bu o Penrhiw Fawr am ddegawd yn fwy nag oed y ganrif. Ond deil y cofnod a greodd ar sail yr atgofion bore oes hynny, a deil y gwerthoedd a ategodd drwyddynt, yn hynod fyw a pherswadiol. Mae'n frith o anecdotau, rhethreg, chwedlau gwerin, cŵn a thro trwstan, o gymeriad gwragedd a dynion a cheffylau (os ydych am ddeall pwysigrwydd y ceffyl mewn cymdeithasau amaethyddol cyn dyfeisio'r motor tanio mewnol, dyma'ch testun allweddol). Uwchlaw popeth, er hynny, mae'n pefrio gan gymeriad ei awdur.

Ar un ystyr, mae'r hen ymadrodd 'dyn ei filltir sgwâr' yn diffinio prosiect llenyddol D. J. Williams. Er y gall ymddangos yn or-syml, mae'r we gydymddibynnol o wybodaeth a swyddogaeth a chyfrifoldeb yn beth cywrain a dwfn. Nid rhyw wefan mohoni i fynd iddi a dod ohoni yn ôl y galw, gan geisio gwybodaeth heb

. . . [D. J.'s] innate power of observation, you felt in listening to him, became interpretation and vision through being suffused with his love of his old neighbourhood and of Wales.

The crucial words here are 'interpretation', 'vision' and 'love', and they are mediated in *Hen Dŷ Ffarm* by a literary talent so consummate that you scarcely notice its operation as it achieves its effect. In fact, you barely question its central device, so limpid is its artifice. Its working premise is that the eye of the child is of the utmost clarity. As D. J. – and it is a measure of the affection in which he is held in Wales that he is always referred to by his initials – writes early in his book:

I've long been of the opinion – quite apart from everything the psychologists say to confirm it – that a child's memory and observation of what's going on around him in his earliest days are very much deeper and more intense than people in general have believed them to be.

So the remembered child-observer of *Hen Dŷ Ffarm* becomes recorder of community, society, individuality and of entrenched values and beliefs. On one level this is a self-deprecating stratagem that attempts to conceal the gathered wisdom of a man's life and the developed skill of his art. This book is not the work of a child aged six and a quarter – D. J.'s age when he left Penrhiw Fawr. When it first appeared in the October of 1953, its author was sixty-eight-and-a-quarter years of age and had been gone from Penrhiw Fawr for a decade more than the century was old. But the record he recreated from those earliest memories, and the values he under-pinned by recalling them in his autobiography, are extraordinarily vivid and persuasive. It teems with anecdote, oratory, folklore, song, incident, character of women and men and horses (if you wish to understand the importance of the horse in agrarian societies before the invention of the internal combustion engine, here's your source). Most of all, though, it glows with the character of its author.

There is a phrase in Welsh, *dyn ei filltir sgwâr* – 'a man of his own square mile' – that in a sense defines D. J. Williams's literary project. It might sound simple, but the web of interdependence, knowledge, role and responsibility implicit in that phrase is intricate and profound. Its design is comprehensible, the individual's

ddysgu dim. Fel gwaith llenyddol, mynegiant oedd *Hen Dŷ Ffarm* o foment a chenedl hanesyddol lle'r oedd y raddfa yn briodol a dynol – lle gallai'r filltir sgwâr gorffori dyhead a'i ddiwallu. I mi, parhad adlais darfodedig y foment honno yw'r rheswm pam y caraf y Gymru fechan hon mor angerddol.

Ond a dychwelyd at fy mhererindod sawl blynedd yn ôl. Wrth i mi eistedd yng nghanol cerrig chwâl Penrhiw Fawr, oherwydd gwaith D. J. ac arwyddocâd esiampl ei fywyd (*Cofia Benyberth!*), glynai rhywbeth yno o hyd. Am i D. J. ysgrifennu *Hen Dŷ Ffarm* gydag argyhoeddiad brogarwch dihunan, deil Penrhiw Fawr yn lle ystyrlon, er gwaethaf yr adfeilion a'r esgeulustod, yn lle y talai i Gymru'r unfed ganrif ar hugain ymglywed ag ef. Cofiais ddiffiniad W. J. Gruffydd o'r dyn diwylliedig: 'Y dyn sy'n cyffwrdd â bywyd yn y nifer luosocaf o fannau' – ac amrywiad D. J. ar y thema honno:

. . . ni chredaf i fod yr un alwedigaeth yn fwy ffafriol i hyn nag eiddo'r sawl sy'n byw ar y tir ac yn cael ei fywioliaeth ohono. Yn y gwaith hwn y mae dyn yn gorfod ymwneud beunydd â'i gyd-greadur o ddyn ac o anifail ac â Natur ei hun ymhob agwedd arni. O'r crud i'r bedd y mae etifedd y tir mewn cysylltiad agos iawn â holl bwerau cyfrin bywyd . . .

Cred llawer ohonom yn yr unfed ganrif ar hugain i ni golli ein cysylltiad â'r ddaear. Yn y testun cyfoethog, bywiol a hyfryd hwn, o hyd braich, gallwn ymestyn i ailafael ynddo. Braint a phleser yw cael ailgyflwyno'r ddau fersiwn yma a'u gwerthoedd a'u sythwelediadau i genhedlaeth newydd o ddarllenwyr. Ni ellir dod ar eu traws heb elwa ohonynt.

Jim Perrin
Y Waun, Mai 2001

relationship to it defined. It's not some website you can log in and out of at will, gaining information, understanding nothing. As a literary work, *Hen Dŷ Ffarm* was the expression of a historical moment and of a nation where scale was human and appropriate – where the *filltir sgwâr* could both contain and satisfy aspiration. For me, the reason why I love this small country of Wales so passionately is that the diminishing echo of that moment remains.

To return to my pilgrimage of several years ago, as I sat among the fallen stones of Penrhiw Fawr something still adhered there for me because of D. J.'s writing and the significant example of his life (*Remember Penyberth!*). It is because D. J. wrote *Hen Dŷ Ffarm* out of a selfless and communitarian moral conviction that Penrhiw Fawr remains, for all its ruin and neglect, a place resonant with meaning, and one to which twenty-first century Wales would do well to attune. There came to me W. J. Gruffydd's definition of the cultured man: 'Y dyn sy'n cyffwrdd â bywyd yn y nifer luosocaf o fannau' – the man who touches life in the greatest number of places – and of D. J.'s variation on that theme:

> *I do not think there is any occupation in as favourable a position to answer this requirement as that of those who dwell on the land and obtain their living out of it. In this work one has to do daily with one's fellow creatures, man and animal, and with nature herself in every aspect. From cradle to grave, the inheritors of the earth are in closest touch with all the secret powers of life.*

Many of us in the twenty-first century feel we have lost our connection with the earth. In this rich, vital and lovely text, even if only at a remove, we can reach out to touch it again. I am privileged and proud to re-introduce these two versions and their values and perceptions to a new generation of readers. To encounter them is to benefit from them.

Jim Perrin
Y Waun, May 2001

Rhagair

Mae amryw resymau, yn sicr, pam y mae dyn yn ei boeni a'i gosbi ei hun drwy ysgrifennu llyfr; ie, ac yn waeth byth, boeni a chosbi eraill, yn fynych, a fyn geisio darllen y llyfr hwnnw. Un o'r rhesymau pwysicaf, yn ddiau, yw ei fod am gael gwared ar rywbeth sydd wedi tyfu'n faich ar ei ysbryd, ac nad oes iddo lonyddwch hyd nes y gallo, rywsut neu'i gilydd, drosglwyddo rhan o'r baich i arall. Y baich hwnnw, a'r trosglwyddiad ohono, a stamp personoliaeth yr awdur ar y cyfan, yw swm a sylwedd gwir lenyddiaeth.

Mae'n hen ystrydeb y gall pob dyn ysgrifennu un nofel yn ei fywyd, sef ei fywyd ef ei hunan; y gamp, meddir, yw ysgrifennu'r ail. Rwyf innau, o bryd i'w gilydd, wedi cael gollyngdod ac ysgafnhad i'm hysbryd wrth ysgrifennu brasluniau o hen gydnabod bro fy mebyd, yn ddynion ac anifeiliaid, ynghyd â rhyw nifer o storïau a seiliwyd ar fy adnabyddiaeth o fywyd y tu allan iddi. Ond wrth lunio'r storïau cawn fy mod i, yn reddfol rywsut, yn osgoi cymryd at unrhyw gymeriad y gallwn fy nghymathu fy hunan yn rhyw bell iawn ag ef – ond i'r graddau y mae pob creadigaeth yn rhan o'i chreawdwr. Ni all awdwr, mwy na'r Creawdwr, greu ei wryw a'i fenyw ond o bridd ei ddaear ei hun. Doliau gwêr neu bren yw pob creadigaeth arall.

Wrth ysgrifennu'r llyfr hwn ar lun hunangofiant – fy nofel gyntaf, fel petai – o ddefnyddiau sbâr na allwn yn hawdd eu trin mewn ffordd arall, fe deimla'r darllenydd, yn ddiau, fel y teimlaf innau, nad yr hunangofiannydd, o gwbl, sy'n bwysig (a bwrw fod rhywbeth o bwys mewn dim sydd yma) ond yn hytrach y cefndir sydd o'r tu ôl iddo. A'r cefndir hwn, na newidiodd ryw lawer yn ei hanfodion, gellid barnu, drwy'r cenedlaethau a'r canrifoedd hyd at fy amser i, oherwydd ei gyfyngu i'r un aelwyd ac i'r un gymdeithas sefydlog, a'm gorfododd, yn bennaf dim, i'm poeni fy hun, a phoeni eraill hefyd, wrth osod wrth ei gilydd yr hyn a geir yma. A bod croeso i'r llyfr hwn fel y mae, hwyrach y daw arall ar ei ôl a ddyry agwedd fwy personol ac uniongyrchol ar y math hwnnw o fywyd a brofais i ym mlynyddoedd fy mhlentyndod ar ffarm, mewn pwll glo, ac fel athro ysgol, hyd y dydd pan groesais drothwy Coleg Aberystwyth – yn Chwech ar Hugain Oed (teitl y llyfr hwnnw, os daw byth i olau dydd). O hynny ymlaen ni theimlaf i fawr o ddim ddigwydd i mi na fu'n rhan gyffredin i liaws eraill a orfodwyd i gymryd bywyd a thynged Cymru fel rhywbeth o ddifrif

Foreword

There are various reasons, I am sure, why a man troubles and punishes himself by writing a book; and, worse still, why he frequently troubles and punishes other people who try to read that book. One of the most important reasons, no doubt, is that he wishes to rid himself of something that has become a burden to him, and that he cannot rest until, somehow or other, he has transferred part of the burden to someone else. That burden, that transfer, and the stamp of the author's personality on the whole, are the sum and substance of true literature.

The old cliché says that every man has one novel in him, the story of his own life; the difficult part, they say, is to write the second. I have occasionally found release and a lightening of my spirit through writing sketches of the old characters in my neighbourhood as a boy, both men and animals, along with a number of other stories based on my knowledge of life beyond it. Nevertheless, as I put these stories together, I found that I was, instinctively somehow, shying away from tackling any character with whom I could identify fully – except to the extent that every creation is part of its creator. The author, as much the Creator Himself, can only create man and woman from the soil of his own earth. All other creations are dolls fashioned from tallow or wood.

I have written this book in the form of an autobiography – my first novel as it were – made up of bits and pieces that I could not easily have treated in any other way. The reader will doubtless feel, as I do, that it is not the autobiographer who is important here (assuming that anything here is important) but rather the background to his story. And it is this background, which one might suppose did not change much in its essentials for generations and centuries, up until my time, because it was restricted to the same established home and society, that obliged me, above all, to trouble myself, and to trouble others too, by putting together what is found here. If this book is welcomed as it stands, perhaps another will follow it that will present a more personal and direct aspect of the type of life I experienced in my childhood on a farm, in a coal mine, and as a school teacher, up until the day when I entered Aberystwyth College – at Twenty-Six Years Old (the book's title, if it ever sees the light of day). From then on I do not feel that anything happened to me that has not been the common experience

yn eu bywyd a'u tynged hwy eu hunain. Cyflewyd hynny yn barod, mewn digon o ffyrdd, ac fe'i cyfleir eto os yw Cymru i fyw, a hynny yn llawer gwell a chyflawnach nag y gallwn i.

Clywsn yn blentyn lawer o siarad am bethau 'slawer dydd, a rhaid fy mod i, yn anymwybodol, wedi gwrando'n dda arnynt, gan fod toreth o'r cyfryw wedi aros gyda mi ar hyd fy oes. Wrth groniclo rhyw nifer ohonynt yma ceisiais, hyd yr oedd hynny'n bosib, brofi eu cywirdeb yn ddogfennol. Ar y cyfan dalient y prawf yn dda. Ond byddai weithiau ryw dro aneglur, neu ryw dywyllwch yn y stori fel y cawsn i hi, fel nas deallaswn erioed yn glir – rhyw ddiffyg yn fy nghof, neu yn fy amgyffred i ohoni ar y dechrau, efallai, neu yn eiddo'r rhai y clywsn hi ganddynt, wedi iddi ddod lawr o ben i ben am sawl cenhedlaeth. Fodd bynnag, nid unwaith na dwywaith y bu i gofnod syml o hen lyfr cofrestru eglwys y plwyf, neu ryw ffaith ychwanegol y trawsn arni ar ddamwain, ei gosod mewn golau newydd a diogelu ei chywirdeb cynhenid, er nad, o bosib, yn hollol fel yr arferwn i ei chredu.

Hyd y gallaf weld, gwladychodd pobl fy nhad, o bob tu, drwy'r canrifoedd, yn y ddau blwyf cyfochrog, Llansawel a Chaeo; a phobl fy mam, hwythau, ar ochr ogleddol, ochr Deifi i blwyfi Pencarreg a Llanybydder, ac eithrio bod teulu fy nhad-cu o ochr ei fam, teulu Enoc Francis, yn hanfod o Sir Aberteifi. Gwnâi hyn y gwaith o olrhain yr achau yn llawer haws na phe byddent wedi mynd ymhell ar wasgar. Yn yr ymdrech i gael cywirdeb ffeithiol, hyd yr oedd modd, bûm yn ffodus rhyfeddol yn sicrhau cymorth parod ac ewyllysgar dau gyfaill arbennig, a'r ddau hynny, fel finnau, a'u gwreiddiau'n ddwfn yn hen deuluoedd Gogledd Sir Gaerfyrddin. Nid arbedwyd na llafur nac amser ganddynt yn eu gwaith o gynorthwyo. A balch wyf o'r cyfle hwn i gydnabod fy nyled a datgan fy niolch dwfn iddynt. Cyfeirio yr wyf at y Parch. Dan Thomas, Ficer Caeo, sydd a'i wybodaeth am geinciau tylwythol Blaenau Cothi ynghyd â rhannau o Ddyffryn Teifi yn rhyfeddol; a'r llall, Mr. Rhys Dafys Williams o Lansadwrn, a gollodd ei iechyd fel rheolwr banc wrth ofalu am eiddo a thrysorau pobl eraill, ac ennill hoen corff ac ysbryd drachefn wrth geibio am drysorau drutach nag aur y Rhufeiniaid o'r Gogofau gerllaw, yn hen hanes ardal Caeo a Chrug-y-bar a Thalyllychau.

Y mae eraill y dymunwn yn fawr ddiolch iddynt am garedigrwydd a chwrteisi di-ffael wrth ymholi â hwy: y Parch. W. J. Rhys, Glandŵr gynt, hanesydd y Bedyddwyr, am wybodaeth am Iwan

of the many who were forced to make the life and fate of Wales a crucial part of their own life and fate. This has already been amply expressed; and it will be expressed again, if Wales is to live, in a far better and fuller way than I can devise.

As a child I had heard much talk of the things of the past, and, unconsciously, I must have listened well, because hosts of them have stayed with me all my life. As I chronicle several of them here, I have tried, as far as I can, to find documentary proof. Mostly, they have stood the test well. Occasionally, however, there was some dark corner or obscurity in the story as I heard it, that meant that I never understood it clearly – some defect in my initial memory or grasp of it, perhaps, or in those of the people who told it to me, that had been handed down through the generations. However, more than once, a simple record in the old parish register, or some other fact I had stumbled across, would throw new light on it and confirm its inherent truth, although not always exactly as I had believed it to be.

As far as I can gather, my father's forebears, on both sides and over centuries, inhabited the two parallel parishes of Llansawel and Caeo; and my mother's the northern edge, the Teifi edge of the parishes of Pencarreg and Llanybydder. The only exception was my grandfather's family on his mother's side, Enoc Francis's family, who came from Cardiganshire. This made the work of tracing my family tree far easier than if they had scattered far and wide. In my effort to ensure factual accuracy, I was hugely fortunate in securing the ready and willing assistance of two special friends whose roots, like mine, are deep in the old families of north Carmarthenshire. Their help was unstinting, and I am glad of this opportunity to express my deepest thanks to them. I refer to the Rev. Dan Thomas, vicar of Caeo, whose knowledge of the families of Blaenau Cothi and parts of the Teifi Valley is remarkable; and to Mr. Rhys Dafys Williams of Llansadwrn, who sacrificed his health as a bank manager in looking after the property and treasures of others, and regained it in digging for the far more precious Roman treasures in the nearby Gogofau, and in the ancient history of Caeo, Crug-y-bar and Talyllychau.

There are others whom I wish to thank for the unfailing kindness and courtesy with which they answered my questions: the Rev. W. J. Rhys, formerly of Glandŵr, the Baptist historian, for information about Iwan (David Williams) and his connection with Enoc and

(David Williams) a'i gysylltiad ag Enoc a Benjamin Francis; y Parch. Gomer M. Roberts, am hawl i ddyfynnu o'i ddarlith ddydd dathlu dau can mlwyddiant capel Bethel, Llansawel, a godwyd yn rhan olaf 1746 – capel cyntaf y Methodistiaid Calfinaidd yng Nghymru, yn ôl pob tebyg; ac i'r Parch. Stephen Jones, gweinidog presennol Bethel, am fenthyg y copi o'r ddarlith hon, y mae'n resyn nas cyhoeddwyd gan yr eglwys ar y pryd, yn ôl y bwriad; fy hen ddisgybl, Mr. Francis Jones, ein prif awdurdod heddiw ar achyddiaeth y Cymry, am ei barodrwydd a'i gyflymdra nodweddiadol yn cael rhai manylion drosof o'r Public Record Office; Mr. E. D. Jones o'r Llyfrgell Genedlaethol; Mr. Brian Frith, gŵr hyddysg yn hanes Esgobaeth Caerloyw, Pyrswr y tri Choleg – Iesu, Hertford a Magdalen, yn Rhydychen – ynghyd â'r Parch. W. D. Williams, rheithor Begeli, Sir Benfro, am gymorth yn fy ymdrech ofer i geisio asio ynghyd ddau driawd o Jamsiaid clerigol, yn dad, mab, ac ŵyr, a fu'n olynol yn dal cysylltiad â Llansawel, Rhydychen a Swydd Gaerloyw, o 1672 hyd 1839; y cyfreithwyr, Mri. Morgan Griffiths Prosser a Grant, o Gaerfyrddin, parthed map y degwm; yr Athro John Hughes, Montreal, am ddarllen y llawysgrif drwyddi, a Wil Ifan ran ohoni, ac am lawer awgrym craff gan y ddau. Dyledus arnaf hefyd yw coffáu fy nyled i'r diweddar Fred S. Price, Abertawe, brodor o Lansawel, am ei lyfrau hanes byr a diddorol o'r tri phlwyf – Llansawel, Caeo a Thalyllychau.

Ac yn olaf, dymunwn ddiolch yn gynnes i Wasg Gomer am eu gofal mawr a'u cwrteisi arferol wrth argraffu'r llyfr.

D. J. Williams, 1953

Benjamin Francis; the Rev. Gomer M. Roberts, for permission to quote from his bicentennial lecture at Bethel, Llansawel, which was built at the end of 1746 – the first Calvinistic Methodist chapel in Wales, in all likelihood; and the Rev. Stephen Jones, the current minister at Bethel, for lending me a copy of this lecture. It is a pity that the church did not publish it at the time, as was intended. I would like to thank, too, my former pupil, Mr. Francis Jones, our leading authority today on the genealogy of the Welsh, for searching out some details for me from the Public Record Office with his characteristic enthusiasm and speed; Mr. E. D. Jones of the National Library; Mr. Brian Frith, an authority on the history of the Gloucester Diocese and Purser of the three Oxford colleges – Jesus, Hertford and Magdalen – as well as the Rev. W. D. Williams, rector of Begelly, Pembrokeshire, for assistance with my unsuccessful attempt to join together two clerical trios of Jameses, father, son and grandson, who successively had a connection with Llansawel, Oxford and Gloucestershire, from 1672 to 1839; the solicitors, Messrs. Morgan Griffiths Prosser and Grant, of Carmarthen, for the tithe map; Professor John Hughes, Montreal, for reading the whole manuscript, and Wil Ifan for reading part, and for many perceptive suggestions from both. I am also indebted to the late Fred S. Price, Swansea, a native of Llansawel, for his interesting short histories of the three parishes – Llansawel, Caeo and Talyllychau.

Finally, I wish to express my warm thanks to Gomer Press for their great care and their usual courtesy in printing this book.

D. J. Williams, 1953

Nodyn gan y Cyfieithydd

Cefais bleser mawr, a chryn drafferth hefyd, wrth gyfieithu *Hen Dŷ Ffarm* i'r Saesneg, a gobeithio nad wyf wedi aberthu swyn y gwaith gwreiddiol. Byddaf yn aml yn ymglywed â grym diffiniad Robert Frost o farddoniaeth – 'Yr hyn a gollir wrth gyfieithu' – a phan fo awdur yn ymuniaethu mor llwyr â'i thema, fel y gwna D. J. Williams yn *Hen Dŷ Ffarm*, a phan fo'r iaith hithau yn rhan mor annatod o'r thema honno, mae cyfieithiad yn wynebu'r un perygl.

Rhan bwysig o'r diwylliant Cymreig ers amser maith yw'r storïwr yn diddanu ei gymdogion ar yr aelwyd, a hynny gan ymdeimlo'n ymwybodol â'i gelfyddyd. Cyflwynodd Dr Williams, sy'n awdur storïau byrion blaenllaw, un o'i gasgliadau i storïwyr gorau bro ei hen gartref, a chyn iddo fentro cyhoeddi'n helaeth yr oedd yn adnabyddus i'w gyfeillion fel aelod o'r hil ddiddangar hon. Ond teimlech wrth wrando arno fod ei graffter cynhenid wedi dod yn ddehongliad ac yn weledigaeth drwy ei hydreiddio â'i gariad at ei henfro ac at Gymru, a'i deyrngarwch iddynt.

Yn briodol iawn, mi gredaf, dewiswyd y gyfrol hon gan Syr Ben Bowen Thomas, yntau'n storïwr nodedig, i'w chyfieithu mewn perthynas â chynllun UNESCO i wneud cenhedloedd mawr y byd yn ymwybodol o'r rhai lleiaf, ac mae'r cyhoeddiad hwn wedi deillio o grant gan y corff hwnnw. Rwyf yn ddiolchgar i mi gael fy newis yn gyfieithydd. Ymgynghorais yn gyson â'm cyfaill yr awdur, ond myfi sy'n gyfrifol am unrhyw ddiffygion. Rwyf yn ddiolchgar hefyd i'r cyhoeddwyr am eu gofal mawr.

Cyflwynodd D. J. Williams ei *Hen Dŷ Ffarm* i drigolion y pedwar plwyf yn ei hen gymdogaeth

LLANSAWEL A CHAEO
PENCARREG A LLANYBYDDER

ac wrth wneud hynny cyhoeddodd wrth y byd, mi gredaf, ei ymlyniad wrth ymarferwyr hen gelfyddyd yr aelwyd yn nyddiau ei febyd.

Waldo Williams, 1961

Translator's Note

I have found great pleasure, and some difficulty too, in translating *Hen Dŷ Ffarm* into English, and I hope I have not altogether lost the charm of the original. I have often felt the force of Robert Frost's definition of poetry – 'What is lost in translation' – and when an author identifies himself so completely with his theme, as D. J. Williams does in *Hen Dŷ Ffarm*, and when the language is itself such an inherent part of the theme, the same hazard attends translation.

The fireside storyteller entertaining his neighbours, not without a sincere consciousness of his art, has long been an important contributor to Welsh culture. Dr. Williams, who is a leading short story writer, dedicated one of his collections to some of the best storytellers in the locality of his old home, and before he ventured into print to any great extent he was known to a wide circle of friends as one of this entertaining tribe. But his innate power of observation, you felt in listening to him, became interpretation and vision through being suffused with his love of his old neighbourhood and of Wales, and his loyalty to them.

Sir Ben Bowen Thomas, himself a noted raconteur, very fittingly, I believe, chose this book as one to be translated in connection with the UNESCO scheme to bring to the bigger nations of the world some understanding of the smaller ones, and this production has been facilitated by a grant from that body. I am grateful for having been chosen as translator. I have repeatedly consulted my friend the author, but I must remain responsible for any defects. I am grateful also to the publishers for their care and attention.

D. J. Williams dedicated *Hen Dŷ Ffarm* to the inhabitants of the four parishes that comprise his old neighbourhood

LLANSAWEL AND CAEO
PENCARREG AND LLANYBYDDER

and in doing so he proclaimed his affinity, I believe, with the practitioners of the fireside art in his early days.

Waldo Williams, 1961

PENNOD I

O Gwmpas y Nyth

Fe'm ganed i, David John Williams, medden nhw, ym Mhenrhiw, plwyf Llansawel, Sir Gaerfyrddin, rhwng pedwar a phump o'r gloch y bore, y 26 o Fehefin, yn y flwyddyn 1885, a Margaret Anne, 'Pegi' fy chwaer, rhwng tri a phedwar o'r gloch, fore'r 21 o Ionor, 1887. Yn ôl fy mam fe gododd Pegi awr gyfan o'm blaen i byth er y bore cynnar hwnnw. Cawsom ein dau ein henwau tramor oddi wrth ein dau dad-cu a'n dwy fam-gu – Jaci a Marged, Penrhiw a Dafydd ac Ann, Rhiw'r Erfyn (Gwarcoed, ar ôl hynny) – Cymry na wyddai tri ohonynt, hyd y gallaf i weld, odid air o Saesneg, na'r pedwerydd, Jaci, ond Saesneg pen ffair a digon i gadw tipyn o gyfrifon tolciog mewn dyddiadur. Bu brawd i ni, y cyntaf-anedig o'r briodas, farw ar ei enedigaeth, drwy i Mam, yn ei gwylltineb, redeg i lawr dros lether serth Cae-dan-tŷ, o glywed fod buwch yn y gors ar waelod Cae Du, a hithau yn nyddiau ei thymp.

Oni bai am y ddamwain honno, fel y clywais ddweud, 'James' fuasai fy enw i fel yr ail fachgen, ar ôl enw fy Nwncwl Jâms, brawd ieuengaf fy nhad, a oedd yn ŵr ifanc cyn priodi yn byw gyda ni'r pryd hwnnw fel un o'r teulu. Yn ôl pob tebyg, felly, 'Jim Penrhiw' fuasai f'enw i yn yr ardal, rhag bod dau Jâms yn yr un tŷ. Roedd gan fy mam frawd o'r enw Jâms; ac yr oedd Jâms, hefyd, yn enw teuluaidd o ochr fy nhad. Cawsai Nwncwl Jâms ei enw ar ôl ewythr iddo, Jâms Williams, 'Jemi Cilwennau', brawd fy nhad-cu, ac un o feibion Llywele. Marged Jâms, hefyd, ydoedd fy mam-gu cyn priodi, un o Jamsiaid Cwm Gogerddan, Caeo.

Wrth geisio chwilio'n ôl yng nghelloedd cynharaf y cof a chroniclo'r hyn a geir yno daw rhai anawsterau. Yn gyntaf, y mae ceisio gosod digwyddiadau yn ôl eu trefn hanesyddol yn waith go anodd gan fel y tawdd pob peth i'w gilydd yn y darlun sefydlog hwn sy'n aros mor glir ym meddwl y rhan fwyaf o bobl. *Bod*, yn unig, yn hapus ddiddig, y mae'r plentyn normal a fegir dan amgylchiadau normal yn ystod y blynyddoedd hyn. Y mae dydd a blwyddyn a thragwyddoldeb yr un hyd iddo, ac yn golygu'r un peth, hyd y mae'n ymwybodol ohonynt o gwbl. Un heddiw diderfyn yw'r cyfan. Yn ara deg y gwawria arno ei ddoe a'i yfory, a'u llawenydd a'u gofidiau yn cydluosogi.

CHAPTER I

Around the Nest

I, David John Williams, was born, they say, in Penrhiw, in the parish of Llansawel in Carmarthenshire, between four and five o'clock in the morning on the 26th of June, in the year 1885, and Margaret Anne, my sister Pegi, between three and four o'clock in the morning on the 21st of January 1887. My mother used to say that Pegi got up an hour before me ever afterwards. We got our alien names from our grandparents, Jaci and Marged Penrhiw and Dafydd and Ann Rhiw'r Erfyn (later Gwarcoed), who were all Welsh people. Three of them hardly knew a word of English, as far as I am able to ascertain, and the fourth, Jaci, had only fairground English, enough of it to keep accounts, in a battered way, in his daybook. A brother, the first-born of the marriage, died at birth through my mother's having run down the steep slope of Cae Dan Tŷ, when her time was near, in her excitement on hearing that a cow had got into the bog at the bottom of Cae Du.

I heard them say that, if it were not for this accident, I, as the second son, should have been named James after Uncle Jâms, my father's youngest brother, a young man not then married, living with us as one of the family. In that case I should most likely have been Jim Penrhiw to the people of the neighbourhood, so that there should not be two Jâmses in the same house. My mother had a brother Jâms, and Jâms was a name in the family on my father's side. Uncle Jâms was named after an uncle of his, Jâms Williams, Jemi Cilwennau, my grandfather's brother, one of the sons of Llywele. My father's mother's maiden name was Jâms, too. She was one of the Jâmses of Cwm Gogerddan, Caeo.

Difficulties arise when one searches back in memory's earliest cells and records what one finds. First, it is a hard task to put the incidents in their time sequence because they tend to fuse into the one static image that remains so clear in the minds of most people. During these years the normal child, brought up in normal circumstances, does nothing but happily and contentedly exist. Day and year and eternity are the same length and mean the same to him as far as he is conscious of them. It is all one endless day. His yesterday and tomorrow dawn on him slowly with the increasing interplay of their joys and sorrows.

2

Yn ail, y mae ei ddychymyg, hefyd, yn fyw rhyfeddol yn ystod y cyfnod hwn, a ffaith a ffansi'n gwau'n rhwydd i'w gilydd. O glywed adrodd gan eraill am ryw ddigwyddiad, nifer o weithiau, yn enwedig os y'i hadroddir yn weddol fywiog a dramatig, mae'n bosib i blentyn ddod i gredu'n gwbl onest ei fod ef yn y man a'r lle ar y pryd, yn gweld ac yn clywed y cyfan. Dyna pam y mae rhai plant bach o'r tair i'r whech oed, weithiau'n mynd trwy gyfnod o gelwydda arswydus, nes peri dychryn i'w rhieni gofalus am gywirdeb cydwybod o'r crud; a'r tad neu'r fam, efallai, wedi llwyr anghofio am gyfnod tebyg yn ei hanes ef, neu hi, ei hun. Peth gwahanol i hyn yw pall neu lacrwydd cynhenid y cof, a thra gwahanol wedyn yw'r pall neu'r llacrwydd moesol hwnnw lle nad yw'r ffin rhwng gwir a chelwydd, drwy gydol oes, ond mater o hwylustod personol.

Fel y digwydd, mae gennyf i un toriad clir yn fy hanes sy'n rhoi mantais arbennig i mi i amseru digwyddiadau yn ystod y cyfnod cyntaf yr wy'n ei gofio. Saif y toriad hwnnw yn glir a phendant yn fy meddwl, o hynny hyd heddiw. Nid â dim yn ôl nac ymlaen drosto.

Ar lyfr y dreth, yr enw ar fy hen gartref cyntaf i yw Penrhiw Fawr; nid am ei fod yn fawr, mae'n amlwg, ond i'w wahaniaethu oddi wrth Benrhiw arall yn yr un plwyf, dipyn yn nes i bentre Llansawel, sef Penrhiw Drummond fel y'i gelwid weithiau, oherwydd perthyn ohono i stad a theulu Syr James Drummond o blas Rhydodyn, perchen degwm y plwyf cyfan y pryd hwnnw, ynghyd â'r rhan helaethaf a gorau o'i dir. Ddechrau Hydref 1891, yn union wedi Dydd Gŵyl Hengel, dydd pen tymor deiliaid tai a thiroedd yn gyffredin, ymfudodd fy rhieni o Benrhiw Fawr, ynteu, a rhoi iddo ei enw swyddogol am y tro, gan groesi banc Cwmcoedifor, dros dop y tir, i le bach yn union yr ochr arall i'r bryn, o'r enw Aber-nant, ar ochr y ffordd fawr sy'n rhedeg o Landeilo yn Nyffryn Tywi i Lanybydder yn Nyffryn Teifi. Rown i'n chwech a chwarter oed ar y pryd.

I mi y mae dydd yr ymfudo hwnnw yn un o ddyddiau pwysicaf fy mywyd. Rwyf wedi bod o'r farn ers tro byd, ar wahân i bob peth a ddywaid y seicolegwyr diweddar wrthym i gadarnhau hynny, fod cof a sylw plentyn o'r hyn sy'n mynd ymlaen o'i gwmpas yn ei ddyddiau cynnar cynnar, yn rhywbeth llawer iawn dyfnach a dwysach nag y mae pobl, yn gyffredin, wedi arfer ei gredu. Clywais Deio'r Llether, dros ei bedwar ugain oed, ar gornel cae gwair, yn adrodd yn hollol sobr ei fod e'n cofio 'fel se hi ddo'' am 'i fam yn hala 'i llaw i'w phoced fowr o dan 'i phais ac yn rhifo

Again, one's imagination is very much alive during these years, and fact and fancy are easily woven together. When a child hears people speak time and again of an incident, especially if their relation of it is lively and dramatic, it is quite possible for him to come to believe that he was there at the time, hearing and seeing it all. That is why some children from three to six years old go through a stage of fibbing that is frightening to their parents in their solicitude for their children's integrity from the cradle, the father or the mother perhaps having completely forgotten such a period in his or her own life. A naturally poor memory is another matter; and still another is that moral laxity where the boundary between truth and falsehood is throughout life a matter of personal convenience only.

As it happens, I have one clear division in my life that gives me an advantage in dating my earliest memories. This division ever remains clear and definite in my mind. Nothing passes over it, either backward or forward.

On the rate-book the name of my earliest home is Penrhiw Fawr – that is, Great Penrhiw – so called, obviously, not on account of its size, but to distinguish it from another Penrhiw in the same parish, Penrhiw Drummond, as it was sometimes called, as it belonged to the estate and family of Sir James Drummond of Plas Rhydodyn, who owned the tithes of the whole parish at that time, as well as most of the land, and the richest land, therein. At the beginning of October 1891, Michaelmas Day being the end of the year of tenure generally, my parents moved from Penrhiw Fawr, to give it its official name for the time being, and went over Cwmcoedifor bank to a little place on the other side of the hill called Aber-nant, at the side of the road that runs from Llandeilo, in the Tywi valley, to Llanybydder, in the Teifi valley. My age at the time was six years and three months.

The day we moved still remains to me one of the most important days of my life. I have long been of the opinion myself – apart from everything that psychologists say to confirm it – that a child's observation and memory of what goes on around him in his very early days are very much deeper and more intense than people in general have believed them to be. I heard Deio'r Llether when he was over eighty years old relating to us in a corner of a hayfield, quite soberly, that he remembered 'as if it were yesterday' how his mother put her hand into her big pocket under her petticoat and counted out twenty gold sovereigns on the palm of his father's hand

mas ugen sofren felen ar dor llaw 'i dad iddo fe fynd i brynu ceffyl i Ffair Gŵyl Barna Landeilo – a hynny dri diwrnod cyn iddo fe gael 'i eni! Hen walch go wreiddiol ei ffordd ydoedd Deio; ac nid awn i mor bell â chadarnhau gwirionedd llythrennol y dystiolaeth bendant uchod. Ond mi ddywedaf hyn – y credaf y gallwn i, heddiw, sgrifennu llyfr o dipyn o faint, heb dynnu dim ar fy nychymyg, yn ymwybodol, beth bynnag, o'm hatgofion am fy mywyd ym Mhenrhiw cyn i mi adael y lle yn rhyw chwech oed. Fel y dywedais yn barod, math o ddarlun sefydlog o'm bywyd sydd gennyf hyd at yr adeg hon, ac nid oes gennyf wrth law ond rhyw ddyddiad neu ddau i ategu neu i gywiro dim arno. Rhyw heddiw ddiddyddiad, ddiddarfod, ddiofid ydoedd y cyfan. Yr amseriad mwyaf pendant sydd gennyf yw'r dydd uchod y gadawsom Benrhiw, ddechrau Hydref 1891.

Pa bryd y digwyddodd y llu mawr o bethau a gofiaf yn ddigon clir – yn gynnar neu'n ddiweddar yn ystod y chwe blynedd hyn – nid oes gennyf fawr o syniad. Ond gallaf eu *lleoli* heddiw yn lled sicr, y rhan fwyaf ohonynt, a nodi ymhle y digwyddodd y peth a'r peth, a'r fan yr own i'n sefyll arno, weithiau, pan glywais i hyn a hyn – ai yn y tŷ, ar y clos, yn y tai mas, yn yr ydlan, y berllan, yn un o'r gelltydd, neu ar ryw gae neilltuol. Gallaf ddangos y fan, er enghraifft, o fewn ychydig lathenni, o leiaf, ar Gae Llether Byrgwm lle gwelais i Nwncwl Jâms yn neidio, whiw, fel brân yn yr awyr, o ben y llwyth drain a mangoed, a Blac a'r gambo, gyda hynny, yn trolian dwmbwrdambar, bedair neu bum gwaith i lawr dros y fron serth, nes sefyll o'r diwedd ar y waunlle frwynog ar y gwaelod – heb sgrap ar y gaseg, na linc o'r offer na dim o'i le. Mi fentraf ddweud hefyd, nad âi llawer o neb yn y wlad â chart i'r fath le ond 'nhad. Dyn bach pybyr, mentrus oedd 'nhad, wedi ei fagu ar ffarm lethrog, drafaelus. Ond wrth fentro roedd 'i lygad e bob amser yn siarp yn 'i ben e, a fe'i hunan, bob tro, fyddai yn y perygl pennaf. Y tro hwn, fodd bynnag, fe fentrodd fodfedd yn rhy bell – y fodfedd brin honno sydd weithiau'n pennu'r ffin i ddyn ac anifail rhwng amser a thragwyddoldeb.

Gallaf ddweud wrthych, hefyd, yng nghôl pwy yr eisteddwn i dan gornel chwith mantell 'y shime lwfer' pan ganai Harris Bach, fy nghe'nder, a oedd yn was twt yno ar un adeg, ei unig gân gyhoeddus – 'Hobed o Hilion'. Clywaf eto, druan o Harris Bach, ei lais ifanc, melys-grynedig, yn mynd trwy oslefau hiraethus yr hen alaw odidog hon, wedi i bawb, yn eu tro, fod wrthi drwy'r hwyrnos

for him to go and buy a horse in St. Barnabas Fair in Llandeilo – and that was three days before he was born! Deio was an old fellow who had his own sly way of putting things, and I would not go as far as affirming the literal truth of that testimony! But I will say this: I think I could write a sizeable book of my recollections of life in Penrhiw before I left that place at the age of six without drawing upon my imagination at all – at least, not consciously. As I have said, it is a kind of static image I have of my life up to that time, and I haven't as much as one objectively established date to hand to support or to correct my memory of it. It was all one long today, dateless, endless, and carefree. The only definite point of time I have is the day we left Penrhiw at the beginning of October 1891.

When the many things I remember actually happened, whether early or late in the course of that six years, I haven't much of an idea. But I can locate most of them with a degree of certainty – where such and such a thing happened and where I was standing when I heard what I heard, whether in the house or on the fold or in an outhouse, or in the haggard or the orchard or one of the woods or a certain field. For instance, I could show you the place, at least within a few yards, on Cae Llether, Byrgwm, where I saw Uncle Jâms jump – *whew* – like a crow into the air from the top of a load of thorn and brushwood when, at the same moment, Blac and the gambo began rolling over and over four or five times down the steep slope until they stopped at last on the rushy, moory land at the bottom, without a scratch on the mare and without a link of the harness out of place! I would venture to say that not many besides my father would have taken a cart to such a place. My father was a staunch and game little man, brought up on a hilly and difficult farm. But he always had a quick eye when he took a risk, and it was he himself who would always be in the greatest danger. This time, however, he ventured an inch too far – that inch that sometimes marks the bourn between time and eternity for man and beast.

I can tell you, too, on whose lap I was sitting under the left-hand corner of the chimney mantel when my cousin Harris Bach, who was a farm-boy there for a time, was singing the only song he would ever sing in public, 'Hobed o Hilion'. I hear him now, poor Harris Bach, his sweetly quivering voice going through the wistful cadences of that splendid old air, after everyone in turn from time to time all through the evening had begged and coaxed him to sing. Everyone in Penrhiw could sing, I should think, except my mother.

yn ei gocso a'i gapian i ganu. Roedd pawb yn medru canu ym Mhenrhiw, gallwn feddwl; pawb ond 'mam. Priodi i mewn i'r aelwyd a wnaeth hi. Nid oedd cerddoriaeth yn nheulu Gwarcoed. Cân Harris Bach, os ceid ganddo ganu, hefyd, fyddai'r eitem derfynol fel rheol. Ond weithiau, a phawb ar ymadael am ei wâl, ac yntau wedi bod, drwy'r nos, yn bigitian â'r tân â phig ei fegin, fe ddisgynnai'r ysbryd ar Nwncwl Bili, brawd 'nhad-cu, a aned cyn Waterloo, gan beri iddo ddechrau ar un o'i storïau maith a manwl am yr hen amserau. Roedd e'n hen ŵr craff iawn, medden nhw, a'i gof am y dyddiau gynt yn rhyfeddol. Ond stori i'w gohirio yw honno amdano ef a'r hen Ddafydd Gilwennau, y ffarmwr a'r porthmon o Lansewyl, yn mynd â da bywiog Sir Gaerfyrddin i ffeiriau Lloegr. Eithr rhag anghofio peth mor bwysig – yng nghôl William John (Nant Gwinau, wedi hynny), ffafret fowr gen i, a gwas am y flwyddyn, gyda Nwncwl Dafydd 'r Esgair, y ffarm nesa, yr eisteddwn i un o'r troeon hyn, beth bynnag. Roedd yntau'n hoff o ganu, a doi draw ambell hirnos gaea, wedi dibennu â'r ceffylau, i uno yn y cwmni ar aelwyd Penrhiw.

Ychydig o bethau a gofiaf i am y capel, am nad eid â mi yno'n fynych, oherwydd y pellter i goesau byrion, mae'n debyg – dwy filltir faith dros gaeau serth a gweundir ac afon y rhan gyntaf o'r ffordd, i gapel yr Annibynwyr yn Esgerdawe. Yno'r oedd fy mam yn aelod selog cyn priodi, a pharhaodd yn Annibynwraig yr un mor selog hyd ei bedd, er yn perthyn i gapel y Methodistiaid yn Rhydcymerau ran helaethaf ei hoes. Roedd ffyddlondeb a pharch i bethau cynharaf ei bywyd, mewn cartref ac eglwys, yn fath o addoliad yn natur fy mam. Rwy'n cofio am y pregethwr yn gweiddi – y Parch. Henry Jones, Ffaldybrenin, y gweinidog. Ef ydoedd gŵr 'Nanti Rachel', chwaer i fam Idwal Jones, Llambed. Gwraig o allu a phersonoliaeth arbennig ydoedd Mrs. Henry Jones. Clywais Idwal, gyda'i ysmaldod arferol, yn dweud yn ddiweddarach fod ar Olwen, ei chwaer, ac yntau, yn blant ar eu gwyliau yn Ffaldybrenin, fwy o ofan ei Nanti Rachel nag o ofn y Bod Mowr 'i Hunan. I'm mam i, ni fu'r fath ddyn erioed â'i gweinidog bore oes hi, Henry Jones, Ffaldybrenin, na rhagorach gwraig na'i briod. Ef, medden nhw eto, a daenellodd ddiferynnau oerion ar fy nhalcen i yn sgrechgi bach erchyll yn ei gôl yn set fawr Esgerdawe. Ond, fe synnwch, efallai, does genny'r un whithryn o gof am hynny, er pwysiced yr amgylchiad.

7

She married into the home. There was no music in the Gwarcoed family. Harris Bach's solo, when he could be prevailed upon to give it, would usually be the last item. But sometimes, when everybody was about to repair to bed, Uncle Bili, my grandfather's brother, born before the battle of Waterloo, who had been all the evening teasing the fire with the nose of the bellows, would suddenly feel the spirit descend upon him and make him begin one of his long and detailed stories about the old times. He was a keen-witted old man, by all accounts, and his memory for the olden days was wonderful. But that story about himself and old Dafydd Cilwennau, the farmer and drover from Llansewyl, taking those lively Carmarthenshire cattle to the fairs in England, is one whose narration I must at present postpone. But lest I forget to mention so important a matter, on one of the occasions when this story was proceeding I was sitting on the lap of a great favourite of mine, William John (afterwards Nant Gwinau), who was that year Uncle Dafydd's man on Yr Esgair, the farm next to ours. He too was fond of singing, and would come over occasionally on a winter evening when he had finished with the horses to join the company on Penrhiw hearth.

I have few memories of chapel, as I was not often taken there, probably because it was a good distance away for short legs – two long miles across steep fields, with a moor and a river on the first part of the way, to the Congregational chapel in Esgerdawe. My mother was a staunch member there before her marriage, and she remained till the end an equally staunch Congregationalist, although for the greater part of her life she belonged to the Methodist chapel in Rhydcymerau. Her loyalty to the best things in her early life in home and church and her reverence for them remained in my mother's nature a lifelong devotion. I remember the preacher shouting. He was the minister, the Reverend Henry Jones of Ffald y Brenin. He was Auntie Rachel's husband, Idwal Jones Lampeter's Auntie Rachel, his mother's sister. I remember Idwal saying with his usual drollery that he and his sister Olwen on their holidays in Ffald y Brenin in their childhood were in greater fear of Auntie Rachel than of God Almighty. In my mother's eyes no such man ever lived as her minister in her early days, Henry Jones Ffald y Brenin, nor ever a more excellent woman than his wife. It was he – I go again by hearsay – who sprinkled the cold drops on my forehead and set me screaming in his arms in the big pew in Esgerdawe. But maybe you will be surprised to learn that I haven't the slightest recollection of that important event.

Er nad yw'r pellter o'm hen gartref i Ffaldybrenin ond rhyw chwech neu saith milltir yn groes gwlad, eto unwaith yn unig, a hynny yn ei thŷ ei hun, y cwrddais i â Mrs. Henry Jones, a minnau, bellach, mewn oed, yn berchen gradd gyfan, ac wedi bod yn llanw bwt drwy geisio pregethu yn y capel ryw fore Sul, a chael cinio ganddi hi. Mae o'm blaen, yn awr, rodd a gefais ganddi hi'r bore hwnnw ac a brisiaf ymhlith fy nhrysorau. Llyfr trwchus, cyfansawdd, wedi ei rwymo'n dda ydyw, yn cynnwys *Cymru Fu* (Glasynys), *Traethodau Gwladol a Moesol*, Francis Bacon (cyfieithiad Richard Williams, Trallwng) ac *Atgofion am John Elias* gan R. Parry (cyhoeddwyd gan Isaac Foulkes, Liverpool, 1864). Dyma sydd wedi ei sgrifennu arno:

Rhodd Mrs. Henry Jones i Mr. Williams, B.A., er cof am ei hannwyl ŵr y Parch. H. Jones, gweinidog Ffaldybrenin ac Esgerdawe am 40 mlynedd.

Heddwch i lwch y ddau dyst ardderchog hyn o'r bywyd Cristionogol. Yn y cylch gwledig hwn dylanwadodd eu tystiolaeth ddisigl a chywir ar dorf fawr o bobl – yn uniongyrchol ac yn anuniongyrchol.

Roedd fy nhad yn heliwr o'i fodd. Cofiaf amdano'n gwanu'i ddryll o'r golwg ym môn y berth cyn dod at Ryd Fallen Isa ar y ffordd i ryw gwrdd deg o'r gloch, fore o'r wythnos yng nghapel Esgerdawe (Cwrdd Diolchgarwch, yn lled debyg); am rywun yn rhoi'r emyn mas i'w ganu bob yn ddwy linell i lond capel o bobl; ac am lais tyner rhyw hen ŵr ar weddi, yn codi ac yn gostwng, yn codi ac yn gostwng, a'r effaith arnaf i.

Cofiaf, hefyd, am y sioc a gefais ar ddiwedd y cwrdd whech ryw nos Sul ganol haf, a finnau'n dechrau adrodd yn gyffrous wrth 'nhad, ymhell cyn cyrraedd y drws, am y ci coch wedi boddi a welswn i yn y crych ar waelod y pwll o dan Esgair Wen wrth ddod i'r capel gyda Dafydd y gwas. Chwarddodd pawb yn uchel. Beth wnes i o'i le doedd genny'r un syniad.

Hen lanc ydoedd Nwncwl John, Gwarcoed, brawd 'mam, ac un o'r hen fechgyn cywiraf a mwyaf didwyll a fu erioed, ond yn arw a

Although Ffald y Brenin is only six or seven miles distant across country from my old home, I only once met Mrs. Henry Jones. That was in her own house when I was of age and a fully fledged graduate and one Sunday, when I was endeavouring to preach in the chapel as a supply, and was afterwards to dinner with her. I have before me now a gift which I greatly treasure and which she gave me that morning, a thick, composite, and well-bound book containing Glasynys's *Cymru Fu* and Richard Williams of Trallwng's (Welshpool's) translation into Welsh of Francis Bacon's *Political and Moral Essays*, and R. Parry's *Memories of John Elias* (in Welsh) (published by Isaac Ffoulkes, Liverpool, 1864). Here is the inscription:

Given by Mrs. Henry Jones to Mr. Williams, B.A., in memory of her dear husband the Reverend H. Jones, minister of Ffald y Brenin and Esgerdawe for forty years.

Peace to the souls of these two splendid witnesses of the Christian life. In this rural sphere their sincere and steadfast witness influenced, directly and indirectly, a multitude of people.

My father was fond of shooting. I remember him thrusting his gun out of sight in the bottom of the hedgerow before coming to Rhyd Fallen Isa on the way to a ten o'clock meeting one weekday morning in Esgerdawe chapel – probably a Thanksgiving meeting – then I remember someone giving out the hymn to be sung two lines at a time by the chapelful of people; and then the tender voice of some old man at prayer rising and falling, rising and falling again, with an effect upon myself that I have not forgotten.

I remember, too, the shock I got coming out from the six o'clock evening meeting one Sunday towards the middle of summer, when, long before I had reached the door of the chapel, I excitedly began to tell my father about the drowned red dog I had seen in the roughs of the river below Esgair Wen pool, going that way to chapel with Dafydd our man. Everyone laughed aloud. I had no idea what I had done amiss.

Uncle John Gwarcoed, my mother's brother, was a bachelor and as loyal and guileless a fellow as ever was, but he was clumsy and

lletwhith 'i ffordd gyda phlant. Rwy'n cofio'n eitha da fel y byddwn i, pan awn i weithiau i gwrdd bore Sul, yn arswydo rhag dod i ben hewl Cwm Dawe lle gwahanai'r ffordd i Benrhiw a Gwarcoed, oherwydd yno y byddai brwydr galed bob tro. Cydiai Nwncwl John â'i law fawr esgyrnog yn fy llaw i fel feis, gan geisio fy nhynnu gydag ef i Warcoed. Stranciwn innau gan lynu am fy mywyd wrth bwy bynnag o deulu Penrhiw a fyddai genny ar y pryd, rhag cael fy nwyn oddi arnynt yn erbyn fy ewyllys.

Y plentyn yw tad y dyn, medd yr hen air. A diau nad oes air cywirach, petai modd deall y plentyn yn llawn. Er yn gartrefol ddigon gyda llawer math o bobl, eto, yn nirgel ddyn y galon, dyn y cwmni bychan y bûm i erioed. Yno y gallaf fod debycaf i mi fy hun. Fe âi Pegi, fy chwaer, yn blentyn bach, yn siriol a serchog at bawb, medden nhw. Nid oeddwn i mor barod – medden nhw, eto. Gan ein bod ni mor bell o'r ffordd fawr ni ddôi rhyw lawer o ddieithriaid i Benrhiw. Hwyrach yr eglurai hynny'r ffaith mai tipyn o hwch fud oeddwn i y tu allan i gylch cyfrin y teulu. 'Plentyn diddig a chontented iawn yw e wedi bod, ariod' – llawer gwaith y clywais i 'mam yn dweud fel yna amdanaf wrth rywun o'i ffrindiau, pan oeddwn i'n fach. Clywais eiriau gwahanol ganddi weithiau, wedi i mi ddod yn hŷn, a dechrau magu cwils a sgwaro tipyn yn y nyth. Mae'n debyg mai wedi mynd i'r ysgol a chymysgu â phlant eraill tua'r un oed â mi y dechreuodd yr Hen Adda, o ddifri, aflonyddu ynof. Ond yn fy nyddiau cynnar, er mai tawedog oeddwn gyda dieithriaid, mae'n debyg, os cymerwn i at rywun fe gymerwn ato'n llwyr. Doedd dim hanner y ffordd yn bod. Gallaf gofio'n awr am ryw bedwar o bersonau a oedd mewn ffafar arbennig gennyf; a sylwer – dynion oedden nhw i gyd. Fues i ariod yn rhyw swci merched 'ma, er yn eitha partners â nhw. Diau y rhaid gadael atyniad naturiol dyn at ambell berson, neu greadur, yn fwy na'i gilydd, fel peth anesboniadwy, megis magned y gogledd, canys un o'm ffrindiau pennaf i, y cyfnod hwn, ydoedd yr hen John Ifans, Bryndafydd Isa – crebach o hen ŵr tal, tenau, araf ei barabl, a chnöwr dybaco dygn. Er fod yna'n agos i bedwar ugain mlynedd o amser yn ein gwahanu ni'n dau, eto, pan ddringai ef weithiau, a'i frest caeth, o gam i gam at y tŷ ym Mhenrhiw, ac eistedd dan fantell lydan y simnai, a dechrau tynnu siarad â fi, buan y ceid fi'n nythu rhwng ei ddwy benlin fain – 'a fe wedwn liw 'y mherfedd

awkward in his way with children. I well remember how, on Sunday mornings, when I had been in chapel, I dreaded coming to the Cwm Dawe road, where the ways to Penrhiw and to Gwarcoed parted, because a hard battle was fought there every time, Uncle John grasping my hand in his, which was big and bony and tight as a vice, trying to take me with him to Gwarcoed. I jibbed and kicked, holding for dear life fast to anyone of the Penrhiw family who was there at the time, lest I should be carried away from them against my will.

The child is the father of the man. There is no truer saw, if it were possible to understand the child completely. Although I am quite at home with many sorts of people, in the secret being of my heart I have always been a man of the smaller company. It is among these that I can be most like what I am. My sister Pegi, they used to say, would go to anybody cheerfully and affectionately. I was not so ready to do so, it seems. Not many strangers came to Penrhiw, as we were such a long way off the main road. That will perhaps explain my reticence and taciturnity at that time, outside the privacy of the family circle. Many times I heard my mother say of me to one of her friends, when I was a small boy: 'He has always been a good-tempered and contented child.' I heard her speak differently of me occasionally when I had grown older and had begun to grow my quills and to thrust out a little in the nest. I expect it was after I had started in school and begun to mix with other children that the Old Adam began to disturb me to a serious degree. But in my earliest days, although I had little to say among strangers, it seems that if I took to anyone I did so entirely. There were no half measures in that. I remember now four persons who were in particular favour with me, and notice that they were all men. Although I was quite friendly with women, I was never their pet. A person's natural attraction to another person or to an animal, in preference to others, must indeed be left an unexplained phenomenon, like the magnetic north, for one of my greatest friends at this period was old John Ifans Bryndafydd Isa, a withered old man, tall and thin, of slow speech and addiction to chewing tobacco. Although our ages were separated by nearly eighty years, when he climbed up to our house, step by step from his chest being so tight, and then sat in Penrhiw under the broad chimney mantel and began to draw me into conversation with him, it was not long before I could be seen nestling between his bony knees, and, according to my mother, I would tell him 'the colour of my

wrtho', meddai 'mam: hanes popeth a wyddwn – y cywion, yr ebol bach, yr oen swci, ac i chwanegu at ddifyrrwch yr hen ŵr, os byddai holi am hynny, câi wybod pwy oedd cariadon diwetha Nwncwl Jâms a'r gweision a'r morwynion. Y tri ffafret arall genny y tu fa's i'r teulu fyddai Nwncwl Dafydd 'r Esgair, y ffarm nesa, a Wiliam John, gwas yr Esgair, y soniais amdano'n barod, ynghyd ag Ifan, gwas Esgair Wen (Ifan y Rhiw, wedi hynny).

Ac fel troi tap pan fyddo cron y dŵr yn rymus, felly'n union o roi cyfle iddynt, y daw i mi lif o atgofion am bethau bychain, dibwys fel yr uchod: megis am y ddeudro neu dri y ces i fynd gyda'm mam y deuddeg milltir gyfan o ffordd i farchnad Llandeilo i werthu menyn ac wyau a ffowls; ie, ac ambell geiliog ffesant, a'r hydre symudliw ar ei fron, ac efallai betrisen fach dew wrth ei ochr, yn nistaw amdo'r sach. Roedd gofyn codi lesens dryll, tair a wheugain lawn, pris treisiad flwydd bron, y pryd hwnnw, cyn y câi dyn hawl i gwympo deryn ar ei dir ei hun; a thalu wheugain am gario dryll i saethu brân a fyddai'n difa'r had yn y gwanwyn. Pa ryfedd fod pob Cristion teilwng o'i broffes yn botsier cydwybodol – os potsier yw'r enw ar ddyn a esyd ei law ar yr hyn a fagodd ar ei gost ei hun. Ond lesens neu beidio, roedd pŵer o adar bach pert, y dwthwn hwnnw, yn newid dwylo'n slei bach ar fore Sadwrn rownd i gorneli tŷ marchnad a thre Landeilo.

Blac fyddai gyda ni, bob amser, ar y siwrneion hyn; a'r callaf o'r cesyg oedd hi, a'r mwynaf hefyd. Gallai plentyn ei thrafod. Roedd hi'n hamddenol a bonheddig, ac ni therfid mohoni byth gan unrhyw ffolineb neu wrthuni pen ffordd. Caseg goeslan, hoyw, o asgwrn cryf ydoedd hi, ryw bymtheg llaw a hanner ar yr ysgwydd, a'i chot, wedi bwrw ei henflew yn y gwanwyn, mor loywddu â'r frân, a seren olau yn ei thalcen.

Mae ambell geffyl, fel ambell ddyn, yn cael ei ladd yn fwy o lawer gan ofn ei lwyth na chan y llwyth ei hun. Gwelais geffyl, weithiau, yn gwneud ebwch mor arswydus wrth ddal yn ôl ar dipyn o oriwaered, â phetai llwyth o bum cant ar hugain yn bwrw ar ei fritsin – a chart gwag fyddai ganddo yn y diwedd. Gan mor siŵr yr oedd Blac o nerth ac ystwythder ei chymalau fel y gadawai i lwyth trwm o'i hôl ei gyrru'n llawenrwydd i lawr y rhiw. Ni wastraffai ei nerth na'i hysbryd i'w ddal yn ôl fwy nag oedd raid. Ond os teimlai fod gyr gynyddol y pwysau yn golygu perygl, mewn gwirionedd,

innards'. I would give account of everything I knew – the chicks, the foal, the pet lamb, and, to add to the old fellow's enjoyment if there were any enquiry made in that direction, I would let him know who Uncle Jâms's latest sweetheart was, and the men's and the maids' too. The other three favourites of mine, outside the family, were Uncle Dafydd of Yr Esgair, the adjoining farm, and William John his man, whom I have already mentioned, and Ifan the serving-man in Esgair Wen (Ifan the Rhiw afterwards).

Like turning on a tap when the water is under high pressure, a flood of reminiscences comes to me, if I give it a chance, memories of little trivial incidents like those I have mentioned. Such are the two or three occasions when my mother took me with her the whole twelve miles to Llandeilo market, to sell butter and eggs and poultry; yes, and perhaps a pheasant with autumn iridescent on its breast, and a plump partridge beside it in their silent canvas shroud. You had to raise a gun licence, every penny of three pounds ten, almost the value of a year-old heifer at that time, before you had the right to shoot down a bird on your own land. And you had to pay a licence of ten shillings to carry a gun to shoot a crow that was devouring the seed in the springtime. What wonder was it that every Christian worthy of his profession was a conscientious poacher – if poacher be the designation of a man who puts his hand upon what he has reared at his own cost? But licence or no licence, many a beautiful little bird changed hands quietly that day around the corners of the marketplace end of Llandeilo town.

It was always Blac who was with us on these journeys, and she was the most intelligent of mares, and the gentlest too. A child could manage her. She was deliberate and stately and was not frightened by any foolishness or absurdity on the road. She was a clean-limbed and lively mare, strong in bone, some fifteen and a half hands to the shoulder, and when she had cast her coat in springtime her new one was as glossy as a crow's, with a bright white star on her forehead.

Sometimes a horse, like a man, is more oppressed by the fear of a load than by the load itself. I have sometimes noticed a horse holding back on a slight declivity and uttering ejaculations that suggested that it had a load of twenty-five hundredweight acting on its breeching – and the cart would be empty after all. But Blac was so sure of her strength and of the suppleness of her joints that she would let a heavy load behind her drive her happy down the hill. She would not waste her strength and spirit in holding back any

megis ar riw Cwm Mas Del, y Rhiw Goch, neu riw Cae Melwas, byddai gewynnau nerthol ei phedair coes, mewn amrant, yn tynhau fel bandiau dur, gan ddwyn y cyfan, ar unwaith, dan reolaeth gyflawn. Ni chollodd Blac mo'i phen na'i throed erioed. Yr un modd, hefyd, ar y rhipyn byr, serth, neu ar y tyle hir a chaled, ni waeth beth am werth y ceffyl, neu'r ceffylau blaen, byddai dewredd ei bron, dan y wablin whys, yn aml, ac egr grafu ei phedolau llym, yr un mor ddi-dor. Syrthiai'n gorff cyn meddwl am ildio, a'r caletaf y dasg dycnaf yr ewyllys. Does debyg i wlad lethrog wedi'r cyfan am brofi gwerth dyn a gwerth anifail. Pan ânt i'r llefydd isel a'r trefi, meddalu a ddigwydd yn fynych mewn gewyn a moes. Beth bynnag a all fod gan drefn gras i'w ddweud ar y pen, y mae un peth yn dal yn gadarn gen i – os aeth caseg i'r nefoedd erioed am weithredoedd a bwriadau da, wel, Blac oedd honno; ie, a Dol, ei merch, ar ei hôl, o'r gwerinwr llwyd, di-dras hwnnw, Jac bach y Trawsgoed. Hyffordda geffyl ymhen ei ffordd . . . Ceffylau fel Blac a Dol, ac eraill o'r un ardal y gallwn eu henwi, a gwŷr tebyg iddynt a fu'n eu trin ac yn cydlafurio â hwy yn eu dydd, a ddiwylliodd fronnydd serth Gogledd Sir Gaerfyrddin gan eu troi'n dir gwair ac ŷd ac yn rhwydwe berthog o wlad wâr hyd at wrug y mynydd. Ac wele, un diwrnod, orchymyn y boneddigion o Lundain yn dod i gyflwyno'r goncwest hon, concwest y canrifoedd maith ar wylltineb natur, yn ôl i'r anialwch drachefn, drwy ei throi yn un *jungle* enfawr, anghyfannedd, o goed, o Rydcymerau i Frechfa, heb sôn am lawer ardal gyffelyb drwy Gymru gyfan.

Roedd Blac wedi pasio dyddiau'i 'llawn llwyau' pan oeddem ni ym Menrhiw, a hi, yn naturiol, o blith ei chydgarnolion a ddewiswyd i fynd gyda ni i'r tyddyn bach un hors-pŵer, Aber-nant, lle'r oedd cyfuniad o holl riniau ceffyl yn anhepgor – grym a hoywder ar lethr, cyflymdra ar briffordd, a synnwyr cyffredin a boneddigeiddrwydd ymhobman. A hi'n heneiddio, bellach, ar y teithiau hyn rwyf i'n eu cofio i Landeilo, gallai Blac ei chymryd hi'n benisel a myfyrgar ddigon am rai o'r milltiroedd cyntaf. Ac ni fyddai fy mam byth yn ei chymell hi maes o'i phas naturiol, oni fyddai raid caled. Onid oedd hithau, fy mam, bellach, yn dechrau teimlo pwys y blynyddoedd o waith caled, di-dor, nad arbedodd fymryn ohono erioed, yn dechrau dweud yn ei hesgyrn hithau? Cyd-bererinion oeddent ill dwy a'r iau'n trymhau ar eu gwarrau.

more than was necessary. But if she felt that the accumulative drive of the weight spelled danger, as on Cwm Ma's Del hill or Rhiw Goch or Cae Melwas hill, the powerful muscles of her four legs would in a twinkling tighten like iron bands, bringing everything at once under full control. Blac never lost her head or her foothold. And likewise on a short, steep rise or on a long, hard hill, no matter what might be the worth of the horse or horses in front of her, the courage of her often foam-flecked breast and the fierce dig of her sharp shoes would be as constant as ever. She would have fallen down dead before dreaming of giving up, and the harder the task the more resolute her will. After all, there is nothing like steep, hilly country for proving the worth of a man or an animal. When they go to the lowlands and to the towns a softening often sets in, in muscle and manner. Whatever grace may have to do with this, there is one thing I hold stoutly; if ever a mare got into heaven on the strength of good works and good intentions, that mare was Blac – yes, and another one after her was her daughter Doll by that grey unpedigreed peasant horse Jac bach of Trawsgoed. Train up a horse in the way that he should go. Horses like Blac and Doll and others of the same neighbourhood that I could even now name, and men like them, who handled them and laboured along with them, in their day these made a cultivated land out of the steep hillbreasts of the north of Carmarthenshire, turning them into grassland and cornland and into a hedgerow-knitted net of tamed country up as far as the mountain heather. And behold one day came the order from gentlemen sitting in London transferring this ascendancy of long centuries over the wildness of Nature back to the wilderness again, turning it into one huge uninhabitable jungle of trees from Rhydcymerau to Brechfa, not to speak of many similar neighbourhoods throughout Wales.

Blac had passed her prime when we were in Penrhiw; and naturally it was she who was chosen from among her hoofed companions to go with us to the little one-horsepower holding in Aber-nant, where a combination of all the equine virtues was requisite – strength and sprightliness on the slope, swiftness on the main road, and common sense and courtesy everywhere. Getting on in age as she was when I remember her on these journeys to Llandeilo, she would take the first few miles pensively, with her head low. And my mother never urged her out of this natural pace unless it were really necessary. For was not my mother, too, beginning

Eithr fel yr agorai'r dydd, a'r cerbydau'n amlhau ar y ffordd, ac ambell un ohonynt a rhyw ebolyn ifanc, go ysbrydol ynddo, heb ddysgu, eto, lawer o faners y briffordd, yn ei phasio'n lled ddigwnt, dechreuai Blac, yr hen feteran, godi'i phen a chocio'i chlustiau, fel petai hi'n cofio am ddyddiau gynt pan nad oedd odid geffyl ar y ffordd hon a'i dilynai am y deng milltir cyfan o switsbac rhwng Llansewyl a Llandeilo. Ac wedi unwaith ddechrau twymo ati fel hyn, nid oedd llawer, hyd yn oed yn ei hen ddyddiau, a allai ddangos pâr o bedolau'n hir iawn iddi yn ystod rhan olaf y siwrnai. Ymhen rhai blynyddoedd wedyn, y daeth to ysgafnach o geffylau i hedfan dros y ffordd hon, a ffyrdd eraill y sir – poni goch y Cart and Horses, a'i merch, Bess y Brynau, ie, heb anghofio am y boni siocoled bert honno â'r rhawn melyn, poni Dafydd Jones y Gweinidog (tad y Parch. Penry Jones, Llanelli). Roedd tân yn eu carnau hwy a mellt yn eu llygaid, a gwynfyd pur i lanc oedd bod ar gefn un ohonynt. Wrth gwrs, doedd yr ambell sgaram tal o geffyl hela hynny a brynai Tom Dafys Tŷ'n Cwm tua ffair Gaerfyrddin, weithiau, yn cyfrif dim yn ein byd ni. Rhyw hedfan daear dros dro a wnaent hwy.

Pan ddaeth Dol i ddyddiau'r addewid, dyddiau'r 'torri miwn' tua'r dwy oed, rwy'n feddwl, a dechrau cymryd arni ei hun y cyfrifoldeb am Aber-nant yn lle ei mam, bu raid meddwl am werthu'r hen Flac druan. Ni allem fforddio gadael iddi reteiro ar ei phorfa, er iddi haeddu hynny ganwaith drosodd. Oni phorai ceffyl â'i binsiad grop, grop, gymaint â dwy fuwch? Gofid trist i ni i gyd ydoedd meddwl am 'madael â'r hen gaseg; er rhaid cyfaddef fod campau Dol yn eboles fach, yn codi ei dwy droed flaen a'u gosod ar fy ysgwyddau i a thowlu fy nghap i'r llawr â'i thrwyn neu â'i dannedd, a phethau tebyg, ymhell y tu hwnt i gyraeddiadau unrhyw gyw ceffyl normal yn yr ardal, wedi llithio llawer o'n serch ni, blant anystyriol, oddi wrth yr hen Flac wepisel na chodai drot, byth nawr, ohoni ei hun.

to feel the weight of those years of hard, uninterrupted work, of which she never stinted a jot, now telling on her bones likewise?

They were fellow wayfarers, and the yoke on their necks was getting heavier. But as the day opened and the vehicles got more numerous on the road, with now and again one of them drawn by a high-spirited young horse not yet much more than a foal who hadn't yet learned a lot of highway manners, and who passed her on the road with a certain air of disparagement, Blac the old veteran would raise and cock her ears as though she were remembering the days of yore when there was hardly a horse on this road that could follow her the whole ten switchback miles between Llansewyl and Llandeilo. And once she began to warm to it in this way there were not many, even in her old days, who could show her a fair pair of shoes for very long on the last part of her journey. A few years later, a rising generation of light horses began to fly over this road and the other roads of the county, the Cart and Horses bay pony and her daughter Bess y Brynau, not to forget that handsome chocolate pony with yellow mane and tail that belonged to Dafydd Jones the Minister (father of the Reverend Penry Jones, Llanelli). There was fire in their hooves and lightning in their eyes, and it was bliss for a young man to be on one of them. Of course, the hunters, those lanky harum-scarums that Tom Dafys Tŷ'n Cwm bought occasionally at Carmarthen fair, did not count at all in our world. They flew over the ground only for a short period.

When Doll reached the age of promise, by which I mean the days of breaking her in, when she was about two years old, and began to take upon herself, in her mother's stead, the responsibility for Aber-nant, we had to think about selling poor old Blac. Didn't a horse with its close, clean bite graze as much as two cows? For all of us it was a big sorrow to think of parting with the old mare, although I must admit that the tricks that Doll the little filly performed, like raising her forefeet and putting them on my shoulder and throwing down my cap with her nose or her teeth, and others far beyond the attainments of any normal offspring of a horse in the neighbourhood, had seduced much of our affection, heedless children as we were, away from our drooping old Blac, who would now never raise a trot of her own accord.

Y White Horse, hen dafarn yr eid i mewn iddo o dan y bwa cerrig gyferbyn â'r Cawdor Arms, oedd ein tŷ disgyn ni yn Llandeilo. Fel hen dafarnau trefi marchnad yn gyffredin roedd iddo stablau glân a beili wedi ei bafio â cherrig afon i gadw'r cerbydau. Telid tair neu whech i'r hosler am le i'r ceffyl a galwai pob dyn parchus am rywbeth 'at les y tŷ'. Ni fûm i yn yr hen dŷ tafarn hwn er y dyddiau cynnar hynny. Ond y tro nesaf, os byw ac iach a mynd i Landeilo, a bod amser a chwpwl o geiniogau wrth law, synnwn i fawr nad af i mewn i gynteddau'r White Horse a galw, 'er lles y tŷ', am hanner peint myfyrgar uwchben yr hen amser gynt, ac o daro yno ar gwmni teilwng, hwyrach y codai'n beint cyn ymadael.

Rwyf wedi trafaelu tipynnach, mewn mwy nag un wlad, o bryd i bryd, a mwynhau pob taith yn rhyfeddol. Ond bu ambell daith diwrnod, yn blentyn, gartref, yn llawnach o gyffro a syndod, bob munud ohoni, na'r un o'r teithiau pellach a wneuthum wedi hynny. Boddlonaf yn awr ar sôn am y daith i farchnad Llandeilo.

Saif tre fach Llandeilo, yng nghanol Sir Gaerfyrddin, ar oledd bryn uwchben gogoniant Dyffryn Tywi, ryw ychydig y tu allan i ffin y garreg galch a'r pridd coch sy'n fath o forder o gwmpas gwely glo'r Deheudir. Ni ellir yma ond cyfeirio at bwysigrwydd lleoliad y dre o safbwynt hanes Cymru Fu. Y tu cefn iddi y mae plas Dinefwr, hen lys Tywysogion y Deheubarth, a chestyll Carreg Cennen a'r Dryslwyn bron yn y golwg. Ac o grybwyll enw'r Dryslwyn teimlaf fod englyn fy hen weinidog annwyl, y diweddar J. T. Job, yn rhy dda i'w adael allan. Roedd Job yn dychwelyd o'i daith bregethu ryw dro, ac o'r trên fe welodd oen bach cynta'r gwanwyn yn sefyll yn siriol ynghanol adfeilion castell y Dryslwyn ar y bryncyn serth uwchben. Y noson honno daeth Job i'n tŷ ni, a thân yr awen heb ddiffodd yn ei lygaid gleision hardd, gan adrodd yr englyn godidog hwn a luniwyd ganddo ar y ffordd adre:

> Ar dwyn y Dryslwyn fe drig – weithian rith
> O'i hen rwysg cyntefig;
> Ac ar lain fu'n darstain dig
> Barwniaid, fe bawr oenig!

I'r dwyrain o Landeilo y mae'r Mynydd Du, a Llyn y Fan yn y pellter; tre Caerfyrddin bymtheg milltir i'r de, a'r Grongaer a phlas

Our place of descent in Llandeilo was the White Horse, an old inn that had its entrance under the stone arch opposite the Cawdor Arms. Like the old market-town inns in general, it had clean stables and a river-pebbled stableyard to keep the carriages. The ostler was paid threepence or sixpence for the stall for the horse, and every respectable man called something 'for the sake of the house'. I was never in this old inn since those early days. But next time I go to Llandeilo, all being well, and if I have time to spare and a few pennies handy, I shan't be much surprised if I go into the White Horse and call – for the sake of the house – for half a pint of beer for a brown study of days gone by, and if I chance there upon worthy company it might even rise to a pint before my departure.

I have travelled a little now and again in more than one country, and I have greatly enjoyed all my journeys. But some of those day's journeys of mine when I was a child were fuller of excitement and wonder, every moment of them, than any of the longer journeys I have taken since. I will content myself at present with relating our drive to Llandeilo market.

Llandeilo is a small town situated in the middle part of Carmarthenshire on a hillside above the glorious Tywi valley a little beyond the limestone and the red earth that form a border around the south Wales coalfield. I can here do no more than mention the importance in Welsh history of the town's location. Behind it are Dinefwr, the ancient Court of the Princes of Deheubarth, with Dryslwyn and Carreg Cennin castles almost in sight. I feel that an *englyn* composed by J. T. Job, my late beloved pastor, is too good to be omitted here. Job was returning from a preaching appointment when he saw from the train his first lamb of the year standing amiably among the ruins of Dryslwyn castle on the top of the steep hill above the railway. That evening Job came to our house with the muse's fire still glowing in his beautiful blue eyes, and he recited the excellent *englyn* he made on the way home:

> *On Dryslwyn hill its mighty days*
> *Remain in ruins like a ghost,*
> *The hill where clashed the Baron's host*
> *A little lamb has climbed to graze.*

To the east of Llandeilo is Y Mynydd Du, with Llyn y Fan in the distance; Carmarthen town fifteen miles to the south, with Grongaer

Gelli Aur ar y ffordd yno. Ychydig i fyny yn Nyffryn Tywi y mae plas Abermarlais, cartre Syr Rhys ab Thomas; a thros y bryniau, ryw wyth milltir tua'r gogledd, y mae adfeilion hen fynachlog Talyllychau, a phlas Rhydodyn gerllaw. Pethau yw'r rhain i gyd, wrth gwrs, na wyddwn i ddim amdanynt y pryd hwnnw; ac eithrio ein bod ni'n gweld y Mynydd Du a Bannau Brycheiniog, ugain milltir i ffwrdd, o dop ein tir ni, gartref, a bod sŵn y trên yn glir, yn gyrru draw dros bont Llangadog, yn arwydd o dywydd teg drannoeth.

Ond i mi, yma, tre marchnad, canolfan gwlad ddihafal am ei blith, gwlad yn llifeirio o laeth – ac o fêl atgofion – yw Llandeilo. Fel y mae heddiw yn Llanybydder, ryw chwe milltir i'r gogledd o'm henfro, un o'r ffeiriau anifeiliaid, yn arbennig ceffylau, gorau yn y wlad; felly, hefyd, ryw ddeuddeg milltir i'r de, roedd yn Llandeilo, hyd at sefydlu'r Bwrdd Llaeth diweddar, farchnad fenyn gyda'r gorau yng Nghymru. Mae yn Ffair-fach, sy'n rhan, megis, o Landeilo o hyd, gyda llaw, ffatri laeth gydweithredol fawr a llwyddiannus iawn.

Bob bore Sadwrn, yn gyson drwy'r flwyddyn, byddai meillion glannau Tywi, a gwair a phorfa ffres y bronnydd hyd at fargodion y grug, wedi eu troi yn fôr o fenyn durfin, iraidd, a'u hulio'n lanwaith mewn casgis, tybiau, crochanau pridd, a basgedi dan eu llieiniau gwynion ar fyrddau cadarn dan dylathau tŷ marchnad helaeth Llandeilo; a'r ffyrdd, o bob cyfeiriad, wedi bod yn llawn cerbydau, llawer ohonynt wedi trafaelu deg a phymtheg milltir, erbyn naw o'r gloch y bore – o Fynydd Pencarreg i Fynydd y Betws ac o Faes Twynog i Lwyn Ffortun, a'r wlad donnog, eang, sy'n gorwedd rhyngddynt.

Ie, marchnad fore ydoedd marchnad Llandeilo. Byddai'r rhan fwyaf ohoni drosodd whap wedi deuddeg, er mwyn anfon y nwyddau i ffwrdd i'r gweithfeydd yn gynnar y prynhawn ar gyfer y Sul, drannoeth. Byddai'r prynwyr menyn ac wyau a ffowls, hen ddwylo adnabyddus, yno o flaen pawb, gellid meddwl, a rhyngddynt wedi pennu'n lled ddiogel, bris y farchnad am y dydd, cyn i neb o'r bobl gyrraedd. Ni chofiaf eu henwau yn awr, ac eithrio fod yn amlwg yn eu plith y tri brawd, John a Wiliam ac Isaac, bechgyn Pen Llain, y tyddyn nesaf i Warcoed, lle bu eu tad hwy, y cywir Abel Thomas, ar hyd ei oes, yn garier menyn o ardal Esgerdawe i Gastell-nedd, taith o dros ddeugain milltir a gymerai iddo dri

and Gelli Aur mansion on the way. Rather further up in the Tywi valley is Abermarlais, the home of Rhys ap Thomas, and over the hills some eight miles to the north are the ruins of Talyllychau monastery, with Rhydodyn mansion nearby. These are matters of which I knew nothing at that time, of course, except that we could see Mynydd Du and Bannau Brycheiniog twenty miles away from the top of our land, and that the sound of the train going over Llangadog bridge augured a good morrow if it came to us clearly.

But to me, here and now, Llandeilo is a market town and the centre of an unrivalled dairy country, a land flowing with milk and with the honey of memories. And while one of the best livestock fairs in the three counties, especially for horses, is held today in Llanybydder, some six miles to the north of my native locality, so too in Llandeilo, some twelve miles to the south of it, there used to be one of the best butter markets in Wales until the Milk Board was set up. And in Ffair-fach, which is still, as it were, a part of Llandeilo, there is a large and prosperous co-operative milk factory.

Every Saturday morning throughout the year the clover and hay and fresh pastures of the hillsides up to the edge of the heather were turned into an expanse of hard, fresh butter, cleanly furnished in casks, tubs, earthenware pots, and baskets under white cloths and on strong tables beneath the rafters of the spacious market-house in Llandeilo, the roads in every direction having been full of vehicles, many of them travelling ten or fifteen miles by nine o'clock in the morning from Mynydd Pencarreg to Mynydd y Betws, and from Maes Twynog to Llwyn Ffortun, and the undulating land that lies between them.

Yes, Llandeilo market was an early one. Most of it would be over soon after twelve o'clock for the commodities to be sent to the coalmining valleys early in the afternoon, against Sunday, which was next day. The buyers of butter and eggs and poultry, well-known figures they were, would be the first there, presumably, and would have settled pretty surely among themselves the market price for the day. I do not remember their names, except those of three brothers who were prominent, John and William and Isaac, the sons of Pen Llain, the farmstead next to Gwarcoed, where their father, honest Abel Thomas, had been in business throughout his life as butter carrier from the Esgerdawe neighbourhood to Neath, a journey of over forty miles that took him three days to complete every week. His son Abel performed the same feat, and he, Abel the younger,

diwrnod o bob wythnos i'w chyflawni. Cyflawnodd Abel, ei fab ieuengaf yntau, yr un orchest; ac ef, y mab yma, Abel Thomas, Bryn Difyr, wedi hynny, yw'r olaf a gofiaf i o'r hen deip o garier, a fu, fel y porthmon, yn ffigur mor bwysig ym mywyd Cymru. Roedd masnach yng ngwaed 'teulu Abel' a ddôi o ochr y Ram, Llambed; ac yn nwylo'r meibion uchod, daeth busnes fach, cart un ceffyl, eu tad, yn fusnes eang a llewyrchus, ac yn fwy byth yn nwylo'r disgynyddion pellach yn Abertawe a threfi cyfagos.

Cofiaf am nifer o'r hen gariers yma, a chlywed sôn am eraill o genhedlaeth hŷn, megis y gŵr diddanus Wil Vaughan, a gadwai'r Cart an' Horses ar un adeg, rwy'n credu. Siaradai'n bwysleisiol a thipyn drwy ei drwyn, mae'n debyg, yn ôl hen gydnabod iddo a glywais yn ei ddynwared droeon. Yn ôl hwnnw, dyma sylw Wiliam Vaughan gyda'i acen drwynol, bwyllog, am y natur ddynol, ar ei ffordd adre o farchnad Nadolig Castell-nedd, a'r wyau'n geiniog yr un, ond yn brin rhyfeddol, 'Dydw i ddim *yn dyall* pobol, 'na'i,' meddai'r athronydd o ben ei gart. 'Pan oedd yr wye'n *bedwar ar ddeg am whech* doedd *neb* yn dod yn agos ata i i ofyn am un. Ond *nawr*, pan ma'n nhw'n *geiniog yr un*, a dim *un* i' *ga'l*, mae pob hen g — 'n mofyn wy.'

Cofiaf, hefyd, am Neli Bwlch y Mynydd, ac am ei march asyn calonnog, gystal â hynny – dychryn ponis mynydd Llanybydder pan oedd e yn 'i breim, medden nhw; am yr Hen Ddaff Llansewyl a ofalai mor dda, bob amser, am ei geffyl; ac am ei ŵyr, Ifan, a'i dilynodd yn y fusnes. Ond y Carier Bach byw a sionc a gofiaf i orau, o ddigon, fel y gwelaf ef yn awr, yn pirŵeto fel deryn ar astell flaen ei gart sbrings uchel a'r ddwy whilsen goch. Cychwynnai ef a'r gaseg ddu a'i llwyth llawn, o gartre, bob bore dydd Mawrth, tuag wyth o'r gloch, a chyrraedd tafarn y Star, tu hwnt i Wauncaegurwen, yn hwyr y noswaith honno, wedi gwneud y deng milltir ar hugain cyntaf o'r daith. Arhosent yno dros nos yng nghwmni nifer o gariers eraill, ac yna ymlaen gyda'i gilydd fore trannoeth am y deng milltir arall i Gastell-nedd; sefyll marchnad yno drwy'r dydd, ac yn ôl i'r Star y noswaith honno, ac adref drannoeth. Yn ystod y tridiau arall y byddai ef gartref, doi'r ardalwyr pellaf â'u nwyddau i'w dŷ ar gyfer llwyth yr wythnos ddilynol. Galwai yntau heibio ar ddechrau ei daith i'r rhai mwyaf hwylus ar ochr y ffordd.

Byddai'n ôl yn pasio'n tŷ ni (Aber-nant, erbyn hynny) bob nos Iau rhwng whech a saith o'r gloch, ar ei draed yn y car, yn fynych,

later of Bryn Difyr, is the last I remember of the old type of carrier that, like the drover, used to be such an important figure in the life of Wales. The Abel family had business in its blood. They came from the neighbourhood of the Ram, Lampeter, and in the hands of the sons I have named their father's little horse-and-cart business grew into a large and prosperous one, and yet more so in the hands of further descendants in Swansea and the neighbouring towns.

I remember a number of these old carriers, and I remember hearing of others of the previous generation, such as that entertaining man Wil Vaughan, who at one time kept the Cart and Horses, I believe. He spoke emphatically and somewhat nasally it would seem from the mimicry of an old acquaintance of his which I often heard. According to this person, this is how William Vaughan remarked upon human nature, in his nasal and deliberate accent, on his way home from Neath Christmas market when eggs were a penny each but very scarce. 'I don't *understand* people, indeed I don't,' said the philosopher on the top of the cart. 'When eggs were *fourteen* for *sixpence* no one ever came near me to ask for them. But *now*, when they are a *penny each*, and not *one* to be *had*, every old — wants an egg.'

I remember Neli Bwlch y Mynydd too, and her stout-hearted donkey equally well. In his prime he was the terror of Llanybydder mountain ponies, they say. I remember old Daff Llansewyl, who always cared so well for his horse, and his grandson Ifan, who followed him in the business. But best of all I remember the lively and nimble Carier Bach, best by far, as I see him now pirouetting like a bird on the front board of his high spring cart with its two red wheels. He would start out from home, with the black mare drawing a full load, every Tuesday morning about eight o'clock, and reach the Star Inn beyond Gwauncaegurwen late that night, completing the first thirty miles of his journey. They would stay there overnight in the company of other carriers, and then go on again in the morning another ten miles to Neath, then stand in the market all day and return to Star Inn that evening, and home on the morrow. During the three weekdays he spent at home the remotest members of the community he served would bring their goods to him to be included in the following week's load. In the first stages of that journey he would call at the places that were handy by his road.

He would be back and passing our house (Aber-nant by this time) every Thursday evening between six and seven o'clock, often

yng nghanol ei lestri gweigion, pren a phridd, o amrywiol faint. Roedd ei natur yn ymateb fel arian byw i'r byd a'i amgylchedd. Ond os byddai beth yn llonnach nag arfer, a'i lais nodyn yn uwch, arwydd fyddai hynny fod naws y farced yng Nghastell-nedd yn weddol wresog yr wythnos honno. Byddai cysgod yr Angel ar Sgwâr Pen Cnwc, Llansewyl, yn help weithiau, hefyd, i dymheru min yr awel. Ond boed yr hin yn ffigurol neu'n llythrennol, y peth y bo – yn wynt neu'n law neu'n 'set ffêr' – fe dalai'r Carier Bach, yn ddiffael, bob nos Iau, ym mwlch ein clos ni, y ddimai union, yn ôl cwrs y farchnad yng Nghastell-nedd, am y nwyddau a gawsai ar y ffordd, bant, fore dydd Mawrth. Gwyddid ei degwch a'i onestrwydd; ac ni chlywais erioed air o ddadl am bris nac am bwysau. Gyda Neli, ei wraig lew, benfaith, gartref, ymdrechodd yn galed fel hyn ar hyd ei oes – yn gyntaf mewn lle bach o'r enw Blaen Ddôl, ac wedi hynny yn y Gelli Isa, a magu tyaid mawr o blant. Fel yn hanes ei gyd-garier, Abel Thomas, Pen Llain, ac eraill y gallwn eu henwi, ymhelaethodd ei ddau fab ieuengaf lawer ar fusnes eu tad, a bu'r ddau, Ifan Ifans a Rhys Llywelyn, yn ddiweddarach, yn aelodau o Gyngor Sir Caerfyrddin. Ie, dyn bach net oedd y Carier Bach, ac ar y Sul byddai'n canu tenor bach hyfryd gyda 'nhad a Tomos 'r Hafod Wen yng nghornel y Sêt Ganu, ac yn yr Ysgol Sul yn y prynhawn yn gyrru adre'n egnïol ar dor ei law fargeiniol ei farn am ragfarnau'r Apostol Paul yn erbyn y menywod.

Petai un o'r hen gariers hyn rywdro wedi gallu sgrifennu ei hunangofiant, fe allesid fod wedi cael ganddo ddarlun mwy cywir a diddorol o fywyd cymdeithasol De Cymru yn ystod tyfiant cynyddol y Chwyldro Diwydiannol na dim byd y bydd yr un hanesydd neu economydd neu storïwr byth yn debyg o'i roi. Cadwai'r ddolen ddynol hon fywyd y wlad a bywyd y dref weithfaol, ar ei thwf, mewn cysylltiad parhaus â'i gilydd, hyd nes i beirianwaith ddiweddar y fan a'r lori, y bws a'r modur, ynghyd ag ymyriad cyson y Llywodraeth ganolog, ddwyn o gwmpas Chwyldro arall yn null yr oes o fyw. Y carier a'i geffyl ydoedd marchog olaf yr hen ffordd Gymreig o fyw.

Ciliasai'r porthmon a'r gyrrwr da i Loegr eisoes, ddwy genhedlaeth o'i flaen. Cofiaf weld ffrâm esgyrnog yr olaf o'r rhai

on his feet in the cart, in the midst of empty vessels, both wooden and earthen, of miscellaneous sizes. His nature responded like quicksilver to his environment. If he seemed blither than usual, with his voice pitched a note higher, that was a sign that the market had been warmly in his favour in Neath that week. Sometimes, too, the shelter of the Angel on Pen Cnwc Square, Llansewyl, had helped to temper the wind. But the weather might be whatever it was literally and figuratively – wind or rain or 'set fair' – yet the Carier Bach paid every Thursday evening without fail in our yard gateway the exact halfpenny by the market rate in Neath for the commodities that he had collected there on Tuesday morning. His fairness and honesty were known to all, and I never heard a word of argument about price or weight. With his competent and shrewd wife Neli at home, he exerted himself in this way all his life, first in a small place named Blaen Ddol and afterwards in Gelli Isa, and they reared a large family. As in the case of his fellow-carrier Abel Thomas, Pen Llain, and others I might mention, his youngest two sons extended their father's business a good deal, and both of them, Ifan Ifans and Rhys Llywelyn, in time became members of the Carmarthenshire County Council. Yes, the Carier Bach was a tidy man, as we say, and on Sundays he sang a pleasant tenor along with my father and Tomos Hafod Wen in the corner of the singing seat, and in Sunday School in the afternoon he drove home energetically on the palm of his bargaining hand his opinion of the Apostle Paul's prejudices against women.

If one of these old-time carriers had written his autobiography he might have given us a more correct and a more interesting picture of the social life of south Wales during the increasing development of the Industrial Revolution than anything that any historian or economist or storyteller of the future will be able to give. This human connection kept in continual touch with each other the life of the countryside and that of the growing industrial town until another revolution was brought about in a generation's way of living by the recent development of transport typified in the van and lorry, the bus and the motor car, along with the constant intervention of centralised government. The carrier with his horse was the last knight errant of the old Welsh way of life.

The drovers and cattlemen ceased going to England two generations previously. I remember seeing the bony frame of the

hyn yn Nwncwl Bili, brawd fy nhad-cu, yn hen ŵr musgrell, pibis, yn bugeilio'r pentewynion dan fantell y simnai fawr ar aelwyd Penrhiw. Aethai'r *coach* mowr o'r ffordd genhedlaeth dda o flaen y porthmon. Pwy, tybed, ryw ddydd, a edrydd hanes y cariers, y gwŷr syml, glew, a chelyd hyn, a enillai eu bywioliaeth, ar deg a garw, drwy gymaint ymdrech a diwydrwydd?

A dyma ni'n gadael y cariers lleol ac yn dod yn ôl eto at y masnachwyr mwy ym marchnad fawr Llandeilo, a berw'r gleber yno fel cwch gwenyn yn ei lawn gwaith. Ychydig o fargeinio fyddai, gan fod y prisiau, fel y dywedwyd, wedi eu setlo'n go derfynol cyn dechrau. Ond byddai'r prynwyr wrthi'n ddyfal o gwsmer i gwsmer ar y bordydd, yn prynu'n rhwydd gan yr hen rai, a blynyddoedd o adnabyddiaeth rhyngddynt, ond yn profi menyn ambell gwsmer dieithr â min yr ewin, ac weithiau'n taradu ei gasgen er mwyn gweld a oedd y menyn drwyddo o'r un ansawdd. Gan nad beth fu prisiau'r farchnad, byddai'r gwerthwyr hwythau, yn ffermwyr mawr ac yn ffermwyr bach, a gwraig y crydd, y gof, y saer, a'r masiwn, a gadwai fuwch neu ddwy i gael menyn at y tŷ a thipyn bach dros ben, yn barod i droi adref, o'r bron, erbyn un neu ddau o'r gloch y prynhawn – y siopa i gyd wedi ei orffen. Pan welid corff aruthr yr hen Rees Glan Rwyth, a sbrings ei *gig* odano yn fflat ar yr echel, yn araf symud mas o'r dre byddai'n bryd i'r llibyngi olaf hel ei baciau at ei gilydd. Rees Glan Rwyth fyddai dyhuddgloch y farchnad hon, yn gynnar bob prynhawn Sadwrn.

Rhaid fy mod i'n Sion Holwr diarhebol ar y siwrneion hyn, yn ôl a blaen i Landeilo, oherwydd dyna'r adeg y dysgais i enw pob ffarm a thŷ ar ochr y ffordd, ac o fewn golwg i'r ffordd o ran hynny, o Dalyllychau i ochr Cwm Du a draw hyd gefen Llansadwrn, am y deng milltir rhwng Llansewyl a Llandeilo. Gwyddwn yn barod am yr Esgair a Chlun March a rhiw ddiffaith Dafy Jâms rhyngom ni a'r pentre. Nid yn unig fe ddysgais enwau'r llefydd hyn ar ffordd Landeilo, ond fe ddois i wybod rhywbeth am bron pob un ohonynt. Er enghraifft, roedd perthynasau i ni'n byw yn y Beili Tew, fan'na wrth ymyl y pentre, ac yn Nhŷ'n y Cwm, fan draw dan gysgod Dinas Rhydodyn – dwy g'nither i 'nhad yn wragedd yno; a ch'nither arall iddo yn y Tŷ Coch, ar y fron yn nes ymlaen, yn wraig i Williams yr Acsiwnêr, y clywais, wedi dod yn hŷn, lawer stori ddifyr amdano gan Dafydd 'r Efail Fach a fu'n gweithio gydag

last of them in Uncle Bili, my grandfather's brother, that feeble, finicky old man watching the firebrands beneath the mantel of the big chimney above the hearth in Penrhiw. The big coach had left the road a generation and more before the drover. Who, I wonder, will one day tell us the story of the carriers, those simple, able, and hardy men who earned their living in fair weather and foul through such exertion and diligence?

And here we leave the local carriers to return to the bigger merchants in Llandeilo market, where the bustle and chatter resembled the sound of a hive of bees in full activity. There would be but little bargaining, for, as has been said, the prices had been settled more or less definitely at the start, but the buyers would be at their business diligently from customer to customer, buying readily from the old ones with whom they had years of acquaintance, but tasting some new customer's butter on the edge of a fingernail and sometimes boring into his cask to see if the butter were of the same quality throughout. Then, whatever the price the butter had been, the vendors, big farmers and small, the shoemaker's wife, the blacksmith, the carpenter, and the mason who kept a cow or two to get butter for the house and a little bit more, these would be ready to turn homeward, one and all, by one or two o'clock in the afternoon, with all their shopping done. When old Rees Glan Rwyth's tremendous frame was seen moving slowly out of town with the springs of his gig flat on the axle-tree beneath his weight, it was time for the last weak-willed loiterer to gather his things and go. Early every Saturday afternoon Rees Glan Rwyth tolled the knell of another market day.

I must have been no end of an interrogator on these journeys to Llandeilo and back, for this was when I learnt the names of all the farms and houses on the roadside, and those in sight from the road too, from Talyllychau to beside Cwm Du and away to the Llansadwrn ridge the whole ten miles from Llansewyl to Llandeilo. I already knew Yr Esgair and Clun March and that vile 'Dafydd Jâms' hill between us and the village. Not only did I learn the names of these places on the way to Llandeilo, but I got to know something, too, about nearly all of them. For instance, we had relatives in Beili Tew, just outside the village, and in Tŷ'n y Cwm, over there in the shelter of Dinas Rhydodyn, the wives were cousins of my father's, and another cousin of his in Tŷ Coch, on the next hill, was married to Williams the Auctioneer, of whom I heard

ef – ynghyd â'i bartner disyml, pybyr, John Dolau Canol, a feddai dalent arbennig i roi ei droed ynddi. O'r Hen Ardal yr oedd y triawd hyn, ac o gael Dafydd i'w adrodd, byddai hanes diwrnod neilltuol yn y Tŷ Coch, gwraig y tŷ oddi cartre, ac allwedd y seler, drwy ryw lwc neu sgem, wedi dod i law Williams, yn llawer iawn mwy blasus na dim sy'n debyg o fod yma. Ond dyna fe; rhaid gweld a chlywed y 'cyfarwydd' wrthi. Haws fyddai ei greu o'r newydd na threio'i ddynwared ar bapur. A dyna'n siŵr a wnâi'r gwir lenor – ei weld o'r newydd, a rhoi ei ffraethineb a'i ddoniolwch mewn mowld newydd a gyfatebai iddo. Ni ellir copïo natur yn union fel y mae.

Ar y ffordd i Landeilo yr oeddem, ond fod cymaint i'w weld a'i ddweud ymhob man. Dyma wyneb plas Rhydodyn ar y dde i ni, ac afon Cothi yn rhoi tro o'i flaen, rhyngom ac ef. Mae gweld yr enwau – Cothi a Thywi a Theifi a Gorlech – yn cyffwrdd â rhyw nerf cyfrin ynof i erioed. Cofiai fy mam, gyda llaw, cyn codi 'pont harn' Rhydodyn yr awn drosti'n awr. Byddai hi'n groten fach o Riw'r Erfyn, 'brwchgau bagalabowt' wrth gwrs, yn mynd â cheffyl, weithiau, yn lle un o'i brodyr hŷn, i gwrdd â'r llwyth calch o odynau Llandybïe, bymtheg milltir ymhellach, hyd at afon Cothi. Pan fai llif trwm yn yr afon, câi'r ceirti calch, res ohonynt yn dilyn ei gilydd fynychaf, ganiatâd i fynd ar hyd y dreif a thros y bont breifet o flaen y tŷ mawr.

Ychydig yn is i lawr eto, y mae rhiw Cil Llyn Fach. Rywle tua'r fan hon yr oedd fy nhad-cu, tad fy mam, ryw fin nos yn yr haf, yn dod adre'n ddyfal â'i lwyth calch yng nghwmni nifer eraill, pan ddaeth tair neu bedair o 'ferched Beca' ar gefn eu ceffylau heini i gwrdd â nhw, a'u rhybuddio i gymryd pwyll am dipyn a gofalu'n dynn bach am eu ceffylau os clywent beth sŵn saethu yn nes ymlaen. Erbyn i wŷr y calch gyrraedd hen dŷ'r gât ar ben hewl Clun March, Tŷ Meicel fel y'i gelwid, ryw gwarter milltir y tu ucha i bentre Llansewyl, dyna lle'r oedd yr hen gât wedi ei darnio'n yfflon â bwyelli a gyrdd a llifiau, a'r llanast a mwg y goelcerth ohoni o hyd o gwmpas y lle. Nid oedd sôn am 'y merched' erbyn hyn. Roedden nhw wedi cwpla'u gwaith a mynd adre'n deidi. Dyn ifanc, tawel, ymdrechgar oedd fy nhad-cu, fel y bôch chi'n gwybod nawr; a'r adeg honno heb briodi. Ni chymerai ef lawer am ddarfu ar

many stories when I had grown up from Dafydd Efail Fach, who once worked for him along with his ingenious and valiant partner, John Dolau Canol, who was gifted in *faux pas*. This trio hailed from the old neighbourhood, and if you could have got Dafydd to relate it, the story of a certain day in Tŷ Coch with the wife away and the key of the cellar, by luck or deep design, in Williams's hand would have been a tastier titbit than anything you are likely to find in this book. But there it is. The storyteller must be seen and heard pursuing his art. It would be easier to create his story anew than to imitate him on paper – and that is surely what the true writer would do, putting his wit and humour into a new mould, yet consonant with the original. Nature cannot be copied exactly as she is.

We were on our way to Llandeilo, but there is so much everywhere to be seen and to be said. Here to the right of us is the front of Plas Rhydodyn, with the river Cothi curving in front of it. The sight of the names – Cothi, Tywi, Teifi, and Gorlech – has always touched me on a subtle nerve. By the way, my mother remembered the Rhydodyn iron bridge being built, the one we are now crossing. As a young girl she sometimes did a turn for one of her brothers in taking the Rhiw'r Erfyn horse, astride it, down as far as the river Cothi, there to await the load of lime from the Llandybie kilns fifteen miles further away. When the river was in heavy flood the lime-carts, which usually followed each other in a long line, were permitted to go along the drive and over the private bridge in front of the big house.

A little lower down is Cil Llyn Fach hill. Somewhere around here my grandfather, my mother's father, was once doggedly bringing home his load of lime in the company of several others when three or four daughters of Rebecca came to meet them on their lively horses, warning them to go gently for a while and to have a care for their horses, and to hold fast if they heard the sound of shooting further on. By the time the men had reached the old gatehouse at the end of Clun March road, Tŷ Meicel, as it was called, a quarter of a mile above Llansewyl village, the old gate had been smashed to shivers with axes, sledgehammers, and saws, and there it was, what was left of it, for the smoke from the fire that that heap had fed still hung in the surrounding air. By this time there was no trace of 'the daughters'. They had finished their work and gone home like good girls. My grandfather was a quiet and striving man, let me tell you now, and at that time he had not taken a wife.

30

heddwch y wlad. Ei unig gyfran ef yng nghynnwrf y Beca fu arwain ei bâr ceffylau heibio i hen Dŷ Meicel y noswaith honno, am y tro cyntaf yn ei fywyd, ryw rot neu chwecheiniog yn elwach yn ei boced. Ac i un fel ef, heb ormod wrth gefn, efallai, a'i fryd, yr un pryd, ar gymryd gwraig a chydio gafael mewn ffarm, ar ddechrau'r *Hungry Forties*, yr oedd hynny'n ddiau yn rhywbeth i fod yn ddiolchgar amdano. Nid wyf yn credu, chwaith, i'r gât hon gael ei gosod yn ôl wedi hynny Ond mi gredaf i gât Cefen Trysgod, ymhen y dre, Llandeilo, barhau yn ei gwaith bron hyd o fewn cof gennyf i, pan ddifodwyd, trwy gyfraith, yr olaf o'r tollbyrth hyn, er mawr ryddhad a llawenydd i bawb yn y tir.

Fe awn heibio i Dalyllychau, y ddau lyn, a'r elyrch gwynion, ac adfail yr hen fynachlog heb ddweud dim yn awr – er cymaint eu rhyfeddodau i'r croesholwr pump oed. Ond gerllaw hen dafarn yr 'Haff Wae' y mae dau hen dŷ bach, gan nad pwy oedd yr optimist a'u cododd yno, yn union ar lan yr afon Ddu. Gochel Foddi yw enw'r naill, a Boddi'n Lân yw enw'r llall, ar lafar gwlad. Pa ryfedd nad oes ond prin eu hôl yno'n awr! A dyma ni ar ben hewl Glan 'r Afon Ddu Isa, ffarm fwya'r parthau hyn, medden nhw. (Yn Awst 1943, bu'r Methodistiaid Calfinaidd yn dathlu dau can mlwyddiant un o sasiynau cynharaf yr enwad a gynhaliwyd yn y ffermdy yma.) Rhyw ddau led cae yn is i lawr eto, ar y llaw chwith, y mae dôl Llether Mowr y dywedai pobl y tyfai digon o borfa ynddi dros nos i guddio ffon (ar ei gorwedd, wrth gwrs). Roedd clywed rhywbeth fel hyn yn ddigon i dynnu dŵr o ddannedd 'nifeiliaid y topiau 'co gyda ni.

Ac oni chlywsai 'mam gan forwyn o'r cylch hwn a fu'n gweini gyda nhw yng Ngwarcoed fod 'cathe gwyllton' yng nghoed Llether Mowr pan oedd hi'n groten, a bod pobol yn ofni pasio'r ffordd honno wedi nos? A dyna goed Talihares yn ymyl, lle dysgais i wedyn i Dwm o'r Nant, ar ffo rhag beilïaid Sir Ddinbych, fod yn rhegi ei geffylau wrth gario coed oddi yma. Nid bod tystiolaeth ddogfennol yn hunangofiant Twm iddo yma, yn y lle hwn, regi ei anifeiliaid yn achlysurol. Mae coed a glo, fel y gwyddom, yn elfennau tra ymfflamychol. Ac fel un y tymherwyd ei glustiau'n gynnar gan leferydd cariers coed ar wyneb y ddaear ac, wedi hynny, gan haliers glo yn y tanddaearolion leoedd, a chael peth profiad o waith y naill a'r llall, fy marn onest i, am ei gwerth, yw –

He wouldn't have broken the peace for anything. His only share in the Rebecca riots was leading his pair of horses past Tŷ Meicel that night a groat or sixpence better off for it for the first time ever. And to one like him without much in reserve, perhaps, and with the intention of marrying a wife and starting farming on his own in the Hungry Forties, that was certainly something to be thankful for. I don't think this gate was set up afterwards, but I believe that Cefen Trysgod gate in Llandeilo, at the top of the town, continued in operation to a time almost within my own memory, when the last of these tollgates were abolished by Act of Parliament to the great relief and joy of everyone in the land.

We go past Talyllychau, the two lakes with their splendid swans and the ruins of the old monastery, saying nothing more about them at present, however great their wonders be to the five-year-old cross-examiner. But near the old inn Half Way there are two small houses right on the bank of the Afon Ddu (Black River), whoever the optimist who built them might have been. They are known colloquially as Gochel Foddi (Beware of Drowning) and Boddi'n Lân (Drowning Properly). No wonder there is hardly a trace of them there today. And here we are at the end of the road down to Glan'r Afon Ddu Isa, the biggest farm in these parts, they say. (In August 1943 the Calvinistic Methodists celebrated the bicentenary of one of the earliest synods, one held in this farmhouse.) A fieldbreadth or two further down again, on the left-hand side, is Llether Mawr Meadow, of which it used to be said that it would grow enough grass overnight to hide a stick in the morning. When the animals of those uplands of ours heard this said it must have made their mouths water.

And did not my mother hear from one from this district who was in service as a maid with them in Gwarcoed that there were wild cats in Llether Mawr when she was a girl, and that people were afraid to go by at night-time? And nearby is Talihares wood, whither Twm o'r Nant fled from the bumbailiffs of Denbighshire, I was to learn later, and where he cursed his horses while hauling the timber away. Not that there is any documentary evidence in Twm's autobiography that he, in this place, cursed his horses occasionally. Timber and coal are combustible substances. And as one whose ears were early tempered by the language of timber hauliers on top of the ground, and later by that of the coal hauliers under it, and who has had some experience of the work of each of these classes,

os gallodd un perchen anadl gyflawni'r ddwy oruchwyliaeth yma a rhyw raen arnynt, a hynny heb regi, ie a rhegi'n gythreulig ac arswydus hefyd ar adegau, yna nid syn fyddai clywed i'r cyfryw ŵr, ryw fore, ddiflannu'n ddistaw bach, fel Enoc gynt, o blith plant dynion. Canys nid merthyr na sant, yn sicr, mo'r bod hwnnw, ond rhywbeth o fyd arall heb ymwybod â'n gwendidau ni.

Ond ymhob dim a wyddom am Dwm o'r Nant, bod digon dynol ydoedd; oherwydd, er enghraifft, wedi i'r wagen fynd i fôn y clawdd arno fel cariwr coed, fe'i cawn, yn nesaf, yn cadw tŷ'r gât ym mhen y dre, Llandeilo, swydd a felltithiai gymaint â neb, yn ddiau, pan oedd ef ei hun wrthi'n cario coed drwy'r gât honno. Ie, megis yng nghyrch ei englyn ef ei hun i'r beili – 'labrwr hyd lwybrau trueni' fu'r athrylith fawr hon, ar hyd ei oes.

Temtir dyn cyn ymadael â Thwm fel hyn i ofyn beth pes ganesid ef ganrif a hanner yn ddiweddarach, sef yn 1889, yn lle yn 1739; ac iddo, yn yr oes ysgoloriaethus hon, anadlu awyr Ysgol Sir Dinbych yn Nyffryn Clwyd, neu Ysgol Sir Llandeilo yn Nyffryn Tywi, dyweder; a mynd oddi yno i'r Brifysgol. Beth fyddai gennym heddiw erbyn hyn, tybed? Dramäydd mawr cenedlaethol, mewn geiriau bachog, grymus, yn dangos dyn, ar lawr amser, yn ymgiprys â'i dynged; neu aelod seneddol disglair arall dros Gymru a'i lygaid yn goleddu at y Brif Weinidogaeth; neu, ynteu, swyddog uchel yn Adran Goed y Ministry of Supplies? Ond chwarae teg yn awr, dyna gwestiwn na allai na Thwm ei hun na'r duwiau oll mo'i ateb, heb feddu rhagor o'r *data* tragwyddol hynny sydd yn hanfod dyn, ac yn hanfod pethau.

Draw ar y fron o'n blaen wedi pasio Talihares y mae Llwyn yr Hebog. 'Beth yw hebog, Mam?' gofynnwn i. 'Curyll, gwas,' meddai hithau. Gwyddwn beth oedd y gwalch ysbeilgar hwnnw yn ddigon da. Onid aeth ei ewinedd llymion bron drwy fy mys ryw ychydig cyn hynny, ac yntau'n lledfyw yn fy llaw wedi i 'nhad ei saethu yn allt Cwm Bach, yn union o dan y tŷ! Hoffais yr enw Llwyn 'r Hebog, rywsut, o'r tro hwnnw y'i clywais gyntaf. Yn ddiweddarach, y deuthum i wybod mai mab y Llwyn 'r Hebog yma ydoedd y Parch. H. I. James a fu'n weinidog am lawer o flynyddoedd wedi hynny gyda'r Bedyddwyr yn hen eglwys Aberduar, Llanybydder – un o'r dynion glewaf am godi ceffyl a ddringodd erioed i gerbyd. Ni welais i, naddo, hyd y dydd heddiw, yr efengyl yn hedfan daear

my honest opinion, for what it is worth, is this: if anything that hath breath was ever able to perform these two operations with some distinction without cursing, and at times cursing dreadfully, one ought not to be surprised if such a person were to disappear quietly one morning, like Enoch did from the midst of the children of men. For such a one would be not a martyr or a saint, but a being from another world having no consciousness of our weaknesses.

But from everything we know of Twm o'r Nant, he was human enough. For instance, when the timber haulier's wagon got finally ditched we next catch sight of him keeping the gatehouse at the top of the town in Llandeilo, an office he had surely execrated as much as anybody when he was hauling timber through that gate. Yes, as he himself said of the bailiff in that *englyn* – 'labrwr hyd lwybrau trueni', a drudge on the paths of wretchedness, that is what this great genius was throughout his life.

Before leaving Twm one is tempted to ask, what if he had been born a century and a half later, in 1889 instead of 1739, and had in this scholarshipped age breathed the air of Denbigh County School, in the Vale of Clwyd, or of Llandeilo County School, in the Tywi valley, and gone on thence to the university? What should we have had by today I wonder? A great national playwright full of gripping and powerful words showing us man on time's floor contending with his destiny, or another brilliant Member of Parliament for Wales with his eyes slanting towards the premiership, or a high official in the timber department of the Ministry of Supply? But, fair play, that is a question that Twm himself and all the gods could not answer without access to more of the data that lie eternally in the essence of man and of things.

On the breast in front of us when we have passed Talihares is Llwyn yr Hebog. 'What is a "hebog", mam?' I asked. 'A curyll,' (another name for hawk), she said. I knew very well what that predatory rascal was. Had not his sharp claw gone nearly through my finger a short while before when he was only half alive in my hand, shot by my father in Cwm Bach wood right below our house? Somehow I liked the name Llwyn yr Hebog from the first time I heard it. Later I learnt that the Reverend H. I. James, who was for many years a Baptist minister in the old church of Aberduar, Llanybydder, was a son of this Llwyn yr Hebog, one of the best men for rearing a horse that ever climbed into a trap. I have never seen the Gospel given the speed of flight with such liveliness and

mor hoyw ac urddasol ag yn y *gig* honno, a'r cobyn coch a faged dan ei law ofalus ef ei hun, yn yr harnais, yn codi'i bedwar carn cuwch â'i drwyn a'u bwrw'n osgeiddig i'r gwynt. Roedd y dyn, y march a'r cerbyd yn un corff byw, adeiniog. Gwledd i lygad a chalon ydoedd syllu arnynt hyd oni ddiflannent yn y pellter.

Bedyddiwr, mewn ardal ddifedydd, rywle o hil y Saundersiaid yn Aberduar, ydoedd 'nhad-cu Gwarcoed hyd y diwedd, er nad âi i'r un capel ers blynyddoedd cyn ei farw; a'r Parch. H. I. James, Aberduar, a wasanaethodd yn ei angladd, a minnau ar y pryd yn rhyw dair ar ddeg oed. Diflannodd yntau fel ei geffylau o'm golwg tua'r adeg honno, gan iddo symud i Landdyfri. Nid oes gennyf gof i mi ei weld wedi dydd yr angladd hwnnw.

Wn i ddim a oedd tafarn yr Hope, y down iddo'n awr ar y dde, ryw ddwy filltir cyn cyrraedd Llandeilo, yn bod yno yn amser Twm o'r Nant ai peidio. Os oedd yno Hope o gwbl y pryd hwnnw, diau i Dwm droi i mewn iddo lawer tro, 'i dorri syched trwm y gelltydd'. Yn ôl yr hen rigwm hwn a glywais rai troeon gan fy nhad, mae'n debyg i ryw mei ledi go galonnog fod, unwaith, yn cadw'r tafarn hwn tua chanol y ganrif o'r blaen, gan weini i angenrheidiau fforddolion. Meddai'r rhigwm:

> *Yr hen Feto'r 'Hope'*
> *Yn byw fel y dryw,*
> *Dou ŵr yn farw*
> *A dou ŵr yn fyw.*

Dyna i gyd y dois i i'w wybod am hanes Beto'r 'Hope', er holi rhagor, yn ddiau – digon i awgrymu testun baled yn Eisteddfod Genedlaethol Llandeilo, pan ddaw hi yno yn ei thro. Gallwn ddychmygu am gystadlu brwd ar destun rhamantus fel y Nest fodern hon.

Rhennir plwyfi cyfochrog Llanybydder a Phencarreg yn ddau barth gan y mynydd hir a red ar y chwith i afon Teifi am ran dda o'i thaith, parhad o gadres led ddi-fwlch y Berwyn a Phumlumon i lawr i'r Preselau a'r Frenni Fawr a'r Frenni Fach yn eithaf Dyfed. I'r de o drum y mynydd yn y man yma y mae ardaloedd Rhydcymerau ac Esgerdawe, a dywelfa'r dŵr i aberoedd blaenau Cothi, a Thywi yn nes i lawr, yn Nantgaredig, ryw bum milltir o dre

dignity as in that gig, with the bay cob reared by his master's careful hand in the harness lifting his four hooves as high as his nose and gracefully throwing them into the wind. The man, the horse, and the gig combined to form one live winged being, and eyes and heart feasted on them until they disappeared in the distance.

My grandfather of Gwarcoed was a Baptist in a neighbourhood where that denomination was conspicuous by its absence; he was in some way of the lineage of the Aberduar Saunderses, and he remained a Baptist although when he died he had not been attending any chapel for years; and the Reverend H. I. James, Aberduar, officiated at his funeral. I was about thirteen years old at the time. He, like his horses, disappeared from my sight about that time; he moved to Llanddyfri. I don't remember ever seeing him after the day of that funeral.

I don't know whether Hope Inn, which we now come to, about two miles before we reach Llandeilo, was in existence in the time of Twm o'r Nant. If Hope was there at that time surely Twm turned in many a time 'to quench the strong thirst of the woods'. Here, according to my father, towards the middle of the last century some hearty my lady used to dispense the wayfarer's needs.

> *Old Beto the Hope like a wren doth thrive*
> *With two husbands dead and two alive.*

That is all I got to know about Beto, although I am sure I made inquiries enough to suggest the title for the ballad in the National Eisteddfod when the time comes for it to be held in Llandeilo. I can imagine a warmly contended competition on the romantic subject of this modern Nest.

The collateral parishes of Llanybydder and Pencarreg are divided across the middle by a long ridge that runs to the left of the river Teifi for a good part of its journey, part of the more or less unbroken line of Y Berwyn and Pumlumon down to Y Frenni Fawr and Y Frenni Fach and Preseli in Dyfed. South of this mountain ridge are Rhydcymerau and Esgerdawe, in the basin of the upper reaches of the river Cothi, with the Tywi further down at Nantgaredig,

Caerfyrddin. Wrth waelod y mynydd o du'r gogledd y mae pentre diwyd a phrysur Llanybydder, a phentre a hen eglwys Pencarreg gerllaw'r perl o lyn sy'n dwyn yr un enw; a thre fach, lanwedd Llanbedr, neu Lanbedr Pont Steffan, a rhoi iddi ei henw llawn, ryw dair milltir i fyny yn Nyffryn Teifi. Gyda llaw, ar lafar gwlad, 'Llambed', heb yr 'r' na'r 'bont' na'r 'Steffan', linc-lonc wrth gynffon cyn lleied o dref, y gelwir y lle bob amser. O ben y mynydd hwn draw at orwel eitha'r gorllewin a chyfeiriad y môr fe geir golwg ar wlad faith a bryniau rhywiog, cynnes Sir Aberteifi.

Dôi tylwyth fy mam o'r ochr ogleddol hon i fynydd Pencarreg yn wynebu Llambed a Sir Aberteifi – o ardal Caersalem a'r 'Ram', yn Fedyddwyr ac yn Annibynwyr selog, gyda mwy o'r Gaersalem nag o'r 'Ram', yn ddiau, yn anian llawer ohonynt erbyn hyn. Daw gair amdanynt hwy, eto, wrth sôn am y tylwythau.

Rwy'n cofio, hefyd, fynd i Lambed unwaith neu ddwy ar y pererindodau ysgolheigaidd hyn cyn gadael Penrhiw. Y King's Head oedd ein tŷ disgyn ni yno, tafarn solid yr olwg arno, a'r bwa arferol wrth ei ochr, fel y White Horse, Llandeilo, yn arwain i'r stablau a chynteddau'r cefn. Saif ar y llaw dde yn Stryd y Bont wrth fynd allan o'r dre dros bont Deifi i gyfeiriad Cwm-ann a Thŷ Jem ac ucheldir gogledd Sir Gaerfyrddin y soniwyd eisoes amdano. Ar yr hewl union yn groes i'r mynydd o Lambed, gan adael y Fraich Esmwyth, cartref fy nhad-cu o ochr fy mam, a Choed Eiddig, cartref fy mam-gu, dipyn ar y chwith i ni, a dod lawr dros fanc Rhiw'r Erfyn, fel y gwneid wrth gerdded gynt, nid oes ond prin saith milltir i Rydcymerau, a rhyw whech i Esgerdawe.

Ac o sôn am dafarnau megis y King's Head a'r White Horse, gyda'n hymdrech gyson ni'r Cymry, drwy'r cenedlaethau, i'n diosg ein hunain o bob balchder rhesymol yn ein pethau ein hunain, a mabwysiadu'r estron crandiach yn ei le, onid yw'n syn, mewn gwirionedd, fod cymaint o ysbryd ein cenedl ni yn aros ar ôl? Dyna, er enghraifft, ein cyfenwau Tiwtonaidd ni – y Joneses, yr Evanses, y Davieses, y Williamses bondigrybwyll, yn lle ab Sion, ab Ifan, ab Dafydd, ab Gwilym – hen ffasiwn, yn ddiau, fel y tybid ar y pryd. (Ni wadodd y Sgotyn erioed mo'i 'Fac' na'i 'bais', na'r Gwyddel mo'i 'O', na'i acen, am yr un rheswm); ein capeli Hebreaidd er pan afaelodd y grefydd Brotestannaidd o ddifri ynom

about five miles from Carmarthen. At the foot of the ridge on its northern side are the busy and industrious village of Llanybydder and the village of Pencarreg, with its old church near a jewel of a lake that bears the same name, and Lampeter, or Llanbedr-pont-Steffan to give it its full name, an attractive little town some three miles further up in the Teifi valley. Colloquially the town is Llambed without the *r*, the *pont* and the *Steffan* attached in linked length to the name of such a small town. From the top of this mountain, right out to the west, the direction in which the sea lies, the wide countryside of Cardiganshire with its warm and gentle hillsides extends.

My mother's family hailed from the north side of Pencarreg mountain facing Lampeter and Cardiganshire, from the neighbourhood of Caersalem and 'the Ram', and they were zealous Baptists and Congregationalists with more of Caersalem than of the Ram in the nature of many of them by this time to be sure. A word about them will come later when I am dealing with the kindred.

I remember going to Lampeter, too, once or twice on these scholarly itineraries before we left Penrhiw. The King's Head was our destination there, a solid-looking inn with the usual arch beside it, as in the case of the White Horse in Llandeilo, leading to the stables and the back entrances. It stands on the right-hand side of Bridge Street as you leave the town crossing the Teifi bridge in the direction of Cwm-ann and Tŷ Jem and the north Carmarthenshire upland I have just mentioned. Along the straight road across the mountain from Lampeter, leaving slightly to the left of us Y Fraich Esmwyth, my maternal grandfather's home, and Coed Eiddig, my grandmother's, and coming down the hill at Rhiw'r Erfyn as one used to do when making the journey on foot, it is hardly seven miles to Rhydcymerau and six to Esgerdawe.

Speaking of inns like the King's Head and the White Horse, considering the effort we Welsh people make and have made through the centuries to divest ourselves of all national pride in things of our own and to adopt the grander foreign substitutes, is it not indeed surprising that so much of the spirit of our nation still survives? Take, for instance, our Teutonic surnames, our Joneses, Evanses, Davieses, and Williamses and so forth, instead of ap Sion, ab Ifan, ap Dafydd, ap Gwilym, which no doubt came to be considered old-fashioned. (The Scot has never renounced his 'Mac' or his kilt on that score, nor the Irishman his 'O' or his accent.) Take our Hebrew chapels, since the time when the Protestant

– ein Bethelau, ein Hebronau, ein Carmelau a'n Jabezau. Galwyd llannau Cymru ar ôl enwau ein seintiau cynnar – Dewi, Padarn, Teilo, Catwg, ac eraill, ynghyd â'r seintiau diweddarach. Mae'n amlwg na wnâi Sant Harries, Sant Rowlands, Sant Williams a Sant Jones mo'r tro i ddynodi sefydlwyr yr achosion Ymneilltuol, er eu bod yn gymaint o saint, o bosib, â'r sawl a fu'n plannu had Cristionogaeth gyntaf yn y tir – os nad rhyfyg, yn wir, yw sôn am gymharu'r seintiau; a dyna rwysg Seisnig ein tai busnes, ein London Houses, ein Cambridge Stores, a'n West End Arcades ymhob twll a chornel o'r wlad, ac enwau brenhinol ein tafarnau – ein King's' a'n Queen's' a'n Duke's' o bob llun, a'n Lion's o bob lliw. Wn i ddim o hanes hen dafarnau Cymru. Diau i'r osgorddlu hon ddod i mewn yn swyddogol gyntaf i chwyddo cyllid trwyddedol y Llywodraeth Seisnig. Yr hen arfer, wrth gwrs, ydoedd fod pob ffermdy yn bragu ac yn macsu ei gwrw o'i haidd ei hun, fel y gwna ffermydd parchus Cwm Gwaun hyd heddiw, heb neb byth, hyd y clywais i, yn mynd yn shirobyn yno, hyd yn oed wrth ddathlu Hen Ddydd Calan ar Ionor 12 bob blwyddyn – yr unig fan yng Nghymru, ac eithrio Llandysul, hyd y deallaf, sydd wedi glynu wrth yr hen arfer hon. Un o'r arwyddion sicraf fod Cymru'n ailgydio gafael ynddi ei hun fydd gweld cynffonnau'r enwau hyn yn araf gilio o'r tir.

Gyda llaw – ac yn ddistaw bach y mynnwn i ddweud hyn – rhaid nad oedd Llanybydder, y dwthwn hwnnw, wedi datblygu'n fasnachol yn ddigon uchel fel ag i haeddu sylw'r chwech oed a than hynny, oherwydd ni chofiaf i mi fynd yno unwaith o Benrhiw. Ond wedi dod i Aber-nant deuthum yn fuan yn ddigon cyfarwydd â'r farchnad foch ar y Lownt yng ngwaelod y pentre. Nid oedd gennyf fawr o ddiddordeb yn y moch hyn, ragor na gobeithio y ceid o leia goron y sgôr am ein dau fochyn ni. Cynhelid y farchnad y Llun cyntaf o bob mis. Yn ddigon mynych 'marchnad hwdlyd' (chwydlyd), fel y dywedid, ydoedd marchnad y tywydd poeth, Mehefin a Gorffennaf. Cof gennyf, yn gynnar, fod yn un o'r rhain, a'r moch druain yn y ceirt a'r cratsys yn lluddedig gan y gwres; ac ambell berchennog caredig yn hôl bwcedaid o ddŵr i'w daflu dros eu cefnau a'u clustiau i oeri tipyn arnynt. Teimlais yn gas at ryw hen fochwr coch, tew, ac aeliau gwrychiog fel y mochyn ei hun ganddo.

Roedd rhywun wedi cynnig coron y sgôr am ein moch ni – dau

religion took hold of us seriously, our Bethels, our Hebrons, our Carmels, and our Jabezes. The *llannau*[1] of Wales were named after our early saints, Dewi, Padarn, Teilo, Catwg, and others. Yet Saint Harries, Saint Rowlands, Saint Williams, and Saint Jones would be impossible as signifying the founders of the nonconformist causes, although it may be that they were saints as much as those who first sowed the seed of Christianity in our land – if it be not presumption to compare saints with one another. Take again the ostentatiousness of our business houses, our London Houses and our Cambridge Stores and our West End Arcades, and the royal names we give our public houses, our Kings, our Queens, and our Dukes of every shape and form and our Lions of every colour. I know nothing of the history of the Old Welsh inns. Certainly this retinue first came in officially to swell the English Government revenue with licence money. It was, of course, the old custom for every farmhouse to brew its own beer from the malt from its own barley as the respectable farms in Cwm Gwaun do today, where no one as far as I know gets sozzled when celebrating Old New Year's Day on the 12th of January, in the only place in Wales, I understand, except Llandysul, that still cleaves to this old custom. One of the first signs that Wales is taking hold of herself again will be the gradual disappearance of these old toadying names from the land.

If I may say so, by the way and on the quiet, the commercial development of Llanybydder at that time had not been such as to merit the attention of six-year-olds and under, because I don't remember ever going there from Penrhiw. But after our removal to Aber-nant I soon became familiar with the pig market on the Lownt at the bottom of the village. I had no interest in the pigs beyond the hope that our two would fetch at least five shillings a score. The market was held on the first Monday in the month. Very often in hot weather, in June and July, it was a sickening, a nauseating market. I remember being in one of these when I was very young. The poor pigs in the carts and creches were fatigued, and now and again a considerate owner fetched a bucket of water and threw it over their backs and ears to cool them. I felt I hated a certain fat old pig dealer, redfaced, with bristles above his eyes.

Someone had offered five shillings a score for our pigs, two porkers each between ten and eleven score that looked as if they

[1] *Translator's note: Llan* (plural *llannau*) means at first the consecrated enclosure, and eventually the village too was called the *llan*.

borcyn rhwng y deg a'r un sgôr ar ddeg yma, a graen bwyd mâl arnynt, a gwâl o redyn glân i orwedd ynddi. Daeth yntau'r coch heibio gan ddal ei law yn dalog am dair ceiniog yn ôl o goron. Ymhen ychydig dyma ddyn arall yn dod heibio, ei hensman, fel y deallais wedyn, ac yn sôn yn eitha didaro am bedwar a whech y sgôr. Siglai fy mam ei phen yn fwy sobr gyda phob gostyngiad mewn pris. Gwyddwn i, er ieuenged oeddwn, fod arian y moch hyn wedi eu rhifo'n barod i lanw bwt, rywle, ymhell cyn dydd y farchnad. O dipyn i beth deuthum i wybod fod y dull yma o fargeinio a dal mantais ar ffermwyr pan fyddai'r amserau'n wan yn hen gast mewn ffair a marchnad gan rai porthmyn digydwybod. O'r un egwyddor y tarddodd y *ring*, y cornelu nwyddau, a'r siopau cadwyn, a'r ffyrdd clyfer eraill o elwa ar draul y diamddiffyn.

Ond fy mhrif ddiddordeb i ydoedd drysau stablau'r Black Lion gerllaw, yn gwylio, rhwng ofn ac edmygedd, ryw ambell ŵr bach, glew, fel fy nhad, yn arwain ei anifail yn dringar i mewn neu allan rhwng dwy res lawn o benolau cesyg gwned, pislyd, dieithr i'w gilydd, na wyddid pryd y gallai un ohonyn nhw dowlu cic; neu'n gweld trwyn march yn nrws rhyw stabal arall yn codi ei wefl uchaf winglyd tua'r cymylau. Adwaenwn amryw o'r meirch hyn wrth eu henwau – enwau Seisnig, eto, bob un, wrth gwrs. Ac eithrio 'Ceffyl y Pregethwr' na chymerodd arno enw lleyg, hyd y gwn i. Yr unig Gymro ymhlith y meirch enwog y clywais i amdanynt ydoedd yr hen 'Gymro Llwyd'. Ni welais i mohono ef erioed yn bersonol. Ond mi welais rai o'i blant. Roedd merch iddo, 'Bess', gyda Nwncwl Josi'r Trawsgoed. Hi oedd mam Jac 'y gwerinwr llwyd'. Hi hefyd, o dad arall, ydoedd mam y 'Black Prince'; a bu yntau, ŵyr, felly, i'r 'Cymro Llwyd', yn ei dro, yn tramwy'r sir yn ffroenfalch a gosgeiddig ei gamau. Yn haf 1917, gwelais hefyd fab i'r 'Cymro Llwyd', os iawn y cofiaf, yng ngre (*stud*) meirch digymar yr hen Ddafydd Ifans, Llwyn Cadfor, Castellnewydd Emlyn. Y Dafydd Ifans hwn, fel y cofier, ydoedd tad-cu y ddau frawd nodedig Martyn a Vincent Lloyd Jones – a Harold, eu brawd hynaf, coffa da amdano, a oedd cyn ddisgleiried ag un o'r ddau arall. Gwelir felly ein bod ni'n troi yng nghanol pedigrïau o bob cyfeiriad. Peth enbyd o beryglus yw dechrau dilyn tylwyth – dynion, ceffylau, cŵn. Ŵyr dyn byth ble i orffen, y tu yma i Adda – neu'r ce'nder cynta iddo. Rhaid dod yn ôl, eto, rywle at ben y llwybr.

had done well on meal in the trough and clean bracken for bedding. Redface came by holding out his hand shamelessly for threepence back from the five shillings. Before long another man came by, his henchman as I understood later, speaking quite unconcernedly of four shillings and sixpence a score. My mother shook her head more gravely with each reduction in the price. Young as I was, I knew that the money from these pigs had already been reckoned out, long before market day, against some liability the budget. Gradually I was to learn that it was an old dodge of unscrupulous dealers in fairs and markets to drive bargains in this way, taking advantage of the farmers when times were bad. The ring, the cornering of goods, the chain store, and the other clever ways of profiting at the expense of the defenceless arose out of the same principle, or lack of principle.

But my chief interest was at the stable doors of the Black Lion nearby, where, between fear and admiration, I watched now and again a valiant little man like my father skilfully leading out his horse in and out between the cruppers of the two full rows in which the mares were hot for the stallion and might squirt at any moment, and you never knew when one of them might launch out a kick; or seeing the stallion's muzzle at the door of another stable restlessly retracting its upper lip in tossing towards the clouds. I knew many of these stallions by name. They too had English names, of course, every one of them except 'the Preacher's Horse', which never assumed a lay name as far as I know. The only Welshman by name among the famous stallions I heard of was Cymro Llwyd. I never saw him, but I saw some of his progeny. Uncle Josi, Trawsgoed, had a daughter of his, Bess. She was dam to Jack, that grey commoner of the countryside, and also, by another sire, to the Black Prince. The Black Prince, Cymro Llwyd's grandson, traversed the county in his day, stepping its road handsomely and with his nostrils proclaiming his pride. In the summer of 1917 I saw a son of Cymro Llwyd's, if I remember rightly, in Dafydd Ifans's incomparable stud in Llwyn Cadfor, Newcastle Emlyn. This Dafydd Ifans, you may remember, was grandfather to the two notable brothers, Martin and Vincent Lloyd Jones, and to Harold, their eldest brother, whose memory we cherish, equally as able as his brothers. It will be seen that we are on every hand involved in pedigrees. It is risky to start tracing a family, whether of men or horses or dogs. One never knows where to stop, in the first case, this side of Adam or his first cousin. We must return to our path at some point or other.

Ein tuedd ni, 'wŷr ochor draw'r mini', fel y'n gelwid ni weithiau gan ambell un o wŷr Llanllwni, y man uchaf, hyd y gellais i graffu, lle y mae ambell ffurf ar y Ddyfedeg i'w chlywed – ein tuedd ni, ynte, ydoedd dilyn y dŵr i lawr at Cothi a Thywi ac i'r gweithfeydd a'r trefi poblog. Llefydd cartrefol, agos at ddyn, pawb bron yn nabod ei gilydd, neu'n gwybod am ei gilydd, ydoedd Llandeilo, Llambed a Llanybydder i ni – cynhesrwydd yr anifeiliaid a blas yr enllyn cartref i'w deimlo yn y gymdeithas.

Ond am dref Caerfyrddin roedd rhyw naws gwahanol ynddi hi. Byddai'n dda gennyf allu ei esbonio'n rhesymegol. Heblaw bod, drwy'r cenedlaethau, yn ganolfan ffair a marchnad i wlad eang, gynhyrchiol, hi, hefyd, ydoedd prif dref y sir – hen dref hanesyddol a llawer peth pwysig wedi digwydd o'i mewn. Yno y dôi'r Barnwr o Sais, yn ei dro, a holl rwysg ac awdurdod y gyfraith Seisnig ar werin Gymreig, uniaith bron, yn ei arfogaeth. Ac yno'r oedd y siâl, lle bu'r hen Wil Pantycrwys a gofiaf yn dda, a llawer Wil arall druan, pwysicach nag ef, yn 'stepo'r whîl'. Yno, hefyd, yr oedd y Maer! Ac yn ôl hen ddywediad a glywais ddigon o weithiau'n blentyn i'w gredu'n bendant, yr oedd yn rhaid i bob un a ddôi i dre Caerfyrddin am y tro cyntaf, luo pen ôl y Maer hwn a thalu ffwtin iddo – gan nad beth oedd ffwtin. Roedd gennym ni hefyd hen ddihareb gynefin arall, cysylltiedig â hyn yn ddigon posib – 'Rhegi'r Maer ar ben rhiw Alltwalis', ar y ffordd adre – yn golygu dyn dewr pan fo'r perygl ymhell. Y gwir yw, roedd yna ryw elfen o bellter, o syndod, ac o ddieithrwch wedi ei drosglwyddo'n anymwybodol i mi'n ifanc parthed enw tref Caerfyrddin – rhyw barhad, fel petai, o ofergoel y werin tuag at y Castell Normanaidd yn y Canol Oesoedd. Er nad oedd y ffordd i Gaerfyrddin ond rhyw ugain milltir, yn ôl yr argraff a gawn i, nid âi neb yno byth ond o raid caled, megis pan fyddai'r bwyd yn brin, neu rywun ar ei brawf. Ar gae garw a thwmpathog ar dir Cwmcoedifor yr oedd, yn dra diweddar, beth olion hen furddyn a elwid Pant y Bril. Dywedai hen frodor o'r ardal, John Dafis y Gelli Gneuen, a aned yn nauddegau'r ganrif o'r blaen, ei fod ef yn cofio am wneuthurwr clustogau brwyn yn byw yn y bwthyn hwn. Cludai faich o'r rhain, dros fryn a phant, yr holl ffordd i Gaerfyrddin; ac wedi eu gwerthu yno dôi yn ôl â winshin o farlys ar ei gefn i gadw ei deulu, gartref, rhag newyn. A chlywais am 'nhad-cu, o Riw'r Erfyn, y pryd hwnnw, wedi bod â

We, 'the men of the other side of the mountain' (with *mynydd* pronounced *mini*), as we are called by some of the men of Llanllwni, the most northerly place I believe, as far as I have been able to observe, in which some of the forms of the Demetian dialect are to be heard, we, men of the other side of the *mini*, then, tended to follow the flow of water down to Cothi and Tywi, and so proceed to the industrial villages and populous towns. Llandeilo and Lampeter and Llanybydder were for us homely and intimate places where everyone knew, or at least knew of, everyone else, and the sense of animal warmth and the taste of home-made relish permeated the society.

But in Carmarthen town there was another atmosphere. I should like to be able to account rationally for it. Besides being for generations the fair and market centre for a wide and productive countryside, Carmarthen was also the county town where many important events took place. There the Judge, an Englishman, came on circuit, and in his armoury all the pomp and authority of English law imposed on the almost monoglot Welsh people. And there, too, was the jail where Will Pantycrwys, whom I remember well, and many another poor Will more important than he had been treading the wheel. There, too, was the Mayor. And according to the old saw which I heard often enough as a child to give it full credence, everyone who came to Carmarthen had to lick the mayor's bottom and pay him footing – whatever footing might be. And in connection with this we had another common saying, 'Cursing the Mayor on the top of Alltwalis Hill' – that is, on the way home – a figure of speech for bravery in the absence of danger. The truth is that there was transmitted to me at an early age a feeling of distance, of wonder, and of strangeness by the name Carmarthen town, a continuation as it were of some almost superstitious element in the people's conception of the Norman castle in medieval times. Although Carmarthen was only twenty miles away, it was my impression then that no one ever went there except out of dire necessity, as, for instance, when food was scarce or when someone was standing trial. Some traces of an old ruin that was called Pant y Bril were to be seen till quite recently on a rough and hillocky field on Cwmcoedifor farm. John Dafis of Y Gelli Gneuen, a native of the district, born in the twenties of the last century, used to say that he remembered a maker of rush horse-collars dwelling in that cottage. He used to carry a burden of these up hill and down dale all the way to Carmarthen and, after selling them, return home

chart a dau geffyl yng Nghaerfyrddin yn hôl blawd, yn adrodd iddo weld un o fechgyn y storws ar y cei, cyfarwydd â thrafod pynnau, yn cario dwy dêl o farlys ar ei gefn. Pwysent gyda'i gilydd ymhell dros bum cant.

Gan fy nheulu fy hun, fy nhad yn bennaf, ac nid gan neb o'r tu allan, y ces i'r naws o ddieithrwch yma ynglŷn â Chaerfyrddin. Mae gennyf y syniad y gallai'r teimlad hwn fod yn hen iawn, yn rhyw gymhleth a faethwyd ar ffaith neu brofiad hanes sy'n rhy bell yn ôl, bellach, i wybod dim amdano – rhyw atgof uwch angof yng nghof hen deulu, fel petai. Nid oes gennyf ond greddf i ategu hynny, ond rywfodd ni chredaf i neb o'm hynafiaid i, o ochr fy nhad, erioed fod y tu mewn i gastell, ac eithrio, o bosib, fel carcharor. Roedd fy nhad y creadur caredicaf ei natur a'r mwyaf diwenwyn ei ysbryd y gallai dyn ei gwrdd mewn siwrnai ddiwrnod. Ni wyddai ddim am hanes ond fel chwedloniaeth gwlad. Eto'r oedd ei ddygasedd at orthrwm a braster y Sais, fel y syniai ef amdano, yn gwbl ddireswm. (Ond pan ddôi tramp o Sais heibio fe rannai ei lwans ddybaco ag ef yn llawn mor hael ag â Chymro ar ei gythlwng.)

Dymor go faith wedi hynny deuthum i Ysgol Harry yn nhref Caerfyrddin. Hoffais y Parch. Joseph Harry, y gŵr difyr, agored ei ffordd, a'r athro gwreiddiol, dihafal hwnnw, yn fawr iawn, o'r dydd cyntaf i mi ei gyfarfod. Hoffais, hefyd, yr un modd, fy nghyd-fyfyrwyr dyfal a chydwybodol, bechgyn mewn oed, bob un ohonynt, wedi bod allan yn y byd am flynyddoedd, fel finnau – Ophir Williams, fy hen gyd-letywr a'r meddwl ysgolhaig ganddo, R. J. Jones, John Pugh ac eraill o'u bath, a wnaeth ddiwrnod da o waith wedi hynny fel gweinidogion yr Efengyl. Yn y gymdeithas hon diflannodd hen ofergoel fy mhlentyndod fel niwl o flaen heulwen. O ddyddiau Ysgol Harry ymlaen deuthum i hoffi hen dref Caerfyrddin yn rhyfedd. Heddiw, nid oes dref yng Nghymru yr ymwelaf â hi gyda chymaint blas a diddordeb. Ni cherddaf ei strydoedd byth heb gwrdd â rhywrai o'm cydnabod, hen neu ddiweddar. Ac o fynd i'r rhan fwyaf o drefi Cymru, gyda'u hadeiladwaith cymysg, digynghanedd, ysywaeth, hyd yn oed yr hen drefi fel Caerfyrddin a Hwlffordd, dyna'r iawndal pennaf y gall dyn ei gael.

to his family carrying a bushel of barley on his back to keep them alive. I also heard that my grandfather, at that time in Rhiw'r Erfyn, on his return from a journey to Carmarthen with a cart and two horses to fetch meal, said that he had seen one of the storehouse men on the quay, who were used to lifting burdens, carrying two deals of barley on his back. Between them they weighed well over five hundredweight.

It was from the family, not from anyone outside it, and chiefly from my father, that I got that sense of strangeness with regard to Carmarthen. I have the idea that this feeling may be very old, a complex nourished by a fact or a historical experience that is now too remote for any clear knowledge of it to be retained. I have nothing but intuition to support this; but somehow I do not believe that any of my ancestors on my father's side was ever inside a castle, except perhaps as a prisoner. My father was by nature the kindest of men and the freest from jealousy and spite that you could meet with on a day's journey. He knew nothing of history beyond what he knew of it as local lore and legend. Yet his hatred of an Englishman's tyranny and arrogance was carried to an unreasonable pitch. (But if an English tramp came by he would share his ration of tobacco with him as generously as he did with any Welshman who was dying for a smoke.)

A long while afterwards I entered Ysgol Harry in Carmarthen town. I was greatly attracted by the Reverend Joseph Harry, with his pleasant and frank manner as a person and with the originality that made him the incomparable teacher he was, and I liked him from the day I first met him. I liked, too, in the same way my diligent and conscientious fellow students, who were all of adult age and had been earning their living for years, like myself – Ophir Williams, my old room-mate, who had the mind of a scholar, R. J. Jones, John Pugh, and others like them, who have since done a good day's work as ministers of the Gospel. In this society my childhood superstitions vanished like mist before the sun. From those days in Ysgol Harry onward I got to like Carmarthen town very much. Today there is not a town in Wales that I visit with such pleasure and interest. I never walk its streets without meeting some of my acquaintances, whether recent or of long standing. And the more is the pity of it, when one visits most Welsh towns, with their clashing architectural effects, even old towns like Carmarthen and Haverfordwest, that is the best compensation one can get for having to go there.

46

Am fy addysg fore yn Sir Gaerfyrddin, gŵr arall yr own i'n ddyledus iddo ydoedd John Jenkins y Cart and Horses, neu John Jenkins, yn syml, fel y byddai llawer yn ei alw, gan nad oedd yr un John Jenkins arall, na'r un Jenkins, chwaith, hyd y gallaf gofio, rhwng y ddwy afon, Teifi a Thywi. Sir Aberteifi yw gwely'r Shincyniaid yn bennaf, debygwn i. A chredaf fod y Jenkinsiaid hyn, hefyd, yn nes yn ôl, yn hanfod o'r sir honno. Cadw tafarn y 'Cart', unig dafarn y cylch, a wnâi John Jenkins, neu, o leiaf, ei enw ef oedd ar y lesens uwchben y drws. Ond fel y gwyddai pawb, Neli, ei wraig, a ofalai am y 'Cart', a'r tir a berthynai iddo, digon i gadw tair buwch a phoni. Ni fu gwraig ddoethach na llawnach o synnwyr cyffredin erioed yn cadw tafarn gwlad na Neli'r 'Cart'. Roedd ganddi aelwyd lân bob amser, a hithau'n siriol a chroesawus i bawb a alwai yno. Ond yng nghanol clonc a siarad anystyriol fel sydd, weithiau, ymhob lle o'r fath, a'r dafod dipyn yn sioncach na'r pen, ni chlywyd amdani hi, un amser, yn ailadrodd dim o'r pethau hyn. Bu ein teulu ni a theulu'r 'Cart' yn ffrindiau mawr erioed. Roedd peth perthynas deuluol rhyngom, ond nid trwy waed. Priodasai 'nhad-cu, tad fy mam, yr ail waith, â Sali, chwaer ieuengaf Neli'r 'Cart'. O'r wraig gyntaf yr oedd fy mam. Roedd y Sali yma, felly, yn llysfam i'm mam, ac yn llysfamgu i mi – os oes y fath beth. Ond 'Mam-gu Gwarco'd' y galwem ni, blant, hi, bob amser. Rywsut, ni ddeallodd hi a finnau ryw lawer ar ein gilydd erioed. Fel y dywedais, roedd Pegi fy chwaer yn ffraethach na fi o lawer gyda phobl y tu fa's i'r aelwyd; ac yr oedd hi'n uchel yn llyfrau 'mam-gu.

Ond am John Jenkins yr own i'n mynd i sôn yn awr. Porthmon ydoedd ef mewn enw; ond wrth reddf, dyn yn mwynhau bywyd ar gyn lleied o gyfrifoldeb personol ag oedd byth yn bosib iddo. Ni ddeliai ryw lawer ei hun, ond prynu a gwerthu dros rywrai eraill, a chael ychydig dâl am hynny – dim gormod, mae'n siŵr. I un a stofwyd, gan natur, mor gysurus â John Jenkins, cymorth parod iddo, bob amser, ydoedd ei ddawn arbennig i hala'r fusnes yn y blaen ar y minimwm lleiaf o gyfrifon ariannol. Digon i'r diwrnod ei ddrwg ei hun, neu ei dda, fel y digwyddai. Pe cadwai gyfrif cywir o'r hyn a enillai ac a wariai ar ei deithiau porthmonaidd byddai'n beth syn pe gwelid ei fod ddimai ar ei elw ddiwedd y naill flwyddyn ar ôl y llall. Ond yr oedd John Jenkins yn mwynhau bywyd, a gwyddai o'r gorau, tra fyddai Neli, ei wraig, gartre, ac awenau'r Cart and Horses yn ddiogel yn ei dwylo, na mhoelai mo'r

Another man to whom I was indebted for my early education in Carmarthenshire was John Jenkins, the Cart and Horses, or simply John Jenkins, as many people called him, as there was no other John Jenkins, or even Jenkins, as far as I remember, between Teifi and Tywi. Cardiganshire, I believe, is the 'gwely', the bed or tribeland, of the Jenkinses, and I believe that these Jenkinses of ours too issued from that county. John Jenkins kept the inn, the only one in the vicinity. At least it was his name that was on the licence above the door. But everyone knew it was Neli his wife had care of the 'Cart' and of the land that went with it, enough to keep three cows and a pony. No wiser or more sensible woman than Neli ever kept a country inn. The hearth was always clean, and she herself was always cheerful and welcoming to whoever called. But in the midst of all the gossip and the needless talk that one hears in such places, where tongues run in front of heads, she was never at any time heard repeating anything of that sort. Our family and the 'Cart' family had always been great friends. We were connected as families, but not through blood. My maternal grandfather had married a second time, and his wife was Neli's youngest sister, Sali. My mother was from his first wife. Sali was therefore my mother's stepmother and my stepgrandmother, if there be such a thing. But we children always called her 'Mamgu Gwarcoed'. Somehow or other she and I never understood each other very well. As I have said before, my sister Pegi was more forthcoming than I with people outside the family, and she was greatly in Grandmother's books.

But I intended speaking of John Jenkins. In name he was a dealer, but by instinct he was a man who enjoyed life on the basis of the minimum of responsibility it was possible for him to assume. He did not deal much on his own account, but he bought and sold for others, for which he was given some commission money, and not too much I am sure. To one whose warp Nature had set up with such an eye to comfort, the gift he had for driving his business with the absolute minimum of accountancy must have been very advantageous. Sufficient for the day the evil thereof or the good (also, in Welsh, cattle) thereof, whichever it might be. Had he kept a correct account of his earnings and expenditure on his journeys as drover it would have been a surprising thing one year's end after another if he found himself a halfpenny to the good. But John Jenkins enjoyed life, and he well knew that as long as Neli his wife

48

cart hwnnw ar whare bach. Ac felly yr âi ef ar ei deithiau yn llawen – ar ei draed, o glun i glun, neu ar gefen y poni goch, gyflym honno, yn gyson yn nhymorau'r gwanwyn a'r hydre, pan fyddai'r fasnach yn fwyaf byw. Ac er ei natur wyllt fel matsien, ac yn diffodd yr un mor sydyn, yr oedd pawb yn ffrind iddo, gan mor ddiddichell ydoedd. Ni fyddai na ffair na marchnad yn gyflawn o Lambed i Landdyfri ac o Gastellnewydd Emlyn i Bontarddulais, a'r wlad fryniog, niferus ei da a'i moch a'i defaid sy'n gorwedd rhyngddynt, oni chlywid yno garthiad gwddwg clir, soniarus, John Jenkins; a'i weld yn balff o ŵr rhadlon, hardd ei farf, a rhyw beth herc yn ei gerddediad (canlyniad damwain a gawsai'n ifanc o dan y ddaear), yn rhodio'n hamddenol ymhlith yr anifeiliaid, gan ofyn pris ambell greadur wrth basio, er mwyn gweld sut yr oedd y gwynt yn chwythu.

Yn y cyswllt hwn clywais berthynas iddo'n dweud (nid Elis Dafys, cyn-gwnstabl yn Sir Gaerfyrddin, na W. J. Jones, Prif Gwnstabl Sir Aberteifi – y ddau ohonynt hwy yn wyrion iddo), 'Rŷch chi'n gweld nawr, fyddai hi ddim byd mowr gydag e, John Jenkins, fe a'r ast, fynd draw i Aberaeron, i hôl dwy ddafad fowr (defaid penddu'r South Downs), a'u hebrwng nhw wedyn i Bort Talbot – a siarad â phob un a gwrddai ar y ffordd'. Yn y modd hwn y dôi John Jenkins a oedd yn fwy o ŵr bonheddig o dipyn nag o borthmon i wybod am bob tŷ bron a'r prif gysylltiadau teuluol o gefen Llanwenog, Sir Aberteifi, hyd at Fynydd y Betws a chyffiniau gweithfeydd Morgannwg, lle mae'r bobl yn dechrau colli gafael ar ei gilydd, a suddo o'r golwg yng nghors y broletariaeth fawr, ddiwreiddiau.

Gyda llaw, cyn i enwad parchus y Methodistiaid Calfinaidd godi'r safon, ryw genhedlaeth neu ddwy yn ôl, gan adael yr Apostol Paul a'i fab Timotheus yn drwm ar y cwilydd, John Jenkins y 'Cart' oedd yr enghraifft orau o ddirwestwr a gwrddais i erioed. Bu John Jenkins yn cadw tafarn y Cart and Horses am dros hanner can mlynedd, ac, fel rhan o'i fusnes fel porthmon, trôi i mewn i dafarnau, mewn tre a phentre drwy'r wlad, ar bob rhyw dywydd, ac ymhob rhyw gwmni. Er hynny, ni chlywais iddo erioed gymryd glasaid mwy nag oedd weddus iddo. Rhywbeth i dorri'r ias a nawseiddio'r gymdeithas oedd glasaid o gwrw iddo ef.

was at home with the reins of the Cart and Horses in her hands that cart would not easily upset. And so he went on his way rejoicing, either striding it from the hip or on that swift bay pony of his, and most regularly in spring and autumn when business was briskest. And in spite of his quick temper, kindling like a match and going out as suddenly, everyone was fond of him, he was so completely without guile. No fair or market from Lampeter to Llandovery and from Newcastle Emlyn to Pontarddulais, with that interlying hilly country with multitudes of cattle and sheep and pigs, would have been complete unless one heard John Jenkins clearing his throat, almost with articulation and musical timbre, and unless one saw him, a strapping figure of genial humanity with a handsome beard and a suspicion of a limp in his gait (the result of an accident he had sustained underground), walking leisurely among the livestock inquiring the price of this animal and that as he went by, just to see which way the wind was blowing.

In this connection I heard a relative of his (not Elis Dafys, a retired constable in Carmarthenshire, nor W. J. Jones, Chief Constable of Cardiganshire, both of whom are grandsons of his) make this remark: 'You see,' he said, 'it would be nothing for John Jenkins with his bitch to go over to Aberaeron and fetch two big sheep (blackheaded Southdowns) and take them down to Port Talbot and speak to everyone they met on the way.' And in this way John Jenkins, who was more gentleman than dealer, came to know every house and the chief family connections from Llanwenog hill in Cardiganshire to Betws mountain in Carmarthenshire and the confines of the industrial parts of Glamorganshire, where people begin to lose hold of each other and sink out of sight in the great rootless proletarian morass.

Before the respected denomination of Calvinistic Methodists raised the standard a generation or two ago, leaving the Apostle Paul and his son Timothy much embarrassed, John Jenkins set the best example in temperance that ever came to my notice. He kept the Cart and Horses for over fifty years, and in pursuing his business as a dealer he went into inns up and down the countryside and in towns and villages in all sorts of weather and in all sorts of company. Yet I never heard of him ever taking a glass more than was seemly. To him a glass of beer was something to break through with and bring the company to a congenial mood.

Magodd y pâr hardd a nodedig hwn dyaid mawr o blant – pump o ferched a thri o fechgyn. Yr ieuengaf o'r teulu yw'r Parch. John Ifor Jenkins o Hwlffordd, yn awr – un o storïwyr doniolaf y wlad, ac un o bregethwyr mwyaf dawnus ac efengylaidd ei enwad, yn gystal ag un o olrheinwyr achau gorau Sir Gaerfyrddin. Os oes ynddo ffaeledd, ffaeledd ei dad ydyw, ac un o ffaeleddau godidocaf y natur ddynol – diffyg unrhyw fath o uchelgais i ragori ar ei gyd-ddyn. Un o blant natur ydyw ef. Er gorfod troi ohono'n gynnar o'i gartre, a thrigo fel gweinidog mewn aml ardal, eto, o dan y stori ffraeth a'r chwerthin sydyn fel taran sy'n dilyn, darn dilwgr o'r Hen Ardal heb golli lluwchyn ohoni ydyw ef.

Ni phasiai John Jenkins ein tŷ ni odid byth heb droi i mewn a chymryd ei le'n gysurus ar y sgiw dan fantell y simnai. Hen dŷ to gwellt ydoedd Aber-nant gyntaf, fel pob tŷ yn y wlad. A phan roed to teils arno gan ei berchennog ar y pryd, teulu Ffrwd Fal rwy'n credu, ni chodwyd y welydd fawr ddim yn uwch, a gadawyd yr hen drawstiau trymion, garw, o dan y llofft, heb eu symud. Mae'n bosib i'r arbed hwn mewn gwaith a defnyddiau olygu achub rhyw ychydig ddegau o bunnoedd mewn treuliau wrth gwmpasu'r trawsnewid hwn yr adeg honno, ond bu'n golled ddirfawr ac yn rhwystr i bawb a fu byw yn y tŷ byth oddi ar hynny. Yn ein hamser ni, er enghraifft, yr oedd y gegin yn isel a thywyll – rhwng y trawstiau trwchus a'r ystlysau cig moch, y rhwydi silots ac, yn fynych, raff neu ddwy o wynwns Llydaw, y dryll yn ei le, a'i ffroenau, bob amser, yn boenus o gywir at dalcen yr hen gloc druan, basgedi o wahanol faint, bwndel neu ddau o wermod lwyd a gawmil wedi eu sychu, a llawer o drugareddau tebyg, anhepgorion tŷ ffarm, yn hongian o dan y llofft. Yn hirnosau'r gaeaf, rhaid, hefyd, gosod y lamp wen, fantellog, ar y ford fach, a'i golau esmwyth yn ehangu'r gorwelion.

Gadawyd, hefyd, heb ei chwrdd, yr hen simnai lwfer lydan, a'r awyr i'w gweld drwy'r top. Weithiau, ar noson stormus, llwyddai ambell ffluwch o gesair gwyllt ddisgyn drwy'r tro yng nghorn y simnai, gan saethu'u hunain mas, piff-piff-paff-paff yn y fflam. I fyny yn y simnai yr oedd y pren croes a'r bar a'r linciau haearn wrtho i hongian y crochanau uwchben y tân. Islaw yr oedd pentan llydan. Cydofalai 'nhad a 'mam fod yno dân da yn wastad – tân glo yn y gaeaf, a boncyff o bren go lew, fynychaf, yn gefn iddo. Tân

This handsome and notable couple reared a large family of children – five daughters and three sons. The youngest of them is the Reverend John Ifor Jenkins, at present of Haverfordwest, one of our country's more humorous raconteurs, one of his denomination's most gifted and evangelical preachers, and, as a genealogist, as good a one as any in Carmarthenshire. If he has a failing it is his father's, one of the virtuous failings in human nature, the lack of all ambition to excel his fellow men. He is one of Nature's children. Though he had to turn away from home at an early age and then, as a minister, to spend his life in many localities, yet in his telling of a witty story and in the sudden burst of laughter that follows it like a clap of thunder, he is still an unspoilt piece of our old neighbourhood, of whose legacy he has not lost a speck.

John never passed our house without coming in and taking his place in comfort on the settle beneath the chimney mantel. Abernant was a thatched house at first, like every house in the countryside around. When the roof was slated by the then owners, the Ffrwd Fal family, I believe, the walls were hardly raised and the old transom beams of rough and heavy timber were left under the ceiling. This economy in materials and labour meant a reduction of possibly some tens of pounds in the cost of carrying out this improvement, but it was a great loss and a continual hindrance to all who lived in the house ever afterwards. In our time, for instance, the kitchen was low and dark, what with the thick beams, the sides of bacon, the nets of shallots and often a rope or two of Breton onions, the gun in its own place and always with its muzzle pointed with painful accuracy at the poor old clock's forehead, baskets of various sizes, a bundle or two of dried grey wormwood and camomile, and a host of other similar effects, farmhouse indispensables, hanging under the ceiling. On the long winter evenings, too, the white and mantled lamp had to be placed on the small table, where its comfortable light widened our sphere of vision.

The wide and open chimney, at the top of which the sky could be seen, was also left untouched. Sometimes on a stormy night a spatter of wild hailstones would succeed in descending the chimney to shoot itself out, *piff-piff-paff-paff*, in the flame. Up in the chimney was the crosspiece with the iron bar and links to hang the pots over the fire. Below was the wide hob. My father and mother saw to it together that there was always a good fire, a coal fire in

coed fyddai yno yn yr haf – ffagl a matsien o dan y tegil neu'r
ffwrn fel y byddai galw Ac eithrio'r sgiw a'r glustog goch, hir, arni,
a hen gadair freichiau fy nhad-cu lle'r eisteddai fy nhad, bob amser,
cadeiriau derw trymion, diaddurn oedd yno i gyd, rhai ohonynt, yn
ddiau, yn ganrif a dwy oed. Yn union gyferbyn â'r drws, wrth ddod
i mewn, yr oedd y seld y gwelech eich llun ynddi gan ôl y cwyr
gwenyn a'r eli penelin ar ei phanelau; ac o flaen y ffenestr yr oedd
y ford fowr a mainc wrth ei hochr. Yn nes i'r tân, a chadair fy nhad
ar y dde iddi, yr oedd y ford fach gron, lle byddem ni'n pedwar yn
cael bwyd. Os byddai yno ddynion dieithr byddai rhaid i rywrai
fynd i'r ford fawr. Pegi a fi fyddai'r ddau ymfudwr cyntaf, wrth
gwrs. Yn grwt bach, fy hoff eisteddle i, am flynyddoedd, yn nhŷ
Aber-nant, ydoedd y fainc neu'r ffwrwm ford fywiog honno y
gallwn, wrth eistedd ar ei thalcen eitha, gyda'r osgo leia, beri i'w
phen arall godi i fyny ac i lawr, yn yr awyr, fel y mynnwn. Adeg
bwyd trown ei chornel at y ford fach; ac yn union deg heb wybod i
mi, megis, byddai'r ffwrwm, eto, wrth ei champau. Aml i gerydd a
ges i gan fy mam am 'beido iste'n deidi wrth y ford fel rhyw
blentyn arall.' Ond buan yr anghofiwn i, neu'r ffwrwm, y geiriau.
O'r diwedd gadawyd ni'n dau o dan sylw fel bodau'n rhy
anystyriol i dreio gwneud dim ohonyn nhw.

Syml a phlaen iawn fel y gwelir ydoedd y cysuron corfforol hyn
wrth ein safonau trefol ni heddiw, y cyfan wedi eu llunio a'u
llyfnhau gan olwynion peiriannau ffatrïoedd mawr Lloegr. Ond yr
oedd pob celficyn yn y tŷ – yr hen goffrau blawd dwfn ar y llofft, y
tolboi a'r leimpres (*linen press*), etc. – o dderw'r ardal, yn waith
crefftwr lleol, ac ôl geingio gofalus y ddeunawfed ganrif ar batrwm
yr ymylwe. Ac i dŷ a oedd yn llawer rhy fach i ddal ei gynnwys,
canlyniad symud o gartrefi helaethach, yr oedd yno bob amser lond
aelwyd o groeso cartrefol, di-lol, i bwy bynnag a drôi i mewn;
a chynnig pryd o fwyd, bron cyn iddynt eistedd i lawr, ond i'r
cymdogion nesaf, a oedd mor gartrefol yno â ni ein hunain.

Byddai John Jenkins yn ei ddull o gerdded yn debyg i hen gloc
wyth niwrnod, yn rhoi rhyw fymryn bach o un ochr i'r llall, gyda
phob cam. Fel y cloc, yntau, ni frysiai ac nid arafai gam, ac nid
arhosai byth (ond i siarad â rhywun). O'i wylio gellid meddwl mai
pwyllog y symudai. Ond yn y ffordd hon, er ei fod yn ddernyn
trwm o ddyn, gallai gerdded pellter mawr heb ddangos arwydd o

winter usually, with a good log at the back of it. In summer it was a wood fire, just a bundle of kindling under the kettle or the oven as the need might be, set alight with a match. Except for the settle with its long red cushion, and my grandfather's old armchair, where my father usually sat, it was heavy oak chairs we had to sit on, in a plain style, some of them without a doubt a century or two in age. Right in front of you as you came in through the doorway was a dresser in which you could see your reflection such was the effect of beeswax and elbowgrease upon the panels. And in front of the window was a big table with the bench alongside it. Nearer the fire, with my father's chair to the right of it, was the small round table at which the four of us sat down to our meals. If there were visitors some of us would have to go to the big table. Pegi and I, of course, would be the first to go. As a small boy my favourite seat in Abernant was for years that lively table bench where, by sitting on its very end, I could incline my body ever so slightly and move the other end up off the floor and down again as I wished. At mealtimes I would turn one corner of it towards the small table, and immediately before I knew anything about it, as it were, the bench would be up to its tricks. My mother many times reprimanded me for not sitting tidily at the table like other children. But soon I, or the bench, would forget her words. In the end we were left beneath regard as being too heedless to be worth anyone's trying to make anything of us.

It will be seen that our equipage of physical comfort was simple and plain compared with the urban standards of today, when everything is fashioned and finished by the revolving machinery of the big factories of England. But every piece of furniture in our house – the deep old mealchests upstairs, the tallboy, the linenpress, and so on – was of local oak and the work of a local craftsman with the mark of the careful chiselling of the last century along its selvedge pattern. And to whoever came there, to a house that was much too small to hold its contents, the result of moving from bigger dwellings, there was always a hearthful of homely welcome, with no humbug, whenever he or she entered, and the offer of a meal too almost before they sat, except to the immediate neighbours, who were as much at home there as ourselves.

John Jenkins in his manner of going along was like an old eight-day clock, if you have noticed how the minute-hand progresses, giving slightly from one side to the other with every step. And like the clock, too, he never hastened and never slowed and never

flinder. Gan fod cymaint yn ei nabod, ac yntau'n gwmnïwr diddan, câi ei gario, fynychaf; ond weithiau byddai'n rhaid cerdded. Cof gennyf amdano, un o'r troeon hyn, ar ddiwedd wythnos o ysgafn borthmona, yn eistedd ar ein sgiw ni, wedi cerdded y deuddeg milltir gyfan o Landeilo, a chael un glasaid o gwrw, meddai ef, gyda'r ddwy Miss Griffiths yn yr Angel, Llansewyl (o linach agos i Domos Lewis yr emynydd) ar ben y deng milltir gyntaf.

'Sawl peint rŷch chi'n feddwl, John,' gofynnai i 'nhad, 'a gâi'r hen Hwn-a-Hwn, wrth gerdded o Landeilo i Rhydcymerau, i bregethu 'slawer dydd?' gan enwi un o bregethwyr mwyaf poblogaidd de orllewin Cymru, gyda'r Hen Gorff, ganol y ganrif o'r blaen. (Petai e'n perthyn i ryw enwad arall fe fyddwn yn ei enwi yn blwmp ar ei ben. Ond rhaid parchu urddas fy enwad fy hun.) 'Pedwar!' gwaeddais innau'n gwbl ddifaners ar draws y drafodaeth, cyn i 'nhad a oedd yn flaenor Methodus gael amser i roi ystyriaeth deg i gwestiwn mor gyfansoddiadol. Wedi 'ngorchfygu'n llwyr yr own i am eiliad gan y syniad y gallai pregethwr yfed peint fel Nwncwl Tom – Nwncwl Cyffredinol yr ardal.

'Rŷch chi'n eitha reit, gwas, fel 'sech chi'n 'u rhifo nhw. Dyna fe ar 'i ben – pedwar oedd e'n 'i ga'l, *bob tro*,' meddai John Jenkins yn bwysleisiol. Esmwytheais innau'n rhyfedd gyda hyn, o deimlo nad own i, yn fy myrbwylltra, wedi tramgwyddo'n ddrwg iawn, beth bynnag. A dyma'r adroddwr yn 'i flaen gyda'r manylion: 'Roedd e'n disgyn o'r trên yn Llandeilo; yn cerdded rhyw ddwy filltir a hanner i'r ' Hope' – peint yno. Dwy filltir a hanner wedyn i'r 'Haff Wae' – peint arall. Y trydydd peint yn yr 'Angel' ar ben y deg milltir. A'r pedwerydd, ar ben y tair milltir ar ddeg, ar gornel sgiw y 'Cart' gyda'i swper, a'r ford fach o'i flaen e. A'r oedd e'n pregethu'r bore Sul ar ôl hynny fel angel, John – fel angel,' meddai wrth 'nhad, a thân argyhoeddiad yn ei lygaid. Llawer tro ar ôl hyn y clywais i'r darn hwn o hanes y saint yn cael ei adrodd gyda'r un sêl dystiolaethol.

Caf fy mod i wedi fy nhynnu i sôn llawer mwy am John Jenkins nag a fwriadwn yn y fan hon. Ei gyflwyno yn unig a fynnwn ar y cyntaf. Ond rywfodd fe gerddodd i mewn, ac eistedd ar y sgiw mor gartrefol ag y gwnâi yn Aber-nant, gynt. Ac o gael y sgiw roedd yn rhaid, hefyd, wrth y gegin drawstiog, yn llwythog fel ceginau'r Canol Oesoedd, y simnai lwfer, a'r pentan llydan, i fod yn

stopped, except to talk to somebody. Watching him you would say that he moved rather slowly. But in this way, although he was a heavy man, he could walk a great distance without showing any sign of fatigue. As he was known to so many and was such entertaining company he got a ride usually. But sometimes he had to walk. I remember him on one of these occasions at the end of his week's light trafficking as drover sitting on our settle having walked all the twelve miles from Llandeilo and taken one glass of beer, he said, of the two Miss Griffiths at the Angel, Llansewyl (whose lineage came near Tomos Lewis the hymnwriter), at the end of the first ten miles.

'How many pints do you think, John, old So-and-So used to take when walking from Llandeilo to preach in Rhydcymerau in the old days?' naming one of the most popular preachers among the Calvinistic Methodists of south-west Wales. (Had he been of another denomination I would name him plump and plain, but one must preserve the dignity of one's own.) 'Four,' I shouted across the discussion, completely forgetting my manners, before my father, who was a Methodist elder, had had time to give this constitutional question fair consideration. But I was at the moment quite overcome by the idea of a preacher being able to drink a pint of beer like Uncle Tom, who was uncle in general to the neighbourhood.

'You're quite right, my boy. You might have been there counting them. There it is plain. Four he used to get *every time*,' said John Jenkins emphatically. I was greatly relieved to feel that in my precipitancy I had not badly offended him anyway. And then the narrator proceeded with the details. 'He used to get off the train at Llandeilo and walk two and a half miles to Hope. A pint there. Two and a half miles to Half Way. Another pint. A third pint in the Angel at the end of the ten miles. And the fourth in the Cart at the end of the thirteen miles on the corner of the bench, along with his supper on the little table in front of him. And Sunday morning he used to preach like an angel, John, like an angel,' he said to my father with the light of conviction in his eyes. Many a time after this I heard this piece of hagiology being narrated with the same fervour in the testimony.

I find that I have been drawn on to say more of John Jenkins than it had been my intention to do at this juncture. At first I meant just to introduce him. But somehow he walked in and sat on the settle and made himself as much at home as in Aber-nant of old. And

auditorium iddo. Yn yr isymwybod, efallai fod dau reswm pam y mynnodd John Jenkins ei le, mas o'i dro, fel petai, yn yr hanes. Yn gyntaf – rhaid fy mod i'n fwy hoff o'r hen bererin didaro, doed-a-ddelo hwn, a ddysgodd werth hamdden mor drwyadl, yng nghanol byd o ddynionach bach gorbrysur, nag y sylweddolais i erioed, hyd nes i mi yn ddiweddar fel hyn, ddechrau hamddenu fy hun uwch ei ben yntau. Yn ail, i'w ddylanwad cynnar, anuniongyrchol, a llwyr anymwybodol, fod yn llawer mwy arnaf nag y dychmygais. I mi, ef oedd y marsiandwr diddan a dramwyai wledydd pell Sir Gaerfyrddin, y tu hwnt i deithiau Blac rhwng y ddwy afon – gan fynd i Gapel San Silyn a Chapel Cynon, i Lanedi a Chapadocia a ffair y Bont; ie, ac i'r Ffair Tri Mochyn, gan ta' ble roedd honno; a draw ffor' 'na wedyn hyd at Horeb a Pont yr Ynys Wen, a pharthau Libya gerllaw Cyrene, os nad wyf yn camgofio, a llawer o lefydd diddorol eraill.

Wedi cyrraedd ein cegin ni ryw ambell nos Sadwrn, dwy bibell lwythog yn tynnu cysur i 'nhad ac yntau, a milltir arall cyn gweld y Canghellor siriol, ond treiddgar, câi John Jenkins gyfle wrth ei fodd i adolygu taith yr wythnos. Mae'n wir y dôi pethau cyffredin fel pris y farchnad ac argoelion y tywydd am wres neu law neu sychwynt, ac effeithiau tebygol hynny ar amgylchiadau'r tymor, i mewn yn achlysurol. Ond nid dyna byth brif rediad yr ymddiddan. Petai felly, go brin y byddai John Jenkins wedi cael blaen ei droed i mewn i'r hanes, hyd yma. Eithr personau a llefydd a digwyddiadau, storïau am bobl a'u dywediadau a fynnai ei sylw ef, yn bennaf. Dyn yn byw yng nghanol cymdeithas gynnes, glòs ei gwead, ydoedd John Jenkins, a'r cynhesrwydd hwnnw yn ddigon i'w gadw ef yn glyd a hapus ar hyd ei oes.

Wrth adrodd hanes ffair neu farchnad doedd hi ddim yn ddigon ganddo sôn am y person a'r person a gyfarfu yno, a'r siarad a fu rhyngddynt. Roedd yn rhaid manylu ymhellach amdano ar unwaith, drwy ei gysylltu â rhyw deulu neu dylwyth gwybyddus i bawb o'r cwmni. Ac i wneud ei garden fynegai (*index card*) yn llawn, eid yn aml gam neu ddau ar ôl perthynasau ei wraig, a'u cael hwythau i mewn; a byddai'r nodiadau ymyl y ddalen yn fynych yn fwy diddorol na dim. Ni wn i am yr un gwerinwr syml a wnaeth gyfandir mor gyfoethog a ddiddorol o'i sir ei hun â'r hen borthmon diddig hwn. Ganed John Jenkins yn nhridegau diweddar y ganrif

after the settle came perforce the beamed kitchen, laden as the medieval kitchens used to be, then the open chimney, and the wide ingle to be his auditorium. Perhaps subconsciously I had two reasons for letting John Jenkins come and take his seat out of turn, as it were, in the story. In the first place I must have had a greater liking for this carefree, come-day-go-day old wayfarer who had so thoroughly learned the lesson of leisure in a world of overbusy little people, a greater liking than I realised until lately, when I too began to take my ease in reflection upon him. And in the second place his early indirect and completely unrecognised influence upon me was much greater than I had imagined. To me he was the entertaining merchant who traversed the distant lands of Carmarthenshire beyond Blac's journeys between the two rivers, going to Capel Cynon and Capel Silyn, to Llanedi and Capadochia and ffair y Bont, yes, and to the Three Pig Fair, wherever that might be, and then out yonder to Horeb and Pont yr Ynys Wen and the parts of Libya near Cyrene, unless my memory is deceiving me, and many other interesting places.

And after reaching our kitchen of a Saturday night, when two packed pipes were drawing in consolation for my father and for him and another mile was in store for him before setting eyes again on his cheerful but penetrating Chancellor, John Jenkins now had just what he wanted, the opportunity to review the week's journey. It is true that such ordinary things as market prices and weather forecasts of heat or rain or dry wind, with an estimate of its probable effect on the season's condition, would come in incidentally. But such was never the main course of the conversation. Had it been so John Jenkins would hardly have set one foot in my story up to this time. But places and persons and incidents, stories about people and their sayings, it was these things that chiefly claimed his advertence. John Jenkins was a man who lived in a closely woven society, and that warmth was enough to keep him snug and happy throughout his life.

In recounting a fair or a market he did not deem it sufficient to mention this or that person whom he had met there and the talk they had had together. He had to go into details about him at once, connecting him with some family or kindred known to all the company. And often, in order to complete his index card, a step or two was taken on the track of his wife's relatives, and they too were brought in. Often the marginal notes were the most interesting part.

o'r blaen. Roedd ganddo sylw a chof craffus am bopeth, ond am fanion dibwys busnes. Cofiai hen hanesion a glywsai am ddigwyddiadau'r ardal ymhell cyn ei eni ef. O wrando arno wrthi am noswaith gyfan fel y gwneuthum i, laweroedd o droeon, fe geid y saga ryfeddaf o gymeriadau a bywyd gwerin Sir Gaerfyrddin a'i chyffiniau yn ystod y ganrif ddiwethaf bron ar ei hyd.

Doedd gan 'nhad ddim clem ar ddilyn tylwyth y tu allan i gylch bob dydd ei adnabod. Ond am 'mam, dewch ati! Roedd ganddi hi ben ac elfen at y gwaith. Yn rhyfedd, efallai, fe ddangosai, ar droeon, fwy o wybodaeth am dylwyth pobl eraill nag am ei phobl ei hun, fel y cawn weld eto. Mae'n bosib mai ei gwyleidd-dra a gyfrifai am hynny. Oherwydd pobl fel ei mab, heb ormod o'r rhinwedd clodwiw hwnnw yn ei natur, sydd fwyaf chwannog i sôn am eu tylwyth; neu rywun, weithiau, wedi cael diferyn ar y mwya. Ond, yn sicr, y mae gwahaniaeth mawr iawn rhwng pobl sy'n elfentu mewn dilyn tylwythau a'r bobl hynny a fyn sôn, o hyd, i bwy y maent yn perthyn. Arwydd o egni cudd rhyw reddf hanesyddol werthfawr, y reddf geidwadol, ddiymollwng honno sy'n dal y gorffennol wrth y presennol a'r dyfodol yw'r naill; y bobl hyn yw recordwyr di-dâl yr oesau a fu'n cynnal anadl einioes y gymdeithas ddynol o genhedlaeth i genhedlaeth, gan wneud gwareiddiad yn bosibl. Nid yw'r llall ond ymgais y gwan i guddio'i ddinodedd drwy ymwasgu at ei fwy. 'Ie, dyna fe, arhoswch chi'n awr, mae Hwn-a-Hwn yn perthyn i chi, on'd yw e?' meddai rhywun, rywdro, wrth gyfaill iddo heb fod yn rhy dda ei fyd. 'Na, dyw e ddim yn perthyn i *fi*, ond mae e'n perthyn i *John*, 'y mrawd,' oedd yr ateb.

Ni fyddwn i byth yn dweud gair yn ystod y trafodaethau hyn. Dysgwyd ni yn ifanc mewn hen draddodiad a llawer iawn i'w ddweud o'i blaid, y traddodiad o barchu dynion mewn oed – a hwnnw nid yn barch ffugiol, ymddangosiadol, ond yn adlewyrchiad didwyll o'r parch a goleddid tuag atynt gan ein rhieni. Golygai nad oeddem i siarad gair yn y tŷ os byddai 'dynion dierth' yno, ond yn unig ateb yr hyn a ofynnid i ni, a hynny'n 'fynheddig ac yn daluedd'. Yn hyn o beth, mi gredaf, nid oeddem ni na gwell, na gwaeth – am wn i – na mwyafrif plant yr ardal. Dyna'r arferiad, o leiaf, ymhob tŷ yr awn i iddo. Wedi mynd yn athro i Ysgolion Sir Cymru y deuthum i ar draws rhai o'r plant clyfer hynny sy'n

I know of no plain countryman making a continent so rich in interest of his own county as this contented old dealer. John Jenkins was born in the late thirties of the last century. For everything except the trivialities of business his observation was intent and his memory tenacious. He remembered accounts he had heard of events in the neighbourhood long before his birth. Listening to him all the evening as I did time and time again, one got a wonderful saga of the characters and folklife of Carmarthenshire and its borders throughout almost the whole of the last century.

My father had not the slightest aptitude for genealogy outside the circle of his everyday acquaintance. But my mother, come you! she had a head for it and she delighted in it. Sometimes, perhaps surprisingly, she showed more knowledge of other people's relations than of her own, as we shall see later on. It may be that her modesty was responsible for this. It is people like her son, who haven't too much of that estimable quality, who are prone to speak of their family, or sometimes it is a person who has taken too much drink. But, indeed, there is a great difference between people who delight in tracing families and those who will ever be telling one whom they are related to. The former have the mark of the hidden energy of a precious historical instinct, the conserving, unrelinquishing thing that holds the past to the present and the future; these people are the unpaid recorders of the ages who have kept the breath of life in human society from generation to generation, so making civilisation possible. The other just makes a weak attempt to hide his insignificance by getting close up to someone who is bigger. 'Yes, let me see now, So-and-So is related to you, isn't he?' said someone once to a friend who was not in too good circumstances. 'No, he isn't related to me. He is related to my brother,' was the answer.

I never used to say a word during these discussions. We were trained in an old tradition that has much to be said for it, that of paying the respect due from children to adults, not seeming and dissembled respect, but a sincere reflection of the respect in which they were held by our parents. This meant that if we had visitors we were not to speak a word in the house except by way of answer, and then politely and courteously. In this respect we were no better, or worse as far as I know, than the majority of the children of the neighbourhood. Such was the custom, at least in all the houses I used to enter. Since becoming a teacher in Welsh County Schools I

gwybod mwy na'u rhieni, ac yn llawer uwch eu cloch; a'r rhieni hynny yn synnu ac yn rhyfeddu, gallwn feddwl, at ryfeddol bosibliadau datblygol Johnnie a Mary ni!

Ond, a mynd yn ôl eto at gwmni John Jenkins, o'r braidd y sylwai neb ar yr aelwyd, efallai, fy mod i'n gwrando, o gwbl. Tybient, yn ddiau, fy mod i'n rhy ifanc i gael dim blas ar siarad o'r fath. Yma eto, er na raid derbyn popeth a draethant, yr wyf yn bendant o'r un daliadau â'r seicolegwyr yma pan ddywedir ganddynt fod synhwyrau plant bach, ie, 'a rhai yn sugno bronnau', yn llawer mwy agored i dderbyn argraffiadau arhosol mewn bywyd nag a dybir yn gyffredin gan oedolion. Seiliaf hyn ar fy atgofion a'm profiadau personol, ac ar ryw gymaint o sylwadaeth ar fywyd yn nes ymlaen. A dyna lle daw holl bwysigrwydd y cartref i mewn.

Cyn i mi erioed fod ddiwrnod mewn ysgol, na'm siarsio, hyd y mae cof gennyf, ond mewn dau orchymyn moesol yn unig, sef nad oeddwn ar unrhyw gyfrif i ddweud 'Na 'na' wrth fy rhieni, na dweud anwiredd, credaf i mi, mewn rhyw ffordd annelwig, rywle i lawr yn nyfnder fy mod, ddysgu parchu rhai o egwyddorion cysegredicaf a mwyaf sylfaenol fy mywyd ar ei hyd. Cartref cul a Phiwritanaidd, meddech chi. Dim o'r fath beth. Ni chafodd dau blentyn erioed fwy o ryddid iachus, diwarafun yn eu cartref na Phegi fy chwaer a minnau. Ond yr oedd yno ganllaw neu ddwy, wedi eu llunio gan fywyd y teulu, nad oeddem i fynd drostynt. Er agosed y Diafol at fy mhenelin ym more f'oes (ysywaeth, mae'n llawn mor agos o hyd, ond mewn diwyg wahanol), a'i barodrwydd cyson i ddangos gwaith i was digon bywiog ac ewyllysgar, ar y cyfan, eto, pan ddôi'n ddadl rhyngom yng nghyffiniau'r canllawiau hyn, roedd hyd yn oed ei Fawrhydi ei Hun yn tynnu tipyn o'i gwt ato. Ni allai neb ond mi fy hun ddinistrio rhin a nerth y cyfryw ganllawiau. A theimlais erioed, pe darfyddai fy mharch i'r rhain, y darfyddai hefyd am bob gwerth a allai fod yn fy mywyd innau. Yma, yn y cartref syml hwn y stofwyd fy syniadau am grefydd, am addysg, am wlad, am iaith, ac am fywyd, a hynny cyn i un o'r termau haniaethol hyn allu golygu dim i mi yn ddeallol. Mater o awyrgylch ac o draddodiad ydoedd a ddaethai i lawr o genhedlaeth i genhedlaeth.

Maddeuer y crwydro yna, ond y mae hyn yn wirionedd hefyd – pryd bynnag y byddai John Jenkins yn ein tŷ ni, neu rywun tebyg iddo, fel Ifan Pant Glas yn sôn am ei ddryll, ei gaps, a'i gŵn, neu Dan Esgair Lyfyn, ei frawd ('Ben Tŷ'n Grug a'i Filgi' yn *Hen*

have come across some of those clever children who know more than their parents and have much more to say. And those parents, it would seem, stand in awe at our Johnny's possibilities of development!

But to return to John Jenkins's company, maybe no one would have noticed, really, that I was listening at all. They all thought, I am sure, that I was too young to enjoy such talk. Here, too, I heartily agree with the psychologists – although one need not accept everything they say – that the senses of little children, yes, and 'of those that are sucking breasts', are far more open to receive lasting impressions than adults generally believe. I base this view on my own memories and experiences and on a certain amount of observation of life. The great importance of the home lies here.

Before I went to school or ever was charged, as far as I remember, in any moral commandments, except never on any account to say 'No, I won't' to my parents and never to tell a lie, I believe that somewhere in the depth of my being, and in a vague and obscure way, I learnt some of the more sacred and fundamental principles of my life ever afterwards. A narrow and puritanical home, you say. Not at all. Two children were never given a healthier and more ungrudged freedom at home than my sister Pegi and I. There were one or two handrails, made by family life, that we were not allowed to climb over. Near as the devil was to my elbow in my early days (and worse luck he is quite as near still in another get-up), and ready as he always was to show a lively and willing enough servant the work he might do, yet when it came to a debate between us near these handrails his majesty had to draw in his tail. And no one could destroy the virtue and strength of the handrails except myself. And I have always felt that if my respect for them failed, every value there might be in my life would fail too. Here, in this simple home, was set up my ideas of religion, of education, of country and of language and of life, and that before any of these abstract terms could mean anything to my understanding. It was a matter of atmosphere and of tradition that had come down from generation to generation.

Pardon my discursion, but this, too, is true: whenever John Jenkins, or someone like him, was in our house, such as Ifan Pant Glas telling us of his gun and caps and his dogs, or Dan Esgair Lyfyn, his brother, mimicking rabbits nibbling, rising on his hind

Wynebau), yn actio (dynwared) y cwningod yn pori, ac yn codi ar eu coesau ôl, yn awr ac eilwaith, i wrando, a'r hen fwch hwnnw a'r sbotyn gwyn ar 'i gern e a adwaenai ef fel cyfaill personol, gallwn feddwl, yn rhoi rhybudd i'w gyd-gynffonnau i'w gwân hi, ni fu raid i'm mam, unwaith, geryddu'r ffwrwm aflonydd honno am ei hanufudd-dod, 'wedi i'r dyn dierth fynd mas'. Dyna'r unig adeg y gellid gwarantu i bedair coes y fainc hon fod yn sefydlog fflat ar y llawr yr un pryd; a'm meddwl innau mor daer sefydlog â hithau.

Pechod parod ambell heliwr tylwyth fel ambell gynganeddwr syfrdan yw nad oes ganddo ddim arall ar ei ymennydd. Dyna pam y mae pobl, yn gyffredin, yn cilio rhagddo ac yntau'n rhy lawn ohono'i hun ac o'i bwnc i weld hynny. Ond gallai John Jenkins siarad yn ddiddan ar lawer testun, a dweud ei feddwl yn glir a chryno. Yn ei hwyliau gorau byddai ganddo, weithiau, ffordd garlamus o ddweud pethau.

Pan ddaeth y fan fara gyntaf i'r ardal, a'r ddau geffyl gwinau, hardd, yn ei thynnu, gan utganu o'i blaen wrth nesáu at borth pob tŷ, byddai pawb yn prynu ar y dechrau, fel mater o deyrnged i fenter mor newydd. Ond ciliodd y newydd-deb o dipyn i beth, a phrynwyr y torthau yr un modd.

'Rŷch chi'n gweld,' meddai John Jenkins, a sobrwydd y barnwr yn ei eiriau, 'fe fyddai gorfod byw am *bythewnos* ar fara Charles yn ddigon o gosb ar y pechadur *penna*, gan ta' *beth* fu'i drosedde fe, cyn hynny.' Ac ategwyd y sylw ymhellach gan ei gymydog yr ochor draw i'r afon, Dafydd 'r Efail Fach:

'Hi!' meddai Dafydd, 'rwyt ti yn dy le, fan 'na, John. Mae dyn yn byta'r bara Charles 'ma nes 'i fod e'n whyddo mas yn bacyn mowr wrth y ford. Yna, wedi codi lan ac unioni, a rhoi 'stwythad neu ddwy, mae dyn wedyn, cyn pen fowr o dro, yn teimlo'i hunan mor fflat ag astell gorff Jim Sa'r yr Albion.'

A chyda rhai ymadroddion cyffelyb y cymylwyd gogoniant bara Charles, dros dro, yn yr Hen Ardal. 'Rown i fan 'na yn ffair Langadog p'y ddwarnod,' meddai John Jenkins rywdro arall, 'yn treio prynu treisiad (anner) flwydd, yr Hereford fach berta welsech chi byth, gyda Tom Cwm Cowddu, mab yr hen borthmon, Dafydd Gilwenne, 'slawer dydd; a phwy ddaeth yno, o rywle, i dreio'i hwpo hi'n fargen, am wn i, ond ffarmwr bach teidi reit, cymydog i Tom, gallwn feddwl, a phâr o legins yn disgleirio fel y glas am 'i goese fe. Rown i'n gweld rhywbeth yn debyg yndo fe i rywun rown i wedi gweld rywle o'r blaen, ac yn ffaelu'n lân â galw hwnnw i

legs now and again to listen, and that old buck rabbit with white on the side of his head, whom we knew as a friend, giving warning to his fellow bobtails to make themselves scarce, my mother never had to reprimand that restless bench for disobedience when the visitor had left. That was the only time when it could be guaranteed that the four legs of the bench would all be steady on the floor at the same time, with my mind in its earnestness as steady as they.

The besetting sin of some genealogists, as of some dazing alliterativists – I mean our *cynganeddwyr*[2] – is that they have nothing else on the brain. That is why people in general give them a wide berth while they are too full of their subject to notice it. But John Jenkins could speak engagingly on many subjects and impart his meaning clearly and concisely. And when he was most on form he could express himself in grand hyperbole.

When the baker's van first came to the district with two fine bay horses drawing it, as it drew near the gate of each house in turn everyone bought at first as a tribute to the new venture. But the novelty receded before long, and with it the buyers of the loaves.

'You see,' said John Jenkins, as sober as a judge, 'it would be punishment enough for the biggest criminal, whatever his offence, to have to live for a fortnight on Charles's bread.' And the remark was supported by his transfluvial neighbour, Dafydd Efail Fach.

'Hee,' said Dafydd. 'You are right there, John. You eat Charles's bread till you swell out against the table, then you get up and straighten and stretch once or twice, and you feel yourself as flat as Carpenter Jim the Albion's corpse laying-out board.'

And with such sayings as these the glory of Charles's bread was clouded for a while in the neighbourhood. 'I was in Llangadog fair the other day,' said John Jenkins another time, 'trying to buy a year-old heifer, the prettiest little Hereford you ever saw, off Tom Cwm Cowddu, son of Dafydd Gilwenne, the old drover of years gone by, and who should come there, from somewhere or other, trying to bring it to a bargain as far as I know, but quite a tidy little farmer, a neighbour of Tom's, I should think, with his legs in a pair of leggings that shone like glass. I could see his resemblance to someone I had

[2] *Translator's note*: Writers of *cynghanedd* – that is, of the kind of harmony to be seen in the *englyn* on p. 20. In the first line 'Dryslwyn' rhymes with 'dwyn', and then 'drig' alliterates with 'Dryslwyn'. In the last line the first half is repeated in the second, in its accents and consonant sequence. This mode was systematized in the Middle Ages, and has been used ever since.

gof. Erbyn siarad ymhellach, a rowndo tipyn yn ôl a bla'n, pwy ŷch chi'n feddwl oedd e?

Wel, ŵyr i Twm Mati a arfere, 'slawer dydd, fod yn was gyda'r hen Ifan Dafis yn Esger Wen. Twm Legins Cochon oe'n ni, gryts yr ardal, yn ei alw e weithe. Gydag e y gwelwyd y pâr cynta o legins lleder coch yn yr ardal. Roedd e wedi bod yn gwasnaethu ffor'na, tua Talley Road cyn dod lan aton ni; mae tipyn o steil tua Glan Tywi 'na wedi bod ariod. A dyna pwy oedd mam y bachan bach, wedyn 'te, mynte fe wrthw i – fe fyddech chi, Sara, yn 'i nabod hi'n net – roedd hi'n wha'r i Marged, wraig gynta Hwn a Hwn. Mae'r byd 'ma'n fach iawn wedi'r cyfan pan eith dyn i ddechre 'i rowndo fe. Ond hyn rown i'n mynd i 'weud – aelie a thrwyne rwy i wedi sylwi sy'n dilyn tylwyth fynycha; ond weithie fe gewch bâr o legins hefyd.'

'John Jenkins! John Jenkins! Rŷch chi'n siompol, heno yto,' meddai 'mam, gan fynd ymlaen yn ofalus â'i 'chweiro' sanau.

'Gyda llaw, ddelsoch am y dreisiad?' gofynnai 'nhad.

'O ie, rown i wedi anghofio am yr Hereford fach. Naddo, wir, John. Fe ddaeth rhywun ymla'n man 'ny, pan own i'n siarad ag ŵyr Twm Mati oboutu 'i dylwyth, a fe gynigiodd goron yn fwy na fi, slap! Fe adewais i i'r dreisiad fach fynd, er 'i bod hi'n llawn gwerth yr arian, cofiwch. Rhyngom ni'n tri fan hyn, nawr 'te, rown i'n *eitha balch* 'i gweld hi'n mynd, waeth doedd arna i ddim o'i heisie hi o gwbwl – ond jist 'y mod i'n nabod yr hen Dom yn dda, ariod, a'i dad e'n well na hynny; a down i ddim yn leico mynd heibo, rywfodd, heb gynnig *rhywbeth*, fel math o shwd-ŷch-chi-heddi 'ma. Ond feddyliais i ddim mwy na'r ffwrn wal yma am 'i phrynu hi.'

Ac fel yna, cyn camu dros drothwy'r un ysgol, y dechreuais i ddysgu hanes a daearyddiaeth Sir Gaerfyrddin; ei ddysgu, lawer ohono yn y man a'r lle, wrth ochr fy mam ar sêt y car, a gwrando arni'n sôn am ddynion a thai a choed a chaeau, am nant ac afon a llyn a welwn yn ystod yr ugain milltir ramantus, liwgar hynny ar yr ambell siwrnai o wledda llygaid a gawn rhwng Llandeilo a Llambed; ac a minnau bellach beth yn hŷn, wrth wrando ar John Jenkins, yn gymaint â neb, efallai, a'i hanesion am y byd mawr, llydan, y tu hwnt i'n gorwelion ni.

Dyw'r ychydig y dois i i'w wybod wedyn ond eilbwys, mewn gwirionedd – am blas Rhydodyn a mynachlog Talyllychau, am

met somewhere whom I couldn't call to mind. After we had talked for a while around and about, who do you think he was?

'Well, a grandson of Twm Mati's, who used to be in service with Ifan Dafis, Esgair Wen, long ago. We local lads used to call him Twm Brown Leggings sometimes. It was on him that we saw the first pair of brown leggings in the vicinity. He had been in service over there near Talley Road before he came to us, and there has always been a bit of style over there towards Glan Tywi. And that's who the young fellow's mother was, he told me – you, Sara, would know her well – she was sister to So-and-So's first wife. The world is small after all. But this is what I was going to say. It's eyebrows and noses, I've noticed, that usually run in families, but sometimes you find a pair of leggings doing so too.'

'John Jenkins, John Jenkins, you're shocking tonight again,' said my mother, going on darning the stockings carefully.

'By the way, did you make a deal of it for the heifer?' asked my father.

'Oh, yes, I had forgotten about the little Hereford. No, indeed, John. Someone came on at that moment when I was talking with Twm Mati's grandson about his kinsfolk and offered five shillings more than I had done, slap! I let the little heifer go, although she was quite worth the money, mind you. But between us three I was quite glad to see her go, as I didn't want her at all, only that I knew old Tom so well, and his father better still, and I didn't like to go by without offering him something for her just as a sort of How-are-you-today. But I had no more intention of buying her than this wall oven.'

And in that way, before ever I crossed the school threshold, I began to learn the history and geography of Carmarthenshire, learning much of it on the spot by my mother's side on the seat of the trap, listening to her speak of people and houses and woods and fields, of stream and river and lake that we saw on that romantic and brightly coloured twenty miles on those occasional journeys in which we feasted our eyes between Llandeilo and Lampeter, and, when I was a little older, when listening to John Jenkins, as much, perhaps, as anyone, with his stories of the big wide world beyond our horizon.

The little I have got to know since is really of only secondary importance – about Rhydodyn mansion and Talyllychau monastery,

Grug-y-bar a Chaeo, am Domos Lewis, awdur 'Wrth gofio'i riddfannau'n yr ardd', a'i ddisgynyddion, hyd heddiw, bendith arnynt, wedi parhau i doncian yr eingion, yr un hen eingion, efallai, ar lawr yr un efail wrth ymyl y ffordd; am gysylltiadau agos Williams Pantycelyn ag ardal Llansewyl – iddo fod yn cadw ysgol yno am gyfnod byr, wedi colli ei swydd fel ciwrad Llanwrtyd, ac iddo, yn ystod y tymor hwn gael ei arwain i gyflawni un o weithredoedd mwyaf bendithfawr ei fywyd, sef ymddyweddïo i briodi Mary, merch Thomas Francis, Pen Lan, ffarm hyfryd y fan yna ar dop Rhiw Goch, yn union uwchben y pentre – y ddihafal Fali o Bantycelyn, wedi hynny.

Flynyddoedd yn ddiweddarach, a minnau erbyn hyn wedi cyrraedd mwy nag oed beic, dros fy un ar hugain oed, dyfnheais fy adnabyddiaeth o'r wlad hon drwy seiclo ei ffyrdd hi, do, ddegau ar ddegau o droeon, ar gefn fy 'Rudge Whitworth' hirwyntog (model 1907), ie, a byrwyntog ddigon weithiau, hefyd; a phob rhiw a rhwgn a charreg, fel yr oedd yr hewlydd, yr adeg honno, yn dwysbigo'r adnabyddiaeth bersonol. Ond rhaid gohirio gorchestion y beic hyd ryw dro arall.

I mi, dyma fro y broydd, y godidocaf ohonynt oll. Dysgais ei charu, mi gredaf, cyn dysgu cerdded. Ni theithiais y darn yma o wlad erioed – o Fwlch Cae Melwas i Fwlch Cefen Sarth ac o Graig Dwrch i'r Darren Fowr – heb deimlo rhyw gynnwrf rhyfedd yn cerdded fy natur – cynnwrf megis un yn teimlo penllanw ei etifeddiaeth ddaearol ac ysbrydol yn dygyfor ei enaid. Dyma wlad fy nhadau mewn gwirionedd. Fe'm meddiannwyd i ganddi; ac, yn ôl y gynneddf syml a roddwyd i mi, fe'i meddiannwyd hithau gennyf innau. Prin y collais wyliau erioed heb ymweled â hi. Hiraethais lawer tro am ddod yn ôl iddi i fyw ac i weithio, gan y teimlwn mai yno, ymhlith fy mhobl fy hun, y gallwn wneud fy ngwaith gorau – breuddwyd, yn ddiau, na ddaw i ben mwyach. Oherwydd er treulio, eisoes, dri chwarter fy oes ymhell o'i golwg, a byw ynghanol cymdeithas garedig a diddan, nid aeth fy nghalon ohoni unwaith. Nid oes i mi gartref ysbrydol ond yma. Y brogarwch *cyfyng* hwn, os mynner, a'i ganolbwynt yn 'y filltir sgwâr' yn Hen Ardal fach fy mebyd lle y gwelais i bethau tecaf bywyd a'm gwnaeth i yn Shirgar anobeithiol. Dyna graidd fy ngwladgarwch, os caniateir i mi ddefnyddio gair a enllibir gymaint, drwy'r cenedlaethau, heb i mi ei lychwino na'i ddifwyno ymhellach. I mi nid yw gwladgarwch y Cymry cydwladol – yr

and Crug-y-bar and Caeo, and Tomos Lewis, author of the hymn 'Wrth gofio'i riddfannau'n yr ardd,' whose descendants until this day, God bless them, have continued to ring the anvil, perhaps the same old anvil, on the floor of the same wayside smithy; of Williams Pantycelyn's close connections with the Llansewyl district, of his keeping a school there for a short while after losing his curacy in Llanwrtyd, and of his being led at this time to do one of the things that brought to his life the greatest blessings, to get engaged to marry Mary, daughter of Thomas Francis, Pen Lan, a pleasant farm on the top of Rhiw Goch, right above the village – the incomparable Mali of Pantycelyn afterwards.

Years later, having by that time reached more than cycling age – I was over twenty-one – I deepened my acquaintance with the country by cycling its roads scores of times on my long-winded Rudge Whitworth 1907 model; yes, and sometimes a short enough winded one it was too, with every hill and stone and track on the roads as they were in those days pricking into greater intensity my personal cognition. But the cycling exploits must be postponed.

To me this is the most excellent of all possible homelands. I learnt to love it, I believe, before I learnt to walk. I have never travelled this part of the country from Bwlch Cae Melwas to Bwlch Cefen Sarth and from Craig Dwrch to Y Darren Fawr without feeling strangely stirred in my nature, like one who feels the full tide of his terrestrial and spiritual inheritance surging through his soul. This, actually, is the land of my fathers. It took possession of me, and I have taken possession of it in accordance with that simple property of my nature that responds. I have hardly ever failed to visit it on my holidays. I have often longed to return to it to live and work, for I felt that I could do my best work there, among my own people – a dream now that will never come true. Although I have spent three quarters of my life far out of sight of it, and have lived in a kind and engaging society, my heart has never once left its homeland. Only here have I a spiritual home. This close homeland love, if you will have it that way, concentrated upon the square mile in the old locality of my boyhood where I saw the fairest things of life, has made me an irredeemable 'Shir-gar'.[3] It is the heart of my patriotism, if I may use a word that has been so much traduced throughout the generations without sullying it further.

[3] *Translator's note*: Carmarthenshire. Here Carmarthenshire man.

internationalists eangfrydig yma – sy'n selog dros hawliau pob gwlad a chenedl ond yr eiddynt eu hunain, ond truth arwynebol diystyr – gwladgarwch papur, parod i gael ei gario gan yr awel gryfaf ar y pryd, boed y gwynt o Lundain, o Fosco, neu o unrhyw le gwyntog arall. Perygl y bobl yma, fel y dywedodd rhywun, yw eu bod mor llydan fel nad oes ganddynt ochrau i ddal dim. Eithr gwae nyni, Gymry, os yn ein llwfrdra moesol a'n materoliaeth bwdr y rhown yr hawl hon i neb bwy bynnag i sathru ar degwch bro ein mebyd a dinistrio gwerthoedd ei gorffennol hi. Os gellir dweud fod hawl ddwyfol ar ddim daearol yn bod o gwbl yn y byd yma, yna yn sicr y mae'r hawl hon ar dir Cymru yn eiddo cenedl y Cymry – ac nid yn eiddo'r un estron, gan nad pwy fo hwnnw.

To me the patriotism of those broadminded 'internationalists' we have in our nation, zealous for the rights of every nation except their own, is but superficial and meaningless rigmarole, paper patriotism to be carried on the strongest wind blowing at the time, whether from London or Moscow or any other centre of wind. The danger these people run, as someone said, is to be so wide that they have no sides to contain anything. But woe to us Welsh people if in our moral turpitude and soul-rotting materialism we give anyone, whoever he be, the right to trample on the beauty of our childhood's homeland and to destroy the values of its past days. If it may be said that there is a divine right to anything on earth, the right over the land of Wales belongs to the Welsh nation, and not to any alien, whoever he be.

Aelwyd Penrhiw
yn Amser fy Nhad-cu

Yn ôl hen weithredoedd cyfreithiol, yr enw cyntaf ar Benrhiw lle y ganed ac y maged fi hyd nes i ni symud i Aber-nant, ydoedd Esgair Fyda, neu 'sawdl bryn y gwenyn meirch'. Rhaid fod yr enw hwn yn hen iawn, gan na chlywais i erioed yr hynaf o'r hen ardalwyr yn sôn amdano. Odid fod yn unman ranbarth mwy 'esgeiriog' na'r ardaloedd hyn, a barnu wrth nifer y llefydd sy'n dwyn yr enw Esgair Rhywbeth-neu-'i-gilydd. Yr Esgair, er enghraifft, ydyw enw'r lle nesaf i Benrhiw ar yr ochr dde o wynebu'r dwyrain; neu, a rhoi iddo yntau ei hen enw yn llawn – Yr Esgair Lygod; er fod y 'Llygod', hefyd, ar lafar gwlad, wedi diflannu mor llwyr a'r 'nyth cacwn' neu'r 'Fyda(f)' ar Benrhiw. (Hwyrach, erbyn hyn, mai enw rhif y consgript sydd arni, gan ei pherchennog presennol, Comisiwn y Fforestydd.) Enw'r ffarm ar yr ochr chwith yw'r Esgair Wen. Heblaw hyn, ceir yn yr ardal bedair Esgair arall (yngenir fel Esger, bob amser) – Esger Tylcau, Esger Ceir, Esger Lyfyn, ac Esger Owen. Ac fel y nodwyd yn barod ceir yr enw'n fynych yn y cyffiniau agos.

Cyn y gellir deall Penrhiw a'r hen aelwyd yno, fel yr wyf i'n eu cofio gyntaf, rhaid gwybod rhywbeth am fy nhad-cu, Jaci Penrhiw, tad fy nhad, a sefydlodd yr aelwyd honno. Gan i mi eisoes yn yr ysgrif 'Y Tri Llwyth' yn *Hen Wynebau* draethu tipyn ar y tylwythau yn yr Hen Ardal, boddlonaf yma'n awr ar atgoffa'r ffaith syml mai fy nhad-cu, Jaci Penrhiw, tad fy nhad, neu John Williams, a rhoi iddo ei enw llawn a phriod, ydoedd yr olaf o hen deulu Llywele i adael yr hen le hwnnw y bu iddo, unwaith, ryw gymaint o hanes. Ac yn ôl y traddodiad yn y teulu ef oedd 'yr unfed ach ar bymtheg a aned ac a faged yn Llywele'. A rhoi i ach neu genhedlaeth ond chwarter canrif – dyna bedwar can mlynedd. Fe adawodd fy nhad-cu y lle Ŵyl Fihangel 1838. Felly, a bwrw fod sail i'r traddodiad hwn dyna bum can mlynedd o gysylltiad di-dor â'r un llecyn, gan nad yw Penrhiw y symudodd fy nhad-cu iddo, wedi rhyw ddwy flynedd yng Nghlun March gerllaw, ond tua dwy filltir i'r dwyrain union o Lywele; ac Aber-nant yr aeth fy rhieni iddo o Benrhiw, yn 1891, yn y canol, ar linell syth rhyngddynt, ryw filltir

CHAPTER II

Penrhiw Hearth and Home in
My Grandfather's Time

In old legal deeds Penrhiw, the place where I was born and where I was brought up until we moved to Aber-nant, is first known as Esgair Fyda – that is, The Spur of the Wild Bees' Nest (*esgair*, a word for shanking, assuming here a secondary meaning like spur itself). There can hardly be such a many-spurred locality as this, judging by the number of places called Esgair-something-or-other. For instance, the place next to Penrhiw on the right-hand side facing east is Yr Esgair, or, to give it its full name, Esgair Lygod, but the *llygod* – that is, the rats – have disappeared as completely as the *byda*, the wild bees' nest, on Penrhiw, from the colloquial name. Perhaps by this present time it has only the conscript number given it by its owner, the Forestry Commission. The name of the farm on the left is Esgair Wen. (*Wen* is the mutated feminine form of *gwyn*, white.) In addition to these there are four other places called Esgair or Esger, as it is pronounced locally – Esger Tylcau, Esger Ceir, Esger Lyfyll, and Esger Owen – and the name, as has been said, occurs frequently in the less immediate locality.

Before Penrhiw, the old hearth and home as I first remember it, can be understood one must know something of my grandfather, Jaci Penrhiw, who established our family home in the place. In *Hen Wynebau* (*Old Familiar Faces*), in an essay entitled 'Y Tri Llwyth' ('The Three Tribes'), I have said something of the families of the neighbourhood. Here I will but remind my readers that Jaci Penrhiw, my father's father, or John Williams, to give him his full and proper name, was the last of the old Llywele family to leave that place that once had some history. According to family tradition, he was of the sixteenth generation to be born and brought up in Llywele. Giving a generation only twenty-five years, that means four centuries. My grandfather left the place Michaelmas 1838. Then granting the veracity of that tradition there has been an unbroken five-century connection in our family with the neighbourhood, as Penrhiw, where my grandfather moved after two years in Clun March nearby, is only two miles away to the east of Llywele, and Aber-nant, where my parents went in 1891, is

72

dda o bob un. A'm gwreiddiau mor ddwfn yn y rhan hon o'r wlad, nid rhyfedd fod fy serch innau, ie, a'm balchder digon gonest hefyd, mi gredaf, yn ddwfn ynddi hithau. Yn diriogaethol, cyfyngu'n gyson y mae treftadaeth y teulu wedi ei wneud ers canrifoedd, nes bron diflannu'n llwyr erbyn fy nyddiau i. Ond nid yw hynny wedi fy mlino unwaith, yn y gronyn lleiaf, gan y teimlaf i mi, rywfodd, gael cadw rhywbeth sydd yn fy ngolwg i yn ddrutach na thir nac eiddo – sef yr ymwybod â hen werthoedd ein tadau, ynghyd ag elfen o gyfrifoldeb personol am eu parhad. Rhyw naws o hen ddinasyddiaeth Gymreig nas lladdwyd gan hir ormes a thrais yr oesau yw peth fel hyn, gallwn dybied – rhywbeth sy'n fy llwyr anaddasu i fod yn ddinesydd teyrngar i unrhyw awdurdod arall. Ffugiol yw pob teyrngarwch nas seilir ar amodau o foddlonrwydd ac o gyfiawnder moesol.

Bûm yn synnu, rai troeon, pam yr aeth fy nhad-cu o Lywele, ffarm fawr, gymysg, o dir defaid a thir âr, o ryw bedwar cant a hanner o gyfeiri; ffarm dda, hefyd, unwaith y dringid y bryniau serth o bobtu a chyrraedd y gwastatir braf ar y top – a mynd i Benrhiw, ffarm ddiarffordd arall, llai na hanner ei maint, a heb fod yn hanner cystal lle. Ond o osod wrth ei gilydd rai darnau o hanesion teuluol a glywais yn gynnar, ynghyd â chofnodion Beibl Peter Williams, a'r arysgrif led gofiannol o'r achau a'r dyddiadau ar gistfedd fy nhad-cu ym mynwent Llansewyl, credaf i mi gael eglurhad gweddol foddhaol.

Blynyddoedd go anodd i 'nhad-cu yn Llywele fu 1835–38. Yn Hydref 1835 bu farw ei dad, Josuah Williams, mab yr hen Gynghorwr Wiliam Sion, Llywele, y canodd Williams Pantycelyn farwnad iddo, a phregethu yn ei angladd. Yn gynnar yn Chwefror 1837 bu farw ei frawd ieuengaf, Josi, mab y Josuah Williams uchod, yn ddim ond pump ar hugain oed – gŵr ifanc hynod dduwiolfrydig yn ôl y dystiolaeth amdano, a'i feddwl ar bregethu'r efengyl. Clywais Beto Esgerceir (mam-gu Gwenallt Jones y bardd), hen wraig graff a phwyllog, a allai fod yn ei brin gofio, yn sôn am ei enw da yn yr ardal. Ei gyfaill pennaf ydoedd Dafi Dafis, Rhydcymerau (tad-cu D. Myrddin Lloyd). Ar ddiwedd cofiant Dafi Dafis gan y Parch. James Morris, fe geir ysgrif goffa brydferth iawn i Josi Llywele gan Dafi Dafis ei hun yn ddyn ifanc. Cefais rai dyddiadau a ffeithiau tra phwrpasol yn yr ysgrif hon.

73

between them in the direct line and a mile from each. With my roots so deep in this part of the country, what wonder is it that my affection for it and my pride in it, an honest pride, I believe, have become deep too. Territorially the family heritage has been diminishing consistently for generations, and by my day has almost disappeared. But that has never worried me in the least because I believe I have obtained what is more precious in my sight than land or belongings – a consciousness of the values cherished by my forefathers and a sense of personal responsibility for their survival. Such a thing is, I should think, a touch of old Welsh citizenship that has not been abrogated by agelong violence and oppression. It is a thing that unsuits me altogether for being a loyal citizen under any other authority. Every loyalty not founded on consent and moral justice is fictitious.

I have many times felt surprised at my grandfather's leaving Llywele, a big farm of sheep-grazing and arable land mixed, extending to about four hundred and fifty acres – a good farm too, once one had climbed the steep hills around it on all sides and reached the pleasant tableland on top – and his going to Penrhiw, an out-of-the-way farm of about half the size of Llywele and not of the same quality. But piecing together bits of the family history that I learnt at an early age, and notes entered in a Peter Williams Bible, and the biographical inscription with its genealogy and dates on my grandfather's tombstone in Llansewyl Churchyard, I believe I have reached a fairly satisfactory explanation.

1835 to 1838 were difficult years for my grandfather in Llywele. In October 1835 his father died. Joshua was a son of the old Exhorter Wiliam Sion Llywele, whom Williams Pantycelyn elegised and at whose funeral he preached a sermon. Early in 1837 his youngest brother, Josi, son of the above Joshua Williams, died at the early age of twenty-five, a godly young man, to go by everyone's testimony, whose intention was to preach the Gospel. I remember Beto Esgerceir (the poet Gwenallt's grandmother), an astute and sensible old woman, who could just remember him, speaking of him as one of high repute in the neighbourhood. His bosom friend was Dafi Dafys Rhydcymerau (D. Myrddin Lloyd's grandfather). At the end of Dafi Dafys's biography by the Reverend James Morris there is a very beautiful memorial essay by Dafi Dafys on Josi Llywele. I have obtained some useful facts from it.

Ac yna, yn Ionor 1838, bu farw Letys Williams, mam fy nhad-cu. Pedwar mab oedd yn Llywele, sef Jaci, fy nhad-cu, yr hynaf ohonynt, a Jemi a Bili a Josi. Roedd Jemi wedi priodi yn barod â Mari, merch Ysgnyw, Brechfa (chwaer i dad-cu yr Athro Llywelfryn Davies), ac yn byw yng Nghilwennau Ucha, ffarm arall, helaeth ei herwau ar stad Rhydodyn; a Nwncwl Bili druan, y trydydd brawd, a 'dafad ddu' draddodiadol y teulu, yng Nghwm Du Bach – y ddau le hyn, eto, am y clawdd â Llywele. Mae'r tri lle yma, bellach, a hefyd Esgerceir sy'n ffinio â hwy, a llawer hen le ac aelwyd arall, yn rhan o orestwaith Llywodraeth Lundain dan y teitl synfawr – The Brechfa Forest.

Diwedd y flwyddyn gynt, sef Rhagfyr 22, 1837, wedi ei adael, yn awr, yr olaf o'r plant ar aelwyd Llywele, priododd fy nhad-cu, ac yntau'n naw ar hugain oed, â Marged, merch hynaf William James, Cilwennau Isa, a Chlun March hefyd y pryd hwnnw, ond wedi ei eni a'i fagu yng Nghwm Gogerddan Ucha, ym mhlwyf Caeo – cartref Dafydd Jones yr emynydd, cyn hynny. Hyd y gwn i nid oedd yna'r un berthynas deuluol, er y digwydd fod gan y ddau gysylltiad â'r Hafod Dafolog, y ffarm y bu Dafydd Jones byw ynddi ym mlynyddoedd olaf ei oes (1763-77).

Enw morwynol fy hen fam-gu, priod William James, Cilwennau Isa, fy hen dad-cu, ydoedd Jane Price. Ganed hi yn 1797, yn y Tŷ Llwyd, Caeo, yn ferch i John a Margaret Price. Roedd y Farged Preis hon, yn ôl y farwnad iddi gan ryw 'John Jones o Gayo', fel y'i gwelir yn hanes y plwyf hwnnw, yn wraig go arbennig, gellid barnu, ac yn un o golofnau achos y Bedyddwyr ym Mwlch y Rhiw a Chwm Pedol. Brawd i Jane Price ydoedd Thomas Price y Beili Ficer, ffermwr a phorthmon, tad Price Bach y Siop a fu'n ffigur amlwg ym mywyd ardal Llansewyl ar hyd ei oes, a thad-cu, gyda llaw, Fred S. Price, swyddog tollau yn Abertawe, a hanesydd diddan y tri phlwyf – Llansawel, Caeo a Thalyllychau. (Wrth basio, dylid crybwyll mai Llansewyl, nid Llansawel, yw'r ynganiad lleol ar y pentref hwn gan bawb yng Ngogledd Sir Gaerfyrddin). Priododd Jane Price â'm hen dad-cu, William James, yn eglwys Caeo, ar y 28 o Chwefror, 1817 – y priodfab yn saith ar hugain a'r briodferch yn ugain oed. Un o dystion y briodas ydoedd Daniel Price, perthynas go agos i'r wraig ifanc, ewyrth iddi, brawd ei thad, yn ddigon tebyg. Cyfreithiwr ydoedd Daniel Price, a chanddo ei swyddfa yn Nhalyllychau ac yn Llandeilo. Dilynwyd ef yn ei swydd gan ei fab, D. Long Price. Daniel Price a wnaeth weithredoedd Penrhiw i

Then in January 1838 Letys Williams, my grandfather's mother, died. There were four sons – Jaci my grandfather, Jemi, Bili, and Josi. Jemi was married to Mari, daughter of Ysgnyw, Brechfa (a sister to Professor Llywelfryn Davies's grandfather), and they lived in Cilwennau Ucha, another farm, of large acreage, on Rhydodyn estate, and Uncle Bili, the third brother, the traditional 'black sheep' of the family, lived in Cwm Du Bach. Both these farms adjoined Llywele. The three farms, along with Esgerceir adjoining them and many other old places and homesteads, are now a part of the wilderness created by the London Government to bear the high-sounding name of Brechfa Forest.

The end of the previous year, the 22nd December, 1837, my grandfather, now the last of the sons left in the old home, married Marged, daughter of William James Cilwennau Isa, and of Clun March too at that time, but who was born and bred in Cwm Gogerddan Ucha in the parish of Caeo, the home of Dafydd Jones the hymnwriter before that time. As far as I know there was no family relationship, but it happens that both are connected with Hafod Dafolog, the farm where Dafydd Jones lived during the latter years of his life (1763-77).

My great-grandmother, William James Cilwennau Isa's wife, was Jane Price, to give her her maiden name. She was born in 1797 in Tŷ Llwyd, Caeo, a daughter of John and Margaret Price. This Marged Preis, according to an elegy on her by a certain 'John Jones of Cayo' to be seen in the history of that parish, was rather a remarkable woman, and one of the pillars of the Baptist cause in Bwlch y Rhiw and Cwm Pedol. Thomas Price of Y Beili Ficer was a brother of Jane's. He was a farmer and dealer, the father of Price Bach y Siop, a prominent figure in the life of Llansewyl in his day, and grandfather to Fred S. Price, harbour dues officer in Swansea, the interesting historian of the three parishes, Llansawel, Caeo, and Talyllychau. (Incidentally, Llansewyl is the local pronunciation of the name in North Carmarthenshire). Jane Price married my great-grandfather William James in Caeo Church on the 28th of February, 1817, when he was twenty-seven and she was twenty. One of the witnesses of the marriage was Daniel Price, a near relative of the young woman, probably her father's brother. Daniel Price was a lawyer who had offices in Talyllychau and Llandeilo. He was succeeded in this business by his son D. Long Price. It was Daniel Price who drew up the deeds of Penrhiw for my grandfather

'nhad-cu yn 1839, a D. Long Price, y mab, a wnaeth weithredoedd Aber-nant i 'nhad yn 1893. Rhyngddynt bu'r ddau hyn yn gyfreithwyr ac yn gynghorwyr i ganolbarth Sir Gaerfyrddin am y rhan helaethaf o'r ganrif ddiwethaf.

Yn ôl a glywais gan fy nhad, ynteu, roedd William James, ei dad-cu ef, neu Wiliam Jâms yn iaith yr ardal, adeg priodas ei ferch hynaf, Marged, yn ffarmio Clun March a Chilwennau Isa – dwy ffarm ddymunol, gyfleus, ac yn ffinio â'i gilydd, ryw hanner milltir, bob un, o bentre Llansewyl, i gyfeiriad Rhydcymerau a Llanybydder. Gŵyl Fihangel gyntaf wedi priodas ei ferch, y Nadolig cynt, sef Gŵyl Fihangel 1838, rhoddodd Wiliam Jâms Glun March i'r pâr ifanc, gan gadw at Gilwennau Isa ei hunan. A'r flwyddyn ddilynol, 1838–39 a stad Rhydodyn heb dderbyn Llywele, ei hen gartref, yn ôl, ac yntau wedi cymryd at ei gartref newydd yng Nghlun March, bu gan fy nhad-cu lond côl o waith, drwy orfod gofalu am y ddau le.

Beth amser cyn ymadael â Llywele roedd rhyw gweryl wedi bod rhwng fy nhad-cu a rhyw *agent* go fyrbwyll ar stad Rhydodyn y perthynai Llywele iddi. Yn ôl a glywais gan fy nhad, eto, rhyw achos digon pitŵaidd oedd i'r cweryl hwn i ddechrau: torasai fy nhad-cu bost i glymu buwch yn y beudy, a hynny heb ganiatâd yr *agent* hwn. Ac i wneud y peth yn ffolach byth, pren gwernen, y salaf o'r prennau, ydoedd. Aeth pethau o ddrwg i waeth; a lluniodd y gŵr mewn awdurdod ei fersiwn ei hun o'r stori, ac achwyn wrth y perchennog, Syr James Williams. Y diwedd fu i 'nhad-cu i gael rhybudd ymadael o'r lle y buasai ei hynafiaid yn byw ynddo drwy'r canrifoedd. Yn naturiol, fe ffromodd yntau yn chwerw. Fodd bynnag, daeth Syr James gydag amser i ddeall yr amgylchiadau'n gywirach; a'r diwedd fu i'r rhybudd ymadael gael ei dynnu'n ôl, a chynnig i 'nhad-cu, fwy nag unwaith, i aros ymlaen yn y lle. Gwrthododd yntau, yn ôl yr hanes, fel y gwrthododd un o'i gyndadau rywbryd ymhell cyn hynny, yn ôl traddodiad teuluol pellach, dderbyn prydles ar Lywele am bumpunt y flwyddyn, tra rhedai dŵr yn afon Gorlech – am yr ystyriai fod ganddo well a thecach hawl ar y lle hyd yn oed nag a gynigid iddo gan y brydles hirhoedlog hon.

Ond ymddengys i mi, yn bersonol, nad ystyfnigrwydd noeth, er fod digon o hwnnw yn rhai o aelodau'r teulu, a barodd i 'nhad-cu, wedi dirymu'r rhybudd ymadael, wrthod cadw'r lle yn ei flaen; ond yn hytrach mai grym amgylchiadau, megis marwolaethau yn y teulu, ei briodas hefyd, a bod Clun March wrth ymyl ei dad-yng-nghyfraith ac yn ei ddwylo, ac yn hwylus iddo gymryd ato – a

in 1839, and D. Long Price who drew up the deeds of Aber-nant for my father in 1893. Between them they were lawyers and advisers to the middle part of Carmarthenshire for the greater part of the last century.

To go by what my father told me, his grandfather William James, or Jâms, as he was called locally, was, at the time of the marriage of his eldest daughter, Marged, farming Clun March and Cilwennau Isa, two desirable and convenient farms adjoining each other about half a mile from Llansewyl village in the direction of Rhydcymerau and Llanybydder. The Michaelmas after his daughter's marriage the previous Christmastide, William Jâms gave the young couple Clun March, keeping Cilwennau Isa himself. And the following year, 1838-39, when Llywele his old home was not yet returned to the Rhydodyn estate, my grandfather had his work cut out, having to take charge of both farms.

Some time before he left Llywele my grandfather had a quarrel with a rash and short-tempered agent of Rhydodyn estate, to which Llywele belonged. According to my father, again, this quarrel was at first about a very paltry matter. My grandfather had cut down a tree for a stallpost in the cowhouse without the agent's permission. And, to make his objection still more foolish, it was only an alder, the poorest of the timbers. Things got from bad to worse. The man in authority evolved his own version of the story, and complained to Sir James Williams, the owner. And in the end my grandfather received notice to quit the farm that his ancestors had occupied for centuries. Naturally he bitterly resented it. However, in the course of time Sir James came by a clearer understanding of the circumstances and withdrew the notice to quit, and more than once he renewed his offer to my grandfather that he might remain on the farm. But it seems that he refused, just as one of his ancestors, according to family tradition, had refused to accept the leasehold on Llywele for five pounds a year while the river Gorlech ran, because he believed he had a fuller and fairer right to the place than was offered even by this well-extended lease.

But it seems to me that it was not sheer obstinacy – although there was plenty of that in some members of the family – that impelled my grandfather to refuse to remain when the notice to quit had been withdrawn, but rather the force of circumstances – the deaths in the family, his marriage, and also the great suitability of Clun March near his father-in-law's farm and now in his own

achosodd iddo, yn y flwyddyn dyngedfennus honno yn ei hanes, y flwyddyn 1838, fel yr olaf o'r gwehelyth, ymadael â hen aelwyd Llywele. Ond am ryw reswm neu'i gilydd eto, caledi'r blynyddoedd hynny i ffermwyr, o bosib, ni fu Wiliam Jâms fawr o amser wedi hyn yng Nghilwennau Isa, gan iddo tua 1842 neu '43 symud yn ôl i Gwm Canol, gerllaw ei hen gartref yng Nghwm Gogerddan Ucha. Yno y bu hyd ei farw yn 1856 yn 66 oed, a'i gladdu ym mynwent eglwys Caeo.

Ac yng Nghlun March, yn ôl y cofnodion ym Meibl Peter Williams, y ganed y ddau blentyn cyntaf i John a Marged Williams, rhieni fy nhad – Jane, yr hynaf, a fu farw yn Ebrill 1839, yn ddeufis oed, a Joshua (Josi) a aned yn Chwefror 1840. Dwy flynedd union y bu fy nhad-cu byw yng Nghlun March, sef o Ŵyl Hengel 1838 hyd Ŵyl Hengel 1840. Symudodd, wedyn, yn uwch i fyny'r cwm i Benrhiw Fawr, a wahenir oddi wrth Glun March gan ffarm yr Esgair. Yno y ganed ac y maged y saith plentyn arall – Anne, Let, Bili, John (fy nhad), Jâms a Marged, yr efeilliaid, a Jane (yr ail Jane – i gadw enw Jane Price, ei mam-gu, yn fyw, mae'n amlwg – gan i'r gyntaf, fel y gwelwyd, farw'n faban). Roedd Josi a Rachel, gellid barnu, yn hen enwau yn y teulu, ac fe'u cedwir hyd heddiw, yn gystal â'r enwau mwy cyffredin – Letys, William (Bill) John a Jâms. Medd yr emynydd, Morgan Rhys, yn ei farwnad, arbennig bersonol mewn ambell fan, i Esther, gwraig Wiliam Sion, Llywele, a fu farw yn 1770:

> *William ffyddlon bydd yn ddiwyd*
> *Yn pregethu gair y bywyd; . . .*
> *Rahel fwyn, a Sion, a Josi*
> *Glynwch wrth eich Priod Iesu, etc*

Yn ôl gweithredoedd y lle, prynwyd Penrhiw a'r Byrgwm gan fy nhad-cu, John Williams, Clun March y pryd hwnnw, ar yr ugeinfed o Ragfyr, 1839, dan y teitl 'Tir Esker Vyda', ynghyd â'r darnau ychwanegol, Dôl y Felin, a'r Llain dan Fryn Dafydd – neu'r Ddôl Fowr, y Ddôl Morfa, a'r Ddôl Frasg'irch, yn ôl yr enwau a glywais i arnynt erioed, enwau sydd i mi, hyd heddiw, yn llawn o hyfrydwch y doldir meillionog hwn fel y cofiaf i amdano'n blentyn. Perthynai'r Ddôl Fowr i'r Byrgwm, a'r ddwy ddôl arall i Benrhiw. Talodd fy nhad-cu am y cyfan £1,005, pris digon uchel, gallwn feddwl, yn ôl y gwerth ar arian yr adeg honno. O ran arwynebedd roedd y ddau le tua'r un faint – ryw ychydig dros gan

possession – led him, the last of the lineage in that fateful year for him, 1838, to leave the old home, Llywele. But for some reason or other again – the depressed state of agriculture in those years, perhaps – William Jâms did not remain long in Cilwennau Isa, but, in 1842 or 3, he moved to Cwm Canol, near his old home Cwm Gogerddan Ucha. There he dwelt until his death in 1856 at the age of sixty-six, and he was buried in Caeo churchyard.

And in Clun March, according to the entries in the family Peter Williams Bible, their first two children were born to John and Marged Williams, my father's parents – Jane, the eldest, who died in April 1839 at two months, and Joshua (Josi), who was born in February 1840. It was exactly two years my grandfather lived in Clun March, from Michaelmas 1838 to Michaelmas 1840. He then moved further up the valley to Penrhiw Fawr, between which and Clun March lies one farm, Yr Esgair. Seven more children were born and brought up here: Anne, Let, Bili, John (my father), Jâms and Marged the twins, and Jane, the second Jane, evidently to keep on the grandmother's name, Jane Price, as the first Jane died a baby, as we have seen. Josi and Rachel I judge to be old names in the family, and are retained to this day, as well as the more common ones, Letys, William (Bili), John, and Jâms. The hymnwriter Morgan Rhys in his elegy, full of personal touches, to Esther, the wife of Wiliam Sion, Llywele, who died in 1770, says:

> *Faithful William, preach the tidings*
> *Ceaselessly of life for ever;*
> *Gentle Rachel, Sion and Josi,*
> *Cleave to Jesus as your Lover.*

According to the deeds, Penrhiw was purchased by my grandfather John Williams, at that time of Clun March, on the 20th of December, 1839, under the name of Tir Esker Vyda, along with the supplementary parcels Dôl y Felin and Y Llain under Bryn Dafydd – that is, Y Ddôl Fawr, Y Ddôl Morfa, and Y Ddôl Frasg'irch, the names I always heard them given, names that are to me to this day redolent of the delightfulness of this cloverly meadowland as I remember it as a child. Y Ddôl Fawr belonged to Y Byrgwm, and the other two meadows to Penrhiw. My grandfather paid £1005 for the lot, high enough a price, I should think, in the money of that period. In area the two farms were about equal – rather more than a

cyfer yr un, gan gynnwys yr allt dderi ynghyd â'r gwernach, y bedw, a'r helyg, mewn trallwng a rhwyth, lle bu'r afon ar ryw gyfnod yn rhedeg. Hyd y gallaf i ddeall nid oedd neb yn byw yn y Byrgwm pan brynwyd ef; a'r tai, hyd yn oed y pryd hwnnw, wedi syrthio i bwll. Nid oedd yno ond olion, y cof cyntaf sydd gennyf i. Gwnaeth fy nhad-cu y ddau le yn un ffarm. Pan sonnir am Penrhiw o hyn ymlaen, ynteu, golygir y Byrgwm yn ogystal – fel y mae Lloegr, yn hynod hwylus, yn gallu cynnwys Cymru!

Gwerthwyd y lle i 'nhad-cu gan glerigwr o'r enw Charles James o Evenlode yn sir Gaerwrangon, yntau'n fab i glerigwr o'r enw William James, ac yn ŵyr i glerigwr arall o'r un enw, y ddau olaf o gyffiniau Caerloyw. Yn ôl cytundeb priodas rhwng William James yr hynaf, ac Elizabeth Biddlestone o'r un dref eto, a wnaed yn 1756, yr oedd y William James hwn yn berchen Penrhiw a'r Byrgwm a rhyw dipyn yn ychwaneg o dir ym mhlwyf Llansewyl yn y flwyddyn honno. Awgryma hyn y tebygolrwydd fod ganddo ef, neu rai o'i hynafiaid, gysylltiad â'r cylch hwn. Er yr holl rigmarôl cyfreithiol, a'r manylu a'r ailfanylu diystyr i leygwr, yn Rhwymyn y Cyfamod Priodas hwn, gallai'r dywededig William James, 'Clerk in Holy Orders in the City of Gloucester', fod yn hawdd yn Felchisedec, 'heb dad, heb fam, heb achau' o ran a ddywedir yma am ei berthynas â'r teulu dynol – namyn ei bod yn ei fryd yr awron i gymryd gwraig; a'i fod ar fore'i briodas yn cymynnu ei eiddo tiriog yn Sir Gaerfyrddin 'i un Elizabeth Biddlestone o Ddinas Caerloyw a'i disgynyddion o'i chorff'.

Ymddengys i'r cyfenw James fod yn rhedeg yn gryf ym mhlwyf Llansewyl a phlwyf Caeo am ddwy neu dair canrif, er ei fod bellach wedi cilio'n lled lwyr. Wrth geisio olrhain llinach y clerigwyr William Jamsaidd o gylch Caerloyw, perchenogion Penrhiw, ddwy ganrif yn ôl, fe'm cyfeiriwyd yn yr *Alumni Oxoniensis* at driawd arall, yn dad, mab, ac ŵyr, yn dwyn eto yr un enw o William James, a'r cyntaf ohonynt, yn arwyddocaol iawn, yn enedigol o blwyf Llansawel. Ymaelododd ef ym Magdalen Hall (Coleg Hertford, yn ddiweddarach), mor bell yn ôl â Chwefror 21, 1673, a graddio o Goleg yr Iesu yn 1677. Bu wedyn yn rheithor Begelly, Sir Benfro. (Rhaid fod cysylltiad agos rhwng plwyf Llansawel a Rhydychen yr adeg yma, gan i ddau ŵr o'r plwyf hwn fod yn Brifathrawon Coleg yr Iesu, yn olynol, yn ei gyfnod cynnar – John Williams (1602-13) a Griffith Powell (1613-20). Graddiodd yr ail William James o Goleg yr Iesu yn 1704, a bu'n dal bywioliaeth

hundred acres each, including the oak-wood and the alders, the beeches and the willows in the old long-forsaken riverbed. As far as I understand, no one was living in Y Byrgwm when it was bought, and the buildings even at that time were fallen in. The earliest memory I have of the place is of nothing but ruins. My grandfather made one farm of the two places. Henceforth, when Penrhiw is spoken of Y Byrgwm is included, in the same way as England is able conveniently to include Wales!

The place was sold to my grandfather by a clergyman named Charles James, of Evenlode, in Worcestershire, himself the son of a clergyman named William James and a grandson of a clergyman of the same name, the last two being from the neighbourhood of Gloucester. According to the marriage settlement between William James senior and Elizabeth Biddlestone of the same town, made in 1756, this William James was the owner of Penrhiw and Y Byrgwm and a little more land in the parish of Llansewyl in that year. This suggested the likelihood that either he or some of his forebears were connected with the district. For all the legal rigmarole and the reiterated particularisation that appears meaningless to the lay mind, the said William James, Clerk in Holy Orders in the City of Gloucester, might well have been Melchisedec 'without father, without mother, without descent', for all that is said of his relationship with the human family, except that he is now minding to take to himself a wife, and does, on the morning of his marriage, bequeath his real estate in Carmarthenshire to one Elizabeth Biddlestone of the City of Gloucester and to the issue of her body.

The surname James seems to have run strongly in the parishes of Llansewyl and Caeo for two or three hundred years, although it has now become recessive. In trying to trace the lineage of these clergymen William James of around Gloucester, the owners of Penrhiw two hundred years ago, I was referred in the *Alumni Oxoniensis* to another three, again father, son, and grandson, of the name of William James, the first being, significantly it seemed to me, a native of the parish of Llansawel. He matriculated to Magdalen Hall (later Hertford College) as far back as February the 22nd, 1673, and he graduated from Jesus College in 1677. Later he was a rector in Begelly, Pembrokeshire. (There must have been a close connection between the parish of Llansawel and Oxford at this time, for two men from the parish were Principals of Jesus College successively – John Williams (1602-13) and Griffith Powell

Llanhamlach yn Sir Frycheiniog, a hefyd, yn ddigon tebyg, bluraliaeth Longney ac Elmore yn swydd Gaerloyw. Ymaelododd William James y trydydd ym Magdalen Hall, a graddio yn 1738.

Yn awr, gan fod y clerigwr William James y cyntaf o Rydychen, graddedig yn 1677, yn hanfod o blwyf Llansawel, fel y gwelwyd, a'r William James arall, y cyntaf o driawd clerigol Caerloyw a'r cylch, yn berchen Penrhiw a'r Byrgwm a pheth tir ychwanegol ym mhlwyf Llansawel mor bell yn ôl o leiaf â 1756, a'r dyddiadau'n asio'n rhesymol o ran amser, y cwestiwn a ddaw i ddyn yn naturiol yw – tybed ai parhad o chwe chenhedlaeth o offeiriaid o'r un teulu yn dilyn ei gilydd yn ddi-fwlch o 1677 hyd 1839 yw'r ddau driawd yma o weision yr Eglwys, a'r pump cyntaf yn dwyn yr un enw traddodiadol, William James, a'r chweched wedi newid i Charles James. Gall yr olyniaeth fod yn hwy, wedyn, o ran hynny, gan y collir golwg arnynt wedi i'r olaf hwn werthu ei dreftadaeth yn Sir Gaerfyrddin i 'nhad-cu yn 1839. Er pob ymdrech deg methais â phrofi'n derfynol, drwy gyfrwng dogfennol, mai parhad o'r teulu cyntaf yw'r ail dri. Ond cadarnheir yn lled sicr y ddamcaniaeth hon drwy dystiolaeth amgylchiadol gan ŵr gofalus sy'n hyddysg yn y pwnc hwn yn ei dalaith ei hun, Mr. Brian Frith o ddinas Caerloyw. Ac iddo ef yr wyf yn ddyledus am gymorth gwerthfawr a diflin yn yr ymdrech hon y bu raid i mi ei gadael fel y mae.

Ac o ddechrau damcaniaethu, tybed, eto, na allai fy hen dad-cu, William James, Cilwennau Isaf, Jamsiad arall o hil gerdd, o'r cylch hwn, fod hefyd o'r un gwehelyth; ac mai rhyw gyswllt teuluol neu'i gilydd, llwyr anhysbys erbyn hyn, ymhlith pethau eraill, a barodd i Marged, ei ferch hynaf, a Jaci, ei fab-yng-nghyfraith, gymryd at Benrhiw a'r Byrgwm, a mynd i fyw yno yn gynnar yn eu bywyd priodasol. Gwyddys mor awyddus ydoedd rhai o'r hen deuluoedd yn y gymdeithas glòs yma i beidio â gadael tir i fynd allan o'r achau.

Ar y pwnc hwn bu'n syn gennyf rai troeon paham, ar ben dwy flynedd gron, y gadawodd fy nhad-cu Glun March, ffarm fach ddymunol a'i thir yn dod at y ffordd fawr, ac at dop pentre Llansewyl, a phrynu Penrhiw lethrog, anghysbell, a digon didriniaeth, hefyd, y pryd hwnnw, yn ôl yr hanes. Wrth geisio ymresymu'r peth, heb unrhyw ffaith na sibrwd deuluol y tro hwn i'm cynorthwyo, dyma rai o'r ystyriaethau a ddaw i'm meddwl fel eglurhad: roedd fy nhad-cu, yr adeg honno, yn ifanc fel gŵr priod – yn ddeuddeg ar hugain oed; yn weddol fentrus wrth natur, a heb arno rithyn o ofn gwaith. Efallai, hefyd, ei fod yn awyddus i

(1613-20).) The second William James graduated from Jesus College in 1704, and he held livings in Llanhamlach, in Breconshire, and probably the plurality of Longney and Elmore, in the county of Gloucester. The third William James matriculated to Magdalen Hall, and graduated in 1738.

Now, as the clergyman William James the first of Oxford, who graduated in 1677, came from the parish of Llansawel, while the William James who was the first of the three clergymen of Gloucester and district owned Penrhiw and Y Byrgwm and a little land in addition in the parish of Llansawel as far back as 1756, to say the least, and as the dates fit together reasonably, one naturally asks whether there might not be here an unbroken succession of priests through six generations of one family from 1677 to 1839, the first five named traditionally William James and the sixth Charles James. The succession may well have been longer, as the family is lost from sight when the last of them sold his patrimony in Carmarthenshire in 1839. My endeavours, however, failed to find documentary evidence of such a connection. But the theory is supported by the circumstantial evidence presented by a man who is discreet and knowledgeable in such matters appertaining to his own area, Mr. Brian Frith of Gloucester city. I am indebted to him for valuable assistance in this quest, which I have had to abandon.

As I have begun conjecturing, may not my great-grandfather William James Cilwennau Isa, another James of a family well established locally, have been of the same stock? Some family connection, unknown to me, may have been one of the reasons why Marged, his eldest daughter, and Jaci, his son-in-law, took Penrhiw and Y Byrgwm and went there to live early in their married life. We know how desirous some families in this closely woven society were to keep their land within the kinship.

I have many times wondered why at the end of two years my grandfather left Clun March, a very desirable little farm whose land reached down to the main road and to the top of Llansewyl village, and bought Penrhiw, which was hilly and remote, and at that time, it would seem, indifferently farmed. In trying to arrive at an understanding of this matter, this time without any fact or any whisper from the family tradition to give me assistance, here are some of the considerations that come to my mind by way of explanation. My grandfather, at the age of thirty, was a newly married man. He was by nature rather venturesome and not in the

berchenogi ei le ei hun, yn hytrach na byw mewn lle rhent a chael ailbrofiad o gwmpo mas â'r *agent* neu'r meistr tir. Hefyd, wedi unwaith dorri'r rhwymau a gadwasai'r teulu, drwy'r canrifoedd, mor dynn wrth yr hen gartref yn Llywele, roedd e'n awr fel dafad a gollasai ei hen arhosfa – ni faliai gymaint, bellach, symud i ryw rosfa arall, cyd bod yno argoel am flewyn ffres. Ymhellach, yn nyddiau'r ceffyl brwchgáu a'r ceirti yn eu traciau trymion nid oedd y ffordd fawr yn debyg mor bwysig yn y bywyd economaidd ag ydyw hi heddiw. Roedd hyd yn oed y priffyrdd, yn fynych, yn wael ddigon. Aml dro, fel y clywais ddweud, y galwyd fy nhad-cu (tad fy mam yn awr) yn Rhiw'r Erfyn o'i wely, ddyfnder nos, i ddod â cheffyl i roi plwc mas i lwyth o galch rhyw ŵr anlwcus 'o ochor draw'r mynydd' y suddasai ei gart hyd at y bŵl yn y fignen ar ben Gors Fach, gerllaw – a hynny ar y *ffordd fawr* o Landeilo i Lanybydder! Cofier, hefyd, mai dyma union ddyddiau mwyaf gorthrymus y tollbyrth, a chynnwrf y Beca, fel canlyniad. Rhwng popeth roedd y priffyrdd y cyfnod hwnnw bron yn fwy o rwystr nag o help i ffermwyr ymdrechgar.

Ac o ddod yn ôl at y cartref newydd a'i gymharu o ran safle ddaearyddol â'r hen gartref – er mor ddiarffordd Benrhiw y mae ardal siriol Esgerdawe i'w gweld bron yn gyfan o fwlch y clos – bwlch Cae-dan-'r-ydlan. Eithr o unigedd gogoneddus gwastatir uchel (*plateau*) banc Llywele, a hafnau dyfnion Cwm Gorlech, Cwm Acheth, Cwm Cilwennau, a Chwm Du, yn ei gylchynu o bobtu, nid oedd dŷ cymydog yn y golwg yn unman. Er hynny, o rannau o'r tir, fe geid panorama godidog o wlad – Glyn Cothi y tu hwnt i bentref Abergorlech, draw at gefen Llanfynydd, ac yn ôl, drachefn, ar y chwith, at Ddinas Rhydodyn fel caer uwchben y dyffryn, yn gwylio tawelwch Llansewyl, Crug-y-bar, Caeo, a Phumsaint. Gylch ymhellach, wele Graig Dwrch, y Mynydd Du, a'r dibyn serth uwchben Llyn y Fan Fach, a Bannau Brycheiniog acw draw yn y pellter glas. Diau mai'r olygfa hon oedd o flaen llygaid Morgan Rhys yn ei farwnad i Esther Siôn, y cyfeiriwyd ati'n barod wrth ei disgrifio yn gweld y pererinion yn dod i Lywele i fwrw'r nos, yn ôl traddodiad, er mwyn byrhau'r siwrnai blygeiniol iawn drannoeth i gymun Rowlands yn Llangeitho. Roedd y llwybr serth hwn yn groes gwlad, drwy Gwm Gorlech, heibio i Lywele ac i lawr i Gwm

least afraid of work. Perhaps, too, he wanted to own his place rather than remain a tenant and perhaps fall out again with the agent or the landlord. Moreover, once he had broken the bond that had kept the family in the old home, Llywele, he was like a mountain sheep that had lost its 'abode' and did not mind moving to another one as long as there was a prospect there for a good bite. Again, in the days of riding horses and of carts in their heavy tracks, the main road was not so important as it is in our present economy. The highroads were often in a bad condition. Many times, so I heard it said, my grandfather (my mother's father now) in Rhiw'r Erfyn was called out of bed in the middle of the night to bring a horse to pull out a load of lime for some unfortunate man from the other side of the mountain whose cart had sunk to the hubs of the wheels in the bog at the top of Gors Fach nearby – and that upon the highroad from Llandeilo to Llanybydder. Bear in mind, too, that those were the days when the oppression of the tollgates was heaviest and already resulting in the Rebecca riots. Between everything the main roads of the period were more of a hindrance than a help to striving farmers.

To return to the new home and compare its situation with that of the old, although Penrhiw is so out of the way the whole of the pleasant neighbourhood of Esger Dawe is to be seen from the fold gate, Cae dan-'r-ydlan gate. But from the glorious solitude of the plateau of Llywele, with the deep valleys, Cwm Gorlech, Cwm Achbeth, Cwm Cilwennau, and Cwm Du, surrounding it on all sides, not one neighbouring house was in sight. Nevertheless, from parts of the land a fine panoramic view of the countryside could be obtained – Glyn Cothi, beyond the village of Abergorlech, and beyond to the Llanfynydd ridge and around back to the left Dinas Rhydodyn like a fort above the valley guarding the tranquillity of Llansewyl, Crug-y-bar, Caeo, and Pumsaint. On a wider circle there are Graig Dwrch, the Black Mountains, and the steep precipice above Llyn y Fan Fach, with the Brecon Beacons beyond in the blue distance. It was this view that Morgan Rhys had before his eyes in his elegy to Esther Sion, to which reference has been made, where he speaks of her seeing the pilgrims coming to Llywele – and tradition supports his words – to spend the night before proceeding early next morning to take Rowlands' communion in Llangeitho.

Du Bach a ffordd Rhydcymerau, a thros y mynydd i gyfeiriad Llambed, yn arbed rhai milltiroedd o deithio i bererinion Llangeitho o gyfeiriad y de-orllewin. Medd yr hen emynydd am y wreigdda Esther Siôn:

> *Bu dy draed a'th ddwylo'n ddiflin*
> *Yma 'n gweini i blant y Brenin;*
> *Roedd dy lygaid yn eu canfod*
> *Dros fynyddau maith yn dyfod;*
> *Hwyr a borau cyrchai'r seintiau*
> *Tan y cwmwl i'r Llawelau . . .*[1]

Heddiw, cwat y gwdihŵ, yr ystlum a'r cadno yw'r hendre hon a fu unwaith yn llety fforddolion i Seion, mewn gweddi a mawl – a'i thir yn tyfu coed ar gyfer rhyfel nesaf y Sais.

Un dyfaliad pellach sydd gennyf i'w gynnig fel esboniad ar y symud buan o Glun March, y soniais amdano. Roedd fy nhad-cu yn ddefeidiwr wrth reddf, wedi ei fagu ar ucheldir deadellog Llywele. A chan fod Penrhiw a'r Byrgwm ynghyd yn fwy o faint, yn gymaint ddwywaith o dir, o leiaf, â Chlun March, ac yn well lle defaid, diau fod hynny yn atyniad go gryf iddo ef. Ac yn y cyswllt hwn fe ddaw yna bethau eraill yn ôl i mi o hen ystordy cof y teulu – pethau nad oes gennyf syniad pa mor hen y gallant fod. Dyma un stori a ddaeth i lawr o'r dyddiau gynt pan oedd y teulu'n byw yn Llywele:

Yn ôl hen draddodiad a gadarnheir bellach gan ffeithiau gwybyddus fe berthynai i Lywele, 'slawer dydd, ran helaeth o'r tir o gwmpas, gan gynnwys yn eu plith dir y Trawsgoed a thir Cwm Du. Fe gadwai'r lle, yr adeg honno, yn ôl y stori, yn bur agos i fil o ddefaid. Ac ymddengys i ryw un o hen fechgyn Llywele gael ei feddiannu gan yr uchelgais Satanaidd o ddod yn berchen ar fil gron o lydnod gwlanog. Aml dro y gwnaeth ef gynnig teg arni i gyrraedd y rhif gosodedig hwn drwy brynu rhyw nifer fach dros ben y rhif gofynnol i lanw'r bwlch. Ond yr oedd fel petai ffawd, neu ei angel gwarcheidiol, efallai, neu anlwc noeth yn ei erbyn, bob tro. Diwrnod cneifio, tua hirddydd haf, bob blwyddyn, pan eid ati yn ôl yr arfer i gyfri'r praidd a rhoi'r pitshmarc ar bob llwdn, fe geid fod y nifer, bob cynnig a wnaed arni, yn rhyw ddwy neu dair yn brin o'r fil

---

[1] *Casgliad o Hen Farwnadau Cymreig* gan Thomas Levi, tud. 57–8 (Hughes a'i Fab, 1872).

This steep cross-country path through Cwm Gorlech past Llywele and down to Cwm Du Bach and the Rhydcymerau road and then over the mountain in the direction of Lampeter saved many miles to those Llangeitho pilgrims who came from the south-west.

> *Your hands and feet were tireless*
> *In serving the King's children.*
> *Your eyes beheld them coming*
> *Over vast mountains.*
> *Early and late under the cloud*
> *Came the saints to Llywele . . .*

I have one further conjecture to offer as an explanation of the quick removal from Clun March. My grandfather was a sheep man by nature, born on the flock-carrying upland of Llywele. And as Penrhiw and Y Byrgwm were together bigger than – indeed, at least twice as big as – Clun March and better for sheep, this must have been a great attraction for him. And in this connection other things return to me from the treasure-house of the family memory.

Here is one story handed down from the time the family lived in Llywele. According to the tradition, which is now confirmed by known facts, there belonged to Llywele of yore a large part of the land around, including the land of Trawsgoed and of Cwm Du. The place in those days, according to the story, kept nearly a thousand sheep. And it seems that one of the old fellows of Llywele became possessed with the Satanic ambition to be the owner of a round thousand of the fleecy stock. Many times he made a good attempt to reach the set number, buying a few more than the actual requirements of recruitment. But it was as though he were being opposed by fate, or by his guardian angel, perhaps, or by sheer bad luck, every time. On sheep shearing day towards Midsummer Day every year when they set themselves to count the flock and put a pitchmark on each, the number was always two or three short of the intended thousand, some, alas, having been called home from the sheepfold during the year and others, it grieves me to say, being among the heedless wanderers on the great day of reckoning.

hirarfaethedig – rhai o'r gorlan, ysywaeth, wedi cael eu galw adref er y flwyddyn gynt; eraill, trist yw adrodd, ymhlith y gwrthgilwyr anystyriol ar ddydd mawr y cyfri. A allasai dim fod mor bryfoclyd o siomedig i hen bererin a roesai ei fryd ar gyrraedd nod mor uchel mewn bywyd? Aeth yntau ei hun adref yng ngolwg y fil ond heb ei chyrraedd.

Efallai, pwy a ŵyr, fod gan gymhlethdod y defaid colledig hyn rywbeth i'w wneud â chymhelliad fy nhad-cu i symud o Glun March i gynefin y mamogiaid a'r ŵyn ar dop Penrhiw a'r Byrgwm. Ac o ddechrau dirwyn o hen gof y teulu caniataer i mi ymhelaethu rhyw dipyn ymhellach am Lywele ar draul bod yn ymarhous yn dilyn yr hanes.

Roedd yna draddodiad distaw, distaw, yn nheulu fy nhad, o du ei dadau yntau, teulu Llywele, ein bod ni'n dod, rywle, o'r un achau â hen deulu Rhydodyn. Ond fe gedwid y stori hon mor gudd a dirgel fel na chlywais i neb erioed y tu allan i'r aelwyd, ond yr hen ŵr craff a hirben, Ifan Bryn Bach, yn sôn gair amdani. Yr unig un o'r tylwyth yr effeithiodd y traddodiad hwn yn drwm arno ydoedd ewyrth i mi, Dafydd Harris, Cathilas,[2] priod Anne, chwaer hynaf fy nhad – yntau, hefyd, rywle o'r un gwehelyth. Llyncodd ef y traddodiad mor llwyr nes drysu yn ei synhwyrau, a mynd i gredu, yn ei ddychymyg, fod rhai o ffermydd stad Rhydodyn yn perthyn iddo ef! Yn ei ddiniweidrwydd aeth â rhyw hen weithredoedd a phapurau yn ei feddiant, gan nad faint eu gwerth, at gyfreithiwr digydwybod. Swcrodd hwnnw ei wendid am flynyddoedd a derbyn ei arian prin. Mae gennyf i gof plentyn am Dafydd Harris yn hen ŵr tlawd, clebarddus, yn y got gochddu fotymog honno, fel math o Sgweier Hafila, yn dod i'n tŷ ni weithiau; ei wraig wedi marw'n gynnar, ei gartref wedi chwalu, a'i blant yn ifainc ar wasgar. Ei fab hynaf ef oedd Harris Bach fy nghefnder, y cantwr bach nerfus-swynol hwnnw a fu'n was twt ym Mhenrhiw am ryw gyfnod. Yn ddiweddarach, aeth tri o'r plant gyda'i gilydd i Awstralia, a Joshua arall, yr iengaf ohonynt, yn eu tywys i mewn i'r Ganaan newydd yno! Adroddir am Harris Cathilas wedi galw yn y 'Cart' ryw dro, a

---

[2] Perthynai Cathilas ar un adeg i Mali, gwraig Williams Pantycelyn. Gweler *Pantycelyn* gan y Parch. Gomer M. Roberts, tud. 96.

Could anything have been so teasingly disappointing to the old sojourner who had set his mind on attaining so high a mark in life? He went home in sight of his thousand.

Who knows but that this lost-sheep complex had something to do with my grandfather's motive in moving from Clun March to Penrhiw top and Y Byrgwm, an established habitat of ewes and lambs. As I have begun to unwind family memories, allow me to enlarge a little upon Llywele at the expense of some dilatoriness in my tale.

There was a quiet tradition in my father's family and on his father's side of it that we came from the same stock as the Rhydodyn family. But this was kept so hidden by us that I never heard anyone outside the family circle as much as mention it, except that keen and shrewd old man Ifan Bryn Bach. The only one of the kinsfolk who was badly affected by this tradition was an uncle of mine, Dafydd Harris Cathilas, husband of Anne, my father's eldest sister, he too being of the same lineage. He swallowed it so completely that he became deranged and developed the fantasy that some of the farms on the Rhydodyn estate belonged to him. In his simplicity he took some deeds and other papers that were in his possession, whatever their value might have been, to an unscrupulous solicitor, who for many years encouraged and exploited his weakness and received money from his scanty purse. I have a child's memory of Dafydd Harris as a poor and prattling old man in that reddish-brown high-buttoned coat of his, a kind of Squire Hafila, coming to our house occasionally, his wife having died early and his home broken up and his children dispersed at an early age. His eldest son was my cousin Harris Bach, that nervously charming singer who was farmer's boy in Penrhiw for some time. Later, three of the children emigrated together to Australia, another Joshua, the youngest of them, leading them to their new Canaan.

It is related that Harris Cathilas, after calling on one occasion at

Dafydd 'r Efail Fach, heb ei nabod bryd hynny, yn gwrando arno'n sôn yn hyderus am Lan 'r Afon Ddu a rhai ffermydd da eraill a ddôi i'w ran ef ryw ddiwrnod. 'Hi!' meddai Dafydd, yn ei ddull nodweddiadol, wrth rywun gerllaw, 'dyna beth od, nawr. Fe wedodd y cwrw bŵer o bethe rhyfedd wrthw i o bryd i' gilydd. Ond wedodd e ariod wrthw i, chwaith, 'mod i'n berchen stad Rhydodyn.'

Fodd bynnag, daeth i'r Llyfrgell Genedlaethol, tua diwedd 1946, gasgliad llwythog o hen lyfrau cownt, gweithredoedd, a phapurau eraill, perthynol i stad Rhydodyn, yn gystal â dogfennau parthed tiroedd hen Fynachlog Talyllychau gerllaw. Bu Mr. Rhys Dafys Williams o Lansadwrn, wrth ymyl eto, y chwilotwr dyfal yn hanes y fro hon, yn fanwl drwy y rhain i gyd. Ac fel ffrwyth ei lafur ef syn yw dweud, fe gadarnheir, yn weddol ddiogel, drwy gyfrwng achau a thystiolaethau ysgrifenedig o ddiwedd yr unfed ganrif ar bymtheg a dechrau'r ail ar bymtheg, fod teulu Llywele a theulu Rhydodyn, yr adeg honno, o'r un gwehelyth; a bod sail hanesyddol, wedi'r cyfan, i'r traddodiad cudd hwnnw yng ngwaelod cof y teulu na soniai neb odid byth amdano rhag cael ei amau o fod yn gwyro i'r un cyflwr meddyliol â Harris Cathilas druan. Ond y mae'r stori hon a rhai ategion dogfennol o'i chywirdeb, ynghyd â'r hanes am y rhydd-ddeiliaid yn Fforest Glyn Cothi, wedi darfod 'gwely'r llwyth', yn ymgyfreithio yn erbyn talu rhent i'r Goron, fel y'u ceir yn fratiog yn y pentwr papurau uchod yr wyf yn ddyledus i Mr. Williams am grynodeb ohonynt, yn rhy faith a dyrys i fynd ar ei hôl yma. Fe weddai'n well i atodiad.

A bwrw, ynteu, fod y dystiolaeth rannol gyflawn hon yn gywir, y gellid olrhain y ddau dylwyth hyn, tylwyth Llywele a thylwyth Rhydodyn, yn ôl i'r un cyff tua diwedd oes y frenhines Elizabeth, dyna'r achau wedyn, fel y'u ceir gan Ieuan Brechfa a Lewis Dwnn, yn mynd yn ôl yn glir i Ddafydd Fychan o Rydodyn, noddwr Lewis Glyn Cothi a beirdd ei gyfnod, bum can mlynedd yn ôl – a thu ôl i hynny; a chanfod, hefyd, nad gwag, efallai, yr hen ddywediad mai fy nhad-cu oedd yr unfed ach ar bymtheg a aned ac a faged yn Llywele.

Nid yw'r hanes yn hawdd i'w ddilyn o gwbl; ond hyd y gellir deall pethau, Dafydd ab Rhys ab William, y cryfaf a'r cyfrwysaf ohonynt, yn ddiau, a lwc o'i du, oedd y cyntaf o deulu Rhydodyn i

the 'Cart', was heard by Dafydd Efail Fach, who at that time was not acquainted with him, speaking confidently of Lan'r Afon Ddu and other farms that would some day come into his possession. 'Hee,' said Dafydd in his characteristic way. 'Now, that's funny. The beer has told me many strange things from time to time, but it has never told me that I'm the owner of Rhydodyn estate.'

Anyway, towards the end of 1946 there came into the possession of the National Library a laden collection of old account books, deeds, and other papers belonging to the Rhydodyn estate, and also documents concerning the lands of the old monastery of Talyllychau nearby. Mr. Rhys Dafys Williams of Llansadwrn, again in the same neighbourhood, the diligent research worker in the history of his native region, has been through these papers carefully, and among the fruits of his labour, surprisingly, is the tolerably safe confirmation by genealogies and written testimonies of the end of the sixteenth century and the beginning of the seventeenth that the Llywele and Rhydodyn families were at that time of the same ancestry, and that there was a historical basis after all to that hidden tradition at the bottom of the family memory which no one almost ever mentioned in case he might be suspected of inclining to the same mental condition as poor Harris Cathilas. But this story, and some documentary corroborations of it, along with the history of the freeholders in Glyn Cothi Forest, when the tribal heritage as such had ceased, and their litigation against paying the rent to the Crown, this story as it is brokenly told in the aforesaid mass of papers, for a summary of which I am indebted to Mr. Williams, is too long and too intricate to be pursued at present. It would better befit an addendum.

Reckoning upon this incomplete testimony that the two families, Llywele and Rhydodyn, could be traced back to the same stock at the end of the age of Elizabeth, we then have the genealogies of Ieuan Brechfa and Lewis Dwnn going back clearly to Dafydd Fychan Rhydodyn, patron to Lewis Glyn Cothi and other poets of his period five hundred years ago and beyond that, and we realise, too, that the belief that my grandfather was the representative of the sixteenth generation to be born and brought up in Llywele was perhaps not without substance.

The history of it is not at all easy to follow, but as far as these things can be understood now, Dafydd ap Rhys ap William, the

fanteisio ar Ddeddf Seisnig y Cyntaf-Anedig. Drwy gyfrwng y ddeddf yma, rhwng 1550 a 1700, llwyddodd y gangen hon o'r teulu, cangen Dafydd ab Rhys ab William, a'i fab a'i ŵyr, Rhys a Nicholas Williams, ac eraill wedyn, i fachu fel eiddo iddi ei hun nid yn unig hendref Llywele, ond hefyd y rhan helaethaf a gorau o dir y tri phlwyf, Llansawel, Talyllychau, a Chaeo. Ac am tua chan mlynedd yn olynol yn ystod y tymor yma, bu'r teulu hwn, wedi mynd yn Saeson yn awr, yn ei gyfenwi ei hun fel 'of the Capital Demesue of Edwinsford (Rhydodyn) and Llywele Mawr'.

Ceir dau gofnod diweddarach am Lywele ym mhapurau stad Rhydodyn sy'n dra arwyddocaol, debygwn i. Yn 1736 y mae Catherin William, gwraig weddw, yn cael les o un flynedd ar hugain ar y lle am £7/10/0 y flwyddyn o rent. Yna, yn 1757, ar derfyn y tymor hwn, y mae ei mab, William Jones (Wiliam Sion y Cynghorwr Methodus) yn cael estyniad i'r les yma am yr un flynedd ar hugain nesaf, ar dalu £9 yn y flwyddyn. Yn ychwanegol at y codiad o £1/10/0 yn y rhent y mae Wiliam Sion yn talu £2 arall *neu* ei eidion gorau (*his best beast*), a rhyw fanion pellach fel *heriot*. Treth oedd yr *heriot* yma yn cyfateb i'r marwdy yn hen gyfreithiau Cymru a delid i'r uchelwr ar farwolaeth deiliad iddo. (Soniais yn barod am y stori yn y teulu i ryw un o hen bobl Llywele wrthod derbyn les o bumpunt y flwyddyn ar y lle am yr ystyriai fod ganddo hawl rydd arno.) Yn awr, wrth dalu'r swm hwn fel y perchen tŷ, ar farwolaeth ei fam, yr oedd Wiliam Sion, mewn anwybodaeth yn ddigon tebyg, neu a'i ddiddordeb yn fwy yn y Diwygiad Methodistaidd nag mewn pethau materol, yn ei gydnabod ei hun yn ddeiliad syml ar yr un gwastad â deiliaid eraill yr ystad. Oherwydd o 1778 ymlaen, wedi i'r les hon ddod i ben, nid oes sôn pellach am brydles a olygai sicrwydd tenantiaeth a rhent bychan, mewn enw, na dim o'r fath. Yn y dull graddol hwn, gallwn feddwl, a barhaodd am tua dwy ganrif, heb ond rhyw ychydig o'r ffeithiau fel yma yn ddamweiniol ar glawr, y gwasgwyd ac y darostyngwyd teulu Llywele, fel llawer hen deulu arall yng Nghymru, i ildio'r naill ragorfraint ar ôl y llall fel cyd-berchenogion yn y llwyth gynt, y bonheddig yn dod yn iwmyn, a'u cael eu hunain, gydag amser, yn ddeiliaid cyffredin i ryw uchelwr tirol o'r un gwaed â hwy eu hunain i gychwyn; a'r rhent yn codi'n sylweddol bob hyn a hyn. Codasai rhent Llywele, er enghraifft, o £9 yn ystod y les 1757–78, i £30 yn 1802, ac yna i £64/4/0 erbyn 1836. A phwy a ŵyr na allai fod gan y codiad diwethaf

strongest and craftiest of them, doubtless with fortune favouring him, was the first to take advantage of the English law of primogeniture. By means of this law between 1550 and 1700 this branch of the family, represented by Dafydd ap Rhys ap William and his son and grandson Rhys and Nicholas Williams, and others after them, succeeded in grabbing for themselves not only the old established habitation of Llywele, but also the greater and richer part of the three parishes of Llansawel, Talyllychau, and Caeo. And for about a hundred years this family, having now become Englishmen, were entitling themselves as 'of the Capital Demesne of Edwinsford (Rhydodyn) and Llywele Mawr.'

Two later records concerning Llywele in the papers of Rhydodyn estate appear to me to be significant. In 1736 a widow named Catherin William obtains a twenty-one-year lease on the place for an annual rent of £7 10s. Then in 1757, at the end of this period, her son William Jones (Wiliam Sion the Methodist Exhorter) obtains an extension of this lease for the next twenty-one years on the payment of £9 annually, and in addition to the rise of £1 10s. in rent Wiliam Sion pays another £2 *or* his best beast plus some further small payments as heriot. This heriot was a tax corresponding to *marwdy* in the old Welsh laws, payable to the lord on the death of a tenant. (I have mentioned one of the old Llywele folk refusing to accept a lease at five pounds a year on the place because he considered he had a freehold right to it.) Now, by paying this sum as owner of the house, on his mother's death Wiliam Sion, probably in ignorance or at least with his concern for material things diminished by the Methodist Revival, was acknowledging himself to be on the same level as the other tenants on the estate. Because from 1778 on, after this lease had terminated, there is no further mention of a lease with security of tenure and nominal rent or anything of the kind. It seems to me that in this gradual manner, which continued for two or three centuries and of which only a few facts are left extant by accident, the Llywele family was crushed and subjected like many other families in Wales, yielding one by one the privileges that were theirs as co-proprietors within the tribe, the ancient freeholders becoming yeomen and in time finding themselves to be ordinary tenants of the landed gentry who were originally of the same blood as themselves, with the rent rising substantially from time to time. The rent of Llywele, for example, had risen from £9 at the time of the 1757-78 lease to £30 in 1802,

hwn yn y rhent, wedi marw ei dad y flwyddyn cynt, yn ychwanegol at y ffrae â'r *agent* penwan hwnnw, rywbeth i'w wneud ag ymadawiad fy nhad-cu â hendref ei dadau, ddwy flynedd yn ddiweddarach.

Ers cenhedlaeth dda, bellach, y mae perchennog presennol stad Rhydodyn, y rhannau sydd ar ôl ohoni, y Syr James Williams Drummond diweddaraf, ar ei drafel yn rhywle, heb unrhyw gysylltiad rhyngddo a'i ddeiliaid, namyn derbyn eu rhenti; a llawr parlyrau'r hen blas yn tyfu caws llyffaint (*mushrooms*) dan ofal Pwyliaid. Fel y dywed Rhys Dafys Williams mewn llythyr ataf, gan ddyfynnu o Lewys Glyn Cothi:

Mae('r) deuddeg llwyth yng Nghaeaw
A phob llwyth yn wyth neu naw

ar wasgar ym mythynnod a ffermdai'r fro'. Ond o'r bythynnod a'r ffermdai gwyngalchog hyn, yn yr union gyfnod y bûm i'n sôn amdano, y cododd hen emynwyr Gogledd Sir Gaerfyrddin – o Gaeo ei hun, o Lanfynydd, ac o Dalyllychau; a hwy a gadwodd einioes ac enaid y genedl yn fyw.

Ar wahân i'r ffaith eu bod yn landlordiaid digon caredig fel y mwyafrif o'u dosbarth, darfu am wasanaeth hen deulu Rhydodyn i'r bywyd a'r gymdeithas o'u cwmpas pan ddarfu'r Gymraeg ar eu min. Ac o gofio swyddogaeth uchelwyr Cymru gynt fel noddwyr ac amddiffynwyr bywyd y genedl yn ei gyflawnder, a'i hiaith a'i diwylliant, ei threftadaeth ddrutaf, yn anad dim – a fu mewn gwlad erioed arweinwyr mwy diffrwyth a chibddall na disgynyddion y rhain yng Nghymru o gyfnod y Tuduriaid ymlaen? Gyda rhai eithriadau prin, anghofiasant bopeth am Gymru, ond eu stadau. Dyma, gellid barnu, brif effaith a dylanwad y teyrnedd Cymreig galluog hynny o orsedd Lloegr ar fywyd Cymru – gwneud Cwislingiaid o arweinwyr naturiol y bobl. A'r Gwislingiaeth hon, a ddaeth yn ffasiwn y dydd i'n huchelwyr Tuduraidd, a werthodd falchder y Cymry am saig o fwyd yr estron. Ac ar yr egwyddor hon, lle y mae Llundain a Lloegr yn ganolbwynt pob ystyriaeth, a Chymru a phopeth a fedd at ufudd wasanaeth y mawredd a'r ddoethineb helaethach yno, y seiliwyd yr unig wleidyddiaeth y gwybu ein cenedl ni amdani hyd at y dyddiau yma. Nid ydynt yn sylweddoli hynny, efallai, gan syfrdan sŵn y bythol bropaganda;

and then to £64 4*s.* by 1836. And who can say but that this last increase in the rent after his father's death the previous year, in addition to the quarrel with that foolish agent, had something to do with my grandfather's leaving the old family home two years later.

For well over a generation the present owner of Rhydodyn estate, or the parts of it that remain, the present Sir James Williams Drummond, has been absent on his travels, with no connection maintained between him and his tenants beyond that of receiving rents, and the parlour floors in the old mansion are being devoted by Poles to the cultivation of mushrooms. As Rhys Dafys Williams says in a letter to me, quoting Lewis Glyn Cothi,

> *Caeo's twelve clans of olden line*
> *And each with eight households or nine*

are scattered in the cottages and farmhouses of the countryside. But from these cottages and whitelimed farmhouses, in the period I have been speaking of, arose the hymnmakers of North Carmarthenshire, from Caeo itself and Llanfynydd and Talyllychau, and it was they who kept alive the body and soul of the nation.

Except that as landlords they are kind enough, like most of their class the service of Rhydodyn family to the society around ceased when the Welsh language ceased upon their lips. Remembering the function of the Welsh Uchelwyr of old as patrons and defenders of national life in its plenitude, with language and culture as its most precious heritage, one may ask whether in any country there ever were such purblind and sterile leaders as the descendants of these in Wales, from the Tudor period onward. With a few exceptions they forgot everything about Wales except their estates. This, one may conclude, has been the main effect and influence of that able dynasty on the life of Wales – to have made Quislings of the natural leaders of the people. It is this Quislingism which became the vogue with our Tudor Uchelwyr that has sold the pride of the Welsh people for an alien mess of pottage. And on this principle, by which London and England are to be central in every consideration and Wales and everything she possesses are obediently to subserve the ampler grandeur and wisdom inherent there, has been established the only politics that our country has known of until the present day. Stunned as they are by the loud and incessant propaganda, they do not perhaps realise that it is the spiritual descendants of the

ond disgynyddion ysbrydol uchelwyr Cymreig oes Elizabeth y Cyntaf sydd wrthi heddiw yn cyhwfan baneri'r pleidiau Seisnig yng Nghymru yn oes Elizabeth yr Ail. Darfu am anrhydedd cenedl ym mryd mwyafrif pobl Cymru; darfu am falchder ynddi, ac am gywilydd drosti – ond mewn pledren wynt. Bu fyw Cymru, rywfodd, fel cenedl, mae'n wir, gan lwyddo i gadw ei phethau gorau am bedair canrif o leiaf, wedi brad ei huchelwyr yn yr unfed ganrif ar bymtheg. Ond a oroesa hi frad ei phroletariaid Seisniglyd yn yr ugeinfed ganrif? Fe atebir y gofyniad hwn y naill ffordd neu'r llall, yn fwy neu lai terfynol, yn y genhedlaeth hon yr ŷm ni yn byw ynddi; a bydd gan bob un ohonom ei ran bersonol yn yr ateb. Ni leddir iaith na chenedl byth ond gan ei phobl ei hun.

Ond yn ôl at Jaci Penrhiw, ynteu, wedi'r crwydro maith hwn ar ôl ei achau ef a'i briod. Gan nad beth a allasai'r rhesymau fod a gymhellodd fy nhad-cu i brynu Penrhiw, nid hawdd, mi gredaf, fuasai i neb wneuthur yn well o'r fargen a gafodd nag y gwnaeth ef. Daeth lwc o'i du, yn un peth; a phrofodd y lle ei hun yn well, ac yn fwy cynhyrchiol, nag y gallai neb dybio ond a fu byw ynddo. Magwyd yno deuluoedd graenus; ac yn ôl yr hanes nid aeth neb o Benrhiw erioed heb fod yn well ei fyd, gan symud i le mwy o faint neu i fan mwy cyfleus. Mae'n lle diarffordd, fel y dywedwyd; ac yn lle slafus, oherwydd ei fod mor llethrog. Gorchfygodd Jaci y rhain drwy gyfuniad go anghyffredin o egni corff a menter dychymyg ymarferol. Bu medi trwm o'i lafur ef am genedlaethau wedi ei farw.

Nid wyf i'n cofio dim am fy nhad-cu, oherwydd bu ef farw ar y 21 o Fai, 1886, ryw fis cyn i mi gael fy mhen blwydd cyntaf. Bu'n cadw gwely ran helaeth o'i flwyddyn olaf – y corff gwydn, cymharol ysgafn, wedi ymdreulio i'r pen gan oes o waith caled. Roedd bron yn 78 oed pan fu farw, er mai 74, drwy ryw gamgymeriad, a osododd y masiwn ar ei garreg fedd. Priodasai fy rhieni ryw dair blynedd cyn ei farw, a daethai fy mam, fel y gwelwyd, i mewn i Benrhiw at fy nhad. Yn ystod ei gystudd blin ar y diwedd gofalodd fy mam amdano yn y gwely cwpwrdd o dderw trwm yn y parlwr â'r un llaw dyner ag y gofalai am ei ŵyr bach yn ei gadair ar lawr y gegin dan fantell y simnai fawr. Pan godai lawr i'r aelwyd weithiau, clywais ddweud y treuliai lawer o'i amser uwchben y gadair hon yn diddanu ac yn siarad â'r ddau breswylydd cysonaf yno – myfi a Twm y gath, 'yr hen Dwm' fel y galwai

Welsh Uchelwyr of the age of Elizabeth the First that are today in Wales in the age of Elizabeth the Second waving the banners of the English political parties. National honour has perished from the minds of most of the people of Wales; its sense of pride and its sense of shame have perished, except for what remains in a bladder of wind. Wales has remained alive somehow as a nation and has retained her best things for centuries, despite the treason of her nobility in the sixteenth century. But will she survive the treason of the Anglicised proletariat in the twentieth? This question will be answered one way or another finally in our generation, and each of us will have a personal share in the answer. No nation or language is killed except by its own people.

But to return to Jaci Penrhiw after this long wandering on the trail of his lineage and of his wife's. Whatever the reasons were that impelled my grandfather to buy Penrhiw, I should not think it would have been easy for anyone to do better out of the bargain. He had luck on his side, and the place proved more productive than anyone but those who lived there would have imagined to be possible. Families were brought up there obviously well, and the story is that no one ever left Penrhiw but in improved circumstances, moving to a place that was bigger or more conveniently situated. The place is off the beaten track, as has been said, and it is a laborious place to farm, being so hilly. Jaci overcame these difficulties with an out-of-the-common combination of physical energy and practical imaginative enterprise. For generations after his death the abundant fruits of his labour were being reaped.

I remember nothing of my grandfather, as he died on the 21st of May, 1886, a month or so before my first birthday. He had kept to his bed for a great part of his last year. His tough, comparatively light frame was worn out by a lifetime of hard work. He was nearly seventy-eight years old when he died, but the mason made a mistake and put seventy-four on his gravestone. My parents had been married some three years before his death, my mother coming to Penrhiw. Throughout his long affliction my mother nursed him, in the heavy oak cupboard bed in the parlour, with the same tender hand as she nursed his little grandson in his cradle on the floor under the big chimney mantel. When he got up sometimes to the hearth, so I heard it said, he spent much of his time over the cradle,

'nhad-cu ef, medden nhw. Ac yntau'n gob go lysti ar ei oed, ar adegau, mae'n debyg, fe fanteisiai Twm braidd yn hy ar ddeddf y cyntaf-anedig fel etifedd yr aelwyd drwy ddringo i mewn i'r gadair ataf i, a mynd â mwy na'i siâr ohoni. Achosai hyn beth pryder i 'nhad-cu, ac yntau'n awr yn tynnu at ei ddiwedd, oherwydd er cymaint cyfeillion ydoedd Twm ac yntau, byddai gweld ei ŵyr fel hyn, yn gynnar yn ei ddydd, yn cael ei ddi-etifeddu gan gwrcyn, yn dipyn o anfri ar enw'r teulu. Pan fyddai Twm wedi mynd yn rhy eger am ei safle gymdeithasol, ffordd fy nhad-cu o gael gwared arno am beth amser, ydoedd tasgu tipyn o sudd dybaco i'w lygad. Byddai rheg a chwyrnu a charlam drwy'r drws wedyn. Ond nid oedd pwdu yn natur Twm, na thor ar ei gyfeillgarwch. Wedi bod yn wincio am sbel fach dan goed y berllan neu ar dop Cae-dan-tŷ, yn ôl y dôi eto at ei ddau bartner, a'i gwt ar ei gefn. O lyfr cofnodion yr aelwyd y ces i'r manylion hyn, wrth gwrs, a minnau'n ddiau, ar adegau, fel y bûm lawer gwaith yn ddiweddarach, yn llais digon croes yn y cworwm.

Hwyrach mai help, ar y cyfan, ac nid rhwystr i sgrifennu'n wrthrychol am fy nhad-cu yw'r ffaith nad wyf yn cofio dim amdano'n bersonol, er i'm llygaid, yn ddiau, syllu'n syn arno lawer tro. Ond y mae gennyf lun ohono a dynnwyd yn 1868, ac yntau'n drigain oed y flwyddyn honno. Yn ôl pob dim y deuthum i'w wybod amdano, petai'n rhaid arnaf i ddewis un gair i gyfleu prif nodweddion cymeriad fy nhad-cu, y gair 'arloesydd' fyddai hwnnw; oherwydd heb unrhyw awydd i dynnu sylw ato'i hun gartref nac oddi cartref, ond yn syml, ddilyn ei ddihewyd a'i farn naturiol, yr oedd, yn ei gylch ei hun, yn arloesydd mewn llawer gwedd ar amaethu a gyffyrddai â'i fywyd ef.

Hyd yn oed yn y llun uchod fe ddôi'r arloesydd i'r golwg. Bedwar ugain a chan mlynedd yn ôl, nid oedd tynnu lluniau yn beth cyffredin o gwbl yng nghanol Cymru wledig. Bu raid, felly, hôl y tynnwr lluniau yn unig swydd o Lambed i Benrhiw – wyth milltir dda o ffordd yn groes i'r bryniau. Cyfyng ac unllygeidiog ydoedd cwmpas camera oes Victoria; ni allai ddal grŵp lluosog ar y tro. Ymddangosai'r llun gwreiddiol, cyn i ryw Iddew teithiol mwy gwreiddiol byth ei fwyhau, fel dau lygad telesgop, ochr yn ochr. Yng nghanol y naill y mae 'nhad-cu yn eistedd, yn hen ŵr trwsiadus, braidd yn swchog efallai, ond sionc yr olwg arno yn ei frits a'i legins carsi-mêr tyn, ei dei ddolen, a'i het ddu, dop-fflat (ond nid silcen) am ei ben. O bobtu iddo, ar eu traed, y mae ei

amusing and talking to the two most constant occupiers of that corner, myself and Twm the cat – 'yr hen Dwm,' as my grandfather called him (old Twm). Twm, being a lusty lob for his age, would sometimes take advantage of the law of primogeniture as heir in the family, by climbing into the cradle and coming up to me and taking more than his share of the room. This was a cause of anxiety to my grandfather, who was now drawing near his end. For, however great friends he and Twm might be, to see his grandson in this way, and so early in life, disinherited by a Tom cat, would have been a disgrace to the family name. When Twm had grown eager for this social status my grandfather's way of getting rid of him for a time was to squirt some tobacco juice into his eye. Then there would be a curse and a snarl and a rush through the door. But it was not in Twm's nature to sulk and break friendship. After blinking for a while under the orchard trees or at the top of Cae-dan-tŷ, back he would come to his two partners with his tail well up. I obtain these details, of course, from the record book of the family, being at that time no doubt, as so many times later, a somewhat dissentient voice in the quorum.

It may be, on the whole, a help rather than a hindrance to me in writing objectively of my grandfather that I do not personally remember him, although doubtless my eyes looked upon him many times. But I have a photograph of him that was taken in 1868, when he was sixty years old. From everything I came to know of him, if I had to describe his chief characteristics in one word that word would be 'pioneer', because, without any idea of drawing attention to himself at home or away from home, but simply following his bent and natural judgment, he was in his own circle a pioneer in the many aspects of agriculture that touched his life.

Even in that photograph the pioneer came into sight. Eighty and a hundred years ago photography was not in any way a common thing in rural Wales. A photographer had to be fetched from Lampeter to do the job in Penrhiw, a good eight miles across the hills. The camera's field of vision was restricted and monocular in the Victorian age, and it could not hold a big group. The original portrait, before it was enlarged by a still more original journeying Jew, resembled two telescope eyes, side by side. In the middle of one of them a well-dressed old man, my grandfather, sits, somewhat sulky but yet alert in his breeches and light cashmere leggings, his bow tie, and his flat-topped, but not silk, hat. Each side of him, standing, are his eldest two daughters, Anne and Let,

ddwy ferch hynaf, Anne a Let, yn eu gwisgoedd gwlenyn trymion hyd y llawr, a'r grafet fraith ffasiynol ar y pryd, mae'n debyg, ar eu breichiau. Yn y cefn y mae 'nhad yn llefnyn pigfain, pedair ar bymtheg oed, yn edrych fel petai am fod mas ohoni. Yng nghanol llygad arall y llun y mae Nwncwl Josi, y mab hynaf, yntau yn ei hat gopa-uchel, yn batriarch barfog wyth mlwydd ar hugain, ei ddwy chwaer ieuengaf, Marged a Jane, o bob ochr iddo, a'r sgarff fraith ar eu breichiau hwythau. Yn y ffrynt y mae Nwncwl Jâms yn stacan pedair ar ddeg; ei ddwy droed ryw ychydig ar led, llyfr bychan yn ei law a allai fod yn llyfr canu, megis i ddynodi'n gynnar ei safbwynt ei hun mewn bywyd, ynghyd â phrif ogwydd ei anian. Gwelir eisoes fod un o'r wyth plentyn yn eisiau yn y llun – Bili druan, partner mawr fy nhad, ddwy flynedd yn iau nag ef. Buasai Bili farw'r flwyddyn honno o'r declein, yn un ar hugain oed. Dyna efallai'r esboniad pam y mynnodd fy nhad-cu, y dydd hwnnw, y tynnwr lluniau yr holl ffordd o Lambed. Ymhen tair blynedd arall yr oedd Marged, eto, y fwynaf o ferched, medden nhw, wedi marw o'r un dolur, yn ddwy ar bymtheg oed. Hi ydoedd cyd-efeilles Nwncwl Jâms; ac megis yr oedd canu yn bopeth iddo ef, gwaith llaw, mae'n debyg – gwau, gwnïo, gwaith crosia a siampler ydoedd ei hoff ddifyrrwch hi. Roedd ym Mhenrhiw deulu mawr bob amser; clywais ddweud na châi Marged byth ddigon o waith i wau a chyweirio sanau iddynt oll; ac na rôi dim fwy o bleser iddi na dod o hyd i hosan dyllog lle y câi hi gyfle i ddangos ei medr a'i gwneud yn well na newydd.

Gorest o le digon di-lun o ran amaethu, mae'n debyg, ydoedd Penrhiw a'r Byrgwm pan brynodd 'nhad-cu hwy a'u gwneud yn un ffarm. Ond yr oedd yno dyfiant coed o bob math, rhagorol iawn. Gwelai pawb hynny ar unwaith. Ond gwelodd 'nhad-cu ymhellach cyn pen hir wedi mynd yno, os nad, yn wir, ymlaen llaw. Os gallai derw ac ynn a blannwyd yno gan Natur dyfu'n llewyrchus yn y cymoedd dwfn, cysgodol hyn, yn gymysg â'r mangoed cymharol ddiwerth – bedw a chyll a gwern a helyg – diau, pe plennid yno goed mwy gwerthfawr gan law dyn, megis y pinwydd – larts a sbriws a sgots – a choed llydanfrig, hardd fel y sycamor a'r castanwydd, y gallent hwythau dyfu lawn cystal yn yr un lle. A chyn pen fawr o dro dyma ddechrau ar y dasg galed o arllwys a chlirio'r ddau gwm serth – y Cwm Bach, yn union ar y dde, gyferbyn a'r tŷ, a Chwm Byrgwm dipyn i'r chwith – o'r anialwch diffrwyth a arferai fod yno yn noddfa i'r cadno a'r cyffylog a'r

with their heavy flannel clothes reaching down to the ground, with their spotted scarves on their arms, as was the fashion then, I suppose. Behind is my father, a lanky and keen-featured nineteen-year-old, looking as if he would prefer to be out of it. In the middle of the other eye is Uncle Josi, the eldest son, he too in his high top hat a bearded patriarch of twenty-eight, his youngest two sisters, Margaret and Jane, each side of him with their spotted scarves on their arms also. In front is Uncle Jâms, a stocky fourteen-year-old, his feet apart a little and in his hand a little book that may have been a song-book, as though to denote early his standpoint in life and the main bent of his nature. It is seen that one already of the eight children is missing in the portrait, poor Bili, my father's closest partner, two years older than he. This may have been the reason why my grandfather got the photographer all the way from Lampeter. Three years later Marged too, the gentlest of maidens, was dead of the same disease. She and Uncle Jâms were twins, and just as singing was everything to him, so handicraft – knitting, sewing, and crochet and sampler work – was her delight. They were always a large family in Penrhiw. I heard it said that Marged could never get enough work to satisfy her, mending and knitting stockings for them all, and that nothing pleased her more than to find a stocking with holes in it that would give her an opportunity of showing her skill in making it better than new.

Penrhiw and Y Byrgwm were in pretty bad order agriculturally – a wasteland when my grandfather bought them and made them into one farm. But they had on them an excellent growth of wood of every species. Everyone saw that immediately. But my grandfather saw further soon after going there, if not beforehand. If oak and ash planted by Nature could prosper in these deep and sheltered dells mixed with comparatively useless brushwood and beech and hazel and alder and willow, then if more valuable trees were planted there by human hand, such as the conifers, larch, and spruce and Scotch fir, and beautiful widespreading deciduous trees like sycamore and chestnut, they too could grow quite as well in the same place. And in a short time a start was made on the hard task of clearing the two steep dells, Y Cwm Bach on the right, opposite the house, and Cwm Byrgwm rather to the left, of the unprofitable wilderness that was the refuge of fox and woodcock and hawk, to make the place fit for planting those useful trees in long, narrow rows. This, mark you, was more than a hundred years before the imperialist vulture

curyll, er mwyn eu gwneud yn lle addas i blannu ynddynt goed defnyddiol yn rhesi hirfain trefnus.

Roedd hyn, cofier, gan mlynedd llawn cyn i'r fwltur imperialaidd o Lundain ddisgyn ar y parthau hyn a throi'r trigolion o'u hen gartrefi, gan dlodi'r wlad am byth o'i diadelloedd defaid a'i buchesi graenus a'r ceffylau gwâr a hoyw, heb sôn am y gymdeithas ddynol, gynnes a diwylliedig, a ffynnai yma drwy'r cenedlaethau.

Talodd fy nhad-cu yn glir am Benrhiw wrth ei brynu; ac yr oedd ganddo hefyd, yn ddiau, ddigon o stoc ar ei gyfer yn dod o Glun March. Yn ystod y blynyddoedd cyntaf, a'r plant yn fân ac yn aml, ac iechyd fy mam-gu yn wannaidd, bu'n rhaid dibynnu ar weision a morwynion, a gweithwyr hur ar adegau arbennig. Roedd 'nhad-cu yn weithiwr caled, streifus ei ffordd, yn ôl yr hanes. Fel y dywedwyd lawer tro, roedd diwrnod y gweithiwr, yn feistr a gwas, yr adeg honno fel tragwyddoldeb – heb ddechrau na diwedd amser o'i fewn. Diau fod Penrhiw y cyfnod hwn yn lle digon caled i was a morwyn. Ond ni chlywais fod yno erioed achwyn ar fwyd; a, hyd y deallais, roedd 'nhad-cu yn ddyn digon caredig a hawddgar i weithio gydag e. Nid oedd gwenwyn na ffeindio bai diangen sy'n lladd ysbryd cyd-weithiwr yn ei natur; ac adwaenwn weision a morwynion iddo, yn bobl mewn oed erbyn hynny, a fu'n aros yn y lle am flynyddoedd bwy gilydd. Dyma stori ddigon trawiadol a glywais amdano yn ei ddyddiau cynnar ym Mhenrhiw. Roedd hi yng nghanol cynhaea medi, y tywydd yn dda, a phawb wedi bod wrthi'n ddygn ac egnïol, fore a hwyr, drwy'r wythnos. O gwmpas y tân y nos Sadwrn honno, a gweddill y teulu wedi noswylio, roedd y forwyn fowr, y gwas bach, a 'nhad-cu – y gwas a'r forwyn wrthi, yn ôl arfer pob tŷ ffarm, yn glanhau ac yn rhoi iraid ar y sgidiau, yn barod erbyn y Sabath, drannoeth. Dan bwys blinder a chaledwaith yr wythnos a gwres y tân coed syrthiodd y tri ohonynt i gysgu. Y gwas bach oedd y cyntaf i ddihuno, a gweld, er ei ddychryn, fod esgid fy nhad-cu yr oedd ef wrthi yn ei glanhau wedi syrthio o'i law i'r tân, a hanner llosgi yno. Am beth amser ni wyddai beth i'w wneud. Ond o edrych o'i gwmpas gwelodd ddau gysgadur hapus luddedig arall yn ei ymyl – a'r rhaser yn llaw fy nhad-cu ar hanner ei goruchwyliaeth. Daeth awgrym iddo o'r shime lwfer, neu rywle tywyll o'r fath. Tynnodd yr ellyn yn esmwyth bach o afael fy nhad-cu, a gosod ei charn yn rhes y marwydos ar yr aelwyd. Yna cymerth y gwalch arno dipyn o gysgu ci bwtsiwr yn y cornel, gan wylio'r canlyniadau. Deffrôdd fy nhad-cu yn ffres reit rywbryd, a gweld ei

from London descended on those parts and turned the dwellers out of their old homes, depriving the countryside for ever of its flocks of sheep and well-kept herds of cattle and of the gentle and vigorous horses, not to speak of the genial and cultured human society that thrived here throughout the generations.

My grandfather paid down for Penrhiw when he bought it, and he had, too, enough stock to put on it from Clun March. During the first years there, when the children were small and coming one after another quickly and my grandmother was in indifferent health, he had to depend on farmhands and housemaids and on seasonal labour at special times. My grandfather was a hard worker, a real slogger in his way, I heard it said. As was many times related to me, the working day for master and man at that time was like eternity, with no beginning and no end in time. Without a doubt Penrhiw was at this time a hard place for servingman and -maid. But I never heard that anyone complained about the food, and I understand that my grandfather was kind and pleasant to work with. His nature did not harbour any of the jealousy and needless faultfinding that quench the spirit of fellow workers, and I knew many people on in age who had been his men and maids and had stayed in the place for years. There is an apposite story that I heard about the early days in Penrhiw. It was during the corn harvest, and everyone had been hard at work late and early throughout the week. Around the fire that Saturday night when the rest of the family had repaired to bed were the head housemaid, the boy, and my grandfather, the maid and boy busily engaged in accordance with the custom in every farmhouse cleaning and greasing the boots ready for Sunday, next day. With their tiredness after the week's hard work and the heat of the wood fire, the three of them fell asleep. The first to wake was the boy, and he saw to his horror that my grandfather's boot, which he had been cleaning, had fallen from his hand into the fire and had partly burned. He didn't know at once what to do. But looking around he saw the other two sleeping contentedly and soundly and in my grandfather's hand the razor resting halfway through its operation. A suggestion came to him from the louvre chimney or some other such dark place. He took the razor gently out of my grandfather's grip and placed its handle in the row of embers on the hearth. Then the rogue slept like a butcher's dog in the corner, watching the consequences. My grandfather woke right fresh in a while and saw his best razor

raser orau yn goch yn y tewynion wrth ei draed. Yna gwelodd y crwt mewn trwmgwsg, fel y tybiai, a'i esgid ef ei hun yn y lludw gerllaw iddo, wedi ei difetha. Roedd gan fy nhad-cu ryw air llusg, 'Pw-pw!', mae'n debyg, ac yn ôl y stori, yr unig sylw a gaed ganddo wrth i'r tri ohonynt droi tua'r 'ca' nos' yn blygeiniol iawn y nos Sadwrn honno, ydoedd: 'Pw-pw! blant, blant, shwd 'r aeth hi fel hyn arnon ni?' Ys gwir nad oes tystiolaeth ar y pen hwn; ond, er gwaetha'r esgid a'r rhaser a'r gwas ysmala, fe fyddai'n syn os nad oedd Jaci Penrhiw yn ei le arferol yng nghapel Rhydcymerau erbyn deg o'r gloch fore trannoeth, a'i galon yn llawn diolch am fendithion y cynhaea, ac am ofal tirion Rhagluniaeth amdano, ymhob rhyw fodd. Odid hefyd na chafodd dodin bach cryf o facsad cartre cyn cychwyn o'r tŷ i gynhesu ei galon. Nid oedd pop na diod fain wedi dod eto i wanhau trwyth diwygiadau'r ddeunawfed ganrif. Yr adeg honno yr oedd angen am rywbeth mwy nerthol na lemonêd i wneud blaenor Methodus.

Gwelir, felly, nad slafwr caled, diball, ar ei le ei hun, a dim arall, ydoedd Jaci Penrhiw. Yr oedd hefyd yn ddyn crefyddol, yn ôl y traddodiad y maged ef ynddo; ie, yn ddyn duwiol, defosiynol ei natur, yn ôl syniad y rhai a'i hadwaenai orau. Yn ei lyfr, *Efengylwyr Seion yn Sir Gaerfyrddin*, dywedir amdano gan y Parch. James Morris, y cofiannydd diddan, a fu unwaith yn weinidog ar yr eglwysi hyn, Rhydcymerau a Bethel, Llansewyl, ar sail tystiolaeth yr ardalwyr, ei fod yn nodedig am wresogrwydd ei ysbryd ar weddi. Dyma stori apocryffaidd a glywais innau, nas ceir yn yr *Efengylwyr*:

Roedd Jaci'n dychwelyd drwy ddyffryn Cothi o dre Caerfyrddin ryw noson yn y gaeaf a chart dau geffyl ganddo. Roedd wedi cael glasaid neu ddau ar y ffordd. Pan ddaeth i bentre Abergorlech lle y bu'n grwt yn yr ysgol (un o hen ysgolion Griffith Jones, Llanddowror, gyda llaw) gwelodd olau yn y capel yno, a chlywed canu. 'Hwre, boe, cymer ofal o'r ceffyle 'ma,' meddai wrth ryw lanc gerllaw; ac i fyny ag ef at y capel y tu uchaf i'r ffordd. Eisteddodd ger y drws. Cwrdd gweddi oedd yno, a chyn hir, craffodd un o'r blaenoriaid fod Jaci wedi troi i mewn atynt, a'i alw ymlaen i gymryd rhan. Sylw un a oedd yn bresennol ar yr achlysur ydoedd, na chlywodd weddi daerach a mwy eneiniol yn ei fywyd. Yna aeth Jaci a'i bâr ceffylau ymlaen ar ei ffordd yn llawen dros bant a thyle am y pum milltir arall i Benrhiw.

Roedd Jaci Penrhiw a'i frawd, Jemi Cilwennau, yn gyd-flaenoriaid yng nghapel Methodus Rhydcymerau am ran dda o'u

glowing among the coals. Then he saw the boy fast asleep and then his own boot in the ashes near him, destroyed. My grandfather it seems used to ejaculate 'Poo-poo', and his only remark as the three of them turned towards the 'night-field' very early that Saturday night was, 'Poo-poo, children, how did it go like this with us?' It is true that there is no evidence for it, but it would have been a strange thing if, despite the boot, the razor, and the rascal, Jaci Penrhiw was not in his usual place in Rhydcymerau chapel by ten o'clock next day, with his heart full of thanks for the blessings of the harvest and for Providence's care of him in every way. Very likely too he had a good toddy of strong home-brewed before he started out of the house, to warm his heart. Pop and small beer had not yet arrived to weaken the infusions of the revivals of the last century. At that time something stronger than lemonade was needed to make a Methodist elder.

It will be seen that Jaci was something more than a hard, unceasing slogger on his own farm. He was also a religious man by the tradition in which he was reared, and in the opinion of those who knew him he was godly and devout. The Reverend James Morris, the engaging biographer who was once a minister to these churches, Rhydcymerau and Bethel, in his book *Evangelists of Zion in Carmarthenshire*, says on the testimony of the people around that Jaci was noteworthy for his warmth of spirit in prayer. Here is a story which is apocryphal in so far as it is not in the *Evangelists*.

Jaci was returning through the Cothi Valley from Carmarthen one winter's night with a cart and two horses. He had taken a glass or two on the way. When he came to the village of Abergorlech, where he had been a boy in school (one of the old Griffith Jones Llanddowror schools), he saw the chapel lit and heard singing. 'Here, boy, take care of these horses,' he said to a youngster nearby, and up he went to the chapel above the road. He sat near the door. It was a prayer meeting, and before long one of the elders noticed that Jaci had turned in and called him on to lead in prayer. One who was present on the occasion said he had never heard a more fervent and inspired prayer. Then Jaci, with his pair of horses, went on his way rejoicing over hill and down dale the remaining five miles to Penrhiw.

Jaci Penrhiw and his brother Jemi Cilwennau were elders together in the Methodist Chapel in Rhydcymerau for a good part

hoes; a bu fy nhad-cu am gyfnod, yn ôl hen ddyddiaduron sydd gennyf, yn ysgrifennydd yr eglwys honno. Trigai'r ddau tua'r un faint o bellter o Lansewyl a Rhydcymerau, ond fod Cilwennau Uchaf ar ochr y ffordd fawr, a Phenrhiw, fel y gwelwyd, ymhell ohoni. Roedd y ddau, hefyd, mewn cysylltiad agos â'r chwaer eglwys ym Methel, Llansewyl, cyn i Nwncwl Jemi, wedi rhoi heibio ffarmio, fynd i fyw i'r pentre, a bod yn flaenor, bellach, yn eglwys Bethel. Roedd teimlad cynnes y ddau frawd at Bethel yn hawdd i'w ddeall, gan i'w tad-cu, y cynghorwr Wiliam Sion, Llywele, yn nyddiau Pantycelyn, fod â rhan yn sefydlu'r achos a chodi'r capel yno. Yn ôl tystiolaeth yr hanesydd diflin, y Parch. Gomer M. Roberts, yn ei ddarlith ar 'Fethodistiaeth Fore Llansawel', nas cyhoeddwyd hyd yma, codwyd capel cyntaf Bethel yn rhan olaf 1746 – tua'r un adeg â chapel Cil-y-cwm, Llanddyfri, heb fod ymhell oddi yno. Y ddau gapel hyn, felly, yw'r capeli hynaf gan y Trefnyddion Calfinaidd yng Nghymru, yn ôl barn hanesydd pennaf yr enwad. Yr adeg honno, hefyd, yn ôl yr un awdurdod, bu 'i Lansawel bron â dyfod yn fangre athrofa gyntaf y corff Methodistaidd yng Nghymru'. Medd ef eto: 'Yr oedd ym mryd Howell Harries i gael ysgol neu athrofa i'r cynghorwyr yn Nhrefeca pe bai modd, ond ei anhawster mawr oedd cael arian'. Yna dyfynnir ganddo o waith yr hanesydd manwl arall, Richard Bennett, ym *Methodistiaeth Trefaldwyn Uchaf*:

Felly, gan nad oedd olwg am goleg fe drefnwyd yn sasiwn Erwd gerllaw Llanfair Muallt, Chwefror 1, 1749, fod cynghorwyr ardaloedd Caerfyrddin i gyfarfod yn Llansawel ddeuddydd o bob wythnos, neu wythnos o bob mis, fel y byddai hwylusaf, i dderbyn hyfforddiant gan Williams Pantycelyn.

Hyd yn oed yn yr eglwys fwyaf heddychlon ni all na ddêl rhwystrau ambell dro. Ac, ysywaeth, fe ddigwyddodd felly yn hanes eglwys Rhydcymerau tua'r flwyddyn 1873. Gan fod cyrff pawb a wybu rywbeth yn bersonol am yr helynt wedi oeri yn y glyn ers blynyddoedd maith, bellach, gellir yn awr sôn amdano heb i waed neb o'r ardalwyr presennol boethi dim. Rhyw dipyn o sgarmes ym mhentre Glan Duar, yn ymyl Llanybydder, wrth ddod adre o ryw ffair oedd y dechrau, mae'n debyg. Barnai'r rheini a

of their lifetime, and my grandfather for a while was secretary of that church, to go by old diaries in my possession. They lived about the same distance from Llansewyl and Rhydcymerau, except that Cilwennau Uchaf was on the main road and Penrhiw, as we have seen, a good distance from it. Both were closely connected with the sister church in Bethel Llansewyl before Uncle Jemi, on retiring from farming, went to live in the village and then became an elder in the church of Bethel. The warm place Bethel had in these two brothers' hearts is easy to account for, as their grandfather, Wiliam Sion Llywele, in the days of Pantycelyn had a part in founding the cause and building the chapel. In the words of the Reverend Gomer Roberts, the tireless historian, in his lecture on Early Methodism in Llansawel, not yet published, the first chapel in Bethel was built in the latter part of 1746, about the same time as Cilycwm chapel in Llandovery, not far away. These two chapels, then, are the oldest the Welsh Calvinistic Methodists have in the opinion of the denomination's leading historian. At that time too, on the same authority, Llansawel nearly became the location of the first Methodist college in Wales. He says too: 'It was Howell Harries's intention to set up a school or college for the exhorters in Trefeca if possible but his great difficulty was to get money.' Then he quotes from another precise historian, Richard Bennett, in *Methodism in Upper Montgomeryshire*:

Then as there was no prospect of a college it was resolved in the Erwd association near Builth, February the first 1749, that the exhorters of the Carmarthenshire districts meet in Llansawel two days a week or for a week in every month whichever be found the more convenient to receive instruction from Williams Pantycelyn.

Even in the most peaceful of churches it is impossible but that offences will come sometimes. And alas it happened so in Rhydcymerau church about the year 1873. As everyone who knew anything about this matter directly is long ago buried, it can now be mentioned without heating the blood of anyone now living in the neighbourhood. At first it seems it was a bit of a skirmish in Glan Duar village, near Llanybydder, on the way home from a fair. Those who, by my time, remembered something of the story

gofiai rywbeth o'r hanes, erbyn fy amser i, nad oedd asgwrnyn y gynnen, i gychwyn, yn ddim mwy sylweddol na'r ffroth ar wyneb cwrw Rachel Penrhiw Llyn. Ond bu Nwncwl Josi, darn o ddyn byr, cydnerth, ac o dymer go anhywaith, medden nhw, unwaith y codai ei wrychyn cochlyd, yn ffigur go amlwg yn y ffrwgwd. Roedd ef yn briod erbyn hyn, yn byw yn y Trawsgoed, ac yn gyd-flaenor â'i dad yng nghapel Rhydcymerau. Bu'r ysgarmeswyr, chwarae teg iddynt, yn ddigon call i gadw'n glir o lys cyfraith. Ond yn hytrach na chael gwared ar yr helynt mewn ffordd naturiol, fel y caed gwared ar y cwrw, gyda thipyn o ben tost ac ychydig gleisiau drannoeth, fe aed â'r peth i'r capel a'i wneud yn fater disgyblaeth eglwysig. Un ochr i'r hanes a ges i, wrth gwrs, a hynny'n ddistaw ac yn fylchog ddigon, ymhen blynyddoedd wedyn. Beth bynnag oedd y gwir yn union, teimlai tŷ a thylwyth a chynheiliaid breichiau'r cadfridog Joshua, i weinidog yr eglwys ar y pryd – y gweinidog cyntaf a fu arni, gyda llaw – fod yn unochrog ac yn annheg wrth wrando'r dystiolaeth a roddid gerbron. Bu'r canlyniadau'n athrist, am y tro, o leiaf. Gadawodd teulu Penrhiw i gyd, a Nwncwl Josi'r Trawsgoed, eglwys Rhydcymerau, eglwys y bu ei hynafiaid mewn cysylltiad mor agos â hi er cychwyn yr achos yn y lle. Cyn diwedd y flwyddyn honno, hefyd, ymadawodd y gweinidog. Fel y dywed Syr O. M. Edwards rywle, am y dyn hwnnw o ardal Llanuwchlyn – 'gadawodd fy nhad-cu grefydd, ac aeth i'r eglwys'. Ymaelododd yn eglwys y plwyf, Llansewyl, ac yno y bu am y tair blynedd ar ddeg olaf o'i oes, gan ddysgu canu'r siantiau'n hwyliog yn ei hen ddyddiau, fel y clywais ddweud. Aeth y plant gartre, heb briodi – John a Jâms a Jane – at yr Annibynwyr yn Siloh, Llansewyl. Wedi i'm rhieni briodi ac i'm mam ddod i fyw i Benrhiw aeth fy nhad gyda hi at yr Annibynwyr yng nghapel Esgerdawe lle y buasai hi yn aelod erioed, fel y dywedwyd eisoes.

Rai blynyddoedd yn ddiweddarach priododd Jane, chwaer ieuaf fy nhad, â Dafydd Jones, Pwllcynbyd y pryd hwnnw, brawd hynaf mam Gwenallt, a mynd i fyw i'r Gelli Gneuen, Rhydcymerau. Ac yng nghyflawnder yr amser, tua'r deugain oed yma, priododd Nwncwl Jâms, yntau, a dechrau 'i fyd yn y Dolau Isa, gerllaw'r pentre – crud Tylwyth y Doleydd, gyda llaw, un o dri llwyth yr ardal, fel y gwelir yn *Hen Wynebau*. Menyw gall, bwyllog, oedd Nanti Marged, gwraig Nwncwl Josi. Nid aeth hi o'r eglwys yn adeg yr helynt. Erbyn fy amser i, roedd y plant yn tyfu i fyny'n gyflym, ddeg ohonynt yn deulu cryf ac iach, ac yn ganwyr da o'r bron – yn

considered that the contention arose from nothing more substantial than the froth on the surface of Rachel Penrhiw Llyn's beer. But Uncle Josi, a short, thickset lump of a man of intractable temper, they say, once his red bristles stood up in anger, was a prominent figure in this brawl. He was married by this time and living in Trawsgoed, and was, like his father, an elder in Rhydcymerau chapel. The scrappers, to give them fair play, were wise enough to keep clear of the court of law. But instead of getting rid of the bother, like the beer, with a headache and a few bruises next day, they took the matter to chapel to make it a matter of church discipline. It was one side of the question that I got, and that after many years and secretly and brokenly enough. Whatever the exact truth was, the family and kindred and those who held up the arms of the leader Joshua felt that the minister of the church – its first minister by the way – had been partial and unfair in receiving the evidence that was brought forward. All the Penrhiw family and Uncle Josi Trawsgoed left Rhydcymerau church, with which their forebears had been connected so closely ever since the cause was founded. Before the end of the year the minister also left. As Sir Owen M. Edwards says of someone in Llanuwchllyn, 'my grandfather left religion and went over to the church.' He was confirmed in the parish church in Llansewyl, and there he remained for the last thirteen years of his life, learning to sing the chants with animation in his old age, I heard it said. The unmarried sons and daughter at home, John and Jâms and Jane, joined the Congregationalists in Siloh Llansewyl. When my parents got married and my mother came to live in Penrhiw my father went with her to the Congregationalists in Esgerdawe chapel, where she had always been a member, as has been said previously.

Some years later Jane, my father's youngest sister, married Dafydd Jones, Pwllcynbyd at that time, Gwenallt's mother's eldest brother, and went to live to Gelli Gneuen Rhydcymerau. And in the fullness of time, at about the age of forty, Uncle Jâms married and began his new life in Dolau Isa, near the village – the cradle of the Doleydd clan, by the way, one of the three clans of the neighbourhood as depicted in *Old Familiar Faces*. Aunt Marged, Uncle Josi's wife, was a sensible and discreet woman. She did not leave the church at the time of the row. By my time the children were growing up quickly, ten of them, a strong, healthy family all of whom were good singers and an abounding benefit in eisteddfod

110

llawnder mewn eisteddfod a chymanfa. Daeth 'nhad a ninnau'r teulu i fyw o Benrhiw i Aber-nant, o fewn milltir gyfleus i'r pentre. Roedd seti'r tri brawd yn nesaf at ei gilydd ym mhen blaen y capel ar y dde i'r pulpud: sêt y Trawsgoed, heb fod ynddi le i hanner y plant, yn y cornel; sêt Nanti Jane a'i theulu yn y canol, a Nwncwl Jâms, cyn iddo briodi, yn ei rhannu â hi; a'n sêt ninnau, wedi symud i Aber-nant, wrth fraich y pulpud, yn nesaf at y sêt fawr. Dyna, bellach, yr hen rwyg a wnaed mor sydyn a diangen rhwng teulu Penrhiw ac eglwys Rhydcymerau, wedi ei chyfannu'n llwyr drachefn, a heddwch a thangnefedd yn y tir.

Aeth y bŵs a'r badl a'r hir ben tost ar ôl hynny, i dir angof a'r pethau a fu, ers tro byd, bellach. Ni fyddwn innau wedi sôn o gwbl am yr helynt, yma, ond i ddangos sut y gall rhywbeth bach a ffôl a dibwys, weithiau, chwyddo'n anferth y tu hwnt i bob rheswm, a pheri loes a dioddefaint i lawer o bobl garedig a diniwed. Yn y pen draw, dengys, hefyd, fel y mae'n llawenydd meddwl, lle y bo tipyn o gynhesrwydd dynol, a thipyn o synnwyr cyffredin ac o naws Cristnogol yn ffynnu, y daw cymod drachefn, a chyd-ddealltwriaeth fel a gafwyd mewn modd arbennig, yn yr eglwys hon y cefais i'r fraint o'm magu ynddi.

Ond cyn darfod â'r hanes, y mae Nwncwl Josi, pwtyn nerthol dechrau'r gynnen a'r cledro ar bont Lan Duar, gennym eto i'w goleddu'n ôl i'r hen gorlan. Beth fu ei hanes ef yn y cyfamser, tybed? Mewn llythyr ataf rywdro, ac yn llwyr ar ddamwain, dywed y Parch. Eirug Davies, hanesydd cywir ei fro ei hun, am gofnod yn llyfr yr eglwys sy'n dangos i Nwncwl Josi fod yn aelod o eglwys yr Annibynwyr yng Ngwarnogau yn 1873. Roedd hyn yn newydd i mi, ac yn beth syndod, gan fod pedair milltir dda dros wlad fryniog, arw o'r Trawsgoed i Warnogau. Ond y mae'r dyddiad 1873, blwyddyn yr helynt, yn eglurhad digonol. Daeth wedyn, ymhen rhyw flwyddyn, yn aelod o'r chwaer eglwys Annibynnol yn Llidiad Nennog, ddwy filltir yn nes adref. Pam nad aeth yno o'r cychwyn, mae'n anodd gwybod. Fodd bynnag, gwladychodd yn braf yn y Llidiad, lle y bu'n flaenor ac yn wr amlwg gyda'r achos am yn agos i ddeugain mlynedd, a hefyd yn arweinydd y gân yno. Am flynyddoedd lawer, yn nhymor y gaeaf, bu'n croesi Cwm Gorlech serth yn gyson bob wythnos, gan ddringo dros fanc Llety Llwyn Whith i gynnal ysgol gân i ardalwyr Llidiad Nennog. Fel Dafydd Ifans y Siop a gynhaliai ysgol gân mewn mwy nag un lle, a channoedd o arloeswyr tebyg ym mrwdfrydedd y deffro cerddorol

and *cymanfa*. My father brought us, his family, from Penrhiw to live in Aber-nant, within a mile of the village. The three brothers had their seats adjoining in the front part of the chapel to the right of the pulpit: the Trawsgoed seat, without enough room for half the children, in the corner; Auntie Jane's and her family's in the middle, with Uncle Jâms sharing it with her before his marriage; and our seat, after we had moved to Aber-nant, by the pulpit rail and next to the big seat. Here at last the old rift made so suddenly and needlessly between Penrhiw family and Rhydcymerau church is mended, and peace and unity are again supreme in the land.

That booze and battle and long headache are now long ago forgotten. I would not have mentioned it only to show how a foolish and trivial thing can sometimes swell monstrously and cause pain and suffering to many kind and innocent people. And finally, it shows too, one is happy to think, how, with a little human warmth and common sense and Christian feeling prevailing, reconciliation and mutual understanding will come about as it did to an outstanding degree in this church in which I was privileged to be brought up.

But before this story is closed, Uncle Josi, the strong, stumpy author of the quarrel and fisticuffs on Glan Duar bridge, is yet to be brought back to the fold. What of him meanwhile? In a letter he once wrote to me, the Reverend Eirug Davies, the faithful historian of his own region, mentioned quite by chance a note in the church record that shows that Uncle Josi was a member of the Congregational church in Gwarnogau in 1873. This was new to me and rather a surprise, as Trawsgoed is separated from Gwarnogau by over four miles of hilly country. But the date 1873, the year of the trouble, is sufficient explanation. Later, in about a year's time, he became a member of the sister Congregational church in Llidiad Nennog, two miles nearer his home. Why he did not go there from the start it is hard to say. However, he settled down well in Llidiad Nennog, where he was a deacon and a prominent man in the cause for nearly forty years, as well as precentor. For many years, even in wintertime, he used to cross steep Cwm Gorlech regularly every week, climbing over Llety Llwyn Whith bank to hold singing school for the Llidiad Nennog people. Like Dafydd Ifans the Shop, who kept a singing school in several places, and like hundreds of similar pioneers in the ardour of the musical awakening that followed the efforts of Ieuan Gwyllt, he never thought of a penny

a ddilynodd ymdrechion Ieuan Gwyllt, ni feddyliodd erioed am geiniog o dâl. Yr adeg honno, yn rhan olaf y ganrif o'r blaen, nid oedd odid fab na merch a feddai rywfaint o glust at ganu na fedrai redeg tôn ar y Sol-ffa fel darllen llyfr. Cyd-flaenor â Nwncwl Josi am dymor maith ydoedd yr hen ŵr craff, Dafydd Ifans, Bryn Llywelyn, un o ffermwyr tir uchel mwyaf blaengar gogledd Sir Gaerfyrddin. Ŵyr iddo ef, gyda llaw, yw D. J. Llywelfryn Davies, Athro'r Gyfraith yng Ngholeg y Brifysgol, Aberystwyth. Ac o enw'r hen ffarm nodedig hon y cafodd Llywelfryn ei enw nodedig yntau. I selio'r cyfeillgarwch agos drwy'r blynyddoedd rhwng y ddau ben blaenor, Nwncwl Josi a Dafydd Ifans, fe briododd Marged fy ngh'nither, merch hynaf y Trawsgoed, â Jâms, mab Bryn Llywelyn, brawd i fam Llywelfryn Davies. Fel y mae'n digwydd, nid wyf i'n perthyn, drwy waed, hyd y gwn i, i Gwenallt nac i Llywelfryn. Ond yn y modd hwn – modryb i mi yn priodi ag ewyrth i Gwenallt, a ch'nither i mi'n priodi ag ewyrth i Lywelfryn, etc. – gwelir, yn fynych, fel y mae hen deuluoedd a fu byw am gyfnod maith yn yr un rhanbarth, weithiau am ganrifoedd, yn dolennu ac yn clymu drwy'i gilydd, genhedlaeth ar ôl cenhedlaeth. A dyna'n sicr ran gadarnaf a diogelaf pob cymdeithas wâr. Bu'r Cymry yn nodedig erioed am eu balchder yn eu hachau; a thrwy hynny byddent, yn aml, yn gyff gwawd i'w cymdogion, y Saeson. Arwydd o'r dibristod ac o'r dirywiad yng ngwerthoedd ein bywyd cenedlaethol ni heddiw yw fod cynifer o Gymry yn cymryd cymaint mwy o ddiddordeb ym mhedigri eu cŵn, a'u gwartheg cadeiriog, nag yn nhras a hanes eu tadau a'u mamau hwy eu hunain. Aeth y geiniog yn sofran, yn ben ar bopeth; a'r ufudd was sy'n derbyn y gyflog uchaf am ei ufudd-dod yw pinacl ymffrost ein ciwdodaeth.

Rai blynyddoedd cyn diwedd ei oes, wedi iddo roi heibio ffarmio, aeth Nwncwl Josi i fyw at Jane ei ferch i'r Felin, Rhydcymerau, wrth ymyl y capel. Gweddw oedd hi i George, mab Dafydd Ifans y Siop, a gafodd ddamwain angeuol yn gynnar yn ei fywyd priodasol, gan adael pump o blant bach ar ei ôl, yr iengaf heb ei eni. Yn naturiol daeth fy ewyrth â'i lythyr aelodaeth gydag ef o Lidiad Nennog i'w hen eglwys ei hun a adawsai ers cynifer o flynydd-oedd. Trwy hynny, heb i neb sylwi na chofio dim, ond ef ei hun, efallai, rhoed y pwythyn olaf yn ddeheuig iawn yn yr hen rwyg, fel na allai neb, bellach, ganfod i ddim tebyg i rwyg fod yno erioed.

piece in payment. At that time, in the latter part of the last century, there was hardly a young man or young woman with an ear for music who was not able to run Sol-fa like reading a book. The keen old man, Dafydd Ifans Bryn Llywelyn, was a fellow deacon with Uncle Josi for a long period, and one of the most progressive farmers in Carmarthenshire. D. J. Llywelfryn Davies, Professor of Law in Aberystwyth, is a grandson of his, and it is from this notable farm that Llywelfryn got his also notable name. To set a seal on the close friendship that persisted between the two deacons, Uncle Josi and Dafydd Ifans, through the years, my cousin Marged, the eldest daughter of Trawsgoed, married Jâms, the son of Bryn Llywelyn, Llywelfryn Davies's mother's brother. As it happens, I am not related by blood to either Gwenallt or Llywelfryn. But in this way – an aunt of mine marrying an uncle of Gwenallt's and a cousin of mine marrying an uncle of Llywelfryn – it is seen how old families that have lived for a long period in the same region often get linked with each other from generation to generation. This is surely a strength and a safety in every true society. The Welsh have always been noted for their pride of lineage, and they were often on this account made the laughing stock of their neighbours the English. It is a sign of the present disregard of the values of our national life and of their deterioration that so many Welsh people take more interest in the pedigree of their dogs and of their milking cows than in their own mothers' and fathers' descent and history. The penny has become sovereign, and the obedient servant who receives the highest wage for his obedience is the boast and pinnacle of our polity.

Some years before the end of his life, when he had given up farming, Uncle Josi went to live with his daughter Jane in Y Felin, beside the chapel. She was the widow of George, the son of Dafydd Ifans the Shop, who died of an accident early in his married life, leaving five small children, the youngest not then born. Naturally my uncle brought his letter of membership from Llidiad Nennog to his old church which he had left so many years before. Thus, without anyone noticing or remembering it, except himself perhaps, the last stitch was expertly put into the old tear, so that no one could tell that anything of the kind had ever been there.

Bu farw Nwncwl Josi ar y cyntaf o Ionor, 1915 yn 74 oed, a'i roi i orffwys yn dawel gyda'i deulu a'i hen gyfoedion ym mynwent Rhydcymerau. Heddwch i lwch yr hen farwn dawnus hwn, mab hynaf fy nhad-cu, a aeth â thipyn mwy na'i siâr o dalent y teulu. Nid oedd heb ei fai mwy na rhywun arall, ond yr oedd iddo ei arbenigrwydd pendant fel cymeriad. Ar ddiwrnod garw a llawer o'r ardalwyr wedi hel pob esgus dros gyrchu i'r efail at Dafydd y Gof, os byddai Nwncwl Josi yno fe allai agor mas ar stori, gyda phesychiad clasurol weithiau, wrth ledu ei ganfas, mewn modd a ddiddanai ei gynulleidfa cystal â'r un ddrama. Âi i mewn i ysbryd y darn, a chyn hir, fel y gwresogai ati, codai ar ei draed, fel ag i wneud cyfiawnder â phethau. Nid âi neb o'r efail tra fyddai Josi'r Trawsgoed wrthi'n adrodd stori ar ei ddau biler crwn cadarn; a chlywais ddweud ei fod yr un mor feistraidd a deheuig wrthi'n diwinydda yn yr Ysgol Sul. Sylwedydd craff a storïwr byr yn ystyr berffeithia'r gair ydoedd Dafydd 'r Efail Fach. Ond mabinogi gyflawn, liwgar, o ddefnyddiau cartre, fel rheol, wedi ei gwau gan ei ddychymyg ei hun, oedd gan Nwncwl Josi. 'Hi!' drwynol, sydyn, ydoedd cyweirnod rhagarweiniol stori Dafydd 'r Efail Fach. Ond carthiad gwddwg a 'Hy! – Hy!' urddasol, o waelod mynwes lydan a ddynodai gyffro awenyddol y 'Trawsgoediwr' – dyna'i enw barddol, gyda llaw. Ar wahân i ambell angladd ac eisteddfod enwog Dydd y Nadolig, unwaith y flwyddyn yn unig yr ai f'ewyrth drwy borth capel Rhydcymerau yn ystod ei deyrnasiad hir yn Llidiad Nennog – a'r Cwrdd Diolchgarwch ydoedd hwnnw. Ef a fyddai'n dechrau'r cyfarfod hwn bron bob amser. Darllenai bennod ddewisol at yr amgylchiad, ac adrodd yr emynau, gyda rhwysg braidd yn esgobol, efallai, i'r rhai hynny nad oedd e'n digwydd bod yn ewyrth iddyn nhw. Ond ar ei liniau roedd ganddo ddawn gweddi ryfeddol, gan gyfuno dwyster ac urddas a defosiwn.

Ym mynwent Caeo mae'r gair *gent* ar garreg fedd un o'r gwehelyth. Mae'n bosib na wyddai Nwncwl Josi ddim am hynny, ac nad oedd, ychwaith, yn hyddysg yn rhin cyfareddol y gair hwn cyn i bawb ohonom ddod yn ysweiniaid. Beth bynnag am hynny, ymddengys i fantell y *gent* hwn sy'n gorwedd ym mynwent Caeo ddisgyn yn esmwyth a naturiol ar ysgwyddau solid Nwncwl Josi, fel na wybu ef ddim am ei phwysau.

Câi ei le ym mhobman heb ofyn amdano. Yn ystod ei gystudd olaf yn nhŷ Jane, ei ferch, clywais Ifan, ei fab hynaf, sgwatyn arall, craff ei sylw, tebyg i'w dad, ond heb fawr o bresenoldeb hunan-

Uncle Josi died on the 1st of January, 1915, at the age of seventy-four, and he was laid to rest with his contemporaries in Rhydcymerau graveyard. Peace be to the remains of this gifted old baron, my grandfather's eldest son, who took a little more than his share of the family talent. He was not without his faults any more than anybody else. But he had one particular forte as a personality. On a rough day when many in the locality had found excuses to resort to Dafydd's smithy, if Uncle Josi was there he could open out with a story, sometimes with a classical cough as he spread his canvas in a way that entertained his audience as well as a play. He would go into the spirit of it, and before long as he warmed to it he would get upon his feet so as to do it justice. No one left the smithy when Josi Trawsgoed was engaged in telling a story, and standing on his round, strong pillars, I heard it said that he was equally masterly when theologising in Sunday School. Dafydd Efail Fach was a keen observer and a short story teller in the truest meaning of the word. But it was a complete and colourful romance, a *mabinogi* of home-made materials, woven usually by his own imagination, that Uncle Josi gave us. 'Hee' was the introduction and keynote to Dafydd Efail Fach's stories. But a clearing of the throat and a 'Hur Hur' that was dignified and came from the depth of his broad breast denoted the coming of the creative urge to Trawsgoediwr, for that was his name as a poet. Apart from an occasional funeral and the famous Christmas Day eisteddfod, my uncle entered Rhydcymerau chapel only once a year during his long reign in Llidiad Nennog, and that was to the Thanksgiving Meeting. He it was who commenced the meeting always. He would read a chapter he had chosen for the occasion and recite the hymns with a touch of episcopal pomp it might be to the mind of those to whom he did not happen to be an uncle. But on his knees he had the gift of prayer wonderfully, combining earnestness, dignity, and devotion.

In Caeo churchyard the gravestone of one of our ancestors has the word 'gent' on it. Perhaps Uncle Josi knew nothing of that and was not versed in the use of this magic name before every one of us became an esquire. However that may be, it seems that the mantle of the gent who lies in Caeo churchyard descended naturally on Uncle Josi's shoulders and that he did not notice its weight.

Everywhere he could be sure of his place without asking for it. In his last illness, in his daughter Jane's house, I heard Ifan, his eldest son and another squat and keen observer like his father, but

116

ddigonol hwnnw, yn dweud: 'Roedd pedwar ohonon ni yn ddigon bach i dendo 'nhad 'slawer dydd pan oedd e'n iach; ond nawr mae pedwar ar ddeg yn rhy fach.' Y brodyr lleia, neu'r brodyr ienga, mewn mwy nag un ystyr, ydoedd 'nhad a Nwncwl Jâms ar hyd eu hoes yn ei ymyl ef, er na cheisiai byth ddangos hynny, whare teg iddo. Parchai'r tri brawd annibyniaeth ei gilydd yn llwyr, bob amser.

O'r dechrau cyntaf wedi i 'nhad-cu symud i Benrhiw, ymddengys iddo fwrw iddi'n ddyfal ac egnïol 'yn cloddio a bwrw tail', yn diwreiddio ac yn plannu, yn tynnu i lawr ac yn adeiladu. Rhaid ei fod nid yn unig yn weithiwr hynod galed ei hun a chanddo'r ddawn i gael gan eraill i gydweithio'n ewyllysgar ag ef, ond ei fod hefyd yn gynlluniwr medrus ac ymarferol, gan wybod, drwy reddf, beth y gellid ac y dylid ei wneud. Cafodd fwy o'r nwyf gychwynnol, yr hyn a eilw'r Sais yn *initiative*, o lawer na neb o'i ddisgynyddion, ac efallai fwy na neb o'r cylchoedd hyn, ac ystyried ei gyfleusterau. Tai to gwellt isel oedd yn y wlad i gyd y pryd hwnnw. Ychwanegodd ef barlwr newydd ac ystafell uwchben at yr hen dŷ, fel yr oedd, bellach, yn annedd hir a chymharol eang, yn enwedig y gegin, yn ôl a weddai iddi fod fel cartref teulu lluosog, bob amser. Cododd laethdy cryno fel penty wrth ei ystlys, a chafnau llydain fflat wrth y muriau, o gerrig gleision, oer, i ddal y llaeth yn hufennu. Roedd hyn ymhell cyn gwireddu'r hen ddarogan –

Fe ddaw y gath a'r winci
Ar hyd Glan Tywi i lawr,

sef y trên a'r telegraff, a rhaid oedd cario'r cerrig hirion, llyfnion hyn, mewn ceirti yr holl ffordd o gwarrau enwog Cilgerran y pryd hwnnw, pellter o ddeng milltir ar hugain a mwy, a chlirio aml dollborth ar y daith. Cododd yno res o feudai helaeth a dwy bing (bin) rhyngddynt, a'u toi â hen lechi bach, brau y cyfnod, gan nad o ble y ceid hwy. Yn ddiweddarach, ac o fewn fy nghof i, ail-dôdd fy nhad y rhain â llechi Caernarfon, a'r cymydogion, yn ôl hen arfer y wlad, yn ei helpu i'w cywain o stasiwn Llanybydder – pellter o ryw saith milltir.

Credai 'nhad-cu yn gadarn yn yr egwyddor honno a fynegir mor gryno yng nghwpled Dewi Wyn:

without that self-sufficing presence, I heard him say, 'Four of us were few enough to tend my father in days gone by when he was well, and now fourteen of us are too few.' Beside him my father and Uncle Jâms were the younger and the lesser brothers in more than one sense, although, fair play to him, he never tried to show it. The three brothers respected each other's independence on all occasions.

When my grandfather came to Penrhiw he threw himself into it from the start, energetically and persistently 'digging and dunging', uprooting and planting, taking down and putting up. He must have been not only a remarkably hard worker himself, with a gift for getting others to co-operate willingly, but also an able and practical planner, knowing instinctively what could and should be done. He had far more initiative than any of his descendants, and more perhaps than anyone from these parts, considering his opportunities. The houses at that time in all the country districts were low and straw-thatched. He added a parlour and a room above it to the old house, so that it now was a long and comparatively roomy dwelling, especially as regards the kitchen, as it needed to be as the home of an always numerous family. He built a compact dairy as a penthouse, with flat, wide troughs or pans of cold grey slate along the walls to hold the milk when it was creaming. This was long before the old prophecy was fulfilled that

> *The cat and the weasel will come*
> *Down along Tywi Bank,*

– namely, the train and the telegraph – and these long stones had to be carried in carts the whole way from the then famous Cilgerran quarry, a distance of thirty miles and more, clearing many tollgates on the way. He built a row of large outhouses with two walks between them, all roofed with crumbly old slates of that period, wherever they may have been obtained. Later and within my memory my father re-roofed these with Caernarfon slates, the neighbours, according to custom, helping to convey them from Llanybydder station, a distance of seven miles or so.

My grandfather believed in the principle put so succinctly in Dewi Wyn's couplet, which may be translated

Hawdd yw pawb yn rhoddi punt
Mae'n debyg er mwyn dwybunt.

Ond nid y bunt yn unig a roddai ef, ond hefyd ei ben i gynllunio a'i chwys a'i lafur i gario allan y cynlluniau hyn. Cododd gloddiau lle nad oedd cloddiau o'r blaen, a'u plannu â pherthi o gyll a helyg, ysgaw, drain a bedw. Yn gymysg â'r rhain gwelid ambell gerdinen grawelog neu feillionen Sbaen (*laburnum*), onnen neu dderwen gadarn yn dyrchu ei phen uwchlaw'r lliaws epilgar wrth ei bôn. Yn y perthi gweddol agos at y tŷ ceid, yn fynych, lwyni eirin – gwynion (*greengages*), cochion, duon.

Trefnodd berllan o ryw draean erw o dir a'i chau i mewn yn daclus â chlawdd carreg a thywaden yr ochr isaf iddi, ar y ffordd i Gwm Bach. Edrychai'r dywaden las rhwng y rhesi cerrig gwyngalch dan y coed deiliog yn hynod hardd yn yr haf. Yn union gyferbyn yr oedd yr allt fer (*fir*) a hewl Cwm Bach yn mynd trwy ei chanol. Yn y berllan hon y plannodd 'nhad-cu rai degau o goed falau a phlwmwns, wedi eu hel o lawer lle. Nid oedd ar un ohonynt enw catalog fel a geir heddiw yn dynodi ei dras arbennig; ond fe gofiaf i aml un ohonynt a alwyd, yn ddigon tebyg, wrth enw'r person y cafwyd ef ganddo, megis 'Llwyn Niclas', 'Fale'r Ficer', a 'Llwyn Bŵen Bach'. (Wn i ddim pa Niclas na pha Ficer oedd y rhain, ond mae'n amlwg mai Bowen Bach, Rhydodyn, stiward y stad honno ar un adeg, oedd yr olaf). Am ryw reswm ni chredaf fod yno'r un ellygen. Ond yr oedd yno bren ceirios yn y clawdd isaf, uwchben y ffordd, na welais i ei fwy na'i harddach erioed. Bob haf byddai'n pyngo gan ffrwyth, ond fod llawer o'r sypiau cochion hyn yn rhy uchel ac ysgafn hoyw ar y brigau i neb allu eu cyrraedd, ond gwiwer na faliai ddim amdanynt. Câi'r adar eu gwala o'r gweddill. Gwn fod y peth yn chwerthinllyd o anhygoel i'r neb a ŵyr am Benrhiw fel y mae heddiw – yr hewlydd ato, o bobman, bron wedi cau, a'r Comisiwn Coedwigo wedi ei amgylchynu o bob tu, ac eithrio'r godre, gyda glan yr afon lle nad oes hewl yn rhedeg. Ond clywais ddweud gan rai a gofiai am hynny y byddai Jonah Evans, Llambed, tad y masnachwr Charles Evans, Mark Lane Stores, wedi hynny, yn arfer dod i Benrhiw unwaith y flwyddyn yn gyson am gyfnod, i hôl llond cart o ffrwythau. Erbyn hyn mae'n llawer iawn haws i bobol Llambed gael eu ffrwythau o ganolbarth Affrica nag o Benrhiw anghysbell.

Everybody, with no ado,
Will put down a pound to pick up two.

But he contributed not only the pound, but also his brain to plan and his sweat and labour to carry out those plans. He made hedge-banks where there were none, planting them with hazel and willow, elder, thorn, and birch. Among these an occasional rowaned mountain ash was seen, or laburnum or strong oak lifting its head above the prolific multitude at its base. In the hedges near the house were plum trees of three kinds – greengages, red plum, and black plum.

He set out an orchard of about a third of an acre, and closed it with a dry stone wall and a stone and turf hedge along the bottom of it, on the way to Cwm Bach. This hedge looked very beautiful in summertime with its green turf between the rows of white-limed stones under the leafy trees. In this orchard my grandfather planted dozens of apple trees and plum trees obtained from many places. None of them had a catalogue name denoting its variety, but I remember many of them that were probably named after the person from whom they were obtained, such as 'Niclas's tree', 'the Vicar's Apples', and 'Bŵen Bach's tree'. (I don't know what Niclas or what Vicar they referred to, but it seems certain that the last named was Bŵen Bach Rhydodyn, the estate steward at one time.) For some reason or other there was no pear tree as far as I remember. But a cherry tree there was on the bottom hedge above the road, bigger and comelier than any tree of its species I have ever seen. Every year it bore fruit in profuse clusters, but many of them were too high up and too springy on the branches for anyone to be able to reach them except squirrels, who did not care for them. The birds had cherries enough and to spare. I realise that this is ridiculously incredible to anyone who knows Penrhiw as it is today, the roads there from every direction closed, nearly all of them, the Forestry Commission surrounding it except at the bottom, along the river where there isn't a road. But I heard it said by people who remembered it that Jonah Evans of Lampeter, father of Charles Evans of Mark Lane Stores afterwards, used to come to Penrhiw once a year to fetch a load of fruit. It is now much easier for Lampeter people to get fruit from the middle of Africa than from Penrhiw.

Rhed tri chwm cul a serth yn gyfochrog drwy'r tir i lawr at yr afon ar y gwaelod – afon, gyda llaw, na chlywir nemor neb yn ei galw wrth ei henw, sef Marlais. Rhyw led cae y tu cefn i bentre Llansewyl ymuna'r afon hon ag afon Melindwr nas henwir eto'n gyffredin ond fel afon Rhydcymerau. A'r ddwy yn un, bellach, ymuna'r afon hon ag afon Cothi ryw filltir a hanner i'r de-ddwyrain i gyfeiriad Crug-y-bar. Enwau'r tri chwm hyn yw Cwm Byrgwm, Cwm Bach, a Chwm Ca' Mowr, gyferbyn â'r Graig Ddu, ar dir yr Esgair. Wedi clirio ochrau serth Cwm Byrgwm o'r prysgwydd a'r eithin a fu yno erioed, fe'u plannwyd â choed pîn o wahanol fathau, – larts neu fer, fel y galwem ni hwy. Yn yr un modd plannwyd hefyd yr ochr dde i Gwm Bach gyferbyn â'r tŷ, ynghyd â rhyw ddau gyfer arall islaw Cae-dan-tŷ. Ond gadawyd Cwm Ca' Mowr fel yr oedd, a'i eithin tal yn gysgod i'r defaid a'r ŵyn adeg y rhew a'r eira. Yn ychwanegol at hyn plannodd fy nhad-cu allt hir a chul ar ffurf y llythyren 'L' o chwith, a'i gwaelod i fyny, gydag ochr a thop y Byrgwm yn ffinio ag Esgair Wen a Chwm H'ŵel. Yn union yr ochr arall i'r cwm gyferbyn â'r tŷ byw ar y fron lechweddog yr oedd gallt dderw o ryw ddeg cyfer, a'r afon, er ambell gilgwth chwyrn yn ystod llifogydd y gaeaf, wedi ei dysgu'n bur dda, er dyddiau fy nhad-cu, i gadw gyda'i gwaelod. Gyda glan yr afon, hefyd, yr oedd aml glwstwr o goed gwern, lle dôi'r clocswr yn ei dro â'i fwyell a'i gyllell gam i naddu a llunio 'gwandde' clocs. Ar y fron uwchlaw gallt Penrhiw, a hewl gul yn ffin rhyngddynt, yr oedd gallt dderw Tan'coed, yn rhyw ddeugain erw o dir.

Y ffarm nesaf at Benrhiw, yn union yn groes i'r cwm, ydoedd Bryndafydd Isa; a Bryndafydd Ucha ryw ddau led cae yn uwch i fyny. Ar y dde iddynt, o'u gweld o glos Penrhiw, y mae'r allt dderw fawr, gallt Penrhiw a gallt Tan'coed ynghyd yn llawn hanner can cyfer, gan guddio ochr y bryn yn gyfan, o'r top i lawr at yr afon ar y gwaelod. I'r chwith eto, a'r afon yn eu rhannu, y mae gallt Bryn-dafydd a gallt Rhydyfallen, hwythau'n rhyw ddeg i ddeuddeg cyfer. Gwelir, felly, mor drwm o goed ydyw'r cymoedd hyn i bob cyfeiriad.

Er na roddai'r Llywodraeth y dyddiau hynny unrhyw gefnogaeth i waith o'r fath, na thalu dimai o grant ar ei gyfer, ymddengys fod plannu a thyfu coed larts yn rhyw gymaint o ddiwydiant gwlad yng Ngogledd Sir Gaerfyrddin yn rhan olaf y ganrif o'r blaen. A hyd y gallaf i ddwyn i gof yn awr yn ein cylch ni o leiaf, nid ar stadau'r 'gwŷr mawr' yn gymaint, os yn wir o gwbl, y ceid y plannu a'r tyfu coed hwn, ond ar dir y 'gwŷr bach', y rhydd-ddeiliaid a oedd yn

Three steep valleys or dells run parallel through the land down to the river, a river you hardly hear anyone call by its name, Marlais. A field's breadth behind Llansewyl village it joins Melindwr, which is generally called Rhydcymerau river, and this river joins the river Cothi a mile and a half to the south-east in the direction of Crug-y-bar. The names of the three valleys are Cwm Byrgwm, Cwm Bach, and Cwm Ca' Mowr opposite Y Graig Ddu on Yr Esger land. When the steep sides of Cwm Byrgwm had been cleared of the brushwood and gorse that had been there from time immemorial, they were planted with conifers of different species, larches and firs. The right-hand side of Cwm Bach opposite the house was planted in the same way, and also some two acres below Cae-dan-tŷ. But Cwm Ca' Mowr was left as it was with the high gorsebushes to shelter the sheep and lambs in periods of frost and snow. In addition, my grandfather planted a long and narrow L-shaped wood with the bottom of the L uppermost, along the side and top of Y Byrgwm, bordering on Esger Wen and Cwm Hŵel. Right the other side of the valley, opposite the house up on the breast, there was an oak wood of ten acres or so, and the river in my grandfather's day had learnt pretty well to keep along its bed, despite some violent thrusts from behind when the winter floods were on. Along the side of the river there were many clumps of alder to which the clogmaker came from time to time, bringing his axe and his curved knife to hew and shape clog soles. On the breast above Penrhiw wood with the narrow road separating it therefrom was Tan'coed wood, some forty acres of it.

The farm next to Penrhiw straight across the valley was Bryndafydd Isa, and Bryndafydd Ucha was the breadth of two fields higher up. To the right of them, looking from Penrhiw fold, is the big oak wood, Penrhiw wood and Tan'coed wood, together a full fifty acres covering the whole hillside from the top down to the river. To the left again, with the river dividing them, are Bryndafydd wood and Rhydafallen wood, each between ten and twelve acres. You see how wooded these valleys are in every direction.

Although the Government of those days gave no support to such work by way of grant or in any other way, it appears that growing larch was to some extent a rural industry in North Carmarthenshire in the latter half of the last century. As far as I am able to recollect, in our area, at least, it was not so much on the big estates as on the 'small men's land, the freeholders' that this planting and growing

berchen eu llefydd eu hunain. Tyfid y planhigion, i gychwyn, o hadau mewn 'gerddi coed bach'. Rwy'n cofio gyda hyfrydwch hyd heddiw am rai o'r gerddi hyn, ger pentre Tŷ Mowr, Llanybydder, ac ar ffordd Pencarreg. Roedd yn bleser eu gweld, ac ambell hen wraig mewn pais a betgwn â'i rhaw fach yn agor rhychiau, neu'n dyfal chwynnu ar ei chwrcwd. Rhedai'r rhesi'n syth fel edau lin, a'r miloedd picellau gwyrddion, main, yn gwanu'r awyr fel byddin o 'dir y dyneddon'.

Yn ychwanegol at y coed derw a dyfai'n naturiol o'u bonion eu hunain, plannodd fy nhad-cu rywle o bymtheg i ddeunaw cyfair o goed larts yma a thraw ar hyd y tir yn y mannau a farnai ef yn fwyaf addas – ar fronnydd rhy serth i'w trin ac ar hytir noeth ar dop y banc. Yno byddent yn gysgod i anifeiliaid ac yn help i dyfiant porfa a chnydau ŷd, gan ychwanegu llawer at werth a chynnyrch y lle. Amrywiai'r darnau mewn maint, o gwarter cyfair mewn cornelyn lletwhith o gae, hyd allt Cwm Bach, gerllaw'r tŷ, a oedd yn agos i saith cyfair. Roedd felly o bump i ddeg erw ar hugain o'r tir o dan goed, neu ryw un rhan o wyth ohono. Uchder Penrhiw uwchlaw'r môr yw o bum cant i fyny at naw cant o droedfeddi; ac fel y dywedwyd yn barod, y mae'n lle nodedig am ei dyfiant coed. Odid y gellid gweled glanach coed yn unman na rhai o'r gelltydd hyn yn nyfnder y cymoedd – yn rhengau sythion, tal a chadarn, a'r gwynt yn canu yn eu brig. Gan faint eu hoffter o'u daear y mae rhai o'r pinwydd a blannwyd yno yn gymysg â'r coed eraill dros gan mlynedd yn ôl, yn dal hyd heddiw yn wylwyr talgryf o gwmpas y clos, gan ei gysgodi ar bob tywydd.

Fel y gellid disgwyl, profodd y plannu coed yma yn fenter lwcus i 'nhad-cu, ac yn fendith i'w ymdrechion. Wrth iddynt dyfu teneuid y gelltydd yn rheolaidd fel y câi pob pren faeth digonol a lle i anadlu. A dôi'r 'chwyn' hyn yn hwylus fel polion weiers i gau o gwmpas coed ieuengach, a'u diogelu rhag i dda a defaid bori eu blaenau a pheri iddynt dyfu yn ffaglau fflat diurddas. Nid oedd y wifren bigog farbaraidd wedi dod i fri yr adeg honno, felly roedd angen mwy o byst a gwifrau i wneud y cau yn sicr. Yn yr ydlan yr oedd 'y pwll llif', a dôi Morris y Llifwr ac Ifan ei fab heibio yn eu tro, un ar y top a'r llall i lawr, yng nghanol eu chwys a'r blawd llif, i droi'r gwahanol fathau o goed yn estyll pwrpasol at gant a mwy o ddibenion ffarm.

was done. The plantings were grown from seed in the nurseries. I recollect with pleasure some of these 'small tree gardens' near Tŷ Mowr village, Llanybydder, on the road to Pencarreg. It was a delight to see them with a few old women in Welsh dress and petticoats opening the drills with small shovels or squatting down to weed busily. The rows ran as straight as linen threads, and thousands of fine green spears pierced the air like an army from the country of the mannikins.

In addition to the oaks that grew naturally from their own stocks, there were between fifteen and eighteen acres of larch here and there over the land, which my grandfather had planted in places he considered suitable – on breasts that were too steep to be cultivated and on the bare, open land along the top of the bank. There they would provide shelter for animals and also assist the growth of grass and corn, and so increase greatly the productivity of the place. These pieces varied in size from a quarter of an acre in an awkward field corner to Cwm Bach wood near the house, which was nearly seven acres. Thus between twenty and thirty acres – that is, one-eighth of the whole – was woodland. The height of Penrhiw above sea level runs from five hundred to nine hundred feet, and it has been said it is an excellent place for growing trees. One could hardly see finer trees anywhere than in those deep glens, those tall, strong trees standing in straight ranks with the wind singing in their tops. They like the soil there so much that some of the pine trees planted by my grandfather among other trees a century ago remain to this day as lofty sentinels around the fold, sheltering it in all weathers.

As might be expected, this tree-planting enterprise proved profitable to my grandfather and a blessing upon his efforts. As the woods grew they were periodically thinned, so that every tree might get nourishment and breathing space, and the so-called weeds were useful as wiring poles for enclosing younger trees and keeping them safe from the browsing of cattle and sheep, which, by depriving them of their tips, would also destroy their symmetry and dignity. The barbarous barbed wire had not then come into vogue, so more posts and wires would be needed than at present to make a safe job of it. In the haggard there was a sawpit where Morris the sawyer and his son Ifan came on their rounds, working one on top and the other below, in sweat and sawdust, turning various kinds of timber into serviceable planks and boards for a host of farm uses.

Ni wn i ddim o hanes y gwaith oel a golosg (*coke*) a fu ym mhentre Brechfa yn rhan olaf y ganrif o'r blaen – pa bryd y'i cychwynnwyd, gan bwy, na pha bryd y darfu'n iawn, ragor na'i fod yn ffynnu y cof cyntaf sydd gennyf i. Ni wn ychwaith pa goed a losgid at y pwrpas. Ond ni ellid gwell man at waith o'r fath, gan fod digonedd o wahanol fathau o goed yn Nyffryn Cothi a'r wlad oddi amgylch – yn ardal y Darren Fowr ei hun, i fyny at Abergorlech a glynnoedd dwfn Gwarnogau. (Gyda llaw, enw newydd i ni, bobl gogledd Sir Gaerfyrddin, yw 'Gwernogle' a geir yn awr yn gyffredin. Roedd yn bod cyn hynny, fel y gwelir yn nyddiadur Gwilym Marles, ond fe'i gwnaed yn boblogaidd, yn ôl a glywais i, gan hen weinidog yr eglwys yno, y Parch. T. Gwernogle Evans, a'i fabwysiadu wedyn ganddo ef ei hun fel hysbyseb dramwyol o'r newid. Whare teg i'r hen fardd a'r llenor diddan hwn, awdur *Y Deryn Du* a llyfrau eraill, pa esboniad mwy syml, parod, ac agos atom yn bosib ar yr ardal goediog, ramantus hon, na 'gwernog-le', rhag bod neb mewn penbleth am ei ystyr. Ond i ni, yr hen frodorion, 'Gwernogau' ar y Sul a 'Gwarnoge' ddyddiau'r wythnos yw'r lle wedi bod erioed, ac yn bod o hyd.)

Am ryw gyfnod yn amser fy nhad-cu buwyd yn cario coed o Benrhiw i waith oel Brechfa – pellter o ryw naw i ddeg milltir. Gwaith slafus ddigon oedd hwn o'r cychwyn: cwympo'r coed yn ddechau ar fannau serth ac anodd, rhag iddynt niweidio coed eraill wrth ddisgyn; eu llusgo i fan mwy hydrin lle y gellid eu llwytho ar gamboeau; eu clymu â chadwynau a rhaffau fel na allent whimlyd wrth gael eu hysgwyd a'u hysgytio ar y ddwy filltir arw dros dir yr Esgair ac i lawr hyd riw serth, dolciog Dafy Jâms, nes dod mas i'r ffordd fowr ar ben hewl Clun March, ger hen dŷ Meicel, tŷ'r gât ar un adeg. Yna ymlaen at dop pentre Llansewyl a throi'n gwta am Abergorlech gyda chapel Siloh, ar ein pennau i'r dde – man yn gofyn am geffyl siafft da os byddai cynffon y llwyth yn hir, gan y dôi'r ergyd ar gefn y strodur yn greulon pe digwyddai i flaenau'r coed daro'n sydyn yn erbyn y ddaear. Mae'r slafdod a'r straen a welais i'n grwt bach ar geffylau glew gan ddynion glew wrth drafod coed trymion mewn mannau diffaith wedi aros yn fy ngwaed i, hyd heddiw. Roedd Blac a Dic a Bess, hen boni Nwncwl Jâms, bob amser yn ei chanol hi, ac mor sownd â'r farn ar eu carnau, boed lethr gwyllt neu fawnog sigledig. Os mawnog, cerddent ei hwyneb yn gynnil-fonheddig fel cathod rhag i'w pedolau dorri'r croen ac iddynt ddechrau suddo. Deallai 'nhad ei

I know nothing of the oil- and coke-works in Brechfa village in the latter part of the last century, when and by whom it was started and when it was closed, except that it was going when I first knew of it. I do not know either what wood was used for this purpose, but there could be no better place for such an industry, with plenty of timber of different species in the Cothi valley and in the country around, in the neighbourhood of Y Darren Fowr itself, and up as far as Abergorlech and the deep glens of Gwarnogau. (By the way, Gwernogle, which has now become common, is a new name for us in North Carmarthenshire. It was in existence previously, for example, in Gwilym Marles's diary – but it was popularised, so I have heard, by a former minister of the church there, the Reverend D. Gwernogle Evans, and then adopted by himself as a travelling advertisement of the change. Fair play to the old poet, who was an interesting writer, the author of *The Blackbird* and other books, what explanation could be simpler or more ready to hand in that wooded and romantic vicinity than *gwernogle* – 'many-aldered place', if anyone should be puzzled about the meaning? But to us, the natives, the place has always been Gwernogau on Sundays and Gwarnoge on weekdays).

For a period in my grandfather's time wood was hauled to Brechfa oil-works, a distance of nine to ten miles. From the start this was laborious work. It meant felling timber skilfully on steep and difficult spots, taking care that they did not harm other trees as they came down; dragging them to more convenient spots where they could be loaded on gambos, or longbodies; tying them with chains or ropes so that they could not budge while they were being swayed and shaken on the rough miles over Yr Esger land and down the steep and dented hill, Rhiw Dafy Jâms, till they emerged on the public road at the end of Clun March lane by old Meicel's house, at that time a tollgate house. Then on towards the top of Llansewyl village, turning sharply for Abergorlech by Siloh chapel and then descending steeply to the right, a place where a good shaft horse was needed if it was a long-tailed load, because if the ends of the tree trunks struck suddenly against the ground the blow on the cart-saddle would be cruel. The heavy work and strain that I saw as a boy being put on valiant horses by valiant men, too, when negotiating heavy timber in bad places, has stayed in my blood to this day. Black and Dick and Bess, Uncle Jâms's pony, were always in the thick of it and as sure as Judgment Day upon their hooves,

ysgrubliaid yn well nag y deallai ei blant yn fynych. Lle y byddai perygl yno yr oedd ef ar ei orau. Ni welais ddamwain yn digwydd o gwbl, na chlywed rheg ganddo unwaith, er gwyllted ei natur. Rhagluniaeth yn unig a'm gwahanodd i gyntaf oddi wrth hen gynefin fy nhadau. Yno yr own i yn fy elfen, a phob nerfyn ynof yn teimlo ac yn anadlu'r cyfan.

Roedd saith milltir arall o'r gwaith oel ym Mrechfa i Nantgaredig, y stasiwn nesaf, saith milltir riwiog, flin, i geirts a cheffylau, i gywain yr oel a'r golosg ar hyd-ddynt i afael y trên. Y pellter yma a chost cyfatebol y cario, yn ddiau, a laddodd y diwydiant gwledig hwn yn y diwedd. Heddiw, a phethau cartrefol fel lori Luton ac olew Persia wrth law, ni fyddai'r rhwystr hwn yn bod. Ac y mae hen angen, drwy Gymru gyfan, am sefydlu diwydiannau gwledig bychain fel hyn a wnâi ddefnydd o nwyddau crai y fro, gan roi gwaith i'r plant yn eu cynefin eu hunain, a thrwy hynny gryfhau'r gymdeithas Gymraeg ymhob agwedd ar ei bywyd.

Gwelodd fy nhad-cu gwympo'r genhedlaeth gyntaf o'r coed a blannwyd ganddo ef yn ddyn ifanc, newydd briodi. Roedd ef adeg eu plannu tua'r un oed â'r coed hyn yn awr, adeg eu cwympo, yn rhyw ddeg ar hugain. Daeth yr arian a gafodd amdanynt yn hwylus ddigon iddo i roi tipyn o waddol i'r plant hynaf, Josi ac Anne a Let, fel yr oeddent, y naill ar ôl y llall, yn priodi. Gwelais mewn hen ewyllys o'r eiddo fy nhad-cu, nid yr olaf, yr ystyriai iddo roi gwerth deucant yr un i'r merched i ddechrau eu byd. Roedd deucant yn swm go sylweddol yr adeg honno. Bu gan fy nhad-cu ymhellach, les ar y Trawsgoed, cartref Nwncwl Josi, les dau neu dri bywyd. Roedd gan Nwncwl Josi, mae'n debyg, ffordd dda ar ei dad, a chlywais ddweud iddo ef, fel y mab hynaf, rhwng popeth â'i gilydd, gael yn agos i ddwbwl yr hyn a gafodd ei ddwy chwaer yma. Gwelodd fy nhad-cu, hefyd, flynyddoedd cyn ei farw yn 1886, blannu'r gelltydd hyn yn ôl i gyd, ac eithrio un ohonynt, o ryw ddau gyfair, a dorrwyd yn ei ddyddiau olaf. Gadawsom Benrhiw ymhen pum mlynedd wedi claddu fy nhad-cu. Cwympwyd yr ail genhedlaeth o'r coed hyn yn amser fy nhad a'm hamser innau, a'r lle, bellach, ar rent gan eraill; a chywilydd gennyf ddweud na phlannwyd brigyn yn ôl yno byth wedyn gan na mab nac ŵyr i 'nhad-cu. Aeth yr athrylith blannu a dyfrhau i'r bedd gydag ef. Y cwbl a ellais i ei wneud hyd yma, er gwario arno, rhwng popeth, fwy nag a dderbyniais oddi wrtho, yw'r polisi

whether it were a furious slope or a shaking peat-bog. When it was the peat-bog they walked the surface of it with delicate gentility like cats, so as not to break it with their shoes and so begin to sink. My father understood his beasts of burden better than he understood his children. I never saw an accident happen with him, and never heard him curse his horses, wild as his temper could be. It was Providence alone that first separated me from the old home of my fathers. There I was in my element, with every nerve in my being feeling and inhaling all.

It was another seven miles from the oil-works in Brechfa to Nantgaredig, the nearest station, seven hilly miles, heavy going for horses with carts carrying the oil and coke to be put on the train. It was undoubtedly this distance and the corresponding cost of transport that put an end to this rural industry. Today, with such products of home economy as Luton lorries and Persian oil at hand, the obstacle would not be there. And there is a long-standing need through the whole of Wales for such small industries as this to be set up, making use of local raw material and providing work for the rising generation, and so strengthening Welsh society in its every aspect.

My grandfather saw the felling of the first lot of trees planted by him as a newly married young man. When he felled them they were about the same age as he was when he planted them – that is, about thirty. The money he got for them came in at a convenient time, to dower his eldest children, Josi and Anne and Let, when they got married in turn. I saw in an old will of my grandfather's, not the last, that he reckoned he had given his daughters the value of two hundred pounds each to start their married life. Two hundred pounds was a substantial amount at that time. My grandfather had a lease on Trawsgoed, Uncle Josi's home, a lease on two or three lives. My Uncle Josi, it seems, had a way with his father, and I heard it said that he as eldest son got double what his two sisters got. My grandfather before his death in 1886 also saw the re-planting of these woods, with the exception of one of them, of about two acres, that was cut down in his last days. We left Penrhiw five years after his death. The second planting of these woods was felled by others in my father's day and mine, when the place was rented out, and I am ashamed to say that not a twig was ever planted back, either by son or grandson of my grandfather. His genius for planting and watering was buried with him. All I have been able to do so far, although I have spent more on it than I have

negyddol o gadw'r lle, fel math o deyrnged i goffadwriaeth fy nhad-cu, rhag mynd i ddwylo Comisiwn y Coedwigo, er ei gylchynu bron gan dir y fforest.

Yr oedd fy nhad-cu, felly, ar ddamwain ffodus neu o fwriad pell ei gyrraedd, neu gyfuniad o'r ddau, efallai, wedi medi cynhaeaf un genhedlaeth o goed cyn i'r ffasiwn o blannu gelltydd ddod yn beth cyffredin yn yr ardaloedd yna gan berchenogion eu tir eu hunain. Er trigo o deulu Johnes yr Hafod yn Nolau Cothi gerllaw, eto, fel yr awgrymwyd eisoes, nid oedd neb o blith landlordiaid y cylchoedd hyn o natur y bonheddwr mawrfrydig hwnnw a ymhyfrydai yn ei ddydd mewn datblygu adnoddau ei stad ei hunan a hybu amaethyddiaeth yn gyffredinol. Boddlonai'r rhain yn eithaf cysurus ar roi cinio rhent go dda ar ben tymor, a chael gan eu deiliaid, er eu mawr golled yn fynych, gydymgeisio mewn magu ffesants a phetris iddynt hwy. Ac o'r ddau, gwell pwdryn na photsier bob tro wrth rentu ffarm.

Ond whare teg i hen ŵr, 'nhad-cu, er gwaethaf llawer rhwystr – lle trafferthus, pell o bobman, gwraig wanllyd yn marw'n ifanc a llond tŷ o blant ar ei hôl – nid mewn plannu coed yn unig y bu ef yn ddyn o flaen ei oes yn ei gylch cyfyngedig ei hun. Yr oedd, hefyd, yn fyw i werth pob peiriant a dyfais newydd y dôi i wybod amdanynt a allai leihau slafdod a hyrwyddo gwaith; a pharod oedd i'w pwrcasu a'u defnyddio ar ei le ei hun, gan herio pob rhagfarn geidwadol. Syn yw meddwl mai i Benrhiw lethrog ei gaeau, ar wahân i'r dolydd ar y gwaelod, y daeth y peiriant torri gwair cyntaf i'r cymdogaethau hyn, yr hen 'Bamford' drom ei chocasau. 'Diwrnod mowr', yn ôl Ifan 'r Ardd Las – Wil Celwydd Golau plwyf Llansewyl – a ddigwyddai fod yn was gyda 'nhad-cu ar y pryd, ydoedd diwrnod torri'r mashîn gwair hon i mewn ar dop Cae-dan-tŷ Penrhiw. Er mwyn rhoi reial brawf ar y peiriant, meddai Ifan, fe'i treiwyd, ar unwaith, ar y man mwyaf llethrog ar dop y cae. I'w gadw rhag mhoelyd, ychwanegai, 'rhwymwyd bowlen (*pole*) hir, mas bishyn dros dop y mashîn, yr ochr ucha. 'Y ngwaith i wedyn, rŷch chi'n gweld, yn hen grwt heb fod yn rhy drwm, oedd 'istedd fel giâr ar glwyd ar y bowlen hon tra fydde'r mashîn yn torri ystod yn gro's i'r ca'. A wir i chi, rown i'n leico'n jobin yn net. Ond, bois bach, fe a'th y whîl ucha dros ben twmpath o bridd y wadd ne rwbeth, a wyddwn i o'r wheddel nes y mod i'n ca'l 'n nhowlu, whiw, lan fry-fry i'r awyr, ac yn disgyn, wedyn, fel broga, gritsh-gratsh, lawr trwy frigau'r co'd fer yn allt Cwm Bach yr ochor

got out of it, is, as a sort of tribute to my grandfather, to keep the place from getting into the hands of the Forestry Commission, which has almost surrounded it with forest-land.

My grandfather, then, by luck or far-reaching intention or a combination of both, reaped the harvest of one growth of trees before planting timber had become the vogue in these districts among the big landowners. Although the Johnes family Yr Hafod lived in Dolau Cothi, nearby there was no one, as has been seen, among the big landlords in these parts who had the nature of that magnanimous gentleman who in his day took pleasure in developing the resources of his estate and encouraging agriculture generally. Without any uneasiness at all, the others satisfied their sense of obligation by providing a good rent dinner on quarter-day and by getting their tenants, often at a great loss to themselves, to compete with each other in breeding pheasants and partridges for them. And when they had to make the choice they always preferred to rent a farm to a slacker rather than a poacher.

But, fair play to the old man, my grandfather, in spite of his many difficulties, a place not easy to work and far from everywhere, and an ailing wife who died young, leaving a house full of young children, was in his limited circle a man in advance of the times in other things besides the planting of trees. He was alive to the importance of every machine and invention he got to know of that lessened drudgery and expedited work, and, defying conservative prejudice, he was ready to buy them and use them on his farm. It seems strange that it was to Penrhiw, whose fields had such steep slopes, all except the meadows at the bottom, that the mowing machine first came to these parts, the old heavy-cogged Bamford. 'A big day,' according to Ifan Ardd Las, the Transparent Liar of the parish of Llansawel, who happened to be in service with my grandfather at the time, 'a big day it was, breaking this machine in at the top of Cae Dan Tŷ Penrhiw. To test the machine properly we tried it in the steepest place at the top of the field. To prevent it from overturning we bound a long pole to it, so that it jutted out over the top on the upper side, and my job, being a boy and not too heavy, was to sit on it like a hen roosting while the machine was cutting a swath across the field. And, indeed, I liked my job. But, I'll tell you now, the upper wheel went over a molehill or something, and I was thrown up and up into the air, and I fell like a frog and came down *critch cratch* through the upper branches of

130

draw i'r cwm, ac yn ca'l 'n hunan yn fflat ar lawr, bagalabout am fonyn lartshen. Wharddwch chi, bois, os mynnoch chi, ond mae e'n eitha gwir i chi. Fe all John Aber-nant (fy nhad) weud wrthoch chi – fe o'dd ar ben y mashîn. Ddigwyddodd dim shwd beth i fi ariod. Cap dy' Sul o'dd am 'y mhen i – un o'r cape hir, pigfain yma o'dd yn cydio fel cragen am ben dyn. Pan own i lan yn y man ucha, rown i fel 'swn i'n clywed rhyw sugyn yn 'i dynnu fe bant yn grwn oddi ar 'y mhen i. Ie, bois bach, fe gredes fod 'y mhen i'n mynd off gydag e. Dda'th y cap byth lawr, w! Ond sôn am gered, dyna'r cered rhyfedda weles i yn 'y mywyd ar bâr o gyffyle o'dd y prynhawn hwnnw, a'r hyrdi-gyrdi newydd yma'n mynd 'whr-r-r-' fel cloc larwm wrth 'u cwte nhw. Falle chredech chi mohono i'n awr, bois, ond ro'dd Cae-dan-tŷ Penrhiw, whech cyfer o ga', ar lawr bob gwelltyn ohono fe gyda ni erbyn amser te; a'r oedd hi sbel wedi cin'o arnon ni'n bwrw mas – y cyffyle druen wedi ca'l taraf, rŷch chi'n gweld; ninne'n ffaelu'n lân â'u stopo nhw, dim ond 'u cadw nhw i fynd rownd-a-rownd, rownd-a-rownd i'r ca', gore gallen ni. Pan dorson nhw'r blewyn dwetha, reit ar ganol y ca', fe gwmpson, mla'n, dwp, w, ar 'u penne. Fe neidodd dou neu dri ohonon ni mla'n atyn nhw, man 'ny. A dyna shwd y ceson ni nhw'n rhydd o'r mashîn. Ond, bois bach, pan o'n nhw'n mynd, w, dim ond cwmwl o fwg a whys o'ch chi'n weld, a rhw sŵn od yn 'i ganol e.'

Clywais ddweud, ymhellach, mai i Benrhiw y daeth y dyrnwr a'r nithiwr cyntaf i'r ardal; mai yno y sbaddwyd yr ebol cyntaf, ar ei draed, yn y cylch, ac mai yno, hefyd, y codwyd y tŷ gwair cyntaf. Mae'n sicr fod stori ddiddorol y tu ôl i bob un o'r pethau hyn, pe gellid ei gwybod. Ni feddaf i ond bratiau o ryw ambell un. Ond gyda'i gilydd fe ddangosant fel yr oedd y Chwyldro Diwydiannol a dyfeisiau peiriannol y ganrif o'r blaen yn dyfal effeithio ar y bywyd a'r gymdeithas wledig ymhob rhyw ran o Gymru a Phrydain oll. Heblaw lleihau'r caledwaith trwm ynddo'i hun, gwych o beth ymhob ystyr, golygai'r dyfeisiau newydd yma, bron i gyd, y gellid gwneud wrth lai o ddynion ar y tir. Ar yr un pryd yr oedd y pyllau glo ym Morgannwg a Mynwy a'r diwydiannau trymion dibynnol arnynt yn datblygu'n gyflym, ac yn eiddgar i dderbyn gwasanaeth gwŷr a gweision cyfarwydd â gwaith caled. Telid, hefyd, uwch cyflogau nag y gallai amaethyddiaeth ei fforddio. Yr oedd oes fawr Victoria – masnach rydd, diwydiannaeth gyflym-gynyddol, bwydydd rhad o'r gwledydd pell yn gyfnewid am lo a pheiriannau – yn ymagor yn ei holl ogoniant. Roedd allwedd y gwareiddiad modern megis yn hongian

the fir trees in Cwm Bach wood the other side of the valley, and I found myself flat on the ground with my legs astride a larch trunk. You laugh if you want to, but it's quite true. John Aber-nant (my father) will tell you – he was on the machine. No such thing ever happened to me except then. I had my Sunday cap on, one of those long-poked caps that fitted your head like a shell. When I was up highest I felt a sort of suction drawing it off completely. I'll tell you now it felt as if my head was going off with it. The cap never came down. But as for moving; I never saw a pair of horses move as they did that day with that new hurdy-gurdy whirring like an alarm clock on their tails. Perhaps you won't believe me, fellows, but Cae Dan Tŷ, the six-acre field, was down, every blade of grass, by teatime, and we didn't go out till quite a while after dinner, the poor horses in such a fright, you understand, that we couldn't stop them, only keep them going round and round the field as best we could. When they had cut the last blade right in the middle of the field they fell forward, *tup*, on their heads. Two or three of us jumped to them at once, and that's how we loosed them out of the machine. But when they were going all you could see, fellows, was a cloud of smoke and sweat that had a strange noise in the middle of it.'

I heard it said that the first threshing machine in the district was Penrhiw's too, and it was there a foal was gelded on his feet for the first time in the district and the first hayshed in the district was erected. I am sure there is an interesting story behind all these occurrences if it could only be known. I have only the rags and tatters of an occasional story. But they exemplify how the Industrial Revolution and the mechanical inventions of the last century were continually influencing rural life and society in all parts of Wales and Britain alike. Besides reducing the hard labour, an excellent thing in every way, these new inventions almost without exception meant that a farmer could do with fewer men on his land. At the same time, coalmining in Glamorgan and Monmouthshire and the heavy industries dependent upon it were rapidly developing and were eager for the service of men and youths who were accustomed to hard work. Higher wages were paid here than agriculture could afford. The great Victorian era – free trade, rapidly expanding industrialisation, cheap food from distant lands in exchange for coal and machinery – was opening out in all its glory. The key to modern civilisation was hanging on Britannia's girdle. In this

wrth wregys Britania. Yn heulwen llwyddiant diwydiannaeth a thrachwant ymerodrol y dyddiau hynny ni feddyliai neb fod hadau Rhyfeloedd Byd yr ugeinfed ganrif yn cael eu hau yn ddyfal. Ond yn ôl eto. Am y tŷ gwair yn unig y gallaf i dystio'n bersonol. Codwyd y tŷ gwair hwn gan fy nhad, o fewn fy nghof i, ddechrau haf 1889 – dair blynedd wedi marw fy nhad-cu. Roedd yn ugain llath o hyd, yn groes gyda gwaelod yr ydlan, a tho sinc ar ei ben. Rhennid ef yn bedwar 'golau', fel y dywedir, a phob golau yn bum llath sgwâr wrth bump o uchder. Fe'i llenwid dan sang, bob cynhaea, gan wair hadau o'r tir âr, gwair gwndwn o'r tir pori – Cae-dan-tŷ, Dôl Morfa, Dôl Fras Girch, a'r Ddôl Fowr – a gwair garwach o Waun y Byrgwm. Rwy'n cofio'n dda am Dafydd Sa'r, Llwyncelyn – y Bryngwyn Bach, a'r Wion, wedi hynny – ef a'i brentis yn dod yno i'w godi; ac yn cofio, hefyd, am fy nhad a'r dynion eraill yn torri tyllau dyfnion yn y ddaear i osod i lawr y deg post o binwydd a derw cadarn i fod yn bileri diogel i ddal y to uwchben. Roeddent yn ramio ac yn ramio y pridd a'r cerrig yn y socedi o gwmpas y bonion praff hyn rhag bod symud arnynt yn nydd y storm – y tŷ uchel yn wag, a'r gwynt yn whare'i gampau nerthol o'i fewn. Dyn dywedwst, llygatgroes, ydoedd Dafydd Sa'r, a'i locsen ddu o gwmpas ei wyneb mawr, llwyd, ac ôl y frech wen a gawsai'n blentyn yn amlwg arno. Nid oedd ganddo air yn sbâr wrth neb, ac ni thrawai ergyd wast unwaith mewn diwrnod. Pedair oed oeddwn i ar y pryd, ac fel clerc busneslyd y gwaith ni newidid llawer o eiriau rhyngom ni'n dau. Weithiau cawn gil ei lygad bolwyn os awn braidd yn agos at blâm llym neu dröwr a'i ebill arian. Dyn ydoedd ef a barchai'i offeryn fel y parcha'r sant ei enaid, ac am yr un rheswm, sef fod ei gymeriad yn dibynnu arno. Fel saer gwlad gelwid arno'n barhaus i wneud pob rhyw fath o orchwyl; ac yn sicr nid oedd odid neb a allai dynnu twlyn o'i law. Fe'i ganed i'r gwaith a gyflawnai; ac y mae hynny'n dri chwarter athrylith. Er y llygad tro, ac na chafodd awr o fathemateg yn ei fywyd, ond mathemateg greddf a phrofiad, dôi ei gynlluniau o hyd o rywle'n glir i'w ben; ac yr oedd ei law a'i fesurau'n ddi-feth. Drigain mlynedd yn ôl bellach, gwnaeth Dafy Dafys, canys dyna ei enw'n llawn, y gambo fach ysgon honno i fynd i'r hewl, i 'nhad yn Aber-nant, o goed wedi eu trin a'u sychu ym Mhenrhiw – y bylau

sunshine of industrial prosperity and imperialist covetousness, no one imagined that the seeds of the World Wars of the twentieth century were being sown.

But to return again. I can bear witness only to the hayshed. It was put up by my father within my own memory at the beginning of the summer of 1889. It was twenty yards long and stood along the bottom of the haggard. It had a zincated iron top. It had four 'lights' – spaces between posts – each one being five yards square and five high. Every hay harvest it was filled to its full capacity with seed hay from the ploughed land and ley hay from the pastures Cae Dan Tŷ, Dôl Morfa, Dôl Fras G'irch, and Y Ddôl Fowr, and with coarser hay from Waun y Byrgwm. I remember well Dafydd Sa'r (carpenter) Llwyncelyn, later of Y Bryngwyn Bach and Yr Wion, coming with his apprentice with him to put it up, and my father and the other men digging deep holes in the ground to put down the ten pine and oak posts to be reliable pillars supporting the roof, and how they rammed and rammed stones and earth into the sockets around the thick bases of these posts so that they would not stir in stormy days with the shed empty but for the wind playing its hefty games inside. Dafydd Sa'r was a sparing man with words, and he had a cast in his eye and black sidewhiskers around his big pale face, upon which were the marks of the smallpox he had had in childhood. He hadn't a spare word for anyone, and he never struck a waste stroke as much as once in the course of a day. I was four years old at the time, a busybody and clerk of the works, but few words passed between us. Sometimes I would get the bulging white of his eye if I went too near his keen-edged plane or his brace and bit with its silver gimlet. He respected his tools as a saint respects his soul and for the same reason – that his character depended on it. As a rural carpenter, he was called upon continually to do all sorts of jobs, and there was nobody around who could take a tool from his hand. He was born to do the work, and that is three parts of genius. Despite the cast in his eye and the fact that he had never had any mathematics, not as much as a quarter of an hour's tuition, except the tuition of disposition and experience, his plans came clear out of somewhere into his head and his measurements were infallible. It is sixty years since Dafy Dafys, for that was his full name, made that road-going light gambo for my father in Aber-nant from timber dressed and seasoned in Penrhiw, the hubs and spars of oak and the felloes of

a'r adenydd o dderw a'r cyrbau o bren onnen. Er iddi newid dwylo lawer tro wedi dydd fy nhad druan, clywais yn ddiweddar ar ddamwain fod ei holwynion yn dal i gerdded y ffyrdd o hyd, fel *watch*. A dyna i chi Dafydd Sa'r, y dyn sych, diddweud yn ystod ei fywyd, a'r coed heddiw'n llefaru drosto.

Ganol y ganrif ddiwethaf pan dyfid ŷd yn drwm drwy'r wlad, a pholisi masnach rydd Lloegr a'i bwydydd rhad o'r gwledydd pell i borthi'r boblogaeth ddiwydiannol newydd eto heb ddifetha amaethyddiaeth gartref, yr oedd dyrnu llafur ym misoedd y gaeaf yn rhan bwysig o waith pob ffarm. Fe yr enillai'r polisi hwn y dydd a throi Prydain yn wlad ddiwydiannol, yn mewnforio y rhan helaethaf o'i bwyd, troid y tir llafur fwyfwy yn dir pori, a chiliai'r gwladwyr i'r gweithfeydd am fwy o arian a llai o oriau gwaith. Cydredai hyn, hefyd, a'r galw cynyddol am fwy o addysg, a chodwyd yr ysgolion rhad, Seisnig, gorfodol ar bob plentyn, a thrwy hynny droi teulu'r gwladwr o Gymro a ymfudai i'r gweithfeydd, mewn cenhedlaeth neu ddwy yn Saeson llwyr o ran iaith; a'r mwyafrif mawr ohonynt, oherwydd y gyfundrefn addysg estron, heb wybod dim am eu gwreiddiau a gwerth eu hen etifeddiaeth, na malio ffeuen am dynged y genedl y perthynent iddi. Galwodd Padraic Pearse y gyfundrefn addysg yn Iwerddon o dan Lywodraeth Lloegr 'The Murder Machine'. Gwelir y peiriant hwn yn amlder ei rym wedi cyflawni ei waith yn effeithiol, bellach, yng Nghymru, yn y Rhondda a chymoedd gweithfaol Morgannwg a Mynwy o'r bron. Heddiw y mae ei ddiwydwaith dinistriol i'w weld ymhobman yn Nwyrain Sir Gaerfyrddin, a thranc yr iaith ond mater o amser yn unig, oni ddeffry ymwybod a chydwybod y genedl yn fuan, fuan. Mae ei mwrddwyr taledig yn mwynhau'r gwaith yn braf. Ni ellir yma ond crybwyll y ffeithiau wrth basio. Gan mlynedd yn ôl, sef y cyfnod y sonnir amdano yma, yr oedd pedwar o bob pump o bobl Cymru yn siarad Cymraeg. Heddiw nid oes ond rhyw un o bob tri.

Yr oedd y dyrnu â ffust wedi hen ddarfod yn yr ardal cyn cof gennyf i. Ond yr oedd ambell hen ffust ar winben mewn sgubor o hyd fel y ceir ambell bladur neu bladur-a-chadair heddiw fel

ash. Although it changed hands many times after my poor father's day, I heard recently quite by chance that its wheels keep going on the roads, turning as accurately as the wheels of a watch. That's Dafydd Sa'r, the dry and silent man throughout life, with the wood he fashioned still speaking for him today.

In the middle of the last century, when corn was being grown heavily throughout the country, for England's free-trade policy of cheap food from distant lands to feed the new industrial population had not yet destroyed home agriculture, threshing the corn was an important part of the work on every farm during the winter months. As that policy became ascendant and turned Britain into an industrial country importing the greater part of her food, the cornland was increasingly turned to pasture and countrymen repaired to the industrial places to work fewer hours for bigger wages. This was concurrent with the growing demand for education, and free schools were established, English ones, and made compulsory for children, and in this way the families of the Welsh countrymen who migrated to industrial places were in a generation or two turned completely English as regards language, and the great majority of them, because of the foreign educational system, knew nothing of their roots and of the value of their heritage, and did not care a fig for the fate of the nation to which they belonged. Padraic Pearse called the educational system in Ireland under the English Government 'The Murder Machine'. This machine can be seen in all its power doing its work effectively in Wales today in the Rhondda and the other industrial valleys of Glamorgan and Monmouthshire without exception. Today, its destructive diligence can be seen everywhere in East Carmarthenshire, and the extinction of the language is but a matter of time unless the nation's consciousness and conscience soon, and very soon, awake. The paid operators of the Murder Machine enjoy their work. I can at the moment only mention this by the way. A hundred years ago four out of five of the people of Wales spoke Welsh. Now only one in three does so.

Threshing with a flail was over in the neighbourhood long before my time. But there was still an old flail to be found here and there on a beam in a barn, just as an occasional scythe and cradle is to be

cywreinbeth o'r dyddiau gynt. Roedd un yn ein tŷ ni wedi i ni ddod i Aber-nant lle nad oedd angen dyrnwr mwyach. Ffust fenthyg oedd hithau, rwy'n credu, ond rai troeon gwelais 'nhad, a ddysgasai'r grefft yn ifanc, yn ei defnyddio i gloego drefa neu ddwy o sgubau i'r ieir pan fyddai'r Indian corn yn brin yn y siop.

Eithr fe glywais lawer o sôn am orchestion y dyrnu mawr 'slawer dydd – hyn a hyn o winshinau (*Winchester bushels*) wedi ei ddyrnu o'r un helem o g'irch du o waelod Ca' Pant; 'y codi o flaen y cŵn deillion', fel y dywedid (gan nad beth yw tarddiad y fath ymadrodd), am bedwar neu bump o'r gloch y bore, a dyrnu am ddwy neu dair awr cyn mynd i frecwast am saith, a dechrau ar waith arferol y dydd; y graith, hyd ei fedd, ar drwyn 'nhad-cu Gwarcoed wedi i John, ei fab, daro ergyd lletwhith pan oedd e'n grwt yn dechrau dysgu troi'r ielffust yn briodol o gwmpas ei ben; fy nhad yn dweud am yr hen ŵr, Deio Bryndafydd (tad y John Ifans y soniais amdano'n barod) yn adrodd amdano'i hun 'yn gwanu 'i law miwn i wastmwnt (*waistband*) 'i fritsh ac yn tynnu mas ddyrnaid o wablin a'i dowlu e, fflach, ar y plance dyrnu wrth 'i dra'd.' 'John bach, dyw pobol yr oes hon yn gwbod dim byd amdani,' ychwanegai'r hen ŵr â phwyslais wrth ei wrandawr ifanc.

Rhag ofn na ddaw cyfle eto, mae'n demtasiwn i mi sôn gair ymhellach yma, allan o'r cyswllt, am yr hen ŵr hwn. Yn un peth, ef ydyw'r hynaf o'r hen bobl y gallaf i, mewn rhyw ffordd, ddweud fy mod i'n eu cofio. Pan ddywedaf fod ganddo wyrion heb fod ymhell iawn o oedran fy nhad, ac iddo farw rywbryd yn chwedegau'r ganrif o'r blaen, ymddengys y gosodiad hwn, yn sicr, braidd yn od. Ond gadawer i mi esbonio.

Nid oedd gan fy nhad ddim o gwbwl o ddawn 'y cyfarwydd' fel Nwncwl Josi, a allai raffo'i stori ymlaen yn urddasol a chywrain nes peri hyd yn oed i'r cŵn i goco'u clustiau a gwrando arno. Ond yr oedd rhyw bedwar o bersonau yn yr ardal, a phedwar yn unig, y gallai 'nhad eu hefelychu yn eu dull a'u ffordd o siarad, gydag afiaith a chywirdeb. Adwaenwn i dri o'r rhain yn dda – gwŷr gwreiddiol eu priod-ddull na allent fod yn neb ond hwy eu hunain yn unman – Benni Bwlch y Mynydd, Twmi Sgubor Fach, a Jâms Cilwennau Ucha, 'ce'nder, wel'di', yr oedd ef yn hoff iawn ohono. Y pedwerydd ydoedd Deio Bryndafydd. A chynifer o weithiau y clywais i 'nhad yn adrodd storïau'r hen ŵr tal, tenau, ymadroddus hwn, a'i ên yn mynd yn hwy bob tro, gallwn feddwl, gyda phob

found now, like a curiosity from the days of yore. There was one in our house after we had moved to Aber-nant, where a thresher was no longer needed. It was a borrowed flail, I believe, but on a few occasions I saw my father, who had learnt the way in his early days, beating out a thrave (a couple of dozen sheaves) or two with it for the poultry when Indian corn was scarce in the shop. But I heard a lot about the great threshing feats of the years gone by – so many bushels threshed out of the stack of black oats from the bottom of Ca' Pant, and of getting up 'before the blind dogs', as they used to say, whatever might be the origin of the saying, at four or five o'clock in the morning and threshing for two or three hours before going to breakfast at seven, after which they began the ordinary day's work. I remember the scar that my grandfather of Gwarcoed carried on his face till his death after an awkward blow that his son John struck when he was a boy learning to turn the arm of the flail around his head properly; and I remember my father say that one old man, Deio Bryndafydd, the father of the John Ifans I have mentioned, used to tell him that he used to thrust his hand inside his breeches waistband and take out a handful of lathery sweat and throw it, *flap*, on the threshing planks at his feet. 'John bach, people today have no idea,' he would add, addressing his young listener.

In case no further opportunity occurs, I am tempted to say a word more, out of context, about this old man. He is the oldest of the old people I can say I remember. When I add that he had grandsons of about my father's age and that he died in the sixties of the last century my statement does seem rather odd. But let me explain.

My father had none at all of the storyteller's gift like Uncle Josi, who could rope it out with skill, and dignity too, making even the dogs cock their ears to hear him. But there were about four persons in the neighbourhood whom my father could mimic accurately and with gusto. I knew three of these well – men whose idiom was original and who could not be other than themselves, Benni Bwlch y Mynydd, Twmi Sgubor Fach, and Jâms Cilwennau Uchaf, 'a cousin, you see', of whom he was very fond. The fourth was Deio Bryndafydd. And I heard my father so many times telling his stories of this tall and thin and loquacious old man, whose jaw got longer, I should imagine, from my father's mimicry, every time he

cyffes haelach na'i gilydd amdano'i hun, y da a'r drwg yn gymysg diwahaniaeth, fel y teimlwn i'n sicir, rywfodd, fy mod i yn 'i nabod e lawn cystal ag un o'r tri arall.

Yn ôl yr hanes gan fy nhad, bu Deio, yn ddyn ifanc yn dechrau 'i fyd, un haf cyfan yn cario calch o odynau'r Mynydd Du at godi'r coleg yn Llanbedr Pont Steffan. (Agorwyd y coleg hwn, Coleg Dewi Sant yr Eglwys Sefydledig, yn 1828.) Roedd y pellter o Lambed i'r odynau calch yn rhyw ddeng milltir ar hugain – a Bryndafydd Isa, dipyn o'r neilltu i'r briffordd, tua saith milltir o'r dre.

Roedd Deio yn hanfod yn wreiddiol o 'Wyddelod Bro Gwenog', hwnt i Deifi, yng Ngheredigion – teulu o gyff Gwyddelig, yn ôl traddodiad, ac yn nodedig am eu ceffylau. Un ohonyn nhw, gyda llaw, ydoedd Jac Abertegan a ddylasai gan luosoced y storïau amdano, megis am Dwm Waunbwll yn ddiweddarach yng Ngogledd Sir Benfro, fod wedi hen weithio'i ffordd i mewn fel ffigur hanner chwedlonol i lên gwerin Gorllewin Cymru. Roedd yr un elfennau annansoddol hynny sy'n perthyn i ambell un ag sy'n apelio at ddychymyg ardal, i ddechrau, i'w cael ar raddfa lai yn Deio Bryndafydd – 'y pagan praff o'r pridd' a'r cybydd hoffus, digywilydd o onest.

Âi 'nhad i ryw fath o ecstasi wrth efelychu llais ac ystum Deio a'i ên gref yn malu 'i eiriau'n fân a chwim wrth garlamu ymlaen â'i stori, gan roi'r brêc yn drwm a sydyn weithiau ar ryw ambell air neu ymadrodd arbennig. Chwarddai nes bod y dŵr yn rhedeg i lawr ei ruddiau. Chwarddai'r cwmni gydag e. Roedd hyn yn demtasiwn ry gref i 'nhad yn ei symledd naturiol i ailadrodd y stori – a fflato'n ddieithriad yn yr ymdrech. Yna, er mwyn ei gwella, a cheisio'i chodi'n ôl i lefel y cynnig cyntaf, byddai'n rhaid mynd drosti'r trydydd tro.

Erbyn hynny byddai diddordeb y gwrandawyr wedi ei symud o'r stori i'r storïwr brwdfrydig a'i hadroddai; a chyda dim na fyddem yn barod i fynd drosti gydag e unwaith eto – er ei fwyn ef ei hun y tro hwn. A dyna gamp, neu ddiffyg camp fy nhad, fel adroddwr stori. Byddai'r dynwared a'r asbri yn ddifeius bob tro; ond dioddefai corff y gainc, yn fynych, gan y mân amrywiaethau heintus hyn. Eithr lluosowgrwydd y rhain a bair i mi yma ddwyn tystiolaeth megis gan un annhymig i mi weld a chlywed Deio Bryndafydd yn adrodd darnau lliwus o'i hunangofiant – er iddo farw genhedlaeth cyn fy ngeni.

made a freer than usual confession of the good and the bad in him indiscriminately, that I somehow felt I knew him quite as well as the three others.

According to my father's story of him, Deio as a young and newly married man spent a whole summer carting lime from the Black Mountain kilns for the building of the college at Lampeter. (This college, St David's College, Lampeter, of the then Established Church, was opened in 1828). The distance from Lampeter to the kilns was about thirty miles, and Bryndafydd Isa, off the main road a little, was about seven miles from the town.

Deio was descended from the 'Bro Gwenog Irishmen' beyond the river Teifi in Cardiganshire, a family of Irish descent, according to tradition, who were noted for their horses. One of them, by the way, was Jac Abertegan, who, like Twm Waunbwll later in North Pembrokeshire, should long since have worked his way into West Wales folklore as a semi-mythical figure, so numerous are the stories that are related of him. Those same elements, defying analysis, that belong now and again to someone whose personality appeals to a neighbourhood's imagination, were to be found on a smaller scale in Deio Bryndafydd himself, 'the stout, earthy pagan', the likeable, shamelessly honest miser.

My father would go into a kind of ecstasy when mimicking Deio's voice and posture, his strong jaw grinding out the words fine and speedily as he galloped along his story, applying the brake heavily and suddenly now and again on a particular word or phrase. He laughed till the tears rolled down his cheeks. The company laughed with him. This proved too strong a temptation for my father, and in his natural simplicity he repeated the story, an effort which always fell flat. Then, in order to raise it again to the level of the first telling, he would give it us for the third time.

By this time the main interest of the audience had shifted from the story itself to the enthusiastic raconteur, and we were almost prepared to go over it with him once more, this time for his sake. And that was my father's feat, or lack of it, as a storyteller. The mimicry and the vivacity were beyond reproach, but the rendering too often suffered from small variations arising from this infectious spirit. However, they were so numerous that I can testify like one born out of due time that I heard Deio Bryndafydd recite the colourful parts of his autobiography, although he died a generation before I saw the light of day.

Cyn cofnodi un o'r 'amrywiaethau' hyn yn weddol agos ati, rhaid cofio, i ddechrau, fod Deio'n rhodio yn y dyddiau hynny pan 'oedd cawri ar y ddaear', a bod fy nhad, fel pob crwtyn ymhob rhyw gyfnod mewn hanes, yn perthyn i'r oes feddal, ddirywiedig sy'n ddieithriad yn dilyn oes ei dad-cu. Dyma fel y dechreuai'r hen ŵr arni ryw dro, meddai 'nhad – a'i ên yn bwrw mas yn fwy pwysleisiol nag arfer:

'John bach, dyw pobol heddi'n gwbod dim o'u geni. Chysges i fowr yr haf hwnnw pan own i'n cario calch at golej Llambed – dim ond cwpwl o orie'n awr ag lweth pan gawn i gyfle. Ro'dd hi'n cymryd peder awr ar hugen gron i fi i rowndo'r siwrne; starto gyda swper cynnar 'ma pan fydde'r houl yn dachre cilo dros fanc Esger Wen. Rown i'n leico bod yn weddol agos at gât yr 'Hope' pan fydde'r gweiddi mowr a'r wben a'r clatsio whipe yn dachre gan wŷr y calch er mwyn esgus dihuno'r hen foi i agor y gât yn union am ddeuddeg o'r gloch. Mowredd annw'l, John bach, ro'dd y swn yn ddigon i ddihuno'r marw ym mynwent Tan Llyche – deugen neu hanner cant o geirts a cheffyle wedi cronni'n dynn wrth gwt 'i gilydd yn rhuthro drwodd fel tarane, gynted ag y bydden nhw wedi talu'r doll; a bant â nhw gan ddachre raso'n amal, er mwyn bod gynta ar ben yr odyn i lwytho. Roedd genny gystal dwy gaseg fach a fu ar garne ariod. Ond down i byth yn hale mas o reswm fel y ffylied hynny, John. Fe alle damwen ddigwydd i ddyn neu i 'nifel. Diawcs i, rwy'n cofio, unwaith – ond dyne fe, rwy wedi gweud y stori honno o'r bla'n. Ro'dd gofyn cadw'r ceffyle fel meirch, a nhwynte ar y ffordd, fel hyn, ddydd a nos bron – ysgub fach o g'irch yn amal amal a brig go lew arni, a llywanen o wair hade'n rhogle i gyd. Wedi llwytho a thowlu toien neu ddwy o wellt gwenith dros y cart calch, os bydde hi'n bwrw, neu'n debyg i law, câi'r ceffyle awr neu ddwy i bori. Byta 'nhamed sych wnawn i ym mola'r clawdd, rywle, gyda llawer erell o wŷr y calch, a gwrando arnyn nhw'n adrodd 'u storïe. Ro'dd llawer hefyd yn mynd i'r tafarn gerllaw; ceinog y peint oedd y cwrw. Ond mae ceinog yn geinog, John; ac os yw dyn am 'i gweld hi'n dod yn ddwy, ryw ddwarnod, y peth gore y gall e' i neud yw 'i chadw hi'n dwym gyda'i gylleth yng ngwaelod poced 'i fritsh. Diawcs i, llawer gwaith y ces i gyngor fel yna gan yr hen bobol. Ond yr oes hon, John bach – hala yn 'u cyfer yw hi. Wedyn, mynd ar y plwydd; dou swllt a hanner coron yr wthnos am 'u cadw nhw! All y wlad byth dala'n hir wrth 'i gilydd fel hyn, John . . . dim byth!

141

Before I record fairly closely one of these variations, you should bear in mind that Deio walked the earth in the days when there were giants upon it, and that my father, like every boy throughout history, belonged to the soft and degenerate age that invariably follows his grandfather's period. 'This is how the old man opened out once,' said my father, throwing out his jaw for more emphasis than ever.

'John bach, people today don't know they are born. I hardly slept all that summer I was carting lime for Lampeter college, only a couple of hours now and again when I got the chance. It took the whole twenty-four hours for me to get round the journey, starting at early suppertime when the sun was beginning to move away over Esger Wen bank. I liked to be pretty near the gate when the big shouting and howling and whipcracking began among the limecarting men to wake the old fellow to open the tollgate at twelve o'clock prompt. Good heavens, John bach, the noise was enough to wake the dead in Talyllychau graveyard – forty or fifty carts with their horses packed tight behind one another running through like thunder as soon as the toll was paid, and away we went, often racing to be the first at the kiln to load. I had two little mares as good as ever stood upon hooves. But I never drove beyond reason, like those fools, John. An accident might happen to man or beast. *Diawcs* [*Dee-a-oox*], I remember once – but there I've told you the story many times. The horses had to be kept like stallions, they were on the road day and night, almost, a little sheaf of oats many, many times a day with a tidy head on it, and a canvas full of seed hay that you could smell all over the place. When the lime-cart was loaded and a sheaf or two of wheaten straw thrown over it, if it rained or looked like rain the horses would get an hour or two to graze. I would eat my bite dry under a hedge somewhere along with many of the others, listening to them telling their stories. Many too went to the inn nearby; the beer was a penny a pint. But a penny is a penny, John, and if a man wants to see it becoming twopence the best thing he can do is to keep it warm along with his knife in his breeches pocket. Today, John bach, it's nothing but spending, spending away. Then going on the parish, two shillings or half a crown a week to keep them. The country can't hold together for long like this, never.

142

'Ro'dd Ann a finne'n ddynon cryf, lysti'r pryd hynny, John, a'r plant heb ddod; ac er caleted fu hi weithe, fe gadwes y cynhaea gwair, a'r cynhaea llafur ymla'n ar y lle bach, drwy gydol yr haf, heb fowr o help. Torri lladdad bach o wair neu lafur nawr ag lweth tra bydde'r ceffyle bach yn pori ac yn ca'l tipyn o hoe – dist digon i Ann a'r crwt Dai 'ny o'dd yn was 'da ni ar y pryd, 'i drin e, tra byddwn i yn y calch. Rhyw fredych main o grwt 'ma o'dd Dai, a'i freiche fe fel bros; fe aeth bant tua'r gweithe 'na rywle wedyn. Ond, John bach, fe fyte fwyd nes 'i bod hi'n arswyd 'i weld e. Mowredd annw'l, gwanu tato mowron fel 'y nyrne i, miwn 'i ben, un ar ôl y llall – un *whalad* (a thro i'r ên i ddangos y ffordd), a'r o'n nhw wedi mynd! dim *so-ôn* amdanyn nhw. A'r o'dd e mor dene â'r crychydd drwy'r cyfan. Un perfeddyn sy 'da'r creadur hwnnw, medden nhw – a'r cyfan yn mynd trwyddo fe fel whistrell. Ro'dd Dai'r un fath rwy'n credu. Rwy'n cofio gweud wrtho fe un nosweth ar swper wrth 'i weld e'n yfed lla'th fel llo a chwlffyn mowr o fara a chaws yn 'i law e. "Beth yw'r byta dou enllyn 'ma sy arnat ti, 'achan?" meddwn i. "Fydd y lla'th 'na'r wyt ti'n yfed nawr fowr o dro cyn troi'n gaws yn dy gylla di fel y caws 'ma sy ar y ford, a fe elli gwmpo'n farw cordyn unrhyw funud o ddiffyg troul." Diawcs i, John, fe sobrodd yr hen grwt trwyddo; ac o dipyn i beth fe stopodd stapal 'i ên e whare. Cyn mynd i'r gwely fe'i gweles e'n cripian yn slei bach am y llaethdy i hôl basned o faidd. O hynny mas, maidd oedd y cyfan gydag e.

'Mae lladd gwair yn waith caled, John, fel y gwyddoch chi. Dim ond wrth hogi'n awr ag lweth mae dyn yn ca'l codi'i ben ac uniawni tipyn ar 'i gefen. Fel mae'r hen air yn gweud:

Percyn hir a wado'n galed
Sy'n hala dyn i dragwyddoldeb.

Roedd Dai druan yn rhy whip yn 'i arre i 'nilyn i'n torri ystod o wair, er 'i fod e'n ielstyn tal ar 'i o'd. A dyna lle byddwn i yn 'i adel e man 'ny yn y gŵer yn ale'r clawdd, a'i rip gras 'rhyt-y rhwt! rhyt-y rhwt! rhyt-y rhwt' yn hogi un bladur tra byddwn inne'n lladd â'r llall. Wrth 'y mod i'n iwso'r ddwy bladur bob yn ail, a Dai'n rhoi awch bach net arnyn nhw, ro'n ni'n gallu torri llawer mwy o dir na phe byse Dai druan yn lladd 'i hunan yn lle lladd y gwair, wrth dreio crafu ryw slap ar 'yn ôl i. Ond diawcs i, gwaith caled i'r pladurwr o'dd dilyn dwy bladur, John. Dim ond am gwpwl o orie,

143

'Ann and I were strapping young people at that time, and the children hadn't come. And hard as it was at times, I went on with the hay and corn harvests on the little farm throughout the summer without any help, cutting a little stretch of hay or corn now and then when the horses were resting, as much as Ann and Dai, the boy we had, could manage when I was away carting lime. Dai was a thin scrallion of a boy with arms like knitting needles – he went off to the mines afterwards. Good heavens, he used to thrust big potatoes like my fists into his mouth one after another, and then one crush (showing how with a movement of the jaw) and they were gone; there wasn't a sign of them. And he was as thin as a heron after it all. They say that that bird has only one gut, and everything goes through it like a squirt. Dai was the same, I think. I remember speaking to him about it one evening at supper, seeing him drinking milk like a calf with a big lump of bread and cheese in the other hand. 'What's the matter with you boy,' I said, 'taking two sowls[4] like that along with your bread? That milk you're drinking won't be long before it turns to cheese in your stomach like this cheese here on the table, and then you could fall as dead as a rope any moment from indigestion.' *Diawcs*, John, that sobered the boy, and bit by bit his jaw stopped playing. Before I went to bed I saw him creeping to the dairy on the quiet to get a basin of whey. From then on it was always whey he wanted.

'Mowing hay is hard work, John, and it's only now and again when he's whetting that a man can lift his head and straighten his back a bit. As the old rhyme says,

> A *long stint and slogging on*
> *Send men to kingdom come.*

Poor Dai was too weak in the thighs to follow me mowing a swath of hay, although he was a lanky young fellow for his age. And so I would leave him in the ditch under the bank with his rough rip *rhut-er rhoot, rhut-er rhoot, rhut-er rhoot*, whetting the one scythe

---

[4] *Translator's note*: Anything eaten with bread such as butter, honey, cheese, or meat. The miser is straining the category here to include the milk. Sowl is the South Pembrokeshire English dialect word for 'enllyn'. The translator cannot find an equivalent in the dictionary, but probably sowl is a spurious singular derived fron an old form of the word sauce.

tra bydde'r ceffyle bach yn ca'l 'u hanal, rown inne'n gallu 'i dala hi. Ond fel y gwedes i, fe gadwes mla'n fel 'ny – y calcho a'r lladd â dwy bladur, drwy'r haf. Rown i'n ca'l hanner sofren felen am bob llwyth o galch – arian arswydus y pryd hynny, John. A dyna'r adeg y dechreuson ni fagu tipyn o gefen ar y lle bach yma.'

A dyma ninnau'n awr yn gadael yr hen ŵr diddan, Deio Bryndafydd, arwr storïau bore oes fy nhad – yn ŵr cefnog ei hun, bellach, gan adael gwaddol a thraddodiad o 'fagu cefen' ar ei ôl i'w deulu o hynny hyd heddiw.

Wrth goffáu am Benrhiw yn amser fy nhad-cu mae gennyf, weithiau, ddwy neu dair fersiwn o'r un stori i'w cymharu a dewis ohonynt – fersiwn blaen, fân-amrywiaethus fy nhad, fersiwn glasurol Nwncwl Josi, a phob pesychiad, 'Hy-Hy!' yn ei le, a fersiwn liwgar, ramantus, dau was a fuasai'n gweini yno yn eu tro am rai blynyddoedd. Am y fersiwn olaf hon, fersiwn a fu'n mynd o ben i ben drwy'r ardaloedd am gyfnod hir, nid hawdd ei chysoni hi, bob amser, â'r gwreiddiol. Enw'r cyntaf o'r ddau was arbennig yma ydoedd Ifan Dafys, 'r Ardd Las, wedi hynny, neu Ianto Tŷ Mwg, a rhoi enw twt ei hen gyfoedion arno weithiau. Soniwyd amdano ef eisoes ynglŷn â'r *machine* gwair, ac fe'i cwrddwn eto. Yr ail ydoedd Dafy Thomas, Nant Feinen, yn ddiweddarach, neu, a rhoi iddo yntau enw cyfarwydd fy nhad arno'n grwt – Dai Penrhiw Felen, ar ôl y lle y magesid ef ynddo yn ardal Llidiad Nennog. Y Dafy Thomas yma, gyda llaw, ydoedd tad John Thomas, Caerfyrddin yn awr, a'i frawd Tom Hefin Thomas, myfyriwr ifanc addawol iawn am y weinidogaeth gyda'r Annibynwyr a fu farw o'r declein cyn prin ddechrau ar ei yrfa. Pan enillodd Tom Hefin, yn llanc tua'r ugain oed, y wobr yn eisteddfod dra enwog y Byrgwm, y pryd hwnnw, am draethawd ar hanes ei blwyf genedigol, plwyf Llanfihangel Rhos y Corn, dyma sylw'r beirniad, fel y cofiaf yn dda: 'Nid cwpan arian ddylai fod yn wobr am waith fel hwn – ond crochan aur.' Rown i mewn cysylltiad agos â Tom Nant Feinen, ei iechyd yn wannaidd iawn erbyn hyn, pan oedd e'n chwilota'r wlad gan gerdded o fan i fan, a holi hen bobl am hen hanesion ar gyfer y

while I was mowing with the other. Using two scythes like this with Dai bach whetting them, I could mow a much bigger piece than if Dai were trying to scrape along after me as best he could and killing himself instead of mowing hay. I couldn't have stood it for more than that couple of hours when the horses were getting their break. But, as I told you, I kept it up, fetching lime and cutting with two scythes all the summer. I was getting a half-sovereign for every load of lime – terribly good money at that time, John. And that was the time we began to straighten our backs on this little place.'

And now we leave this entertaining old man, Deio Bryndafydd, the hero of my father's boyhood stories, who died a substantial man, leaving his family till this day the endowment and tradition of putting in substance.

In commemorating Penrhiw in my grandfather's time I have sometimes two or three versions of the same story to compare and to choose from: my father's plain but slightly varying version, Uncle Josi's classical one with every cough and *huh huh* in its right place, and also the highly coloured and romancing version given by the two men who were in service there in turn for a period of several years. This last version, after going from mouth to mouth in the locality for a long time, is not always easy to reconcile with the others. The first of these two boys was Ifan Ardd Las, afterwards Ianto Tŷ Mwg, to give him the neat name by which his contemporaries knew him. He has been mentioned before in connection with the mowing machine, and we shall meet him again. The second was Dafy Thomas Nant Feinen, so named after the place in Llidiad Nennog where he was brought up. This Dafy Thomas, by the way, was the father of John Thomas, now of Carmarthen, and his brother Tom Hefin Thomas, a very promising Congregational student who died of consumption when he had barely started his career. When Tom Hefin, then a young man of twenty, won the prize in the then celebrated Byrgwm eisteddfod for an essay on the history of his native parish of Llanfihangel Rhos y Corn, this was the adjudicator's remark: 'Work like this should be rewarded not with a cup but with a crock of gold'. I was closely in touch with Tom Nant Feinen at the time when, although his health was poor, he searched the countryside for material, going on foot from place to place eliciting accounts of past events, direct and

gwaith llafurfawr hwn. Nid oes ond gobeithio fod y traethawd diddorol yma ar glawr gan rywrai o'r teulu, ac y caiff, rywdro, weld golau dydd. Mae ynddo'n sicr rai pethau prin a gwerthfawr iawn wedi eu trysori.

Roedd 'nhad-cu, fel y gellid disgwyl, yn godwr bore. Ond wedi i'r plant ddod i oed gweithio, ac yr oedd hynny'n weddol gynnar yr adeg honno, fe gymerai ef ei hun, weithiau, gyntun bach ymhellach ymlaen at amser brecwast yma, tua saith o'r gloch, cyn codi. Roedd wedi gofalu, wrth gwrs, fod y gweddill o'r teulu ar eu traed ac wrth eu gwaith er caniad cynta'r ceiliog. Dyma fersiwn gyfansawdd o un o'r storïau hynny am Benrhiw o dan yr hen oruchwyliaeth yn amser gorchestion y boregodi a'r dyrnu â'r ffust – wedi ei hadrodd gyda rhyw awgrym o ysbryd a steil Nwncwl Josi fel storïwr, ond heb geisio cadw at ei eiriau ef. Ni ellir yma, chwaith, gyfleu dim o gymorth cyfamserol y carthiad gwddwg.

Roedd yna geiliog ym Mhenrhiw yr adeg honno, mwy bore hyd yn oed na'i berchennog – ie, a cheiliog yn ôl y farn gyhoeddus, mwy pryfoclyd na'r ceiliog hwnnw a ganodd 'yn y fan' 'slawer dydd. Roedd ei ganiad clir ar awr annhymig o'r nos eisoes wedi codi'r teulu'n gyfan fwy nag unwaith. Hwyrach, yn wir, nad oedd yno gloc ar gerdded ar y pryd, ac mai wrth yr haul y dydd, ac wrth y ceiliog y nos y gweithient. Wn i ddim. Fodd bynnag, ymddengys i'r larwm hanner swyddogol hwn, un tro, straenio'i larincs i'r consert pitsh cyn i rai o'r preswylwyr brin cau eu llygaid am noson o gwsg. Clywodd Jaci lais y cantwr o'i wely, a gweiddi'n frisg dros y tŷ, ei bod hi'n 'mynd yn rhywbryd', a chodi pawb ar unwaith i fynd at ei orchwyl. Yna syrthiodd ef ei hun yn ôl i gysgu'n hapus, wedi gwneud bore da o waith. Aeth Josi a Bili a John, a'r ddau dderyn iach hynny, Jâms a Dai Penrhiw Felen, yr iengaf ohonynt o tua'r un oed, ati'n gwcsog ddigon i fwydo'r da a'r ceffylau a'r moch, a charthu odanynt; a'r merched yn y tŷ yn paratoi ar gyfer y godro a gwaith y dydd. Wedi bod wrthi am amser maith a gorffen pob dim o'r gorchwylion arferol, wele, nid oedd 'sefyll' ym Mhenrhiw. Aed ati, wedyn, i ddyrnu – tragwyddol benyd gyda llafur caled pob gweithiwr ar y tir yn y dyddiau llafurfawr hynny – dau blencyn dyrnu o dderw trwchus ar lawr y sgubor a digon o le i ddau bâr o ddyrnwyr, un bob pen, i droi eu ffustiau yn yr awyr heb daro'i gilydd. Ac yno y buont wrthi'n dyrnu, yn dyrnu, ac yn dyrnu, 'clap! clap! clap! clap!' yn gwbwl undonog am oriau, ac oriau, ac oriau, heb argoel na sôn am doriad gwawr.

indirect, from old people towards the making of this compendious work. One cannot but hope that this essay is still to be had, in the keeping of one of the family, and that some day it shall see the light of day. It has rare and valuable items in its treasury.

My grandfather, as might be expected, was an early riser. But when his children had reached working age, which was at that time pretty early, he sometimes slept back till about breakfast-time, seven o'clock or so, and then got up. He had, of course, taken care that the rest of the family were stirring since the first crow of the cock. Here is a composite version of one of the stories of Penrhiw under the old dispensation, in the days of those great feats of early rising and threshing with a flail, told with a suspicion of Uncle Josi's style, but with no attempt to keep to his words. Neither can the timely assistance of his throat-clearing be conveyed here.

There was a cock in Penrhiw at that time that was an earlier bird than its owner even, yes, a cock that public opinion deemed more of a nuisance than the one that crowed 'then' long ago. His long, clear crowing at an untimely hour of the night had many times got the whole family up. Perhaps there wasn't a clock going at the time, and they worked by the sun by day and the cock by night. I don't know. But it seems that this semi-official alarum strained its larynx to concert pitch on one occasion before some of the dwellers in the house had had hardly an hour's sleep. Jaci from bed heard the singer's voice and shouted briskly through the house that it was getting goodness knows what time, thereby rousing everybody to go about his work. Then he fell back into contented slumber, having done a good day's work. Josi and Bili and John and the two bright ones, Jâms and Dai Penrhiw Felen, the youngest of them of about the same age, went at their work poutingly enough, I dare say, feeding the cattle and horses and pigs and mucking out under them, and the women made their preparations for milking and the day's work afterwards. When they had been at it a long time and had finished all the usual jobs, well, there was to be no standing idle in Penrhiw. They set about threshing, that everlasting penance by hard labour that every land worker had to undergo in those backbreaking days – two thick oak threshing planks on the barn floor and enough room for two pairs of threshers, one at each end to turn their flails in the air without striking one another. And they kept at it *clap clap clap clap* resolutely and monotonously for hours and hours, and there was no sign of daybreak.

O'r diwedd, a'r ffustiau'n fud am foment tra byddent yn taenu brig rhes arall o sgubau ar y planciau, ac yn dirgel wrando am y waedd gynefin i frecwast, wele, yn lle'r waedd clywsant sŵn pâr o draed plentyn yn rhedeg yn gyflym yn groes i'r clos at ddrws y sgubor. Jane fach, yr iengaf o'r plant oedd yno, ac yn llefain 'i chalon hi. 'Ann' (ei chwaer hynaf), meddai hi, 'newydd weud yn y tŷ nad oedd hi'n mynd i ddyddio byth wedyn!'

Ond yr awr dywyllaf yw'r awr agosaf i'r wawr, bob amser. Fel mellten, trawyd dychymyg bywiog y crwt Dai Penrhiw Felen gan y syniad o gynnal cwrdd ymostyngiad yn y man a'r lle i ofyn am i'r wawr dorri unwaith yn rhagor ar blant dynion. (Roedd cwrdd ymostyngiad yn ymbil am atal y glaw mawr wedi bod yr hydref cynt, meddai'r hanes.) Neidiwyd at yr awgrym yn eiddgar, a gorfodi'r cynigiwr, o fodd neu anfodd, i gymryd at y rhannau arweiniol. Roedd yno leisiau da, a chafwyd hwyl anghyffredin ar ganu'r pennill cyntaf a roddwyd mas gan yr arweinydd:

> *Disgwyl wyf ar hyd yr hirnos,*
> *Disgwyl am y bore ddydd, etc.*

Bu dyblu a threblu'r gân ar y ddwy linell olaf –

> *Disgwyl golau, disgwyl golau*
> *Pur yn nhwllwch dua'r nos.*

Yna eisteddodd y dyrnwyr i lawr yng nghanol y gwellt a'r sgubau i wylio a gwrando ar Dai'n mynd rhagddo, gan fod yn barod i ufuddhau os byddai galw ar neb ohonynt. Dechreuodd yntau'n union ar adrodd y Salm Fawr. (Un o orchestion pennaf yr Ysgol Sul y cyfnod hwnnw ydoedd dysgu'r salm hon ar dafodleferydd, ac yr oedd gan Dai, mae'n debyg, gof rhyfeddol, fel Tom, ei fab, ar ei ôl.) Yn ôl fersiwn Dai ei hun o'r stori, dewiswyd y Salm Fawr gyda bwriad teilwng mewn golwg: pe digwyddai, wedi'r cyfan, i amcan y cyfarfod fynd yn fethiant, fe geid, o leiaf, sbel go lew cyn gorfod poeri ar eu dwylo ac ailgydio yng nghoes y ffust. Yn rhyfedd iawn, fel yr oedd Dai'n mynd yn ei flaen, a'i hwyl yn codi, dechreuodd y porthi selog o blith y sgubau dawelu; a phrin yr oedd yr adroddwr wedi dod at y geiriau ystyrlawn, 'Pa fodd y glanha llanc ei lwybr?' nag y gwelodd arwyddion amlwg fod y cwmni defosiynol o'i gwmpas yn cyflym suddo i afaelion cwsg esmwyth. O weld

At last, when the flails were again silent for a moment while the men were spreading the heads of another row of sheaves on the planks and inwardly listening to the accustomed call to breakfast, hark, instead of that call a child's footsteps running quickly across the fold to the barn door. It was little Jane, the youngest, weeping her heart out. Ann (her eldest sister) had just said in the house that it wasn't going to get light any more.

The darkest hour is nearest the dawn. Dai Penrhiw Felen's lively imagination was struck like lightning with the idea of holding a submission meeting there and then to pray that day might dawn once more on the children of men. (There had been such a meeting the previous autumn, says the story, to pray for the cessation of the rain). The others jumped to the suggestion and obliged the proposer, whether with or against his will, to take the introductory parts himself. There were good voices there, and the first verse given out was sung with great fervour,

> *Through the long dark night I'm waiting*
> *Waiting for the dawn of day,*

repeating and repeating again the last line,

> *Light of promise, light of promise*
> *In the darkest night so pure.*

Then the threshers sat down on the straw and the sheaves to watch Dai and listen to him proceeding, ready to obey if called upon. He began reciting the Long Psalm (one of the great Sunday School feats in those days was to learn this psalm off by heart, and Dai, it seems, had a remarkable memory – like his son Tom after him). According to Dai's own version of this story, this psalm was chosen with a worthy aim. If the meeting after all failed in its purpose it would be some time before they had to spit on their hands and catch hold of the flails again. Surprisingly, as Dai went on and his *hwyl* was rising, the ejaculatory responses which had been fervent among the sheaves began to die down, and hardly had the reciter reached the significant words 'Wherewithal shall a young man cleanse his way' when he saw signs around him that the devout assembly were sinking into the arms of sleep. Dai was cast down by the sight of such apathy on every hand at such a dark hour in

150

cymaint difaterwch ar bob llaw ar awr mor ddu yn hanes dyn, ac yn sicir ni ellir ei feio am hynny – 'fe ddantws Dai'. Yn fuan, yr oedd yntau wedi ymuno â chôr yr hapus dyrfa yn y gwellt gerllaw.

Ond nid dyna'r fan yn hollol y terfyna'r gyfranc hon fel y clywais adrodd arni lawer tro. Y nos honno, wedi i Jaci glwydo'n ddiogel, nesaodd y ddau ddyrnwr iengaf yn ddirgel at y fan lle clwydai'r ceiliog yntau, fry ar ei 'sgynbren. Gan un ohonynt yr oedd lantarn rwyllog a chan y llall yr oedd morthwyl o dan ei got. Gydag annel ddifeth y dialydd disgynnodd y gorthrymydd o'i orsedd i'r dyfnder du odano, fel llawer un o'i debyg; a'i lais ni chlybuwyd mohono mwyach. Yn y cwest o flaen Jaci ar frecwast drannoeth, 'Ca'l strôc na'th e,' mynte Dai; a chytunodd y rheithwyr.

Ond fe ddaeth y rhod ddŵr; a phan fyddai'r dŵr yn brin, yr horspŵer pedwar ceffyl yn cerdded mewn cylch, a'r gyrrwr ar ei bedestal yn y canol a'i whip goes-gelynen yn ei law i flaen-gyffwrdd â'r dodjer a'r diog, i droi'r peiriannau dyrnu a nithio a'r *chafcutter* ym Mhenrhiw. Dechreuodd y pethau hyn newid y ffordd o weithio ac ysgafnhau llawer ar dreth y corff. Ond gwaith fydd gwaith o hyd, a llether fydd llether tra rhed nant ac afon wrth ei droed; ac, ar ryw ystyr, gwyn eu byd preswylwyr y gwastadedd.

Cyfeiriwyd wrth basio at yr arfer o sbaddu ceffylau ar eu traed yn dod gyntaf i'r ardal acw. Dyma ran o'r stori honno fel y clywais i hi. Roedd 'nhad-cu wedi bod am wythnos fach o ddŵr y môr yn Aberaeron ryw haf, fel y gwnâi yn gyson rhwng y ddau gynhaeaf. Yno cyfarfu â dyn o Sir Aberteifi a fuasai allan yn America yn ffarmio am lawer o flynyddoedd. Daeth y ddau yn gyfeillion. Wrth siarad am y wlad newydd soniodd yr Ianci o Gymro am ffordd yr Americanwyr o sbaddu ceffyl, heb ei gwmpo, drwy wasgu ei ffroenau â phinsiwrn, neu offeryn cyffelyb at y pwrpas, nes y byddai rhannau o gorff yr anifail yn mynd yn gwsg a dideimlad; ac yna ei dorri a gweithredu arno. Argyhoeddwyd fy nhad-cu ar y pen a daeth â'r sbaddwr yn ôl ganddo i Benrhiw. Wedi torri ebol neu ddau yno, a'u gweld yn gwella'n rhwydd a buan, mentrodd rhai o'r cymydogion ofyn iddo ddod atynt hwy. Y canlyniad fu i'r gŵr dierth aros ym Mhenrhiw am bythefnos dda yn sbaddu ebolion bob dydd yn yr ardaloedd o gwmpas. Ni fu anhap o gwbl; fe wellhaodd yr ebolion i gyd fel y crics. A dyna'r modd y dechreuwyd yr oruchwyliaeth ofalus hon yn y dull newydd am y tro cyntaf yn y rhan yna o'r wlad – yn ôl a glywais i.

human history, but soon he too was united with the happy choir on the surrounding straw.

But the story, as I many times heard it, does not end here exactly. That evening when Jaci had gone to his roost safely the two youngest threshers covertly approached the place where the cock was roosting high up, on his perch. One of them had a latticed lantern and the other, under his coat, had a hammer. The oppressor fell into the black depths below, like many of his kind, at the avenger's unfailing blow, and his voice was never heard again. In the inquest held before Jaci the following day Dai said, 'He must have had a stroke,' and the jury agreed.

But the water-wheel came; and when water was scarce there was the walking four-horse power treading a circle with the driver on his pedestal in the middle, a hollystocked whip in his hand with which to touch the dodger and slacker, working the threshing and winnowing and chaff-cutting machines in Penrhiw. Such inventions as these began to change the whole mode of work, lightening the tax on the body. But work will always be work, and a slope will be a slope as long as a stream or a river runs at its foot, and in one sense happy is their lot who live on the plains.

I have mentioned the custom of gelding standing horses reaching our neighbourhood. Here is part of the story as I heard it. My grandfather was a week at the seaside in Aberaeron one summer, as usual, between the hay and corn harvests. There he met a Cardigan-shire man who had farmed for many years in America. The two became friends. In speaking of the new country, the Welsh Yankee mentioned the American way of castrating horses without falling them; squeezing their nostrils with pincers or such instruments till parts of the body were anaesthetised, and then operating. He convinced my grandfather of the advantages of the method, and my grandfather brought him back with him to Penrhiw. When a foal or two had been gelded there in this way and the neighbours had seen them getting over it quickly, some of them ventured to ask him to give them his services. The result was that the visitor stayed in Penrhiw for more than a fortnight gelding foals every day in the districts around. There was no mischance; the foals all got over it perfectly. And that is how this new method of performing the delicate operation came to this part of the country, to go by what I heard.

Gwaith caled a bywyd caled, yn ddiau, ydoedd hi ym Mhenrhiw 'slawer dydd o'i gymharu â'n safonau esmwythach ni heddiw. Eto, gan luosoced y storïau a glywais, gallwn feddwl fod rhyw hwyl a sbort ddiniwed yn feunyddiol ar waith yno, a bod canu'n adloniant parhaus ar yr aelwyd.

Clywais 'nhad yn dweud am y tri ieuengaf ohonynt, Jâms a Jane ac yntau – roedd Josi, ac Ann y ferch hynaf, a chanddi lais rhagorol, a Let y nesaf ati, wedi priodi erbyn hyn, mae'n debyg – wedi bod, un tro, mewn Cymanfa Ganu yn Ffald y Brenin pan oedd côr enwog Price bach Wern 'Digaid (Wern Fendigaid) gerllaw yn ei fri, ac yn dysgu anthem newydd yn gyfan o'i chanu gyda'r côr ryw nifer o droeon – Jâms wedi dysgu'r bas, Jane yr alto, a 'nhad ei hun y tenor. Ni fu'r gwarchodwyr gartre fawr o dro yn dysgu'r 'ledin part', a bu mynd mawr ar yr anthem hon bob cyfle a gaent am ddyddiau wedyn. A diau fod yr hen ŵr yn mwynhau'r canu cystal â neb ohonynt.

Bu'r tri hefyd yn aelodau o gôr Price Wern 'Digaid am flynyddoedd gan gerdded y llwybrau gwlyb a'r rhiwiau serth, chwech neu saith milltir o ffordd, yn gyson, i'r ymarferion. Cydoesai'r côr gwledig hwn â Chôr Mawr Caradog yng Nghwm Aberdâr. Yn ei gylch nid oedd a'i curai. Ysywaeth, ychydig o ddawn gerddorol teulu fy nhad a gafodd Pegi, fy chwaer, a minnau. Roedd fy mam ei hun yn ddi-glust mewn cerddoriaeth, er fod ganddi g'nither o'r un enw â hi, Sarah, merch Nwncwl Tomos, 'r Erw Wion, yn gantores amlwg yng nghôr Price bach. Gyda llaw, fe welais i, unwaith yn fy mywyd, yr hen wron hwn, Price Wern 'Digaid, arweinydd y côr yma. Ar y cei yn Aberaeron yr oedden ni, a'r môr gwyrdd yn llawn o dan y carej bach a redai ar raff weiers yr adeg honno uwchben genau'r afon i gario'r bobl o'r naill ochr i'r llall. Câi'r dyn a drôi'r olwyn i'w weithio geiniog y pen am y trip. Crwt wyth neu naw oed oeddwn i, wedi mynd draw yno gyda'r teulu am ychydig ddyddiau o ddŵr y môr. Roedd German Band o dri offeryn yn whare i'r dyrfa – trwmped drwm, a soddgrwth (*cello*) – er nad oedd gennyf i, na neb arall, yn ddigon tebyg, yr un syniad beth y gelwid y creadur boliog hwn a gynhyrchai, ar droeon, y fath nodau dwfn, llesmeiriol.

Am ryw reswm rhy ddyrys i geisio'i 'sbonio, saif y trwmpedwr hwn yn fyw ryfeddol yn fy nghof hyd heddiw – nid nodau clir ei 'gorn, min-gorn mawr' yn gymaint, ond safiad ac osgo ei gorff – y trowser glas, y got werdd a'r braed coch arni, y cap crwn, pigloyw,

It was indeed hard work and a hard life in Penrhiw in the old days in comparison with our more comfortable standards today. Yet the stories I heard about it are so many that I should think there was some bit of innocent fun on the go every day amid the high spirits, and that singing was continually the recreation around the hearth. I heard my father say that the three youngest of them, Jâms and Jane and himself – Josi and Ann the eldest, who had an excellent voice, and Let, who came next, were married by this time, I should think – had once been in a *Cymanfa Ganu*[5] in Ffald y Brenin when Price Bach Wern'Digaid (Wern Fendigaid)'s celebrated choir was at the height of its activity and reputation, and that they learnt a new anthem completely by hearing it sung by the choir a number of times, Jâms learning the bass, Jane the alto, and my father the tenor. Those who had stayed at home were not long picking up the leading part. And this anthem was all the rage for many days afterwards when they had the opportunity. And no doubt the old man enjoyed the anthem as much as any of them.

These three, too, were members of Price Wern'Digaid's choir for years, walking muddy and steep hills for a distance of seven miles regularly to the practices. This rural choir was contemporaneous with Côr Mawr Caradog in Aberdâr. In its sphere it was unsurpassed. But, worse the luck, my sister Pegi and I came into little of the musical talent of the family. My mother had no ear for music, though a cousin of hers, Sarah like herself, Uncle Thomas's daughter, was a prominent singer in Price Bach's choir. Incidentally, I saw the old hero Price Wern'Digaid once in my life. We were on the quay in Aberaeron and the green sea with the tide in under the little carriage that ran on a wire rope at that time above the river mouth, carrying people from side to side. There was a German band of three instruments – trumpet, drum, and cello – playing to the crowd, although I, and no one else perhaps, had any idea of the name of the big-bellied creature that sometimes produced such deep swooning notes.

For some inexplicable reason the trumpeter stands in my memory till this day, extraordinarily vividly, not the clear notes of

---

[5] *Translator's note*: A *cymanfa* is an assembly, usually a festival in which several churches participate. A *cymanfa ganu* is a singing festival, and a *cymanfa bwnc* is a Sunday-school festival and takes its name from the matter of the chapters discussed.

154

y gwallt du, crop, crop, uwch gwar wedi llosgi yn yr haul. Gwelswn gylch y tylwyth teg ar ambell gae gwair, a chlywed am gŵn annwn, ambell dro, yn cyfarth yn y niwl ar fanc Llywele, ond ni chredwn yn gryf iawn ynddynt. Ond petawn i wedi cerdded i mewn i'r cylch cyfrin mewn breuddwyd llygad-agored ni allai'r effaith fod yn rhyfeddach arnaf nag ar y prynhawn heulog hwn gerllaw'r carej bach ar gei Aberaeron. A'r dwthwn hwnnw y gwelais i Price bach Wern 'Digaid, yntau wedi 'i gipio, megis gan y tylwyth teg, canys un ohonynt hwy ydoedd Price, hefyd, er mwyn i mi gael y siawns o'i weld, am unwaith, yn y byd hwn.

Ar gwr y dorf yr oedd e – yn hynafgwr brigwyn, ysgafngorff, gan ryw fân symud, weithiau, fel aderyn ar hop. Amlwg oedd fod rhywbeth o'i le ar y trwmped neu'r trwmpedwr, canys fe'i gwyliai'n sarrug. O'r diwedd, darfu ei amynedd yn llwyr, gellid barnu, a dechreuodd geryddu a chyfarwyddo'r wharaewr yn iaith groyw Sir Gaerfyrddin, er difyrrwch i'r dorf, a pheth penbleth i'r Almaenwr ar y dechrau, na ddeallai air ohono. Rown i yn y man a'r lle, wrth gwt 'nhad, a chlywais ef yn adrodd yr hanes lawer tro wedyn.

'Rwyt ti'n rong 'achan, rwyt ti'n rong,' gwaeddai'r hen gerddor clustfain o'r bryniau, yn yr unig iaith a wyddai. 'Rwyt ti'n rong, rwy'n weud,' gwaeddai drachefn. 'Cer 'nôl dros y slyrs 'na yto, i ti 'u ca'l nhw'n reit y tro nesa.' Ond rhagddo, fel Gŵr y Fantell Fraith gynt, yr âi'r trwmpedwr, gan fwrw ei wegil yn ôl, gyda balchder, yn awr ac eilwaith, a'i fochau'n pantio ac yn llanw gan ymchwydd y miwsig.

Mae'n bosib mai wedi codi'r bys bach unwaith yn ormod yr oedd Price druan wrth dorri mas mor annisgwyl y prynhawn hwnnw; ni charwn fod yn bendant. Ond y mae gennyf ryw led argraff mai'r gwendid hwn, ynghyd â haelioni naturiol ei galon, a barodd i flynyddoedd olaf oes yr hen arweinydd nodedig hwn beidio â bod mor siriol ag y dymunai'r dorf luosog hynny a fu'n canu unwaith gydag afiaith yn ei gôr. Ffarm fach yn ymyl Ffald y Brenin yw Wern 'Digaid, ond bu unwaith yn gartref i un o wir feibion cerdd a roddodd, am gyfnod, fywyd ac ysbrydiaeth newydd i ardaloedd cyfain dan gyfaredd ei fatwn.

his horn, 'his horn, great lip-horn aloft', but the way he stood, his perfect posture with his blue trousers, his green coat with red braid, his round shiny-poked hat, and his black hair cropped short above the sun-tanned nape of his neck. I had seen fairy rings in some hayfields and had heard of the hounds of *annwn*[6] barking in mist on Llywele bank, but I didn't believe in them very much. But if I had walked into the magic ring in an open-eyed dream the effect upon me couldn't have been more marvellous than on that sunny day near the little carriage on Aberaeron quay. And that day I saw Price Bach Wern'Digaid, he too spirited there as if by fairies, for he was one of them now, so that I might get the opportunity of seeing him once in this world.

He was on the edge of the crowd, a whiteheaded and sparely built old gentleman, every now and again making small, quick movements like a bird hopping. It was obvious that there was something wrong with the trumpet or the trumpeter, for he was watching him and giving him such surly looks. Finally his patience gave out altogether, I should say, and he began to rebuke and instruct the player in clear Carmarthenshire language, to the crowd's amusement and at first to the German's considerable embarrassment, as he did not understand a word. I was on the spot, just behind my father, and I heard him tell the story many times afterwards.

'You're wrong, man, you're wrong,' shouted the old sharp-eared musician from the hills in the only language he knew. 'You're wrong, I say,' he said again, 'so back over those slurs again to get them right next time.' But on like the Pied Piper went the musician, proudly throwing back his head from the nape now and again, while his cheeks bulged and hollowed with the swell of the music.

Maybe Price had had one too many that afternoon when he broke out so unexpectedly. I have the impression that it was this weakness, along with his generous nature that made the last years of this noteworthy old conductor less cheerful than the multitude who had once sung with such enjoyment in his choir wished them to be. Wern'Digaid is a small farm near Ffald y Brenin, but it was once the home of a true son of music, who in his time gave new life and inspiration to whole localities under the magic of his baton.

---

[6] *Translator's note*: The Underworld or Otherworld in Welsh mythology.

Ond er llawer anfantais y gellid ei nodi o fyw mewn lle fel Penrhiw, rhaid fod yno fanteision, hefyd, i wrthdafoli hynny gan y cawn lanciau dawnus na allai neb ddwyn offeryn o'u dwylo, fel Ifan 'r Ardd Las a Dafydd Nant Feinen yn aros fel gweision yno am flynyddoedd. Sbring fowr y gwaith a deheulaw fy nhad-cu, wedi i Josi'r mab hynaf briodi a gadael cartref, ydoedd 'nhad. Er mai cymedrol ei ddoniau ydoedd ef, ar wahân i ganu, yr oedd yn un o'r rhai rhadlonaf ei ysbryd yn fyw, ac yn barod am dipyn o ddifyrrwch bob amser, cyd byddai'r gwaith yn mynd yn ei flaen. Nid wyf yn credu i ddiogyn fentro i'r un cae â 'nhad, erioed. Roedd gwaith yn beth rhwydd a didrafferth iddo, a'i natur dda yn gwneud ei egni'n heintus i'r sawl a gydweithiai ag ef.

Am fy nhad a Nwncwl Jâms, 'diawtht i, Cyw Melyn Ola Penrhiw', fel y soniai amdano'i hun weithiau, odid y bu erioed, o ran natur, fwy o wrthgyferbyniad rhwng dau frawd. Roedd gan Nwncwl Jâms ryw fath o gymhlethdod a ymylai bron ar athrylith, nid yn unig i beidio â gwneud unrhyw fath o waith ei hunan, hyd y gallai, ond hefyd i osod rhwystrau ar ffordd pawb arall a fynnai weithio. Parodd y gynneddf chwithig hon yn Jâms, yr iengaf o'i blant, lawer o ofid a blinder i 'nhad-cu yn ystod ei oes, mae'n debyg – cynneddf yr asyn a all gymryd yn ei ben i stopio'r traffig drwy grynhoi ei bedair bagal fach at ei gilydd, difrifoli ei glustiau a sefyll yn gadarn ar ganol y ffordd. Nid diogi yn gymaint mohono, oherwydd wedi i'w natur boethi, neu i naws o gywilydd ei orddiwes, efallai, fe weithiai ambell ddiwrnod cyfan fel baedd; a threulio'r pythefnos ar ôl hynny i ryw figitian gweithio, ac i goffáu ei orchestion y dydd nodedig hwnnw pan ddisgynnodd yr ysbryd arno. Nid natur ddrwg, ychwaith, mo'r esboniad, canys yr oedd pawb yn ddigon hoff ohono, ac eithrio rhyw ambell un fel fy mam druan, y bu tynged arni i'w gymryd o ddifri. Roedd traddodiad yn nheulu Llywele fod rhyw un, ac weithiau ddau o'r rhain, yn ymddangos ymhob cenhedlaeth. A mynych y danodwyd i mi, yn grwt, pan fyddwn wedi bod yn fwy o asyn nag arfer, mai y fi oedd i gario ymlaen draddodiad digamsyniol Nwncwl Jâms a'm hen ewyrth, Nwncwl Bili, brawd fy nhad-cu, ar lwybr collfarn y teulu. Rhwng cronfa egnïon cloëdig, ansymudol Nwncwl Jâms yntau ar y naill law, a hylif egnïon gorsymudol fy nhad ar yr ochr arall, rhaid fod yna ddrama fywiog ar waith ar aelwyd ac ar gaeau Penrhiw. Ond er y mellt a'r taranu y gellid eu disgwyl ar adegau rhwng dwy natur mor groes i'w gilydd, roedd yno hefyd, yn y

Despite many disadvantages that might be noted of living in a place like Penrhiw, there must have been outweighing advantages, for we find gifted young men from whose hands no one could take a tool, like Ifan Ardd Las and Dafydd Nant Feinen, staying there in service for years. My father, when Josi, the eldest son, married and left the home, was the mainspring of the work and always my grandfather's right-hand man. Although he was but moderately gifted except in music, he was one of the most genial spirits living, always ready for a bit of fun as long as the work of the farm was getting done. I don't think an idler ever ventured into the same field as my father. Work was no trouble to him, and his good nature made his energy contagious to those who were working by his side.

As for my father and Uncle Jâms, 'diawth ee Penrhiw's last yellow chick', as he sometimes called himself, there could hardly have been a more pronounced contrast in the natures of two brothers. Uncle Jâms had a kind of complex that bordered upon genius not only to do no work himself, as far as he could, but also to place obstacles in everybody else's way who wanted to work. This awkward streak in Jâms, his youngest child, was the cause of much trouble and misery to my grandfather in his lifetime, it seems, the donkey streak that can take it into its head to stop the traffic by drawing together its four little pegs and making its ears so sober and standing resolutely on the middle of the road. It was not so much laziness, because when his nature warmed to the work in hand, or when a touch of shame had overtaken him, he would go at it for a whole day like a wild boar, and then spend the next fortnight just teasing his work and recalling the feats he had performed the day the spirit descended upon him. It wasn't bad nature either, for everyone was fond of him, except one or two like my poor mother, who was fated to take him seriously. There was a tradition in the Llywele family that one or perhaps two of this kind appeared in each generation. And I was often taunted when, as a boy, I was more stubborn than usual, that I was to carry on the unmistakable tradition of Uncle Jâms and my great uncle Bili, my grandfather's brother, on the family's path of doom. Between Uncle Jâms's reservoir of energy, locked and immovable, and my father's, liquid and only too mobile, there must often have been a lively scene on Penrhiw hearth and out on the fields. But despite the thunder and lightning only to be expected at times between two such opposite natures, there was also at bottom enough brotherly

158

gwaelod, ddigon o gariad brawdol Iago ac Ioan i ddofi'r stormydd hyn heb iddynt wneud rhyw niwed mawr iawn; o leiaf tra bu 'nhad-cu byw ac y parhaodd iechyd fy nhad.

I'r dieithr o fewn y porth nad oedd y canlyniadau o gymaint pwys iddo, ni wnâi mympwyon a stranciau Nwncwl Jâms ond ychwanegu at yr hwyl feunyddiol a geid yno, yn gymysg â'r gwaith caled, gan roi, hefyd, ddefnyddiau llawer stori dda i ŵr o ddychymyg fel Ifan 'r Ardd Las.

Caniataer yma, cyn gorffen â'r bennod hon, grybwyll byr am un arall y clywais am lawer o'i droeon gan fy nhad – Twm Coch wrth ei enw, yr unig enw a glywais arno, cawr o ŵr a fuasai yn y fyddin am gyfnod cyn dod yn was i Benrhiw at 'nhad-cu. Perthynai Twm i'r Rifle Corps, neu i'r Rifle Cord, yn ôl ynganiad 'nhad, cysylltiedig, yr adeg honno, â phlas Rhydodyn, ac âi yno i ddrilio ryw nifer o ddyddiau bob blwyddyn. Roedd hyn yn fuan ar ôl Rhyfel y Crimea a'r Indian Mutiny. Yn ôl Fred S. Price, hanesydd y plwyf, math o filisia lleol, tebyg i'r Hôm Gard yn ein dyddiau ni, gallwn feddwl, oedd y corfflu hwn dan y teitl swyddogol – 4th Company, Carmarthenshire Rifle Volunteers, a'r cyfreithiwr, David Long Price, Talyllychau, yn Gapten arno. Fe'i difodwyd yn 1869, wedi yfed llawer o gwrw ond heb ladd neb, drwy lwc. Ni wn i a fu Twm Coch yn y rhyfel ai peidio; ond yn ôl 'nhad, eto, a oedd yn grwt ifanc ar y pryd ac yn edmygwr mawr o'i arwr, roedd craith bwled yn amlwg ar ei frest. Beth bynnag am hynny, a barnu wrth y straeon amdano, yr oedd Twm Coch yn gyfuniad hynod gyflawn o dri anhepgor milwr yn y rhyfel creulon a llwyr ddiangen hwnnw – natur dda, twpdra, a nerth corff anarferol:

Ours not to reason why,
Ours but to do and die . . .

Parhaodd Twm Coch yn ŵr dewr a rhadlon ei ysbryd hyd y diwedd. Adroddwyd wrthyf amdano gan gyfaill o ardal arall a'i cofiai yn ei flynyddoedd olaf, yn dlawd ei amgylchiadau ac wedi cael ergyd o'r parlys, ond yn dal, rywsut, i lusgo o gwmpas. Roedd e'n tynnu swêds ar gae cymydog ryw fore 'windrewog' o hydre, meddai'r cyfaill hwnnw amdano. Tynnai Twm y sweden o'r rhych â'i law iach, a'i throsglwyddo i'r llaw ddiffrwyth. Crynai hon

love between Jâms and John to quell the storms before they had done much damage; at least as long as my grandfather lived and while my father's health lasted.

To the visitor to the house, to whom the consequences were in no way important, Uncle Jâms's whims and 'stericks' only added to the amusement that was to be had there daily mixed with the hard work, and it also supplied an imagination like Ifan Ardd Las's with material for many stories.

Let me here just touch upon another man before I close this chapter, a man of whom I heard my father speak, relating many of the incidents of his life, Twm Coch (Red Tom) by name, the only name I heard him called, a giant who had been in the Army for a while before he came to Penrhiw to service with my grandfather. Twm belonged to the Rifle Corps, or the Rifle Cord, to give it my father's pronunciation, that was at that time connected with Rydodyn, house and he went there to drill on a certain number of days in the year. This was soon after the Crimean War and the Indian Mutiny. According to Fred S. Price, the historian of the parish, it was a local militia, a kind of Home Guard with the official title of Fourth Company Carmarthenshire Rifle Volunteers, under the captaincy of David Long Price, the solicitor of Talyllychau. It was disbanded in 1869, by which time it had drunk much beer and luckily had not killed anybody. I don't know whether Twm Coch was in the war or not, but, again to go by my father, who was a young boy at the time and a great admirer of his hero, he had the scar of a bullet wound very plain on his breast. However that might have been, judging by the stories told about him Twm was a remarkably complete combination of the three requisites of a soldier in that cruel and quite unnecessary war – good nature, stupidity, and unusual physical strength.

Ours not to reason why,
Ours but to do and die.

Twm continued to be a brave man and a genial soul to the end. A friend from another neighbourhood who remembered him in his last years told me of him being in poor circumstances and affected by a stroke, but somehow not failing to drag himself about. He was lifting swedes on a neighbour's field one frosty autumn day, said that friend of mine. He would take a swede up out of the drill with

gymaint nes bod y pridd a lynai wrth y gwraidd yn disgyn yn siwrwd i'r llawr. 'Dyma hi, rŷch chi'n gweld,' meddai Twm yn siriol. 'Rhagluniaeth wedi bod yn garedig iawn unwaith yto – rhoi i'r hen Dwm Coch yr unig jobin teidi y galle fe'i neud yn 'i hen ddyddie,' gan chwerthin 'che-che-che!' (dynwarediad fy nhad ohono), fel y gwnâi'r tro hwnnw gyda 'nhad-cu wedi iddo gario ar ei ysgwydd ryw anferth o fonyn pren a droliasai i ryw ddwnsiwn gwlyb lle na allai'r un ceffyl fynd yn agos ato.

Cystal dwyn i ben yn y fan hon y darlun y ceisiwyd ei roi o Benrhiw yn ystod y chwe blynedd a deugain bron y bu fy nhad-cu byw yno, sef o Ŵyl Hengel 1840 hyd ei farw, ddiwedd Mai 1886, yn bedwar ugain ond dwy oed. Bu gweddnewid mawr ar y lle, fel y gwelsom, yn ystod ei oes ef. Arllwyswyd y cymoedd o'u tyfiant gwyllt, cynhenid, a'u plannu'n elltydd dan drefen gymen caib a llinyn; a throwyd y gwndwn tewgroen yn gaeau o borfa las rhwng cloddiau a pherthi cysgodol ac ôl y bâl a'r bilwg arnynt. Dan ei law ddiwyd, fedrus ef, daeth Penrhiw lethrog, ddiarffordd, yn un o ffermydd graenusaf, mwyaf blaengar, a chynhyrchiol y cylch. Er mor wahanol yw golwg y lle heddiw, heb neb yn byw yn y tŷ ers blynyddoedd, a'r adeiladau, o ganlyniad, yn mynd ar eu gwaeth, eto y mae ôl llafur yr hen ŵr a'i gynlluniau i'w gweld yno o hyd mewn llawer man. Ac mewn rhyw ffordd gyfrin, annelwig, teimlir dylanwad ei ysbryd i raddau hyd heddiw gan o leiaf un o'i wyrion. Y mae gorwyrion iddo, a phlant y rheini, yn byw nid nepell o'r hen gartref hwn, na wyddant i'r fath ddyn fod erioed. Ymddengys nad yn hollol ofer, wedi'r cyfan, y rhannodd fy nhad-cu serch a sylw ei ddyddiau olaf rhwng Twm y Gath a'r ŵyr hwnnw.

his good hand and transfer it to his paralysed hand, which shook so much that the earth among the roots fell to the ground like meal. 'Here you are,' said Twm cheerfully. 'Providence has been very kind again giving old Twm Coch the only tidy job he could do,' and then laughing *ghe, ghe, ghe* (with my father's imitation of him), as he did on that occasion with my grandfather when he carried up on his back a huge tree trunk that had rolled down into the deep, wet dingle where not one of the horses could go near it.

It is as well to bring to a close at this juncture the picture I have attempted to give of Penrhiw during the forty-six years my grandfather was there, from Michaelmas 1840 till his death in May 1886 at the age of seventy-eight. As we have seen, the place went through a transformation in his period. The valleys were cleared of their pristine wild growth, and woods were planted neatly and skilfully by the method of mattock and line, and the thick-skinned lay land was turned into green fields between banks with sheltering hedges that showed the work of spade and billhook. Under his industrious hand, hilly, inaccessible Penrhiw became one of the best-conditioned, most progressive, and most productive farms in the vicinity. In spite of the difference in the look of the place today, the house being uninhabited for many years and the buildings consequently deteriorating, the marks of the old man's labour and planning are still to be seen there in many places. In a vague but subtle manner the influence of his spirit is felt to some degree to this day by at least one of his grandsons. There are great-grandsons and great-grandsons' children living not far from this old homestead who do not know that such a man ever existed. It appears that it was not in vain after all that my grandfather shared his love and attention in his last days between Twm the Cat and that grandson of his.

Aelwyd Penrhiw yn Fy Amser I

Anhepgor cyntaf yr hunangofiannydd yw cof da. Yr ail yw'r hunanhyder talog hwnnw a bair i ddyn gredu fod yr hyn sydd o ddiddordeb iddo ef yn rhwym o fod o ddiddordeb i bawb arall hefyd. A'r trydydd yw dewrder, didwylledd, neu ynteu ryw fath o symlrwydd cynhenid a'i gwna hi'n hawdd iddo wisgo'i galon ar ei lawes. A ninnau wedi ein gwneud fel yr ydym, diau mai'r olaf, bob amser, yw'r mwyaf atyniadol. Mewn hunanymholiad mor onest ag y meiddiaf ei gynnal arnaf fy hun teimlaf fy mod i'n ddiffygiol ddigon yn y tri. Ac eto, dyma fi wedi mentro arni hyd y fan yma, gan deimlo, weithiau, fel Macbeth gynt, ynghanol ei rysedd tynghedus, fod troi yn ôl bellach yn llawn mor anodd â mynd ymlaen. Gadawaf yr ail a'r trydydd anhepgor uchod yn awr heb eu cyffwrdd, gan sôn yn unig am y cyntaf, sef y math hwnnw o gof a roddwyd i mi.

Ar rai ystyron, ni chredaf i neb y gellid yn garedig ei ystyried yn llawn llathen, etifeddu cof salach nag sydd gennyf i. Am ddysgu rhywbeth ar dafodleferydd rwyf wedi bod erioed yn anobeithiol. Llenyddiaeth, er enghraifft, yw prif hoffter fy mywyd. (Mater o 'gorff y farwolaeth' nad oes a'm gweryd rhagddo fu gwleidyddiaeth – a Chymru yw'r corff marw hwnnw.) Mae barddoniaeth a rhyddiaith dda yn wledd wastadol i mi, ac nid oes dim yn ddiflasach gennyf na gwaith troetrwm, diawen. Ac eto, anodd gennyf gredu fod neb yn y wlad y gellid yn rhesymol ei alw'n llengar, a ŵyr lai o farddoniaeth ar ei gof na mi – er cymaint y carwn ei drysori, a'm hymdrech gyson yn y gorffennol i wneud hynny. Petai fy mywyd yn dibynnu ar hynny, ni allwn warantu y medrwn ddysgu un wyneb-ddalen o ddrama ar fy nghof fel ag i fynd trwyddi'n gywir ar lwyfan – er cymaint fy niddordeb yn y ddrama, hithau, a'm hoffter o weld ei chwarae. Roedd fy mam yn adroddraig go dda yn ferch ifanc, mae'n debyg, a chlywais hi'n dweud y byddai'n ddigon iddi ddarllen drosodd, yn ofalus, bennod neu salm neu ddarn adrodd dro neu ddau cyn mynd i'r gwely'r nos, i'w gwybod yn iawn ar ei chof fore trannoeth. Ac yr oedd Pegi fy chwaer yr un fath. Fe ddysgai fy nhad, hefyd, dôn newydd mewn dim o dro.

Ond amdanaf i, dyn a'm helpo! Diau i'r pall a'r anghaffael hwn ar natur fy nghof fod yn rhwystr i mi yn fy arholiadau fel myfyriwr. Ni fyddwn byth yn methu, ond er gweithio'n galed a chydwybodol

CHAPTER III

Penrhiw Hearth and Home in My Time

A memoir-writer's first prerequisite is a good memory. The second is that jaunty self-confidence that enables a man to believe that what is of interest to himself is bound to be of interest to everyone else. And the third is courage, sincerity, or, alternatively, a kind of innate simplicity that makes it easy for him to wear his heart on his sleeve. Made as we are, we invariably find the last the most attractive. In as honest a self-examination as I am able to hold, I find myself only too deficient in the three. Yet I have ventured thus far, sometimes feeling like Macbeth of old when caught in his fatal foolhardiness that to turn back now is as difficult as to go forward. I will at present leave the second and third prerequisites untouched upon and discuss only the first – that is, the kind of memory that I have been given.

In some senses, I do not believe that anyone who can be kindly considered to be 'the round shilling' has inherited a poorer memory than mine. For learning a thing off by heart I have always been hopeless. Literature is my great love (politics for me is 'the body of this death' that I cannot be delivered from – and Wales is that dead body). Good poetry and prose are a perpetual feast to me, and I find nothing more boring than flat-footed and uninspired writing. Yet I find it difficult to believe that there is anyone in the land who can reasonably be called a devotee of literature who knows less poetry by heart than I – in spite of how much I should like to treasure it in my memory and my constant endeavour in days gone by to do so. If my life depended on it I could not guarantee myself to learn a single page of dialogue and to go through it correctly on the stage, great as is my interest in drama and my fondness for seeing it acted. My mother was an excellent reciter as a young girl, it seems, and I heard her say that it sufficed for her to read over carefully once or twice before going to bed a chapter or psalm or a poem for recitation for her to have it by heart in the morning. My sister Pegi was the same. My father, too, would learn a new tune in no time.

But as for me, heaven help me. This failing and defect in the nature of my memory was no doubt a handicap to me in my examinations as a student. I never failed, but although I always

bob amser, yn gymysg â llawer o ddiddordebau eraill, mae'n wir, byddai fy enw, fel rheol, dipyn mawr yn nes i waelod y rhestr nag i'r top.

Rhyfeddwn yn fynych at gof y plant y bûm i'n athro arnynt drwy'r blynyddoedd wedi gadael coleg. A synnwn i fawr nad y fi, o bawb o'm cyd-athrawon, a bwysai drymaf ar y disgyblion druain i ddysgu'n helaeth ar eu cof, a hynny'n ddiau fel canlyniad i'm profiadau cynnar i fy hun. Cas gennyf yn grwt ydoedd dweud fy adnod ar goedd yn y capel, ond disgwylid i ni'r plant ddysgu'n gyson y testun bore Sul a'i adrodd yn y seiet y nos Wener ddilynol. Ni ddown i i fyny â'r disgwyliad bob amser, mae'n wir, a digon tolciog yr awn trwyddi'n fynych. Ond yn y modd hwn rhaid fy mod i wedi dysgu ugeiniau lawer, efallai gannoedd o adnodau yn oedran y plant a ddysgwn yn yr Ysgol Sul, ac yn iau na hwy. Mae fy nyled i'r drefn a'm gorfododd i, fel eraill o blant yr Hen Ardal, i ddysgu'r adnodau hyn wedi bod yn ddiderfyn; canys dyna'r pethau sydd wedi glynu sicraf o ddigon yn fy nghof hyd heddiw. O ddysgu'r adnodau bob yn un, ond yn gyson fel y gwnaem ni, nid oedd y gwaith yn anodd. Credaf fod cof yr ifanc, yn ei gyfnod mwyaf plastig, yn gyfrwng gwerth ei lenwi hyd yr eithaf â'r trysorau drutaf. Dyma fanc cyfoethocaf bywyd. Fel hen athro, hefyd, fe wn am lawer llanc a llances a aeth yn ddisglair fuddugoliaethus drwy ysgol a choleg ar gof da fel eu pennaf cynhysgaeth. Wedi gwybod popeth a ŵyr pawb arall, mae ganddynt, wedyn, fywyd ar ei hyd i chwilio am wreiddioldeb. Y cymhathiad a'r mynegiant newydd hwn o'r cyfan yw nod angen athrylith.

Diau na roddwn i ar y pryd y pwys dyladwy ar ddeall cynnwys yr adnodau hynny a ddysgwn ar fy nghof, gan mai tasg, i raddau pell, oedd y trysori hwn. Ond yr oedd swyn yn y geiriau ac yn sŵn eu treigl a barodd i mi'n gynnar garu'r iaith, a dechrau ymglywed â rhin ei chyfoeth dihenydd. Dyweded doctoriaid yr isymwybod y peth a fynnont, ni theimlais i erioed i sylweddau trwm y gwirionedd yn yr adnodau hyn beri unrhyw surni na diffyg traul ynof, yn ôl llaw. Ond gwn, yn hytrach, yn gwbl sicr, iddynt fod i mi yn gynhaliaeth amhrisiadwy, yn ddiwylliannol, moesol, ac ysbrydol, weddill fy oes.

Ond rhag bod yn rhy lawdrwm ar y math o gof a etifeddais, rhaid brysio i roi gair o eglurhad. Am ryw bethau mae gennyf gof purion – cof da, yn wir, medd rhai o'm cyfeillion. Er enghraifft, ni fu cofio ffigurau erioed yn drafferth gennyf, a saif dyddiadau hanes fel pegiau i ddal y prif ddigwyddiadau a'r symudiadau yn sefydlog yn

worked hard and conscientiously, among other interests, it is true, my name would always be a good deal nearer the bottom of the list than the top.

I often marvelled at the memory of children in my classes throughout the years after leaving college. And I should not be surprised if it were I, above all my colleagues, who most strongly urged the poor pupils to learn by heart extensively, and that, I am sure, as a consequence of my own early experiences. As a boy I hated saying my verse publicly in chapel; but we children were expected to learn the Sunday morning text always and to recite it in society on Friday evening. I did not always come up to expectation, it is true; I often went through it haltingly. But in this way, at the age of the children we teach in Sunday school, and younger, I must have learnt scores if not hundreds of verses. My debt to the system that compelled me, like other children of my native district, to learn these verses has been endless. Learning these verses one by one, as we used to do, the work was not difficult. I believe that the memory of a young person, in its most plastic period, is a capacity worth filling with the greatest treasures. This is life's richest bank. As a teacher, I know of many young people who went triumphantly through school and college on the strength of their principal dower, a good memory. When they know everything that everyone else knows, they have their whole lives in front of them to search for originality. This assimilation and new expression of the whole is the mark of genius.

Certainly at that time I did not give due heed to understanding the verses I learnt by heart, for it was primarily an imposed task to learn them. But the words and the sound of them as they ran along had a charm for me that led me early to love the language and to begin to listen to the magic of its ageless wealth. Let the doctors of the subconscious say what they will, I never felt the heavy substances of truth in these verses give me any acidity or indigestion later on. But, rather, I know for certain that they have been invaluable sustenance culturally, morally, and spiritually during the rest of my life hitherto.

But not to be too disparaging of the kind of memory I have inherited, I must hasten to add a word of explanation. For some things I have quite a fair memory – indeed, some of my friends call it a good one. For instance, I have never had any trouble in memorising figures, and historical dates stand out like pegs holding

fy meddwl. A pho luosocaf y pegiau hyn hawsaf oll ychwanegu atynt. Rhyw fath o gof cymhathol, cydgysylltiol sydd gennyf – nid cof y blotin-papur sy'n gallu cadw'r cyfan yn llythrennol daclus wrth law, i'w ddefnyddio'n hwylus bryd bynnag y mynner wedi hynny. Gallaf gofio a gwerthfawrogi, ar hyd fy oes, naws ac ysbryd darn o farddoniaeth neu o ryddiaith a afaelodd ynof rywdro, heb gofio cymaint â sill o'r cynnwys geiriol. Angerdd yr awen a alwodd y geiriau hyn i fod, gan greu rhyw ymateb tebyg ynof innau, yn hytrach na'r geiriau ysbrydoledig eu hunain ym mherffeithrwydd eu trefn fel mynegiant sydd wedi aros gennyf. Ni chwenychais odid ddim erioed yn gymaint â'r cof a roddwyd i ambell un i drysori ynddo faint a fynnai o emau gwych yr oesoedd. Ond i mi mae'r geiriau eu hunain yn suddo mor ddwfn, rywle, i'm hisymwybod fel na all yr ewyllys o gwbl eu gorchymyn yn ôl i'r wyneb. Un fantais sydd, hyd y gallaf weld, o feddu cof diffygiol fel yr eiddof i: daw'r mwynhad o ddarllen drachefn yr holl ddarnau hyn yn ôl, bob tro, yn llawn mor rymus â'r tro cyntaf y'u profwyd.

Wrth geisio dadansoddi'r math o gof sydd gennyf, teimlaf hefyd fod ynddo ryw elfen leol, ddarluniol, go amlwg. Cofiaf yn fyw iawn lu o bethau a ddigwyddodd ym Mhenrhiw cyn symud i Abernant yn chwech oed. Lleolir y pethau hyn gan amlaf – yr hyn a glywais neu a welais yn glir mewn rhyw fan neilltuol – yn y tŷ, ar y clos, mewn cae, neu gerllaw'r afon ar waelod y tir. Mae'r newid lle yn yr oed cynnar hwnnw yn help sylweddol i mi, felly, i wahanu'r pethau a gofiaf cyn fy mod i'n chwech oed oddi wrth y pethau a gofiaf wedi hynny. Teimlaf fod y pethau hyn oll yn rhan o dyfiant fy mhersonoliaeth fel y mae bysedd fy llaw yn rhan o dyfiant fy nghorff. Fe'u cofiaf nid yn gymaint â'r cof fel un o gynheddfau'r meddwl, ond â phob nerf a gewyn sydd yn fy nghyfansoddiad, fel petai. Ac ar ryw wedd, efallai mai'r cofio mewnol, anymwybodol yna yw'r cofio dwysaf a dyfnaf. Os yw'n deg gan hynny ddefnyddio term fel 'cof cymhathol', cof sy'n cymryd y gwrthrych i mewn fel rhan annatod o'r dyn ei hun, diau ynteu fod gennyf gof cymharol dda. Ac ar y math o gof cyfansawdd yma a roddwyd i mi, a'i brofi drwy ddyddiaduron a ffeithiau dogfennol lle bynnag roedd hynny'n bosib, y bu raid i mi ddibynnu yn y gwaith hwn; a'm ffyddlondeb iddo yw'r prawf ar fy nidwylledd i mi fy hun ac i'r gymdeithas y'm maged yn aelod ohoni.

Y cof cyntaf sydd gennyf i amdanaf fy hun ydyw fy mod i'n un o deulu mawr ar aelwyd Penrhiw, ac mor hapus â'r dydd yn hir.

steadily in my mind the chief events and movements. And the more numerous these pegs are, the easier it is to add to them. My memory is of the assimilative and interconnecting kind, not the blotting-paper memory that keeps everything to hand neatly and literally for facile use whenever it be desired. I can remember and appreciate throughout life the tone and spirit of a poem or a piece of prose that gripped me once without recalling a syllable of its verbal content. The ardour of the creative spirit which had called these words into being created in me a similar response, and this, rather than the inspired words in their perfect order, has stayed with me afterwards. I have never coveted anything so much as the memory some people have been given to treasure as much as they wish, it would seem, of the great gems of the ages. But with me the words sink so deep into the unconscious that the will cannot call them up to the surface. There is but one advantage, as far as I can see, in possessing a defective memory of this kind: the pleasure of reading over again these great pieces is every bit as it was the first time I experienced it.

When I try to analyse my kind of memory I feel, too, that it has a prominent local and pictorial component. I remember very vividly many things that happened in Penrhiw before we moved to Abernant, when I was six years old. Most of these memories have their location in the house, on the fold, in a field, or by the river at the bottom of our land. Our moving to a new place at that early age for me has proved a real help to me in separating the things I remember before the age of six from those that followed. I feel these things to be as much a part of my grown personality as my fingers are a part of my grown body. I remember them not so much with a faculty of the mind as with every nerve in my constitution. And this inward and unconscious remembering is perhaps the deepest and intensest of all remembering. If the term assimilative memory be a fair one for the kind that takes in the object to be an indissoluble part of the person, then indeed I have a comparatively good one, and on it I have had to depend in this work, testing this composite memory wherever possible by dates and facts from documents; and my faithfulness to it is the test of my sincerity with myself and with the society of which I was brought up a member.

My first memory is that I was one of a large family in Penrhiw, as happy as the day was long. I have already named some of the family – my father and mother, my sister Marged, Margaret Anne,

Enwais rai o'r teulu yma'n barod – fy nhad a'm mam, Marged 'yn wha'r, Margaret Anne gofrestredig, neu Pegi fel y byddid yn ei galw'n fynych; Nwncwl Jâms, brawd iengaf fy nhad, heb briodi, ac a wnâi ei gartref gyda ni; y ddau was – y gwas mowr a'r gwas bach, pwy bynnag a fyddent; y forwyn fowr a'r ail forwyn, hwythau; gweithiwr neu ddau yn ddigon mynych, a nifer ohonynt adeg y cynhaeaf: Dafydd Trefenty a'i farf frithlwyd, hir, na symudai gam yn gynt na'i gilydd, ond a wnâi swrn da o waith dechau mewn diwrnod; John Bryn Llefrith, gŵr byr, gwyllt, egnïol, yn fy atgoffa bob amser am lun Seimon Pedr yn y Beibl Mawr – yn llawn bwriad da, ond mor lletwhith ei ddwylo pwt, melynddu ag y gallai dyn fod; a John y Felin – Hafod Wen wedi hynny – balfog, ymadroddus galonnog, 'John Thomas, y dyn consernol', meistr y gwaith ble bynnag y byddai. (Gwêl *Hen Wynebau.*) Ie, a Rachel y Pandy, yr hen wraig fach, ddoeth a llawen yn ei bwthyn to gwellt ar waelod tir Maes Teile, mor sionc a chryno â neb a wisgodd bais a betgwn erioed. Roedd Rachel yno'n wastad ar bob achlysur neilltuol, a llawer o'i hamser heblaw hynny – diwrnod lladd moch, neu ladd eidion weithiau, diwrnod crasu bara c'irch a'i thorthau mor denau â'r waffer, a diwrnod cneifio, wrth gwrs; ac ymhlith yr achlysuron neilltuol hyn ryw dro, medden nhw, yr oedd y bore yr agorais i fy llygaid gyntaf ar y byd rhyfedd yma. Ac yn sicr, o blith bydwragedd y byd, ni allai neb siriolach fy nghroesawu iddo. Yno, hefyd, er dyddiau fy nhad-cu, gallwn feddwl, yr arferai'r hen John Drefenty ddod (heb unrhyw gysylltiad, hyd y gwn i, â'r Dafydd Drefenty uchod, ond ei fod yn aros dan ei gronglwyd ef a Mari ei wraig garedig tua diwedd ei oes). Hen lanc diniwed a rhywbeth bach yn brin ynddo ydoedd John. Dôi i Benrhiw, gallwn feddwl, bob tro y teimlai chwant ychydig ddyddiau o newid aer arno, er nad oedd ei gartre, yn groes i waelod Esgair Wen, ond rhyw dri chwarter milltir oddi yno. Arhosai am ryw wythnos neu debyg, gan wneud rhywbeth bach o fewn ei allu megis glanhau'r clos a hôl y da i odro. Yno, hefyd, ar un o'r troeon hyn, y bu'r hen bŵr ffelo farw, wedi salwch ond o ychydig ddyddiau. Er nad own i ond rhyw bedair oed ar y pryd, cofiaf yn dda am yr wylnos yn y tŷ, y noson cyn yr angladd, a'r distawrwydd od ym mhobman, hyd yn oed ymhlith y creaduriaid ar y clos, debygwn i, yn ystod y dyddiau pan oedd yr hen John Dafys druan o dan ei grwys.

as registered, or Pegi, as we often called her, Uncle Jâms, my
father's youngest brother, unmarried, who made his home with us,
our two farm workers, the man and the boy whoever they might be,
the first maid of work and the second, a casual worker or two quite
often and a number of them during the harvest: Dafydd Trefenty,
with his long grey beard, who never took one step quicker than the
others, but yet did a good amount of adroit work in a day; John
Bryn Llefrith, a short, impetuous, energetic man who always
reminded me of the picture of Simon Peter in the big Bible, full of
good intentions, but as awkward with his podgy brown hands as
any man could be; and John the Felin, Hafod Wen later, with hands
like paws, heartily loquacious John Thomas, the man of concern,
past master of his work wherever he was (see *Hen Wynebau [Old
Familiar Faces]*). Yes, and Rachel the Pandy, a little wise and
merry old woman in her straw-thatched cottage at the bottom of
Maes Teile land, as brisk and trim as any woman whoever wore the
petticoat and bedgown.[7] Rachel was always there on special
occasions, the day the pigs were to be killed, or sometimes the
steer, the day the oaten bread was baked in 'loaves' as thin as
wafers, and sheep-shearing day, of course, and among these special
occasions, it seems, was the morning I first opened my eyes on this
wonderful world. And, of course, out of the whole world's
midwives no more cheerful a one could have been got to give me a
welcome. There, too, since the days of my grandfather, I should
think, used to come old John Trefenty (no connection as far as I
know with the above mentioned Dafydd Trefenty, except that in his
old days he lived under Dafydd's roof, and Mari's, Dafydd's kind
wife). He was a harmless old bachelor who in some ways seemed a
bit simple. He came to Penrhiw, I believe, whenever he felt like a
few days' change of air, although his home was only three-quarters
of a mile away across Esger Wen bottom. He stayed for a week or
two doing such little things that were within his scope as cleaning the
fold and bringing the cows home to milk. It was on one of these
visits to Penrhiw that the poor old fellow died after only a few days'
illness. Although I was only four years old, I remember the watch-
night service in our house the night before the funeral, and the
strange silence everywhere, even among the animals on the fold, it
seemed to me, during the days when poor old John was laid out.

[7] *Translator's note*: Actually a style of dress derived from the nightgown.

Heblaw'r bobl hyn i gyd roedd ym Mhenrhiw, bron yn ddieithriad, ryw un neu ddau o anffodusion y teulu. Yno, gyda llaw, y treuliodd Nwncwl Bili, fy hen ewyrth, brawd fy nhad-cu, gryn dipyn o'i ddyddiau olaf, yn fusgrell ddigon erbyn hyn, a'r atgof am bob sbri, yn ddiau, wedi diflannu mor llwyr â'r pen tost a'i dilynai gynt; ond ei styfnigrwydd piniwngar, gellid barnu, yn parhau heb leddfu fawr. Dôi Anne, ei ferch ddibriod, c'nither fy nhad, felly, a ofalai amdano'n bennaf yn ei flynyddoedd diwethaf, atom am ambell gyfnod hefyd, a Let, ei merch hithau, yn groten fach tua'r un oed â mi, gyda hi.

Ac nid dyna'r cyfan o'r gwelygordd a gysgodid ar adegau dan gronglwyd Penrhiw. Un arall ohonynt oedd Pegi'r Lofft – rhyw Felchisedec benywaidd na allai hyd yn oed Nwncwl Josi egluro ei chysylltiad â'r teulu, ragor na'i bod hi, rywle ymhell, yn un o Jamsiaid tylwyth fy mam-gu, mam fy nhad. Margaret James, yr un ag enw morwynol fy mam-gu, oedd ei henw llawn hithau i'r ychydig bach a'i gwyddai, gan mai fel Pegi'r Lofft y'i hadwaenid gan bawb. Hen ferch ydoedd Pegi, ac fel Melchisedec hefyd, mor hen fel na wyddai neb yn yr ardal ei hoed yn iawn hyd y diwedd, am wn i. Cawsai'r teitl Pegi'r Lofft, fel y clywais ddweud, am iddi ar ryw gyfnod fod yn byw ar lofft Tŷ'r Gof yn y pentre – math o *flat* y dyddiau hynny, mae'n debyg. Gwelsai Pegi amser gwell ym more 'i hoes. Ond ni pharhaodd yr hen fyd yma i wenu ar un mor gyndyn wreiddiol ac annibynnol ei ffordd â hi. Whare teg i Nwncwl Josi a Nanti Marged, a'u tyaid mawr o ddeg o blant ar eu ffarm uchel ac ar adeg ddigon gwan ar ffermwyr, ni adawyd Pegi'r Lofft yn ei henaint a'i hunigedd a'i chardod plwyf digon main wrthi ei hun yn hir iawn. Cymerasant hi atynt i'r Trawsgoed, ac yno y bu hi weddill ei hoes, yn hapus ei byd ymhlith y lliaws plant.

Ond nid un i ymgusuro'n foddlon, fel merched a gwragedd yn gyffredin, yng ngwaith a chlydwch y tŷ byw a'r aelwyd ydoedd Pegi'r Lofft. Ymddengys fel petai rhyw fath o gymhlethdod rhyw yn ei natur, oherwydd er mai ysgafn a benywaidd ydoedd hi o ran corff, eto allan yn yr awyr agored yn dilyn gwaith arferol dynion y mynnai hi fod. Nid apeliai creaduriaid ryw lawer ati, chwaith. Yn ei phais a'i betgwn, a hwnnw wedi ei godi'n dorch gryno am ei chanol, a'r tu ôl yn disgyn yn gynffon bigfain, sanau du'r ddafad am ei thraed, a'r byclau pres yn cau ei dwy glocsen fach deidi; pâl neu gaib neu filwg yn ei llaw – o gwmpas y clos, yn yr ardd neu'r ydlan, neu'n tocio perth – dyna fel y gwelech chi Begi'r Lofft.

In addition to these, we almost invariably had one or two of the unfortunate of our kindred with us in Penrhiw. Here Uncle Bili, my grandfather's brother, spent a good part of his last days, now a feeble old man with all recollection of former sprees gone from him, I dare say, as completely as the headaches that followed them in days gone by; but with his opinionated intransigence still largely unallayed. His unmarried daughter, my father's cousin, who took care of him during his last years, used to come for a while now and then, bringing with her her daughter Let, a little girl of about the same age as myself.

But this does not complete the list of the kindred who got shelter from time to time under Penrhiw roof-tree. One of these was Pegi the Lofft, a female Melchisedec, whose connection with the family even Uncle Josi couldn't explain, beyond saying that she was remotely one of the Jâmses, my maternal grandmother's family. Her name too was Margaret James, like my grandmother's – for those who knew it – for she was known to us all as Pegi the Lofft. Pegi was an old maid, and, like Melchisedec, she was so old that no one knew her age up to the end as far as I know. She was called Pegi the Lofft because at one time she lived on the upper floor of the smith's house in the village, a flat of that period, I should imagine. Pegi had seen better times in her early days, but this old world did not continue to smile on her as she, in her resolutely original and independent way, used to smile on it. Fair play to Uncle Josi and Aunty Marged and their big family of ten children on their farm when times were poor enough for farmers, Pegi was not left for long by herself in old age and loneliness and on slender parish relief. They received her at Trawsgoed, and there she spent the rest of her life happily among the crowd of children.

But Pegi was not one to find solace easily, as women and girls usually do in the work and warmth of the house and hearth. It would seem that there was some kind of complication in her nature, because, although she was light and feminine in her body, she preferred to be out of doors following the work that is usual for men. Animals didn't make much appeal to her either. In her petticoat and bedgown, the latter gathered up around her waist in a coil with the back of it coming down in a tapering tail, with black homespun wool stockings and brass buckles fastening her neat little pair of clogs, a spade or mattock or billhook in her hand, around the fold, in the garden, or the haggard, or cutting a hedge – that is

172

drwy'r dydd, mor ddyfal a deheuig â'r wenynen. Petai hi byw yn y genhedlaeth hon, ar ben tractor y gwelid hi, a'i phocedi'n llawn pinnau sgriws a sbaneri yng ngwasg ei chlun; ac nid ildiai ei sêt i'r un ymhonnwr trowserog, chwaith. Smociai ei phib glai yn gysurus yng ngŵydd y bobl, pechod bron mor rhyfygus yn yr oes addolgar honno ag amau dwyfol hawl Victoria i lywodraethu'r haul a'r planedau a gwlad y Zulus. Bu Pegi farw fis Mawrth 1897, wedi byw ei phedwar ugain mlynedd a mwy yn fath o *suffragette* anymwybodol, a hynny genhedlaeth gyfan cyn i'r gair hwnnw gael ei le gyntaf o fewn y geiriadur Saesneg.

Roedd tras ysbrydol y Felchisedec hon yn llawn mor ddyrys i'w holrhain â'i thras ddaearol. Hyd y deallais i nid âi hi byth i'r cwrdd. Ac anodd gwybod, yn iawn, p'un ai Eglwysraig ai Sosin ynteu paganes ronc ydoedd Pegi yn y bôn, gan mai hwy oedd yr unig bobl a gâi anhawster i doddi'n naturiol a chydgrefydda â ni yn ein hardal un-capel, un-enwad. Fodd bynnag, fe'i claddwyd hi yn eglwys y plwyf, Llanfihangel Rhos y Corn, a hynny'n ddiau ar ei chais ei hun, gan na wn i erioed i neb o'r tylwyth, na phell nac agos, gael ei gladdu yno. Roedd Llanfihangel, hefyd, neu Lanhingel fel y swniem ni'r enw, filltiroedd o'r Trawsgoed, draw ymhell ar ganol y mynydd, a rhan gyntaf y daith yno, yn groes i Gwm Gorlech, yn serth a garw; a chario'r corff fyddid yr adeg honno, gan nad faint y pellter. Anodd, yn wir, yw deall heddiw pam yr aed â hi yno. Ond rhaid fod rheswm; rhyw hen reswm, o bosib, na allai'r hynaf yn yr ardal ei ddirnad erbyn hynny, ac nad rhan o odrwydd annibynnol Pegi ar hyd ei hoes yn dal i oglais y byw (ie, a'u crafu hefyd hyd yn oed, wedi ei marw, gan fel y pinsiai'r elor eu hysgwyddau), a dim arall, ydoedd y daith hirfain honno, a'r arch ar y blaen, dros wastatir cefn y mynydd.

Rhyw brin deuddeg oed oeddwn i, ond rown i yn yr angladd ac yn ei gofio'n dda – diwrnod godidog o wanwyn cynnar ydoedd hi; Jos fy nghefnder, o tua'r un oed â mi, yr own i mor hoff ohono, yn bartner gennyf, ac yn dangos yn y pellter rai o'r ffermydd cyfarwydd iddo ef, llefydd y gwyddwn eu henwau'n dda yn barod, a rhyw gymaint am rai o'u preswylwyr. Dyna Hafod 'r Wynos yn y twmpath coed, fan draw. Onid yn Llether Bledrig a ffiniai â'n tŷ ni y maged Tomos, y gŵr? Dôi bechgyn y Fo'l, y Foel Gloferog, yn llawn, Gruffydd a Dafydd, i ganu'n gyson i steddfod Nadolig Rhydcymerau, a gwelswn yr enw 'Blaen Holyw' gan nad beth e ystyr, ar gart moch bach ym marchnad Llanybydder. Enwau'r

how you would see Pegi all day long, as busy as a bee and as skilful. If she were living in this generation she would be seen on a tractor with her thigh pockets full of bolts and spanners, and she would not yield her seat to any trousered pretender either. She smoked a clay pipe in people's presence without embarrassment, as presumptuous a sin in that devout age as doubting Queen Victoria's right to rule the sun and the planets and Zululand. Pegi died in March 1897, after living more than eighty years, a kind of unwitting suffragette, dying fully a generation before that name found its place in the English dictionary.

This Melchisedec's spiritual lineage was as difficult to trace as her earthly one. As far as I know she never went to meeting. And it was hard to know whether she belonged to the Church or was a Unitarian or an out-and-out pagan, as these were the only people who found it difficult to blend with us and join in worship with us in that neighbourhood of one chapel and one denomination. Anyway, she was buried in the parish church of Llanfihangel Rhos y Corn, undoubtedly at her own request, as I do not know any relative, near or distant, to be buried there. Again, Llanfihangel, or Llanhingel, as we said it, was miles from Trawsgoed, away on the mountain, and the first part of the journey there was across Cwm Gorlech, which was steep and rough; and in those days the corpse was always carried, no matter how great the distance. Indeed, it is hard to understand why she was taken there. There must have been a reason for her request, even if the oldest inhabitants of the neighbourhood were unable to fathom it. It couldn't have been just Pegi's lifelong independent oddness continuing after her death to tickle (yes, and sometimes scratch) the living.

I was about twelve years of age, but I was at the funeral, and I remember it well. My cousin Jos, about the same age as myself, of whom I was so fond, was with me, pointing out to me some of the faraway farms he knew, places whose names I knew too, as well as something about the people who lived in them. There's Hafod Wynos in that clump of trees over there. Wasn't it in Llether Bledrig, whose land bordered on ours, Tomos Hafod Wynos was brought up? The Fo'l young men, Y Foel Gloferog in full, Gruffydd and Dafydd, came every year to sing in Rhydcymerau's Christmas eisteddfod. And I had seen Blaen Holyw, whatever that name might mean, on a pigcart in Llanybydder market. Clun Bwch, Waun'r Ewig, Ffynnon Gog, and Nant y Perchyll were names that appealed

174

apelio at grwt hefyd ydoedd Clun Bwch, Waun'r Ewig, Ffynnon Gog, a Nant y Perchyll. Ie'n wir, er mai yn angladd Pegi'r Lofft druan yr oedden ni, diwrnod rhamantus oedd hwnnw i mi, y byrgoes bach yma yn cael yr olwg gyntaf ar y byd a'i ryfeddodau o uchelderau mynydd Llanllwni a Llanfihangel Rhos y Corn. (Caf sôn eto, efallai, am daith arall dros y mynydd hwn, gyda mintai'r fudfa y tro hwnnw, a minnau bellach flwyddyn neu ddwy yn hŷn.) Roedd y syndod o weld am y tro cyntaf y llefydd yr oedd eu henwau a'u preswylwyr yn hysbys i mi o'r blaen, yn creu ynof y pryd hwnnw yr un math o gyffro a chwilfrydedd byw ag a deimlir yn gyffredin gan ddyn o fynd i wlad arall y gŵyr ef ryw gymaint am ei hanes a'i phobl yn barod. Roedd dyn yn byw pob eiliad o'r amser, ac yn ei ail-fyw drachefn ymhen blynyddoedd lawer.

Maddeuer i mi am ganlyn Pegi'r Lofft fel hyn, dipyn ar y mwya, peth na feiddiodd yr un dyn erioed ei wneud yn ystod ei hoes hi, mae'n debyg. Ond sôn a fynnwn i amdani fel un arall o'r gwehelyth a ddôi'n achlysurol i aeafu ym Mhenrhiw. Byr fyddai arhosiad Pegi bob amser, rhyw wythnos neu debyg ar y tro, gan ei bod hi'n dra phendant a deddfol ei ffordd – yn hen ferch, megis, er dydd ei geni. Cyrhaeddai Pegi'n hwyr y prynhawn, yn ôl y cof sydd gennyf i, gyda'r cart neu'r car o'r pentre. (Roedd Rhydcymerau tua hanner y ffordd rhwng Penrhiw a'r Trawsgoed lle cartrefai hi gyda Nwncwl Josi a Nanti Marged.) Roedd 'nhad yn serchog a chroesawus i bawb, a 'mam cystal â hynny, mewn ffordd fwy tawel. Gallaf glywed heddiw dinc sirioldeb ei groeso i'r hen wraig wrth ei derbyn i lawr o'r cerbyd a'i phecyn bach cryno o ddillad gyda hi.

Mewn lle coediog fel Penrhiw roedd yno gludwair fawr o goed tân bob amser wrth dalcen y tŷ, gerllaw'r cartws to gwellt a'i chwe philer crwn o gerrig gwyngalch. Nid oedd segurdod yng nghroen Pegi. A'r gludwair, yn anad unman arall, oedd ei theyrnas hi. Hi oedd brenhines y gludwair, ble bynnag y byddai. Fe'i gwelaf yn awr yn ei chlocs bach cefnisel a'i phais ddu'r ddafad gota a'r streipen goch, fras arni, yn cerdded yn bwyllog deirgwaith neu bedair o flaen y gludwair hon, gan synnu'n ddiau fod y lle wedi syrthio i'r fath annibendod dryslyd, a hithau wedi ei adael mor gymen y tro diwethaf y bu yno. Am beth amser edrychai'n syn fel dewines mewn penbleth. Yna dechreuai rhai o'r coed symud – gwrysgen yma, mân frigach draw, ac wele onnen ifanc, lathraidd yn codi megis ohoni ei hun, gan gymryd ei lle'n dalïaidd gyda'i whiorydd mewn man arall. Cyn pen hir, heb fawr o gyffro

to a boy, too. Yes, indeed, although it was in poor Pegi the Lofft's funeral we were, that was a romantic day for me, a short-legged little boy, getting his first view of the world and its wonders from the heights of Llanllwni and Rhosycorn upland. (I may tell you later, perhaps, of another journey over this upland when I was a few years older, and one of the helpers in a farm and family removal.) The marvel of seeing for the first time these places whose names and inhabitants were previously known to me created in me the same stir and lively curiosity as a man usually feels when he goes to another country of whose history and people he already knows something. I lived every moment of it, and have relived it after many years.

Pardon me for following Pegi the Lofft in this way, a thing no man dared to do in her lifetime, perhaps, but I wanted to speak of her as one of the kindred coming occasionally to winter in Penrhiw. Pegi's stay would always be short, a week or two at a time, as she was very positive and definite in her way, an old maid from birth, as it were. Pegi would arrive late in the afternoon, that is the memory I have of her, coming from the village in a cart or trap (Rhydcymerau was halfway between Penrhiw and Trawsgoed, where she made her home with Uncle Josi and Aunty Marged). My father was genial by nature and gave everybody a good welcome, and my mother equally so in more of a quiet way. I can hear now the ring of cheerfulness in his voice in welcoming the old woman, receiving her as she descended from her conveyance with her neat little bundle of clothes.

In a wooded place like Penrhiw there was always a well-stocked woodyard, at the end of the house near the straw-thatched cart-house on its six round pillars of whitewashed stones. There was no idleness inside Pegi's skin. And above all places the woodyard was her kingdom. She was queen of the woodyard wherever she went. I see her now in her small low-cut clogs, her black woollen petticoat with broad red stripes, walking deliberately three or four times in front of the woodyard, in surprise, I have no doubt, that the place had fallen into such perplexing confusion when she had left it so tidy the last time she was there. Then she would begin to move the wood, a branch here and some twigs over there, and, see, a young and shapely ash is rising as if of her own accord to take her place among her sisters elsewhere. Before long, without any visible stir, the wild, stock-headed woodyard looked in its right mind and as if

176

gweladwy, edrychai'r gludwair wyllt, ffluwchog, megis yn ei hiawn bwyll, ac fel petai rhywun wedi cribo ei gwallt. Roedd bwyell fach, ysgon ym Mhenrhiw, 'bwyell Pegi'r Lofft' y gelwid hi, gyda llaw. Pryd bynnag y dôi'r si fod Pegi'n arofun dod draw, gofalai 'nhad fod y fwyell fach yn cael ei llyfanu fel y raser. Wedi cael y gludwair dan drefn unwaith eto, dewisai Pegi'n ofalus nifer o wrysg a changhennau a'u llusgo at blocyn y dienyddle. Yna, wedi teimlo min y fwyell, cymerai hithau ei gorsedd yn naturiol ar y stôl odro y tu ôl iddo, gan ddechrau'n ddeheuig ar ei gwaith. Gosodai'r mân-goed a'r bras-goed yn garnau bonfon, cyhyd, ar wahân, yn hwylus at law'r stocer ar yr aelwyd. Cyn dod i'r tŷ, a'r hin yn fwyn, tynnai fwgyn yn y fan honno yn ei chwrcwd myfyrgar uwchben ei deheuwaith. A dyna'r darlun o'r hen wraig honno sydd wedi aros gennyf i ers dros drigain mlynedd. Gwyn ei byd Pegi'r Lofft yn ei chludwair goed!

Hen dŷ to gwellt hir ac isel ydoedd Penrhiw fel yr hen dai yn gyffredin, wedi ei naddu i mewn i ochr y fron serth er mwyn i'w lawr fod yn wastad. Fy nhad-cu, fel y dywedwyd, a'i gwnaeth yn hir drwy estyn y parlwr ato. Roedd y gegin yn helaeth, a'r trawstiau deri trymion o dan y ceubrenni croes yn isel. Wrth y rhain y crogai wmbredd o nwyddau arferol tŷ ffarm – y cig moch yn hamau ac ystlysau dyfnion, ambell ddarn o gig eidion wedi halltu'n ddu, y rhwydi sialots a rhaffau winwns Ffrainc, basgedi o wahanol ffurf a maint, pledren mochyn neu ddwy yn llawn o lard, a dau ddryll, sef dryll fy nhad o dan y mamplis uchel, a dryll Nwncwl Jâms na saethai ergyd byth, ond y bore hwnnw y caf sôn amdano eto; ac nid yn fynych y gwelid y llofft hon heb ryw helwriaeth neu'i gilydd, clustiog neu bluog, yn hongian wrthi. Gwerthid y rhain yn gyffredin i'r carier lleol, neu mewn rhyw siopau neilltuol yn Llandeilo neu Lambed, pan eid yno. Ond yn aml ddigon, ceid cip ar goes neu fôn adain un o'r rhain yn bowlio'n galonnog i wyneb y cawl serennog wrth ochr darn o gig mochyn neu gig eidion pan godid clawr y ffwrn ac ychwanegu'r cennin a'r persli a'r basnaid blawd arferol ryw ychydig cyn codi'r cawl at ginio. Nid oedd rhostio cig yn beth cyffredin yn ein cylch ni, a hynny'n ddiau am nad oedd yno le tân pwrpasol at y gwaith; hefyd, tân coed sy'n fwy ysbeidiol ei wres a geid fynychaf. Ac o sôn am gawl nid oedd gwell yn bod na chawl y sguthan dew, ladronllyd honno y byddem ni'n dynwared ei 'chw' gwynfannus yng nghoed Cwm Bach, yr nyddiau hau:

someone had combed its hair. There was always a small light hatchet in Penrhiw, called 'Pegi the Lofft's hatchet' by the way. When the rumour reached us that Pegi intended to come over, my father took care that this little hatchet got ground like a razor. When Pegi had restored order once more to the woodyard, she chose a number of boughs and branches and dragged them to the place of execution. Then, after feeling the axe's edge, she enthroned herself naturally on the milking-stool behind her and started on her work with skill. She put the small wood and the thick wood in two heaps with the thicker ends of the pieces towards each other, and all of equal length, ready for the stoker's hand at the fireside. Before she returned to the house, if the weather was mild, she took a smoke of her pipe out there, squatting meditatively beside her handiwork. That is the picture of the old woman that has remained in my mind sixty years. Blessed was Pegi the Lofft in her woodyard.

Penrhiw was a long, low straw-thatched house like the old houses generally, and was cut into the steep hillside for the floor to be level. My grandfather, as I have said, made it a long one by adding a parlour to it. The kitchen was large, and the heavy oak beams under the cross-rafters were low. To these hung an abundance of the usual farmhouse commodities, hams and thick sides of bacon, a few pieces of beef, salted black, nets of shallots and ropes of French onions, baskets of various sizes and shapes, a couple of pigs' bladders full of lard, and two guns – my father's under the high mantelpiece and Uncle James's that never fired a shot, except only on that day I will speak of later; and not often was this ceiling seen without some game, long-eared or feathered, hanging from it. Usually these were sold to the local carrier or to particular shops in Llandeilo and Lampeter when we went there. But fairly often a leg or a wing could be seen bowling up heartily to the surface of the fat-spangled broth beside a piece of bacon or ham or beef when the lid of the boiler was lifted, and leeks and parsley and the usual basinful of meal was added a little while before it was lifted again, this time for dinner. It was not the usual thing in our district to roast meat, no doubt because the fireplace was not of a suitable type for that, and also because we depended on wood fires, whose heat is more fitful. Speaking of cawl (broth), there was no beating that of the fat, thieving woodpigeon whose complaining *coo* in Cwm Bach wood in sowing-time we liked to imitate:

C'irch du, du, yn 'y nghwd i,
C'irch du, du, yn 'y nghwd i,

meddai'r sguthan o hyd ac o hyd drwy gydol y dydd – y c'irch hwnnw, yn wir, a ddylai fod yn y tir yn dechrau bragu ers tro. O flaen drws y tŷ safai'r geulan uchel y torasid sail i'r adeilad allan ohoni, a hewl gart weddol lydan rhyngddynt. Rhwng y parlwr a'r gegin, yn union gyferbyn â'r drws yma, yr oedd drws arall yn arwain i bantri helaeth lle cedwid y bwydydd. Eid allan drwy'r pantri hwn i'r llaethdy, a'r meinciau llaeth o gerrig gleision dwfn a'r crochanau mawr odanynt i ddal yr hufen. Roedd y llaethdy hwn hefyd, a'r to teils arno, yn ychwanegiad diweddar at y tŷ byw. Roedd yn y tŷ bedwar gwely ar daen yn wastad: y ddau ar y llofftydd lle cysgai'r gweision a'r morwynion, a lle i wely arall wrth ochr pob un, ar gyfer Nwncwl Bili neu Begi'r Lofft, neu rywun arall pan fyddai eisiau; a'r ddau wely cwpwrdd mawr, deri o'r dyddiau gynt, a'r ddeuddrws bylog yn cau arnynt fel dodrefnyn mawr, trwm, yn ystod y dydd – un yn y parlwr lle cysgai 'nhad a 'mam, a Phegi'n wha'r yno rywle gyda hwy; a'r llall yng nghornel pella'r gegin gyferbyn â'r ford fawr a'r ffyrymau o bobtu iddi, a gydredai â wal y talcen. Yn hwnnw y cysgai'r ddau bartner, Nwncwl Jâms a finnau, er y cof cyntaf sydd gennyf.

Rhaid fy mod i wedi cysgu'n hapus drwy lawer noson hir y pryd hwnnw heb wybod dim fod fy ewyrth ymhell oddi wrthyf ar hynt garu yn rhywle, a chyrraedd adref yn yr oriau mân. 'Canu'r dydd a charu'r nos' gellid barnu ydoedd arwyddair bywyd Nwncwl Jâms ym more'i oes. Ac fel ei nai ar ei ôl, llewyrchodd y bore hwnnw ymlaen hyd nawnddydd teg y deugain oed cyn iddo, o'r diwedd, allu cywasgu ei serchiadau crwydrol i fynwes un feinir, a phriodi honno. Roedd rhyw lwc yn dilyn Nwncwl Jâms o hyd, rywfodd, er ei fynych strancio styfnig yn erbyn ei les ei hun, gellid meddwl. ('A diawtht i, gan bwyll nawr, boith!' meddai ef.) Ac felly'r tro hwn, wedi'r hir ymbwyllo, oherwydd pan briododd, o'r diwedd, â Nanti Elinor y Dolau, coffa da amdani, ni allasai fod wedi cael ymgeledd fwy cymwys iddo'i hun, na neb a'i deallai'n well, pe cawsai ddeugain mlynedd arall yn nyrys daith yr anial i chwilio am y cyfryw. Canys er mai deryn bychan ydoedd, nid deryn hawdd ei drin ydoedd 'cyw ola Penrhiw' fel y galwai ei hun weithiau.

C'irch du, du, yn 'y nghwd i,
(Black, black oats in my bag),

said the woodpigeon again and again, those same oats that should
have been for some time in the land and now beginning to germinate.

In front of our house door stood the high bank out of which the
formation of the building was cut, with a pretty wide cartway as
well between house and bank. In front of you as you went in,
between the parlour and the kitchen, was another door leading to a
large pantry where the provisions were kept. You went out of this
pantry to the dairy, with its great grey slate milkpans with the big
cream crocks underneath. This dairy, too, with its slate roof, was a
recent addition to the dwelling-house. There were always four
made beds in the house, the two upstairs where the serving-men
and maids slept, with room for another bed beside each, for Uncle
Bili or Pegi the Lofft, or anyone else, when they were required; and
the two big cupboard beds of old oak, each with the knobbed
double door shutting in to form during the day a heavy piece of
furniture – one in the parlour where my father and mother slept,
and my sister Pegi in there somewhere with them, and the other in
the far corner of the kitchen opposite the big table that had forms
around it and stood parallel to the end wall. In it the two partners,
Uncle Jâms and myself, slept as far back as I can remember.

I must have slept happily through many long nights at that time
without knowing that my uncle was far away from me on a
lovemaking excursion somewhere or other, to arrive back in the
early hours. I should think that Uncle Jâms's motto in the days of
his youth was 'Sing by day and love by night,' and, as in the case of
his nephew, that morning light shone on till the noontide of forty
years old before he found himself able at last to gather up his
wandering affections and press them to the bosom of one maiden
and marry her. Somehow fortune always followed Uncle Jâms in
spite of his frequently kicking against his own good (*'A diawtht 'i*
[*Ah deeaoothtee*], hold on'). And so now, after long reflection; for
when at last he married Aunty Elinor of Dolau, of honoured
memory, he could not have found a more suitable helpmeet, or
anyone who better understood him, if he had taken another forty
years on the tortuous paths of the wilderness to look for her. For
Penrhiw's Last Yellow Chick, as he sometimes called himself,
although a small bird, was not an easy bird to manage. (*'Diawtht 'i*

180

('Diawtht i, nage, gwlei,' mynte'r cyw, gan blannu ei sbardunau yn y pridd a dechrau hogi ei big.)

Peth diweddar yng Nghymru yw caru'r dydd – caru 'yn wyneb haul, llygad goleuni' – yn ddig'wilydd, fel yr Orsedd. Canys y sawl a garent, y nos y carent, oedd hi gyda ni. Hebrwng y ferch adref o'r ffair, o'r steddfod, o'r acsiwn, o'r gymanfa, neu o gwrdd yr wythnos, neu wneud oed arbennig i fynd i 'gnoco' arni yn ffenest y stafell lle cysgai – dyna oedd yr arfer; ac os byddai'r gwynt o'r de a'r amgylchiadau'n caniatáu, eid i mewn i'r gegin yn ddistaw, a phawb bellach yn eu gwelyau, a sgwrsio yno ar yr aelwyd tan yr oriau cynnar. Yr enw swyddogol ar hyn ydoedd 'cael tŷ'. Rhan o swyn y caru hwn ydoedd ei ddirgelwch honedig i'r cariadon. Ni wyddai neb amdano ond hwy eu hunain, esgus – fel crwt a chroten weithiau yn ymhoffi yn ei gilydd yn ddistaw bach mewn dosbarth ysgol. (Yr athro a'r plant eraill, wrth gwrs, yn gwybod dim!) Ond odid byth y gwelid y ddeuddyn yn gyhoeddus gyda'i gilydd hyd nes y byddent ar fin priodi – er fod y cyfan mor hysbys i'r byd a'r betws a phe cyhoeddasid eu gostegion ddwy flynedd ynghynt. Roedd traddodiad y 'caru'n gwely', os bu yno erioed, wedi hen farw cyn fy amser i. Ond fe sgrifennwyd llawer o ddwli ar y pwnc hwn gan ddynion llwyr anwybodus o'r grefft. Beth, mewn gwirionedd, ydoedd y caru hwnnw at y caru noethlym, lloiaidd a welir heddiw ger pob cilfach a glan!

Efallai y gellid cynnig dau awgrym pam y mae'r Cymry wedi bod yn fwy o blant y tywyllwch nag o blant y goleuni yn eu dull o garu: sef, yn gyntaf – mai rhyw fath o swildod sensitif, hanner rhamantus ydyw a bair deimlo fod yna elfen o gyfriniaeth ddofn mewn serch a gyll ei rhin a'i chysegredigrwydd o'i harddangos gerbron y byd. Fel crefydd, peth personol rhwng dau ydyw serch, ac nid yw pawb yn ddigon catholig i wneud y gyffes ar goedd i drydydd person. Dewisach ganddynt hwy fod yn brotestaniaid *ymneilltuol*. I'r Cymro gwledig, rhywbeth a ddaeth i mewn yn swci yn sgil Santa Claus, neu yn hyglyw ymwthgar fel Guy Fawkes, yw'r caru cyhoeddus yma – fel cynnal arddangosfa. Er y gellid dadlau'n hyf yn ei erbyn, eto fe gollwyd llawer o swyn a diddanwch mewnol o golli'r hen ffordd Gymreig. Yr ail awgrym yw gwasgfa gaethiwus bywyd y werin yn y dyddiau gynt, a olygai fod pawb wrthi'n ddyfal o fore bach tan hwyr y dydd, fel nad oedd

no, he wathn't, I don't thuppothe,' says the chick, digging his claws into the soil and beginning to sharpen his beak.)

To court by day – to court 'in the face of the sun, the eye of light' – with no more modesty than the Gorsedd, is a recent thing in Wales. 'For they who wooed, wooed by night,' that is how it was with us, taking the girl from the fair or the eisteddfod or the auction or the *cymanfa* or the weekday meeting or making an appointment to go and 'knock' on her, on the window of her sleeping apartment, that was the custom, and if the wind was in the right quarter and all circumstances favourable you went into the kitchen quietly when everyone else was in bed, and there you talked together on the hearth till the early hours of the morning. The official name for this was 'getting house'. A part of the charm of this courting was its pretence of being a secret between the two lovers. No one knew about it but themselves, as it were, just as a boy and girl sometimes are in love with each other on the quiet in a class in school (the teacher and the other children knowing nothing about it, of course!). The two would hardly even be seen together in public till they were on the verge of getting married – although everything was as plain to the world at large as if the banns had been called two years since. The tradition of courting in bed, if it ever had been a practice in the district, was gone before my time. Much nonsense has been written on this matter by people completely innocent of the art. What, indeed, was this lovemaking beside the naked calf-like kind which is met with today on every beach and bank?

Two suggestions may be offered as to why the Welsh people are the children of darkness rather than the children of light in their lovemaking. First, a kind of sensitive shyness, half-romantic in its nature, that makes one feel there is in love a deep, mysterious component that would lose its sacred essence if it were displayed before the world. Like religion, love is a personal matter between two, and everyone is not catholic enough to confess to a third person. They prefer to be *seceding* protestants. To the country-dwelling Welshman this love in public is a new phenomenon, and it must have come in either tamely on 'Santa Claus's' tail or with clamant obtrusiveness like Guy Fawkes. It seems like holding an exhibition. Although one might argue boldly to the contrary, much of the charm and inward delight of it was lost when we lost the old Welsh way. The other suggestion I make is that the stringent pressure upon people's lives in the old days kept everyone at it

fawr o gyfle i unrhyw fath o gyfathrach gymdeithasol ymhlith yr ifainc ond trwy ei ddwyn yn lladradaidd o oriau dwfn y nos. Ac ar fusnes y 'caru'n gwely' yna, ble bynnag y'i ceid, onid yw'n ddigon gadw mewn cof galedwaith y dydd ar y ffarm a chaledwch y nos ar gadair, neu fainc, neu sgiw ddiglustog, i sylweddoli sut yr awgrymodd greddf a synnwyr cyffredin i ddeuddyn ifanc, digon blinedig yn fynych, y gallent godi gris mewn datblygiad drwy esgyn i oruwchystafell ac yno ymorffwys ar wely esmwyth, fel yr unig fan yn y tŷ y caent ynddo dipyn o gysur, beth bynnag am lonyddwch, am ryw ychydig oriau? Ond ni ddaeth wyneb sobr Mrs. Grundy byth i'w le wedi clywed am y cwymp cynnar hwn tuag i fyny.

Wedi un o wibdeithiau nosawl Nwncwl Jâms ar hynt garwriaethus y cyfeiriwyd atynt yn barod, a'i ddychwelyd adref rhwng cyfnos a gwawr, yr eithaf iddo ef, a minnau gydag ef, fyddai gallu crafu mas o ddyfnder y gwely cwpwrdd cyn y dôi gweddill y teulu at ei gilydd i gael brecwast tua hanner awr wedi saith neu wyth o'r gloch. Byddent hwy eisoes wedi cyflawni awr neu ddwy o ddiwydwaith arferol y bore – porthi'r anifeiliaid a charthu odanynt i'r dynion yn y gaeaf; a'r godro, y tynnu hufen llaeth y dyddiau cynt, a'r paratoadau eraill i'r merched. Un teulu oedd yno o ran bwyd a phob cysur teuluol arall. Ond gan nad oedd lle i bawb wrth 'y ford fowr', eisteddai 'nhad a 'mam, ni'r ddau blentyn, a Nwncwl Jâms wrth y ford fach, gron, yn nes i'r tân o dan fantell y simnai lydan. Ond fe fynnwn i, pryd bynnag y dôi'r whim arnaf, eistedd yn lordyn wrth ochor Dafydd, 'y gwas mowr'. Ac yno, wrth wrando ar y pryfocio ffraeth ar Nwncwl Jâms, yn groes i'r gegin, y dysgwn i am ei helynt diweddara gyda'r merched, a'r awr blygeiniol, wedi caniad y ceiliog coch, y daeth e adre'r bore hwnnw – a finnau, gysgadur hapus, heb lefelaeth iddo fe fod o'i wâl gynnes wrth fy ochor o gwbwl. Mae gennyf ryw gof hefyd am yr hwyl yn y tŷ pan wisgodd un o'r morwynion gap helyg am 'i ben e y bore y priododd Elen y Wenallt, un o'i hen gariadon; ac am fy mhenbleth innau ynglŷn â'r term 'cap helyg'. Clywais sôn am y peth lawer gwaith wedi hynny, ond dyna'r unig dro erioed i mi wybod am ei gyflwyno, yn ôl hen arferiad rhyw oes a fu, i'r carwr siomedig.

assiduously from early in the morning till late at night, so that there was not much opportunity for social intercourse among young people except by stealing from the deep hours of the night. And as regards love in bed, wherever it might have been found, is it not enough to hold in mind the hard work on the farm during the day and the hard wood during the night on chair or bench or cushionless settle to realise how instinct and common sense might have suggested to two young people who were often pretty tired that they might rise a step in evolution by ascending to the room above and there resting on an easy bed as the only place in the house where for a few hours they might find a degree of comfort, however it might be as regards quiet? But Mrs. Grundy's grave face has never come back to place since she heard of this early fall upward.

After one of these nocturnal excursions on the path of love and his return therefrom before the break of day, it would be as much as Uncle Jâms could do, and I with him, to scrape out of that deep cupboard bed before the rest of the family gathered for breakfast about half-past seven or eight o'clock. They would already have been an hour or two at the usual early-morning jobs and would have completed them: the men would have fed the animals and mucked out under them in wintertime; the women would have milked and drawn the cream of the previous days and made other preparations. As regards food and other family comforts, we were all one family. But as there wasn't room at the big table, my father and mother and we two children and Uncle Jâms sat at the smaller round table near the fire under the broad chimney mantel. But whenever the whim came over me I insisted upon sitting like a little lord by Dafydd our man. And there, listening to Uncle Jâms being wittily teased across the kitchen, I would learn of his latest goings- on with the girls and the early hour, after cockcrow, of his return home in the morning while I was sleeping contentedly without any idea that he had been away at all from his warm place by my side. I have some recollection, too, of the mirth in the house when one of the maids put a willow cap on his head the day Elen the Wenallt was married, she being one of his old sweethearts, and of my puzzlement over the term 'willow cap'. I many times afterwards heard of this practice, but this is the only instance I know of its presentation to the disappointed lover in accordance with the custom of a past age.

184

Ac o sôn am garwriaethau Nwncwl Jâms, clywais 'mam yn adrodd am un tro go smala yn digwydd iddo. Cyn deall llwyr ergyd y tro hwnnw rhaid, yn gyntaf, gofio mai un o'r troseddau pennaf y gallai'r cryf a'r iach fod yn euog ohono, yn ôl rhôl anrhydedd yr ardal, ydoedd methu codi yn y bore. Roedd hi'n ardal iach mewn llawer o bethau. Gallai dyn dorri rhai o ddeddfau'r deyrnas hon a theimlo, os dim, yn fwy o ddyn o'r herwydd – ond iddo beidio â chael ei ddal. Gallai hefyd fentro'n go hael ar rai o reolau'r deyrnas nad yw o'r byd hwn, heb deimlo gymaint â hynny'n llai na dyn. Ond am y sawl a dariai'n hir yn ei wely yn hytrach na mwstro oboutu'i waith, wel, Duw a'i helpo. Yng ngolwg y gymdeithas fywiog, lew hon am ei chetyn, fe'i gosodid ar unwaith gyda'r diog yn llyfr y Diarhebion, a dry yn ei wely fel drws yn troi ar ei golyn. Ei unig obaith oedd y bedd, lle 'nid oes na gwaith na dychymyg'.

Ryw fore tuag amser brecwast, ynte, pwy ddaeth i mewn i'r gegin ond yr hen gymydog pwyllog, hirben, John Ifans, Bryndafydd Isa, y digwyddai Nwncwl Jâms y pryd hwnnw fod yn cellwair tipyn â Margaret, ei unig ferch. (Gyda llaw, dyna'r 'Margaret' gyntaf i gyrraedd ein cwmwd ni – a'r olaf, rwy'n credu. 'Marged' yw hi wedi bod gyda ni erioed, ac yn bod, diolch am hynny). Diau i John Ifans graffu nad oedd Jâms i'w weld o gwmpas y lle, a drwgdybio ble'r oedd e, oherwydd nid oedd 'n ewyrth yn nodedig fel boregodwr. Roedd Jâms Williams wedi bod ar ei sgawt rywle y noson gynt, a hynny'n rhoi warant am hun ychwanegol y bore wedyn. Pan ddechreuodd Nwncwl ddeffro a rhwbio'i lygaid, fodd bynnag, er ei syndod a'i benbleth, un o'r pethau cyntaf a glywodd ydoedd llais John Ifans, tad Margaret, os gwelwch yn dda – a'i dad-yng-nghyfraith yntau rywdro, pwy a ŵyr? – yn holi'n ddidaro amdano, a hynny bron am y pared ag e. Nid oedd dim i'w wneud ond cwato'n ddistaw bach o'r golwg yn ei wâl yn y gwely cwpwrdd a oedd a'i dalcen at yr aelwyd. Mwynhâi mam ddigrifwch y sefyllfa gystal â neb, a bu galed arni'r bore hwnnw wrth geisio dal pen rheswm â John Ifans, a gweld y ddwy lodes o forwyn yn gwneud llygaid a chuchiau i gyfeiriad y gwely cwpwrdd wrth fynd mewn a mas beth yn amlach nag oedd raid iddynt, rhag colli dim o'r datblygiadau. Roedd dweud celwydd, hyd yn oed mewn achos mor deilwng â hwn, fel tân ar groen i 'mam. Arhosodd yr hen walch drygionus, John Ifans, ymlaen bron dan amser cinio, gan dindwyran yn hamddenol o gwmpas y tân a rhoi ambell gip i gyfeiriad y gwely, a Nwncwl Jâms o hyd, druan, yn ei wâl, ar ei

And speaking of Uncle Jâms's courtships, I heard my mother relate an amusing thing that happened to him. Before the point of this can be fully understood, it must be borne in mind that one of the biggest offences the strong and healthy could be guilty of according to the code of honour of the neighbourhood was failure to get out of bed in the morning. Ours was in many ways a healthy neighbourhood. A man could break some of the laws of this kingdom and feel himself a bigger man for it, if anything, as long as he wasn't found out. He could also take a pretty wide risk with some of the rules of the kingdom that is not of this world without feeling himself to be so much as all that less than a man. But the one who stayed abed, instead of mustering about his work, heaven help him. In the eyes of this lively society, so capable of taking care of itself, he was placed immediately with the idle man of the Book of Proverbs who turns in his bed as a door turns on its hinge. His only hope was the grave, 'where there is no work nor device'.

One morning about breakfast-time, who should come into our kitchen but our canny old neighbour John Ifans Bryn Dafydd Isa, with whose only daughter, Margaret, Uncle Jâms at the time happened to be dallying. (By the way, she was the first Margaret to reach our commote – and the last, I believe. It has always been 'Marged' with us.) John Ifans, of course, observed that Uncle Jâms was not to be seen around and suspected where he was, as my uncle was not noted as an early riser. Jâms Williams had been somewhere on the prowl, and that warranted a sleep on in the morning. When my uncle began to rouse himself and rub his eyes, one of the first things he heard, to his surprise and embarrassment, was John Ifans's voice, Margaret's father's, if you please – and, who knows, his own father-in-law some day – unconcernedly enquiring about him just the other side of the bed partition. There was nothing to do but hide quietly in his sleeping-place, in the cupboard bed. My mother enjoyed the humour of the situation as much as anyone, and she could hardly carry on her conversation with John Ifans that morning, with the two maids making eyes and faces in the direction of the bed as they were coming in and going out, rather oftener, perhaps, than they needed to, so that they might not lose any of the developments. To fib, even in as worthy a cause as this, would have been like fire on her skin to my mother. That sly old lover of mischief, John Ifans, stayed on till dinnertime, whiling the time away leisurely at the fireside and now and then giving a

186

gyffes ei hun, yn ôl llaw, bron hollti am ollyngdod – mewn mwy nag un ystyr. Arafu, rywsut, wnaeth y garwriaeth hon o'r dydd hwnnw ymlaen. 'A, diawtht i, Tharah (Sarah), do'th dim ishe gwylltu, gwlei, mae cythtal pythgod yn y mor ag a ddalwyd o hyd,' mynte'r cyw, mor galonnog ag erioed, wrth fy mam ryw getyn ar ôl hynny.

O ochr ei thad, Dafydd Morgan, Gwarcoed, Rhiw'r Erfyn cyn hynny (1820-98), Bedyddwyr selog oedd teulu fy mam, yn hanfod o linach y gŵr da hwnnw, Enoc Francis o Gastellnewydd Emlyn (1688-1740) a'i fab Benjamin Francis, Horsley (1734-99), yr emynydd a'r pregethwr nodedig. Roedd mam-gu Dafydd Morgan, fy nhad-cu i, o ochr ei fam, yn gyfnither i Benjamin Francis, ac yn nith i Enoc Francis. Ac ewythr i 'nhad-cu, brawd ei fam (fy hen fam-gu i, felly), oedd David Williams ('Iwan', 1796-1822), bardd, efrydydd a phregethwr ifanc addawol a faged yn eglwys Aberduar, Llanybydder, lle'r oedd ei lysdad, David Davies, yn weinidog.[3] Bu yn ysgol Dafys Castellhywel, ac fel Benjamin Francis bu yntau yng Ngholeg Bryste. Am gyfnod wedi hynny, bu'n athro ysgol yn y Tabernacl, Caerfyrddin. Ef, gyda llaw, a ddewiswyd yn weinidog cyntaf yr eglwys Fedyddiedig Seisnig, Mount Pleasant wedi hynny, yn Abertawe. Bu farw o'r declein yn chwech ar hugain oed. Wele 'i englyn ef ei hun i'w nychdod:

Y dolur rwyma'm dwylaw – ac ysig
Yw'm coesau i rodiaw;
Y gynnes ochr sy'n gwyniaw:
Llawn o friw oll wy', neu fraw.

O fewn yr un flwyddyn, 1822, bu farw o'r un dolur ei ddisgybl ifanc, disglair, Ieuan Ddu, fab Gomer, sefydlydd *Y Seren.* Cyn pen dwy flynedd yr oedd Gomer ei hun wedi tewi, a chladdwyd y tri gerllaw ei gilydd ym mynwent Eglwys Fair, Abertawe.

Fel y bu fy nhad-cu yn teyrnasu'n esmwyth ac yn effeithiol ym Mhenrhiw am yn agos i hanner can mlynedd, felly, hefyd, y bu fy mam yn pwyllog ac yn tawel lywio pethau yno am yr wyth

[3] Gweler ysgrif y Parch. W. J. Rhys ar 'David Williams (Iwan) – Athro "Ieuar Ddu"' yn *Seren Gomer*, Awst 15, 1941.

look towards the bed where Uncle Jâms was still in his lair, and, on his own confessions later, nearly bursting for relief in more than one sense. This courtship slowed down, somehow, from that day on. '*A diawtht 'i*, Tharah (Sarah), there'th no need to get ecthited about it; there'th ath good fitheth in the thee ath have been caught,' said the Chick to my mother as heartily as ever a little time later.

On her father's side – he was Dafydd Morgan Gwarcoed, Rhiw'r Erfyn before that (1820-98) – my mother's family were staunch Baptists, deriving from the lineage of that good man Enoc Francis of Newcastle Emlyn (1688-1740) and his son Benjamin Francis, Horsely (1734-99), the noted preacher and hymnwriter. My mother's father's mother's mother was a cousin of Benjamin Francis's and a niece of Enoc Francis's. And David Williams ('Iwan', 1796-1822), poet, student, and promising young preacher, brought up in the church of Aberduar, Llanybydder, where his stepfather was a minister, was an uncle of my grandfather's, my great-grandmother's brother. He was at Dafys Castellhywel's school, and, like Benjamin Francis, he went to Bristol College. Afterwards for a period he was a schoolteacher in the Tabernacle, Carmarthen. Incidentally, he was chosen to be the first minister of the English Baptist Church in Swansea, Mount Pleasant, as it afterwards became. He died of consumption at the age of twenty-six. Here is his own *englyn* on his languishment:

> *My ailment binds each hand and arm,*
> *Too weak my limbs a walk to take,*
> *My side, still warm, is one long ache,*
> *My body pain, my soul alarm.*

Within one year, 1822, his brilliant young pupil, Ieuan Ddu, son of Gomer, the founder of *Seren Gomer*, died of the same complaint. Before the end of two years Gomer himself was silent, and the three are buried near each other in the graveyard of St. Mary's Church, Swansea.

As my grandfather had reigned gently and efficiently in Penrhiw for nearly half a century, so, too, my mother discreetly and quietly guided things there for the first eight years of her married life after she moved in to be with my father straight after they were married.

188

mlynedd cyntaf o'i bywyd priodasol wedi iddi symud i mewn i'r lle at fy nhad yn union wedi priodi. Ar yr wyneb gellid barnu i fywyd fy mam fod yn llyfn ac esmwyth ar ei hyd. Eto, bu yno rai stormydd – cerrynt croesion yn y dyfnder na wyddai odid neb amdanynt ond hi ei hun. Petai nofelydd neu ddramäydd yn trin y defnyddiau hyn, ac nid cofnodydd ffeithiau wrth basio, diau y gallai ganfod ym mywyd syml fy mam o leiaf ddau gyfnod ac ynddynt elfennau pwrpasol at ei ddibenion ef. Adwaith personol i ddigwyddiad arbennig oedd yn y naill, a gwrthdarawiad personol yn y llall. Ceir sôn am y rhain eto.

Perthynai i'm mam ddyfnder a dwyster cymeriad a gwir wyleidd-dra ysbryd. Gallai fod yn llawen mewn cwmni ac yn ffraeth a pharod ei hateb, a'i hergyd tawel weithiau, os byddai raid, yn gywir a chyrhaeddbell. Roedd hi'n gwbl ddi-hunan a di-awydd am gael ei gweld. Y bywyd mewnol oedd ei thrysor hi. Ni chafodd fawr o fanteision addysg, mwy na neb o'i chyfoedion – dim ond ambell gwarter o ysgol y gaea, yn ôl yr arfer hyd at Fesur Addysg Gorfodol 1870. Un llyfr oedd ganddi – y Beibl, ac esboniad Jâms Hughes fel gwas da iddo wedi ymdreulio yn ei wasanaeth, a hithau wedi gwnïo siaced o frethyn du amdano i'w gadw rhag ymddatod pellach; yn gystal â'r *Lladmerydd*, cylchgrawn yr Ysgol Sul, y meddyliai hi gymaint ohono. Ar hyd ei hoes wedi symud i Aber-nant bu hi a Nel 'r Efail Fach yn ddwy gyd-athrawes ar ddosbarth o ferched o'r deuddeg i'r deunaw oed yn Ysgol Sul Rhydcymerau. Byddai'n paratoi'n gyson ar gyfer y wers, ac yn mwynhau cwmni'r plant a'r merched, rhai ohonynt yn cerdded pellter maith i ddod yno. Clywais hi'n adrodd amdani ei hun yn ferch ifanc wedi mynd, rywdro, i gymanfa ysgolion mewn capel cyfagos. Aethai'n ble chwyrn rhwng y gweinidog a holai'r pwnc a rhyw Apostol Paul o ddiwinydd yn y gynulleidfa ar bwynt o athrawiaeth. Gan i'r ddadl rhwng y ddau ornestwr brwd a digymod hyn, y naill yn ceisio trechu'r llall, fynd braidd yn ddiystyr i fwyafrif y bobl, a hithau'n amser te ers tro, dechreuodd y gynulleidfa gilio, a'r seti'n gwacáu Eisteddai fy mam, mae'n debyg, rywle ar y llofft yng nghornel sedd yn union uwchben yr arena lle'r hyrddid adnodau fel gwaywffyn tanllyd o'r naill ochr i'r llall, ac ambell air brathog fe adfach wrthynt. Mawr oedd ei dychryn a'i phenbleth, meddai hi pan ganfu'n sydyn mai hi oedd yr unig wrandawr ar ôl ar y galeri ac i lawr â hi dros y grisiau'n ddistaw bach gan adael pwynt yr athrawiaeth o hyd yn fater agored rhwng y dyrnaid o ddoctoriaid a

On the surface one might judge my mother's life to have been smooth and tranquil all along. Yet there were a few storms – deep crosscurrents of which almost no one but herself was aware. If a novelist or a dramatist, rather than a recorder of facts, took up this subject matter he would find in my mother's simple life at least two periods worthy of his purposes. One was her personal reaction to a certain incident, and the other was a clash between two persons. I will speak of these later.

My mother possessed depth and intensity of character and true spiritual humility. She could be merry in company and witty and ready with an answer, and when she considered it necessary she could also make a quiet remark that was true and far-reaching. She was quite selfless and without any desire to be seen. Her treasure was her inward life. Like all her contemporaries, she got few advantages in the way of education – only a term in school now and again in the wintertime, as was the custom up to the 1870 Education Act. She had one book, the Bible, with Jâms Hughes's expository as its good and faithful servant wearing itself out in its service, in a black cloth jacket that my mother had sewn for it to keep from utter dissolution, as well as the *Lladmerydd*, the Sunday School magazine, of which she thought so highly. All her days after coming to Aber-nant she and Nel Efail Fach were co-teachers of a class of girls from twelve to eighteen years old in Rhydcymerau Sunday School. She always prepared the lesson, and she enjoyed the company of the children and older girls, some of whom had walked a long way to be there. I heard her relating how she had once gone as a girl to a school *cymanfa* in a nearby chapel. A violent debate on a point of doctrine developed between the minister, who was questioning the school on the set subject, and some Apostle Paul of a theologian in the congregation. As the argument between the two ardent and uncompromising combatants, one trying to get the better of the other, had become almost meaningless to the majority of the people there, and as it was teatime too, the congregation started to thin out and the seats to get vacant. My mother, it seems, was sitting on the gallery on the end of a seat above the arena where verses were being hurled from side to side like fiery darts, barbed occasionally with a stinging word or two. She said that her consternation and embarrassment were great when she suddenly noticed that she was the only listener left on the gallery; and she came down quietly, leaving that point of doctrine

lawr y tŷ. Mae'n debyg na setlwyd mo'r pwynt astrus o dan sylw yn y gymanfa honno, nac am lawer cymanfa wedyn, diolch am hynny. Heddiw, ymhen pedwar ugain mlynedd arall, nid oes dim yn werth dadlau a chweryla yn ei gylch yn ein Hysgolion Sul – hynny sy'n aros ohonynt. Mae'r cyfan yn olau dydd; neu yn dywyll nos.

Ni chlywais fy mam yn gwneud dim yn gyhoeddus erioed, ac eithrio holi'r Ysgol Sul weithiau pan ddôi tro ei dosbarth hi. Gwnâi hynny'n syml ac yn ddigon pwrpasol. Ond yn fynych fynych, a hithau'n ddyfal wrth ei gwaith, heb feddwl fod neb yn gwrando, fe'i clywn hi'n llafarganu ei gweddïau a'i myfyrdodau mewn ymson leddf, ymbilgar, gan blethu salm ac adnod ac emyn yn brydferth drwy'r cyfan. Er yn garedig a chyfeillgar â phawb, nid oedd yn chwannog i amlygu ei theimladau, nes ymddangos, yn wir, ambell dro o bosib, braidd yn oer a di-sentiment. Ffurfiai ei barn yn bwyllog a rhesymol, ac nid yn hawdd y twyllid hi. Roedd yn gywir a gonest fel y dydd, ac yn ddi-sigl yn ei theyrngarwch i'r bobl a'r pethau y credai ynddynt. Hanner addolai ei thad, Dafydd Gwarcoed, a Henry Jones, Ffald y Brenin, ei gweinidog cyntaf a'i derbyniasai'n aelod, a chredai nad oedd gilfach y tu yma i'r nefoedd yn debyg i Gwm y Wern lle maged hi, y cwmwd bychan o shiprys enwadol, yn Annibynwyr a Methodistiaid, rhwng y ddwy ardal, Rhydcymerau ac Esgerdawe – a 'nhad-cu yr unig flaguryn Bedyddiedig yn eu plith. Carai'n ddwfn, a digiai'n ddwfn hefyd, os digiai o gwbl. Y dicter hwn a'i hanallu i wella düwch y clais ar natur lednais, ddwys, ydoedd un o anffodus bethau ei bywyd. Ni chroesai 'i meddwl i dalu drwg am ddrwg, ond câi flas ar lyfu'i chlwyfau yn hytrach na cheisio'u hanghofio.

Yn ffodus, fel y cawn weld eto, ni ddaeth y profiad hwn i'w rhan ond am gyfnod lled fyr yn ei bywyd, sef yn y blynyddoedd hynny y bu hi ym Mhenrhiw wedi marw fy nhad-cu. A chyn i'r profiad yma ei threchu, hi ei hun a fynnodd symud oddi yno, a mynd i le bach fel Aber-nant, wedi i iechyd fy nhad dorri lawr. Y symud hwnnw yn y pen draw a barodd mai yn rhai o siroedd eraill Cymru, yn Sir Benfro yn bennaf, y treuliais i weddill fy oes hyd yma – ac nid yn ffarmwr bach, digon dygn, efallai, fel fy hynafiaid, ar fy hen dreftadaeth fechan, lethrog, yng Ngogledd Sir Gaerfyrddin, lle'r arhosodd fy nghalon drwy fy mywyd. Canys ni wn i yr un ddinas barhaus arall ond y ddinas barhaus hon yn fy serchiadau

an open question to the handful of divines on the floor of the house. It is very likely that the abstruse point under consideration was not settled in that *cymanfa* nor for many a *cymanfa* after it, I am thankful to say. Today, after eighty years more, there is nothing worth arguing or quarrelling about in our Sunday Schools, or what is left of them. Everything is as clear as day; or as dark as night.

I never saw my mother do anything in public beyond question Sunday School occasionally when it was the turn of her class. She did it simply and suitably. But very often when she was busy at her work, without dreaming that anyone was listening, I would hear her chanting her prayers and meditations in a plaintive and imploring monologue, weaving through it in a comely way psalm and verse and hymn. Though kind and friendly to everyone, she was not given to showing her feelings, so that at times she might have appeared rather cold and lacking in sentiment. She formed her opinions slowly and rationally, and she was not easily deceived. She was sincere and honest as the day and steadfast in her loyalty to the people and the things in which she believed. She half worshipped her father, Dafydd Gwarcoed, and Henry Jones Ffald y Brenin, the minister who first received her into membership, and she believed that there was no nook this side of heaven like Cwm Wern, where she was brought up, the little locality where Congregationalists and Methodists were mixed like barley and oats in the fields, with my grandfather as the only Baptist ear of wheat among them, in that area between the Rhydcymerau and Esgairdawe districts. She loved deeply, and when she was offended she was deeply offended. This taking offence and her inability to heal the dark bruise on her gentle and sensitive nature was one of the misfortunes of her life. To repay evil for evil would never cross her mind, but she enjoyed licking her wounds rather than forgetting them.

Fortunately, as we shall see later, she was to have this experience only for a short time – namely, the years she was in Penrhiw after my grandfather's death. And before she was overpowered by it she herself willed to go from there, and to a little place like Aber-nant, when my father's health had broken down. Ultimately, it was due to that removal that I came to spend the rest of my life in other Welsh counties, in Pembrokeshire mainly, and not as a small farmer, plodding and patient enough it might have been, on the old heritage in the north of Carmarthenshire, where my heart has always remained. For I know no lasting city but this lasting city in my

y gadewais gysgodion ei chaerau yn un ar bymtheg oed. Gymaint o fywyd dyn, wedi'r cyfan, sy'n ddamweiniol, wedi, a chyn ei eni.

Mae'n naturiol i bawb synied yn dda am y sawl a'i hymddug. Credaf innau am fy mam fod ynddi lawer o elfennau cymeriad mawr pe cawsai'r cyfle i'w datblygu'n gyflawn. Roedd hi o gynheddfau cryfion, yn eang ei chydymdeimlad, ac arswydai rhag unrhyw fath o dwyll. Roedd ei chymeriad yn debyg i'w thŷ ac i'w gwisg gartref. Pe dôi yno ddyn dieithr am dro, heb wybod dim amdani, hwyrach y câi achos i sylwi ar ei siôl fach dipyn yn anniben ar ei gwar, neu ar y ffedog fras o'i blaen, ar ben ffedog arall, neu ddwy, efallai, odani; neu y gwelai frws llawr neu fwced rywle lle na ddylai fod. Ond pe galwai yno'r wraig fwyaf trwynfain yn y wlad, a chael chwilota wrth fodd ei chalon ymhob drâr a chilfach yn y tŷ a'r llaethdy lle cedwid y bwyd, hefyd, fe gâi yno dystiolaeth o lwyredd a threfn a glanweithdra na allai lai nag ennyn ei hedmygedd. Ac odid y cyffyrddodd llaw dynerach a mwy gofalus â dyn nac anifail erioed na llaw fy mam. Ac nid oedd y cyfan o'r allanolion hyn ond mynegiant o'r gydwybod fyw, bythol effro, oddi mewn – cydwybod na adawai lonydd iddi, er llesgedd a blinder ei blynyddoedd olaf, heb gyflawni pob dim mor drylwyr ag oedd bosib iddi. Testun ei gweinidog, y Parch. J. Ellis Williams, tad Eluned, ddydd ei hangladd ydoedd, 'Yr hyn a allodd hon hi a'i gwnaeth'.

Yn y dyddiau gynt, fel yr wyf i'n eu cofio, cyn i'r dyfeisiau modern yma ysgafnhau tipyn ar bethau, credaf nad oedd yr un dosbarth, ac eithrio'r glowyr, yn gweithio mor galed â gwragedd ffarm – y ffarm fach fel y ffarm fawr. Nid oedd dechrau na diwedd i'w diwrnod gwaith. Fel yn hanes cynifer o rai tebyg iddi drwy'r oesau, ni allai'r caledwaith di-fwlch drwy gydol bywyd cyfan lai na llesteirio tyfiant a datblygiad fy mam i'w chyflawn faintioli fel person. Perthynai i'r hen oruchwyliaeth o ddygnwch a diwydrwydd diarbed lle nad oedd munud o hamdden i ddarllen a meddwl. Ni soniai fy mam fawr am ei chrefydd, dim ond canmol y daioni a welai mewn pobl eraill, a bod yn dirion iawn wrth eu gwendidau. Fy marn i yw fod ei bywyd, bob munud a gâi, yn un weddi ddirgel ar ei hyd. Pegi, fy chwaer, ydoedd ei ffafret hi. Wedi tyfu i fyny rown i'n ormod o ddelwddrylliwr rhyfygus yn ei golwg. Ond mi wn hyn – ymhob argyfwng yn fy mywyd y mae ysbryd fy mam wedi bod rywle yn agos iawn ataf.

affections, the shelter of whose walls I left at the age of sixteen. After all, how much of a man's life, both after and before his birth, is accidental.

It is natural for everyone to think well of the one who gave him birth. I think my mother had many of the components of a great character if she had had the opportunity to develop them fully. Her native qualities were strong and her sympathy was wide, and she shrank from the idea of deceiving. Her character was like her house and like the way she dressed at home. If a stranger who knew nothing about her called there he might have reason to notice that her shawl was not quite tidy over her shoulders and that she had her rough apron on over another apron, or he might see a sweeping-brush or a bucket where it oughtn't to be. But if the nosiest woman in the country called there and was able to search to her heart's content in every drawer and nook and cranny in the house and in the dairy where the food was kept, she would get evidence everywhere of thoroughness and order and cleanliness that could not but kindle her admiration. And hardly, I think, did a tenderer or more careful hand touch man or beast than my mother's. And all these outward things were but the expression of the live, ever-waking conscience within, a conscience that would not let her be, despite her weakness and fatigue in her last years, without accomplishing everything as thoroughly as was possible for her. On the day of her funeral her minister's text – he was the Reverend J. Ellis Williams, Eluned's father – was: 'She hath done what she could.'

In the years gone by as I remember them, before modern inventions brought about some alleviation, I do not think any class, excepting the colliers, worked as hard as farm women, on the small farm as on the large. There was no beginning or end to their working day. And in so many similar cases through the ages, the unremitting hard work throughout my mother's life couldn't but be a hindrance to her growth and development as a person. She belonged to the old dispensation of resolute and unsparing industriousness in which there wasn't a moment's leisure to read and think. My mother did not speak much of her religion beyond praising the goodness she saw in others and being tender towards their weaknesses. It is my belief that her life, every minute of it as it came, was all one secret prayer. My sister Pegi was her favourite. When I had grown up I was too much of a presumptuous iconoclast in her eyes. But I know this – in every crisis of my life my mother's spirit has been very near to me.

194

Anodd, yn sicr, yw gwella ar ddiffiniad yr Athro W. J. Gruffydd o'r dyn diwylliedig, sef y dyn hwnnw sy'n cyffwrdd â bywyd yn y nifer luosocaf o fannau. Ac i ateb gofynion y diffiniad hwn ni chredaf i fod yr un alwedigaeth yn fwy ffafriol i hyn nag eiddo'r sawl sy'n byw ar y tir ac yn cael ei fywioliaeth ohono. Yn y gwaith hwn y mae dyn yn gorfod ymwneud beunydd â'i gyd-greadur o ddyn ac o anifail ac â Natur ei hun ymhob agwedd arni. O'r crud i'r bedd y mae etifedd y tir mewn cysylltiad agos iawn â holl bwerau cyfrin bywyd, er fod cynefindra parhaus â hynny, caledwaith amgylchiadau weithiau, neu drachwant am elw bryd arall, yn pylu min y synnwyr hwn ynddo. Y mae natur ei alwedigaeth, hefyd, yn gofyn ganddo droi ei law at bob ryw fath o orchwyl, o swydd y fydwraig hyd at waith y torrwr beddau, a phopeth sy'n gorwedd rhyngddynt, a llawer o'i orchwylion amryfal yn gofyn am grefft a medr nas ceir ond o hir, hir ymarfer, a'u meithrin yn nyfnder traddodiad.

A dyna'r byd rhyfeddol o gyfoethog y'm ganed i iddo, byd heb ynddo fawr o bryder nac awydd am arian, ragor na thalu'r ffordd yn weddol gyffyrddus heb fynd i ddyled; byd, hefyd, hyd y gwelaf i, lle'r oedd pawb, yn ôl ei oed a'i brofiad, mor gyfatebol gydradd ag y gellir disgwyl i'r un gymdeithas ddynol fod. Ie, ac ymhellach, byd lle'r oedd dyn ac anifail bron fel un teulu, gan mor gynnes ac agos oeddent at ei gilydd. Mae'n wir fod yn rhaid gwerthu rhai o'r anifeiliaid weithiau, a lladd ambell un yn ôl y galw, 'at y tŷ'. Ond yr oedd hynny mor naturiol â lladd y gwair a'r llafur pan fyddent yn barod, adeg cynhaeaf. Ys gwir eto, pan fyddai Nwncwl Bili a'i osgorddlu arfog o'i gwmpas ar y clos yn barod i roi'r mochyn ar y car lladd, a'r creadur hwnnw druan â'i sgrech olaf yn protestio i'r nefoedd yn erbyn ei dynged, yr awn i i'r tŷ a gwasgu fy nwylo am fy nghlustiau, a phwdu am hanner awr gron wrth 'yr hen Nwncwl Bili cas yn lladd y mochyn'. Eto'r dyddiau wedyn, ni fyddai neb yn plannu ei ddannedd mân yn asen faethlon y mochyn hwnnw gyda mwy o sêl na mi – cyn i wareiddiad tyner y gylleth a fforc ddechrau cau amdanaf.

Fe fûm i'n hoff o greaduriaid erioed; eu hoffi, nid yn faldodus a babïaidd fel plant yn magu ac yn mwytho cath ar yr aelwyd ac, yn fynych, yn ddigon diffaith a di-help i'w mam eu hunain, ond eu hoffi fel cyfeillion agos ataf y gallwn siarad ac ymresymu â hwy. Ni welais greadur erioed na allwn fod yn ffrind personol ag ef – ac eithrio neidr a llygoden, fawr neu fach. Cyhoeddwyd gelyniaeth

It is very hard, surely, to improve on Professor Gruffydd's definition of the cultured man: the man who touches life in the greatest number of places. I do not think there is any occupation in as favourable a position to answer this requirement than that of those who dwell on the land and obtain their living out of it. In this work one has to do, daily, with one's fellow creatures, human and brute, and with every aspect of Nature herself. From the cradle to the grave the heir to this life on the land is in close contact with all the secret powers of life, although continual familiarity with that situation, and the drudgery imposed by circumstance, or at other times the lust for gain, dull the edge of his sensibility. The nature of the occupation demands, too, that he turn his hand to all kinds of work, from midwifery to gravedigging and to everything that lies between these two extremes, and most of these jobs demand a technical ability and an adroitness that are not to be obtained except through long practice and through being nurtured in the deep of tradition.

Such was the wonderfully rich world into which I was born, a world in which there was very little anxiety about money beyond paying the way fairly comfortably without running into debt anywhere, and a world too, as far as I am able to judge, where all, in proportion to their age and experience, were as equal as any human community can be expected to be. Yes, and further, where man and beast were as one family almost, so close and warm was their relationship. It is true that some of the animals had to be sold, and sometimes killed, for the requirements of the house. But that was as natural as cutting the hay and corn when they were ready at harvest-time. Nevertheless, it is true that when Uncle Bili and his armed escort were around the fold ready to put the pig on the killing frame, and when the poor animal with its last breath shrieked protests to heaven against its fate, I would go to the house and put my hands over my ears and pout for a full half-hour at 'nasty Uncle Bili killing the pig'. Yet the following days no one would dig his small teeth into that pig's nutritious rib with greater zeal than I, before the gentler civilisation of knife and fork closed around me.

I was always fond of animals, and not in a pampering way like children who fondle a cat on the hearth and are often no good at all for helping their mothers. I never saw an animal I could not make a friend of – except a snake or a mouse or a rat. My blood declares deadly hostility to these ever since an ancestor of mine was expelled from a garden because of the fiendish ruse of one of them.

farwol yn fy ngwaed rhwng y rhain a mi er y dydd y taflwyd fy hendaid cyntaf mas o ardd Eden gynt oherwydd ystryw ddieflig un ohonynt. Mae'r mwrddwr yn brochi'n hyll ynof bob tro y gwelaf, neu y clywaf y smic lleiaf o sŵn y cyfryw.

Defaid, ar wahân i ambell oen swci fel yr hen Sam, yw'r unig greaduriaid na ddeuthum i'w hadnabod fel y dymunwn, a hynny am eu bod yn rhyw fodau rhwng gwyllt a gwâr, ac i mi, leygwr byr ei olygon, yn yr hanner pellter hwnnw, mor rhyfedd o debyg i'w gilydd. Ni chefais i, fel Ffransis Payne, yr hyfrydwch cynnes o gadw llond côl o ddafad ar fy arffed i'w chneifio – a thrwy hynny gael cyfrinach ei chlust. Gadewais i gartref braidd yn rhy gynnar at y gwaith hwn. Ond fe fûm, yn grwt, yn Llywele a'r Trawsgoed lle'r oedd diadelloedd mawr, yn cario defaid i lond sgubor o gneifwyr storigar – gwaith yn gofyn am bâr o freichiau gewynnog a dwy droed fuan a sicr i wau rhwng y meinciau a chodi llwdn, un ymhob llaw, whiw, heibio i gluniau'r clipwyr dyfal. Gan fod gennyf i well dwy fraich nag o ddau lygad i lywio'r gwellau'n glòs rhwng y cnaif a'r croen, fe'm cedwid i, yn llanc, yn hwy nag y dylid, efallai, fel arglydydd llydnod.

Am y gwartheg tawel, mwyn, adwaenwn nifer ohonynt yn lew, a chael mynych sgwrs â hwy – Penfraith, Blacen, Cornfelen, Seren, etc., llond hewl o famau'n waglo'n weddus yn eu cotiau duon fel gwragedd boddlon yn Israel yn cnoi eu cil ar y ffordd adref o gwrdd gweddi. Yn rhyfedd, efallai – ond fe allwn, heddiw, ymhen trigain mlynedd nodi lle'r pyst y clymid rhai o'r gwartheg mwyaf parchus a chyfrifol hyn wrthynt – gwartheg bonheddig, bob un, nad estynnai neb ohonynt ei thafod arw i geisio'r hyn nad oedd eiddi o breseb ei chymydog.

Ond fel y mae'n digwydd, nid yn y beudy yn nhywyllwch y gaeaf, ond ar y caeau, neu ar y clos yn cnoi eu cil yn hamddenol ar brynhawn teg o haf a dwy neu dair god'raig yn dyfal dynnu wrth eu cadeiriau y daw'r gwarheg hyn fynychaf i'm cof; a cherllaw iddynt, ond ychydig ar wahân, y tarw, fel delw Roegaidd o eidion, a'i ddrefl myfyrgar yn disgyn yn edau arian i'r llawr. Ar fainc y tu allan i dalcen ucha'r beudy yr oedd tunnen fawr yr hidlid y llaeth iddi, y naill fwcedaid ar ôl y llall, cyn ei gario i'r meinciau cerrig yn y llaethdy i oeri a hufennu. Un tro arbennig digwyddai'r Cribyr Flyer, y march poblogaidd hwnnw, a'i gyd-efall, Dai Perth yr

Murder raises an ugly tumult within me every time I see or hear the least sound of any of them.

Sheep, apart from an occasional pet lamb like old Sam, are the only farm animals I did not get to know as I wished to know them, and that was, surely, because they are out-of-the-ordinary beings between wild and tame, and to me, a short-sighted non-initiate, in that middle distance so like each other in appearance. I never had the warm pleasure that was Francis Payne's of keeping on my lap an armful of a sheep to shear it, and in that way obtaining secret access to her ear. I left home rather early to have done this work. But as a boy I was in Llywele and Y Trawsgoed where there were big flocks, carrying the sheep to a barn full of storytelling shearers – a job that needed two sinewy arms and two quick and sure feet to weave your way between the benches and to pick up a wether in each hand, heigh-ho past the busy clipper's thighs. As I have a better pair of arms than of eyes to guide the shears close between fleece and skin, I was kept as a youth, longer, perhaps, than should have been done, as a bearer of sheep.

As for the gentle and quiet cattle, I knew a number of them well and had frequent conversation with them. Penfraith, Blacen, Cornfelen, Seren – a roadful of mothers swinging along in seemly fashion in their black coats like women at their ease in Israel chewing the cud on the way home from prayer meeting. Strange, perhaps, but today, after sixty years, I could give you the positions of the tying-posts of these respectable and responsible cows, all of them too well behaved to stretch out their rough tongues to seek what was not their own in their neighbours' mangers.

But it happens that these cows come to my mind usually not in the winter darkness of the cowhouse, but on the fold, leisurely chewing their cud, with two or three milking women busily pulling under their udders; and near them, but yet somewhat apart, the bull like a Greek statue of an ox, his pensive slaver falling to the ground in a silver thread. On the bench outside the upper end of the cowhouse was the big tank into which the milk was strained, one bucketful after another, before it was carried to the great slate milkpans in the dairy to cool and cream. On one occasion Cribyn Flyer, that popular stallion, and his twin brother and owner, Dai Perth yr Eglwys, happened to be spending a night there on his wide circuit of ministration. Dai saw his opportunity – a bucketful of fresh milk standing by the tank which was too full to hold any

Eglwys, ei berchennog, fod yn bwrw nos yno ar ei gylchdaith weinyddol eang. Gwelodd Dai ei gyfle – bwcedaid o lefrith ffres yn sefyll gerllaw'r dunnen ry lawn i ddal rhagor.

Cyn i neb sylwi, diflannodd y bwced trwy ddrws y stabal yr ochr arall i'r buarth, a'r Cribyn Flyer yn uwch ei war a'i weryru drannoeth o yfed y cynnwys. Ni waeth i'm mam ddechrau ceryddu'r gwalch ewn a gâi, fel yr oedd, lety rhad iddo ef a'i geffyl ar eu rownd un noson bob pythefnos, o Ffair Dalis, Llambed, yn nechrau Mai, hyd Ffair Fach yr Haf, Llanybydder, ganol Gorffennaf, yn ôl sifalri a chwstwm gwlad, er dyddiau Marchogion Arthur, am wn i.

Gyda'i weniaith a'i smaldod, ei regi a'i rwygo, ei gablu a'i rico, yn union fel y talai, ni allai neb ddal bariced ymadroddus Dai yn hir pan fyddai'r march yn y cwestiwn. Ni allai fy mam, chwaith, lai na gwenu yn wyneb yr haerllugrwydd newydd hwn, er diced y gallai fod oherwydd y golled ddiangen. Deallai Dai ei dywydd yn dda o hir ymarfer â galwedigaeth mor arbennig. A chyda'r athroniaeth gysurlon hon yn ei gynnal, nad oedd dim yn rhy dda i'r Cribyn Flyer wrth gyflawni ei ran yn arfaeth y creu, ac y dylai ef ei hun gael rhywbeth go lew yn ei gysgod; gan frolio ei geffyl, cellwair â'r merched, a lladrata'n agored yn y dull hwn er mwyn yr achos, y treuliai ei hafau'n llawen wrth ddilyn trywydd cesyg o dŷ ffarm i dŷ ffarm, ac o bentre i bentre, drwy gylch eang o wlad Myrddin a Cheredigion. Roedd pawb yn hoff o'i weld yn dod at y tŷ, ac efallai, yn ddistaw bach, yr un mor barod i'w weld yn mynd. Roedd Dai'n feistr perffaith ar ei geffyl, tra na châi neb arall ei gyffwrdd. Mae genny gof byw amdano'n fy nghodi i ar ei gefn yn y stabal, a minnau'n cydio yn awenau Pegasus. Dyna'r unig dro, hyd yma, i mi fod yn farchog, yn llythrennol; ac ni chredaf i neb o'r urdd honno fwynhau ei ddyrchafiad yn fwy. Cofiaf amdano hefyd yn gosod ei ben rhwng coesau ôl y march, yn cydio yn siwrl ei egwydydd, a chodi un droed iddo ar yn ail â'r llall. Roedd y Cribyn Flyer yn stociwr da. Mae ei ddisgynyddion yn dorf luosog yn y parth hwn, y ddwy ochr i Deifi, hyd heddiw, petai modd eu cyfri, a llawer un ohonynt wedi rhoi ceiniog fach net ym mhoced y sawl a'i porthai. Mae yma hefyd rai o stoc ei berchennog.

Pennod arall nas sgrifennwyd hyd yma yn hanes bywyd Cymru wledig yw pennod 'Y Dilynwr March'. Mae'r car modur a'r Sais

more. Before anyone noticed, the bucket vanished through the stable door the other side of the fold, and Cribyn Flyer's arched neck and loud neigh were the higher next day for his having drunk the contents. It was useless for my mother to start reproving the daring rogue, who, as it was, got free lodging for himself and his horse one night in every fortnight from Ffair Dalis in Lampeter at the beginning of May to Llanybydder Fair in the middle of July, according to the chivalry and custom of the country since the days of Arthur's knights, for all I know.

With his cajolery and his drollery, his cursing and swearing, his blasphemy and his bluster, all according to how it would pay, no one could withstand Dai's eloquent barracking for long when a stallion was in question. And my mother, too, could only smile at this new impudence, however angry she could get about any gratuitous loss. Dai always knew what weather it was, from being long accustomed to an occupation of such a special nature. And with this comfortable philosophy supporting him – that there was nothing too good for Cribyn Flyer when he was fulfilling his part in the design of creation, and that he himself ought to get what was quite good too in his horse's shadow – bragging his stallion, joking with the girls, and stealing openly in the way I have mentioned for the good of the cause, he fleeted the summers joyously from farmhouse to farmhouse on the track of mares and from village to village over a wide area in the counties of Carmarthen and Cardigan. Everyone liked to see him coming to the house, and perhaps, on the quiet, everyone was equally ready to see him go. Dai was past master of his horse, and no one else was allowed to touch him. I have a lively recollection of him lifting me up on its back in the stable and of myself holding Pegasus's reins. That was the only time I was literally a knight,[8] and I don't think anyone of the order ever enjoyed his elevation more. I remember him, too, putting his head between the stallion's hind legs, catching hold of his fetlocks to lift one hoof and then the other. The Cribyn Flyer was a good stocker. His descendants are a multitude in these parts, each side of Teifi, to this day, if it were possible to reckon them; and many of them have put a pretty penny in the pockets of those who fed them. And some of the owner's stock are here, too.

[8] *Translator's note*: (*march* – horse, now reserved for entire horse; *marchog* – knight).

hwnnw, y *shire horse*, bron wedi difodi'r alwedigaeth hon bellach. Oni thery rhyw chwilotwr ffroendenau ar ddyddiadur rhyw hen ddilynwr march heb lwyr fallu ym môn cromen hen dowlad stabal rywle, a chael gair personol ag un o'r olaf o'r pererinion lliwgar hyn cyn mynd adre, ni fydd yr hanes yn gyflawn. Cwrddais ag un ohonynt, ar ddamwain ffodus, yng ngwaelod Sir Aberteifi yn ddiweddar. Roedd ef genhedlaeth gyfan yn iau na Dai Perth yr Eglwys, ond yn ei nabod yn dda, ac wedi bod yn cydbrancio ei geffyl ag ef ar brynhawn Ffair Dalis ar Lownt Llambed. Yn ôl profiad helaeth yr hen g'irchyn gwritgoch hwn, tri anhepgor dilynwr march ydoedd tafod ffraeth, cydwybod slic, a thipyn go lew o'r blagard at law, a bod galw amdano. 'Brenin y Gwŷr Meirch,' medde fe, 'oedd Dai Perth yr Eglwys. O damo, ie, Dai oedd 'yn mistir ni i gyd.'

Mewn lle pell o'r ffordd fawr fel Penrhiw, ni phoenai neb byth am na chiper na phlisman. Nid potsiers oedd neb o drigolion y parthau hyn, ond dynion rhydd na chollasant eu rhyddid erioed yn rhoi eu dwylo ar yr hyn a berthynai'n naturiol iddynt. Anfri ar ddyn rhydd fyddai codi lesens dryll neu lesens bysgota, ac ni feddyliai neb byth am wneud hynny. Yn grwt, yr oedd hela a physgota yn fy ngwaed i, fel yn rhai o deulu fy nhad. Pobl dawel, ddiwyd ar y tir ydoedd pobl fy mam, heb feddwl am ddryll na rhwyd na thryfer na thrap – ond ambell drap llygod weithiau. Bûm i, wedi dyfod dipyn yn hŷn, yn *saethwr* mawr, ond erbyn hyn, da gennyf ddweud, i'm dwylo i fod yn bur lân o ran gwaed. Wedi dod i Aber-nant deliais aml frithyll pert â bach a mwydyn, ac ambell slwen winglyd a oedd yn fwy o niwsens na'i gwerth. (Ni ellais erioed feistroli fy hun yn ddigon da i bysgota â'm breichiau noeth o dan y ceulannau, gan fy arswyd o frathiad gan fy ngelyn marwol, y llygoden ddŵr.) Eithr gan nad oedd gennyf lygaid da – handicap difrifol i'r heliwr a'r pysgotwr – bu farw'r nwyd gyntefig hon ynof o ddiffyg porthiant digonol. Hefyd, fe ddois i deimlo gydag amser fod pob creadur bach a mawr, yn leicio cael byw lawn cymaint â mi fy hun.

Bob hydref dôi'r eogiaid i fyny i afonydd y blaenau 'i gladdu' neu i fwrw eu hwyau yn 'y cladd' a wnâi eu torrau drwy sigl-rwbio

This is another chapter in the history of rural Wales that has not been written – 'The Entire Horse Groomsman', perhaps, or 'The Stallion Follower', as we say. The motorcar and that Englishman the shire horse have by today almost done for the occupation, and unless some keen-nostrilled rummager comes across an old stallion man's diary that has not yet rotted away on the wallplate under some stable-loft roof, and so gets a word in person with one of these colourful sojourners before he goes home, the history will not be complete. By lucky accident I met one of them in South Cardiganshire recently. He was a whole generation younger than Dai Perth yr Eglwys, but he knew him well and had been prancing horses along with him on Lampeter Lawnt on the afternoon of Ffair Dalis. According to the ample experience of this rosy-cheeked old grain of oats, the three essentials for a stallion man were a ready tongue, a slick conscience, and a bit of the blackguard at hand in him if he were needed. 'The king of the stallion men,' he said, 'was Dai Perth yr Eglwys. Yes, dammit, he was; Dai was the master of us all.'

In a place away from the public highway like Penrhiw no one ever troubled about keeper or policeman. The inhabitants of these parts were not poachers but free men, men who had never lost their freedom, laying their hands on what belonged to them naturally. It would be a dishonour for a free man to take out a gun licence or a rod licence, and no one ever dreamt of doing such a thing. As a boy I had shooting and fishing in my blood, like some of my father's family. My mother's family were quiet people, busy on the land, never thinking of gun or net or gaff or any trap except a mousetrap now and again. When I became a man I was a great shooter, but by today, I am glad to say, my hands are fairly clean as regards blood. After coming to Aber-nant I caught many trout with a worm on a hook, and an occasional wriggling eel that was more of a nuisance than it was worth. I could never master myself well enough to fish with my arms bare under the beetling banks, from a horror of getting bitten by my mortal enemy, the water rat. But as my eyes are poor ones, which is a serious handicap to a shooter or fisher, this primitive passion died in me from lack of sustenance. Also, I came in time to feel that every creature, great and small, likes to be alive as much as I do.

Every autumn the salmon came up to the upper reaches of the

yn y graean ar waelod y pwll. Mynych, tua diwedd Hydref a dechrau Tachwedd, y byddai cerdded distaw, craffus, gyda glannau'r afon i gael gweld ymhle y byddai claddau'r samon. Unwaith bob blwyddyn, tua'r adeg yma, rhoddai tri neu bedwar o lefydd o bob ochr i'r cwm – Penrhiw, Esgair Wen, Rhyd y Fallen Isa – ddiwrnod cyfan iddi i samona, a hynny, cofier, liw dydd glân, golau, nid gyda'r fflamdorch syfrdan, ganol nos, fel y gwneid yn gyffredin. Un o ddiwrnodau mawr y flwyddyn ydoedd hwn yn y cwm y'm maged i ynddo. Rown i'n rhy ifanc i gymryd unrhyw ran yn y gweithrediadau, ond rhaid fy mod i'n llawn sêl gan fy mod i'n ei gofio'n glir heddiw. Rhennid yr ysbail yn deg ar ddiwedd y dydd. Menyw fwyaf calonnog yr ardal ydoedd Mari Trefenty, a'i chartre'n union uwchben yr afon. Clywais ddweud nad oedd yn ddim ganddi hi fwrw hyd at ei hanner i'r dŵr, a hithau'n fam i chwech neu saith o blant, a thowlu samon braf yn glwt i'r gro. Potsier anystyriol ydoedd Mari, wrth gwrs, i fintai swyddogol y samona. Picwarch neu fforch, os gwelwch yn dda, yn syth o'r beudy, wedi gweld y pysgodyn yn whare'n y lli, oedd ei hunig offeryn at y gwaith – ac nid bachyn adfachog a thryfer deidi o waith Wiliam y Gof, Llansewyl, fel yr oedd gan y lleill. Gweithiwr dyfal ar ffermydd yr ardal ydoedd Dafydd, ei gŵr, heb ddim o'r pethau hyn yn apelio ato, ac eithrio'r swper well nag arfer wedi dod adre'r noson honno. Gŵr bach go fyr, syth o gorff ydoedd Nwncwl Jâms, ac fe ddywedid amdano y dilynai samon fel dwrgi o bwll i bwll drwy'r dydd, hyd nes ei gael e yn y diwedd. Rwy'n cofio'n net 'i weld e'n dod at y tŷ un diwrnod, a phastwn drwy dagell dau samonyn pert ar 'i ysgwydd e, a'u cwte nhw'n siglo, fflip-fflap, lawr at 'i arre fe.

A chyn darfod â'r pysgota y mae un peth bach hollol ddibwys wedi aros, rywfodd, yn fyw iawn yn fy nghof hyd heddiw. Cywain gwair yr oeddem ni, lond Dôl Fras G'irch o bobol, ar ddiwrnod godidog o haf. Yn nhop y Ddôl yr oedd pwll gweddol ddwfn, a cheulan uchel uwch ei ben; ac yno, a minnau'n rhyw bedair oed, efallai, y mynnwn i fod, drwy'r dydd gwyn, yn gwylio'r pysgod yn gwibio'n ôl a blaen yn y dŵr odanaf. Doedd dim shwd beth â 'nghael i oddi yno. O'r diwedd, trawodd Mari'r Forwyn ar gynllun a weithiodd yn rhyfeddol: 'Dim ond i chi ddod i'n helpu ni'n awr gael y gwair i'r ydlan i gyd erbyn heno, fe fyddwn i'n dod lawr a

rivers to bury – that is, to shed their eggs in the hollows they made with their bellies by rubbing to and fro in the gravel on the bottom of the pool. Often, towards the end of October and the beginning of November, silent walking and keen observing would be in progress along the banks of the river to ascertain where the salmon were burying. Once annually towards this time, three or four places each side of the vale – Penrhiw, Esger Wen, Rhydyfallen Isa – would devote a whole day to taking salmon, and that, mind you, in broad daylight, not in the middle of the night with the help of the dazing torch, as was generally done. This was one of the great days of the year in the vale I was born in. I was too young to take any part in the proceedings, but I must have been full of it, for I remember it clearly today. The spoils were fairly shared at the end of the day. Mari Trefenty was the heartiest woman in the neighbourhood, and her house was right above the river. I heard it said that she thought nothing of entering the river up to her waist, although she was the mother of six children, and then throwing a fine salmon, dab, on to the gravel. Of course, Mari was a rash poacher in the eyes of the official salmoning company. A pitchfork or a fork, if you please, straight from the cowhouse when she had seen the salmon playing in the stream was her only weapon, not the barbed hooks or the neat gaff made by William the Blacksmith, Llansewyl, which the others had. Dafydd, her husband, was a busy and regular worker on the neighbours' farms, and these things made no appeal to him, except in the form of a better supper than usual after coming home that night. Uncle Jâms was a straight-backed man, on the small side, and it used to be said that he would follow a salmon as an otter does, from pool to pool all day, till he got it in the end. I well remember him coming towards the house one day with the staff on his shoulder thrust through the gills of two fine salmon whose tails were swinging flip-flap down to the thighs.

Before I leave fishing, there is one quite unimportant little incident that has remained in my mind till today. We were harvesting hay, and Dôl Fras G'irch was full of people on that beautiful summer day. At the end of the meadow there was a fairly deep pool with a high bank above it, and that is where I liked to be when I was perhaps four years old or so, throughout the livelong day, watching the fish darting to and fro beneath me. There was no such thing as to get me from there. In the end Mari, our maid, struck on an idea that worked wonderfully well. 'If only you come

204

yr afon yma fory wedyn, drw'r dydd, i bysgota gyda'n gilydd. A dyna sbort gawn ni wedyn, 'te.' Llyncais innau'r addewid fel pysgodyn yn llyncu plufen a'r bach wrthi, a bwrw ati'n ffluwch i'r gwair. Ond ni ddôi'r diwrnod pysgota er mynych holi ac ymbil amdano. A mawr a fu'r siom i mi. A dyna'r tro cyntaf i mi ddechrau amau a oedd pawb yn dweud y gwir bob amser. Ar draul y profiad cynnar yna o siom, sylweddolais lawer tro wedi dod yn hŷn, y pwysigrwydd o beidio â thwyllo plentyn, hyd yn oed yn y pethau lleiaf. Mae'n bosib i fân dwyllo digon diniwed o'r fath, er cyrraedd ei amcan am y tro, efallai danseilio yn y plentyn, yn ddistaw a diarwybod, y ffydd ddiffuant honno mewn rhyw bethau a rhai pobl sy'n hanfod pob moesoldeb a phob gwir ddinasyddiaeth. Y ffydd hon sy'n rhoi gwerth ac ystyr mewn bywyd. Hi yw harddwch a diogelwch pob cymdeithas. Ni phery'r celwydd gorau ond dros nos.

Gyda'r gelltydd derw a phîn, y cymoedd cysgodol, y caeau soflog, a'r cloddiau a'r perthi trymion o'u cwmpas, roedd Penrhiw yn lle diguro fel magwrfa gêm o bob math. Megid yno rai ugeiniau o betris a ffesants bob haf – yn heidiau o'r deg i'r pymtheg, ac weithiau ddeunaw o rif, wedi eu deor o'r un nyth. O'u tarfu codai'r rhain yn dwr chwyrn gyda'i gilydd, a thrwst eu hadenydd fel taran. Nid oes harddach aderyn mewn bod na'r ceiliog ffesant 'a phob goludog liw fel hydref ar ei fynwes lefn', a'r iâr mor weddaidd lwys wrth ei ymyl. Pwy na theimla mor falch â'r ffesant ei hun o weld yr haid yn araf feddiannu cwr o gae sofol ar nawnddydd teg o Fedi? Unigolyn yw'r cyffylog, a'i big hirfain bron yn hwy na' gorffyn byr, bronnog. Yn nyfnder y cwm neu gyda bargod yr allt y ceir ef fynychaf, a'r gïach gwibiog, anwadal ei adain, camp y saethwr, o ganlyniad, ar gyrrau'r gweundir a'r gors. Adar cartrefo eu trigias yw'r petris a'r ffesants. Nid ânt byth ryw lawer y tu faes ochor y bryn neu'r cwm lle maged hwy. Hyd yn oed pan fo'r heliw ar eu trail, a thân y dryll arnynt, daw'r haid yn ôl o dipyn i betl tua'i hen gynefin, o hynny i'r nos. Tua brig yr hwyr clywir tryda brisg y betrisen yn galw eto at ei gilydd y gweddill na chwymp asant yn yr alanas.

Perthynai'r rhan isaf o blwyf Llansewyl, y rhan orau ohono, ran tir, i stad Rhydodyn, ac yr oedd rhannau o blwyf Caeo yn eidd

and help us now to get the hay into the haggard, all of it by tonight, we'll come down here tomorrow and fish all day long together. And won't it be fun, then?' I swallowed the promise like a fish swallowing a fly with a hook to it, and I went at it desperately in the hayfield. But afterwards, although I often asked for it, and implored her for it, the day's fishing would not come. My disappointment was bitter. That was the first time I began to doubt whether everybody invariably told the truth. At the expense of that early experience I have often realised, as a man, the importance of not deceiving a child even in the slightest thing. It is possible for petty deceit of an innocent kind to achieve its aim at the time and to undermine in the child, silently and unawares, the sincere faith in certain things and certain persons that is the essence of morality and true citizenship. It is this faith that gives life its value and meaning. It is the beauty and the security of every community. The best lie lasts only overnight.

Penhriw, with its oak and pine copses, its sheltered dells, its stubble fields enclosed by well-topped hedges, was unsurpassable as a breeding-place for all kinds of game. Scores of partridges and pheasant were reared there every summer in coveys of ten to fifteen, sometimes eighteen, hatched in the same nest. When startled they would rise suddenly together with the sound of their wings like thunder. There is no handsomer bird alive than the cock pheasant, 'and every rich hue like Autumn on his smooth breast', and his hen so seemly and comely at his side. Who does not feel as proud as the pheasant himself on seeing the flock slowly possessing a corner of a stubble field on a fine September noon? The woodcock with his long, thin beak, longer than his whole chesty body, is an individualist. In the depth of the dell or under the hanging edge of the wood more often – that is where he is to be found, and the darting snipe of fickle wing, the good shot's greatest feat consequently, is to be found on the edges of the moor and the bog. Partridges and pheasants are home-keeping birds. They never go much beyond the hillside or valley where they were reared. Even when their hunter is on their trail and the gunfire is upon them the flock – those which survive the massacre – will have come back gradually to their old ground by nightfall.

The lower part of the parish of Llansewyl, which was the better

i stadau'r Briwnent a Dolau Cothi, cartref Syr James Hills Johnes yn ein cyfnod ni. Oddi yno i fyny at geseiliau'r mynydd, gan gynnwys ardaloedd Gwarnogau Llidiad Nennog, Rhydcymerau, Esgerdawe, Ffaldybrenin, Llancrwys, yr oedd mwyafrif y trigolion yn berchen ar eu llefydd eu hunain. Dyna'r bobl na fyddent byth yn codi lesens at ddim. Roedd yr hen blasau a enwyd, fel eu tebyg ymhobman, yn cadw ciperiaid i fagu gêm ac i'w diogelu rhag 'y potsiers', neu'r dynion rhydd, yn hytrach; a'r tenantiaid, o leiaf, yn addo cadw eu dwylo rhagddynt, hyd yn oed pe gwnâi iâr ffesant ei nyth yng nghlawdd yr ardd, a phe canai'r ceiliog o ganol y gwely cennin. Eithr oni bai am y ciperiaid hyn, a dyledus barch y deiliaid at ŵr y plas, a pherchennog y tir, diau na allesid gwarantu sicrwydd deiliadaeth (*security of tenure*) na diogelwch einioes i'r adar prydferth hyn am ryw hir iawn. Pan ddiflannodd y plas yn ein bywyd cymdeithasol, diflannodd y ciper a'r ffesant hefyd yn ei gysgod. Roedd yno ormod o 'adar' eraill i gadw'r adar hyn er eu mwyn eu hunain. Ac nid ymhlith y ffermwyr, y rhai a'u magai 'yn dyner ac yn annwyl', yr oedd mwyafrif y sprotgwn hyn. Heddiw, mae deunod balch corn gwddwg yr estron lliwgar hwn, y ceiliog ffesant, mor fud yn y parthau yma â'r estron lliwgar arall hwnnw, y Barwn Normanaidd a'i dug yma gyntaf yn ddigon tebyg, ac a fu gynt, fel yntau, yn uchel ei gloch yn y Cantref Mawr. Bellach, er gwell neu er gwaeth, y gwningen lwyd, ddemocrataidd yw meistres y dalaith.

Roedd 'nhad, a 'nhad-cu hefyd, mae'n debyg, yn ddau saethwr da, a Nwncwl Josi yn lew am sgwarnog a chwningen – dim cystal am dderyn; ac Ifan, ei fab, neu Ianto Sa'r, fel y galwem ni ef yn fynych, y potsier distawaf a mwyaf marwol yn yr holl wlad. Pan fyddai Ifan yn cyd-hela â rhywrai eraill, fe'i ceid yn misio mwy na hanner ei ergydion. Yn ôl rhyw reddf gyfrin sydd ynddo, newidia'r pryf ei le, o fewn terfynau, gyda'r gwynt, a'r rhew, a'r glaw. A thrwy ryw reddf mor gywir ag yntau, ffroenai Ifan ei gwat mor ddifeth â chi seter. Nid oedd dianc rhagddo. Roedd mor gudd yn e grefft â'r llwynog. Odid y gwelai neb ef wrthi fel ag i'w gyhuddo'r agored. Weithiau, yn y bore bach, clywid 'Powns!' hanner myglyd draw yn y pellter gan rywun wrth feddwl am godi; neu'n hwyr y nos, o bosib, golau leuad fel y dydd ar yr eira cras, a'r sgwarnog yn dod lawr o'r mynydd am damaid a chysgod. Ifan, yn ei wisg a'

part for quality of land, belonged to Rhydodyn estate, and parts of the parish of Caeo belonged to the estates of Briwnent and Dolau Cothi, Sir James Hills Johnes's home in our period. From there up to the mountain recesses, in an area including the districts of Gwarnogau, Llidiad Nennog, Rhydcymerau, Esgerdawe, Ffald y Brenin, and Llancrwys, most of the inhabitants owned their own places. These were the people who never took out a licence for anything. The old mansions I have named, like their likes everywhere else, kept keepers to breed game and to guard them from the 'poachers', or rather the free men, and the tenants at least promised to keep their hands off them even if a hen pheasant nested in the garden hedge and the cock lifted his voice in the middle of the leek-bed. But were it not for these keepers and the respect due from the tenants to their landowner in his mansion, there would have been no possibility of guaranteeing security of tenure, or of life, for these beautiful birds for the shortest space of time. When the mansion disappeared from the social scene, so, in its wake, did the keeper and the pheasant. There were too many birds of another kind about for these birds to be kept for no other purpose. And most of these pilferers were not to be found among the farmers, who reared the birds tenderly and lovingly. Today the proud, throaty two-noted cry of this colourful foreigner, the cock pheasant, is as silent in these parts as that other alien, the Norman baron, who probably brought him here and whose own voice also was once loud in the Cantref Mawr. Today, for better or worse, the brown plebeian rabbit is mistress of this province.

My father and my grandfather before, it seems, were good shots. Uncle Josi was good for a hare or a rabbit, not so good for a bird, and Ifan, his son, Ianto Sa'r (Ianto the Carpenter), as we often called him, was the most silent and deadly poacher in the whole country around. When Ifan was out shooting along with others, he would miss more than half his shots. In obedience to an instinct hidden from us, these creatures change their haunts, within limits, with the wind, the frost, and the rain. And with an equally true intuition Ifan would sniff their quats as surely as a setter. There was no escape from him. He was as secretive in his craft as a fox is. No one, unless it was a great wonder, ever saw him at it, to accuse him openly. Sometimes, in the early morning, a half-smothered 'Powns!' would be heard away in the distance by someone or other who was just considering getting up, or late at night, it might be,

208

flewyn brown, liw'r cloddiau, fyddai yno'n ddigon tebyg, yn rhoi tro bach dros 'i stad helaeth, heb neb, yn awr, i amau ei hawl arni. Eithriad y pryd hwn, medden nhw, fyddai i'w ddryll ef fisio dim.

Gŵr clòs ei gyfrinach ydoedd Ifan mewn materion fel hyn. Ni chadwai gi, mi gredaf rhag i hwnnw wybod ei lwybrau, ac efallai ddilyn ei ffyrdd amheus ef mewn cymdeithas. Canys dyn tyner-galon oedd Ifan, er gwaethaf ei bowdwr a'i blwm. Ond bellach, a phob pry'n ddiogel rhagddo, a phob grwgnachwr mor dawel ag yntau yn y glyn, gallaf, yn awr, fentro cyhoeddi i Ifan, un tro, gyda sniff neu ddwy o ymddiriedaeth arbennig yn ei ffroenau, ddweud wrthyf i, ei gefnder, flynyddoedd yn iau nag ef, iddo ef, yn ystod gaeaf caled 1916-17 a'i rew a'i eira am wythnosau o'r bron, ladd un ar ddeg a deugain o sgwarnogod ar yr un darn o waun wrth odre'r mynydd. Ond ni chyhoeddaf yma pa waun yw hon rhag bod yno fwy o sentinels nag o sgwarnogod y noson wedi'r eira nesaf. Roedd pris y sgwarnog ar y pryd yn hanner coron – tâl diwrnod o waith.

Roedd Ifan, y dernyn cryno hwn a'r war gadarn, o gyfansoddiad eithriadol o gryf. Ond ar hyd ei oes fe beryglodd ei iechyd yn ddifrifol oherwydd y 'gynneddf' hon o ymlid yr adar gwylltion a osodwyd arno – yn wlyb, yn fynych, hyd ei hanner cyn mynd at ei waith y bore, heb feddwl am newid. Ond hen foi hyfryd oedd y Sa'r, mor gysurus â'r pwnsh bob amser yn ei drowser rib, llydan, llaith, yng nghanol y coed a'r siafins. Adeiniog ydoedd ei droseddau, wedi'r cyfan, a phawb yn y bôn yn hoff ohono. Roedd ganddo gryn dipyn o wybodaeth, a mwy o ddychymyg, ac yr oedd yn ŵr bonheddig naturiol. Fel Dafydd 'r Efail Fach roedd yn sylwedydd o'r tu allan ar fywyd, ac fel yntau cyfoethogodd fywyd y fro â llawer ymadrodd ffraeth a threiddgar.

Oherwydd hen gysylltiadau roedd Dafys Ffrwd Fâl, *agent* i rai o stadau mawr y sir, yn fath o noddwr ffiwdalaidd i'r rhan honno o'r ardal a berthynai i blwyf Llansewyl. Ac o barch iddo cadwai rhai o'r ffermwyr eu helwriaeth, mewn enw, i deulu Ffrwd Fâl. Doent yno rai troeon yn ystod y sesn i hela – Dafys ei hun, a Cyril ac Oswyn, ei feibion, gwŷr yr ardal yn ffusto iddynt, a chael tipyn o fara a chaws a chwrw yn y Cart an' Horses i ddiweddu'r dydd yn llawen. Meddai'r Sa'r ryw dro am un o'r ffermwyr hyn a edrycha

209

with moonlight like daylight on the crusted snow and the hare coming down from the mountain for a bite and for shelter. Ifan in his brown clothes, and himself brown-haired, the colour of those winter hedges, he would be the one most likely, going a little round on his wide estate with no one about at this time of day to dispute his right to it. On such occasions, it was said, it was a rare exception when his gun missed.

Ifan was a man who closely guarded his secret in this matter. He did not keep a dog, and I think it was in case it got to know his paths and, perhaps, followed its master's dubious ways in society. For Ifan was a tenderhearted man in spite of his powder and lead. But now, with every hunted creature safe out of his way and every grouser as silent as himself in the valley, I can venture to publish the fact that Ifan once, with one or two sniffs of the confiding spirit in his nostril, told me, his cousin many years younger than he, that in the hard winter of 1916, when there was frost and snow on the ground for weeks at a time, he killed fifty-one hares on the same piece of moor at the foot of the mountain. I will not announce here which moor it was in case there be more sentinels than hares on it the next night after the next snow. The price of a hare at that time was half a crown, the pay for a day's work.

Ifan, with his compact body and heavy shoulders, was of exceptionally strong constitution. But throughout his life he endangered his health seriously through this destiny placed upon him to chase wild birds, wet at times up as far as his waist before he went to work, and without thought of changing. But he was a delightful old fellow, always as pleased as Punch, in his corduroy trousers, broad and damp, among the timber and shavings. His offences were winged ones, and everyone at bottom was fond of him. He had a certain degree of knowledge and more imagination, and he was one of Nature's gentlemen. Like Dafydd Efail Fach, he was an observer of life from the outside, and like him too, he enriched the social life of his locality with many witty and cogent sayings.

Dafys Ffrwd Fâl, agent of some of the big estates in the county, was through old connections a kind of feudal patron to the part of our locality that belonged to the parish of Llansawel. And out of respect for him some farmers reserved their game, in name at least, for the Ffrwd Fâl family. They came a few times during the season to hunt, Dafys himself and his sons Cyril and Oswyn, the men of the neighbourhood beating for them and getting bread and cheese

dipyn yn gilwgus arno ef oherwydd ei dolli dirgel ar y gêm, 'Rŷch chi'n gweld,' meddai ef, gyda'r sniff-sniff arferol honno, 'fe fyddai'n well gan Hwn-a-Hwn dderbyn peint o law Dafys Ffrwd Fâl yn y "Cart" na chael y fuwch ore a fu mewn boudy ariod.' Ifan, hefyd, a glywais i'n dweud, wedi'r tro hwnnw y bu e yn y gweithiau, fod y mwg a welsai'n codi o ffwrneisi tân Dowlais 'mor dew nes bod gieir yn gallu 'i gerdded e.'

Soniais eisoes am ddiwrnod o bysgota. Mae gennyf led syniad fod yno hefyd ryw ddiwrnod o hela mwy arbennig na'i gilydd – heblaw fod 'nhad yn cario dryll yn ddigon mynych wrth fynd i edrych am y 'nifeiliaid, rhag i Mac, y ci defaid amryddawn hwnnw, godi rhywbeth ar y daith. Arferai Morgans Tan Coed Eiddig, perthynas pell i 'nhad, er na ddeallais i erioed sut y perthynent, ddod draw yco'n gyson ar gyfer helfa gynta'r hydre, tua diwedd mis Medi, cyn bylchu odid ddim ar yr heidiau. Roedd Morgans – ni chlywais erioed mo'i enw cyntaf, am wn i, a dyna'r unig droeon y gwelais ef – yn dipyn o fardd, ac yn gynganeddwr. Cofiaf y cwpled hwn o'i englyn i'r Fam a glywais gan rywun flynyddoedd yn ddiweddarach:

Mawr yw hon ar y mur o hyd
A'i bwa'n gwylio bywyd.

Roedd yno helfa fawr, yn wastad, fel y gellid disgwyl, a chofiaf yn dda ei gweld, ar ddiwedd y dydd, wedi ei thaenu ar lawr y gegin. Wn i ddim am stad fy rhifyddeg ar y pryd, gan nad own i wedi dechrau mynd i'r ysgol. Efallai mai ei glywed ar ôl hynny a wneuthum, neu fe all fod yn anghywir, ond y mae'r argraff wedi ei adael yn sicr ar fy meddwl fod yno un tro, ddau ar bymtheg ar hugain o gyrff o bob math – yn ffesants, petris, cyffylogiaid, gïach neu ddau, efallai, ac ambell sgwarnog a chwningen yn eu plith. Wedi i'r helwyr wledda eu llygaid ymhellach ar yr adar prydferth hyn ar lawr yn y fan honno, tra fyddent hwy o gwmpas y ford yn cael tamaid ar ôl lludded y dydd, ac wrthi'n ddyfal hefyd yn ail-gwympo ac yn ailgolli'r sglyfaeth, a Mac a'r cŵn eraill yn glustiau i gyd o glywed eu canmol neu eu condemnio am eu gwaith gosodid yr helfa gyfan mewn sach neu ddwy, ac âi Morgans bach â hi yn dil yn ei gar poni trwy bentre Esgerdawe, heibio i 'Dŷ Jem'

and beer in the Cart and Horses to end the day in good cheer. Said the Carpenter on one occasion of one of the farmers, who was scowling at him because of his clandestine tax upon the game, 'You see,' he said, with his usual sniff-sniff, 'So-and-so would prefer a pint of beer out of Dafys Ffrwd Fâl's hand to the best cow that ever came into a cowhouse.' It was Ifan, too, I heard saying after that visit he paid to the industrial valleys, that the smoke he had seen rising from the furnaces in Dowlais was so thick that hens could walk it.

I have written of a day's fishing, and I have a vague idea that there was also a day's shooting – that is, a special one. My father quite often carried a gun when he went round the stock, to be ready if Mac, that versatile sheepdog of ours, raised anything on the way. Morgans, Tan Coed Eiddig, a distant relative of my father's – although I never understood how they were related – used to come over regularly for the first shoot of the season towards the end of September, when the flocks had scarcely been breached to any degree. Morgans – I never heard his first name and never saw him except at these times – was a bit of a poet and *cynganeddwr*. I remember these two lines from an *englyn* of his to 'The Mother' told me many years later by someone:

> *Great she still stands on the high wall,*
> *And she guards their life with her long bow.*

There was good hunting there always, as could be expected, and I well remember seeing it at the end of the day spread on the kitchen floor. I don't know what the state of my arithmetic was in those days, as I had not started school. Perhaps this was the account I heard afterwards, or perhaps it was quite wrong, but the impression I have clearly in my mind is that there were thirty-seven bodies there – pheasants, partridges, woodcock, a snipe or two, perhaps, and a hare and a rabbit here and there among them. When the shooting party had feasted their eyes further on these beautiful birds on the floor, while they were around the table getting something to eat after the day's exertions and were at it again, too, bringing down the birds a second time and losing them again while Mac and the other dogs were all ears hearing themselves being praised or condemned for their work, then the whole shoot was put into a sack or two, and Morgans bach would take it trimly in his pony trap through the village of Esgerdawe past Tŷ Jem (or the

212

(neu'r 'Mountain Cottage') ac i lawr i Dan Coed Eiddig, gerllaw'r 'Ram' ar ffordd Llambed, heb feddwl, mae'n debyg, y gallai adael ar ôl gymaint â lifret cwningen i'r sawl a fu'n porthi'r fintai gref yma drwy'r haf, ac yn diogelu'r rheini yn ystod misoedd y gaeaf.

Roeddent yn werth punnoedd o arian, mewn gwirionedd, gan fod y ffesant a'r cyffylog y pryd hwnnw yn ddeuswllt neu hanner coron, a'r betrisen yn ddeunaw; a chofiaf 'nhad a 'mam yn sôn am y mater yn ddiweddarach, a rhywbeth rhwng direidi a pheth syndod yn eu siarad. Ond diwrnod Morgans ydoedd hi. Roedd yno ddigon ar ôl, wedyn, ac nid er mwyn eu gwerth y megid yr adar hyn, ond er mwyn y balchder o'u gweld ar y tir, a chael weithiau dipyn o hwyl drwy foddio rhyw nwyd blentynnaidd mewn dyn, a phrofi cywirdeb llaw a llygad wrth dreio'u cwympo, druain. Dywedais rywle'n barod am y ceiliog ffesant gwyn hwnnw a gymysgai'n rhydd â'r ieir yn y berllan ger y clos, ac y saethodd rhyw gymydog ef heb wybod dim am ei gysylltiadau personol â phobl y tŷ. Arferai 'mam fynd i'r berllan weithiau, a cherdded yn bwyllog ddidaro i gyfeiriad y ffowls, er mwyn ei weld yno yn rhodianna fel tywysog a chymryd ei fwyd yn ddisyml ymhlith y werin gripgoch o'i gwmpas. Bu'n siom ryfedd iddi wybod am ladd yr aderyn hwn drwy fandaliaeth mor anystyriol. Ac ys dywedod Ifan y Sa'r, nid wyf yn siŵr na theimlodd fy mam, hefyd, ar y pryd, mor whith o golli'r ffesant gwyn â phe coll'sai un o'r gwartheg o'r beudy.

Fy nhad-cu, mi gredaf, o'r werin bobl oedd y cyntaf i elfentu mewn dryll yn yr ardal hon. Milgi a magal a'r trap danheddog, creulon, yn bennaf ydoedd yr hen ddull o ddal y pryfed gwylltion, heblaw, wrth gwrs, y brithgwn a fyddai wrthi beunydd yn ffroeni ac yn cwrso rhywbeth neu'i gilydd, yn gystal ag ambell hen aristocrat o gi defaid fel Mac, a gawsai, rywfodd, y doniau oll. Cymaint o aristocrat ydoedd Mac, yn wir, fel na adawodd yr un o'i dras ar ei ôl, hyd y gwyddys. Pes gadawsai, hwyrach mai'r cŵn fyddai ein huchelwyr ni erbyn hyn, yn rhinwedd eu doethineb amgenach, fel y ceffylau yng ngwlad Gulliver gynt. Fe'n llywodraethid ganddynt, yn ddiau, gyda gweledigaeth ddyfnach i hanfod pethau na'r dynionach cibddall sydd wrthi'n gynddeiriog heddiw yn chwipio'r Belen gyfan i'r Diawl.

Mountain Gate) and down to Tan Coed Eiddig, near the Ram, on the Lampeter road, without a thought, it might have been, that he might have left at least as much as a young rabbit for those who had fed this great host throughout the summer and during the winter had protected their lives. Indeed, they were worth pounds and pounds, as the pheasant and the woodcock at that time were worth two shillings or half a crown and the partridge one and six. I remember my father and mother mentioning the matter later, with mischief mixed with some surprise in their voices. But it was Morgans' day. There was plenty left behind, and the birds were not reared for their market value, but for the pride of seeing them on the land, and for the opportunity of getting some enjoyment out of satisfying a childish passion in the human mind and of testing the accuracy of eye and hand by trying to bring the poor things down. I have somewhere mentioned the white cock pheasant that mixed freely with our hens in the orchard near the fold, and have related how some neighbour or other shot it, not knowing anything of its personal relations with the people of the house. My mother used to go out to the orchard and walk slowly in the direction of the fowls, simulating unconcern, in order to see him going about like a prince among them and then taking his food nobly among the red-combed common folk around him. It was a great shock for her to find out that the bird had been killed in an act of such heedless vandalism. And as Ifan the Carpenter said, I am not sure but that my mother felt it so badly losing the white pheasant as if she had lost one of the cows in the cowhouse.

Of the people, as distinct from the gentry, I believe my grandfather was the first in this district to take a delight in shooting. Greyhound and snare and cruel-toothed trap; these, chiefly, were the old means of catching wild animals, apart, of course, from the mongrel dogs who were at it every day, scenting and coursing something or other, as well as one or two aristocratic old sheepdogs like Mac, who, somehow, had been given all the gifts. Mac was so exclusive in his aristocratic ways that, as far as is known, he left no lineage. Had he done so, perhaps dogs would now be our rulers by virtue of their greater wisdom, like the horses in Gulliver's land of old. They would surely rule us with a deeper insight into the nature of things than the dim-eyed men who are at it madly today whipping the round world to the Devil.

214

Roedd heboca wedi darfod o'r tir ers canrifoedd, a'r dryll powdwr a siots, yr hen 'muzzle loader', yn ddrud i'w brynu, heb sôn am y drwydded drom arno i'r dyn cyffredin yn amser caled hanner gyntaf y ganrif o'r blaen. Yn wir, gellid dweud mai'r 'gwŷr mawr', perchenogion y stadau, na chaniataent y rhyddid hwn i'w deiliaid, yn unig bron a gariai ddryll yr adeg honno, ac ymhell wedi hynny. Yr eithriadau, fel y dywedwyd, ydoedd yr ardaloedd diystad, gyda rhimyn deheuol y mynydd, fel yr eiddom ni, o Frechfa a Gwarnogau hyd at Lancrwys a Mynydd Mallaen- – hendrefi Eirug, Llywelfryn, Gwenallt a llawer o lenorion gwlad, glew eu hawen – Tom Jones, Gwarcoed, awdur *Manion y Mynydd*; D. O. Jenkins, Esger Lyfyn, awdur *Crwth Llanybydder*; Ehedydd Jones – yn dad a mab; Josi'r Gof; Nwncwl Josi (Trawsgoediwr); Dafydd Blaen Gorlech a John ei frawd, a John Rees Daniel yr englynwr o Bontyberem, o do ifancach; gwŷr a faged i gyd ar Ryddfrydiaeth a *Baner* Thomas Gee. Aeth rhai o blant diweddarach yr ardaloedd hyn i Ysgolion Sir Llandeilo a Llandysul a Llambed, yn awr, a diflannu o fodolaeth yno, gan mwyaf, drwy ddannedd y Central Welsh Board, y 'Peiriant Mwrdro Cenedlaethol'.

Wedi gadael Llywele, o'r diwedd, ar stad Rhydodyn a'r *agent* hanner pan hwnnw y cwerylodd ag ef, nid hwyrach nad un o'r pethau cyntaf a wnaeth 'nhad-cu ydoedd mynnu hawl y dyn rhydd i gario'i ddryll ar ei dir ei hun – a hynny heb godi lesens Llywodraeth at y gwaith. Ac fel yr unig berchennog dryll yn ei gylch yr adeg honno, roedd ganddo yntau stad go lew i gerdded drosti ar dir ei gymdogion, a 'nhad ar ei ôl. Ac nid wyf yn credu i neb fod ar ei golled o estyn y rhyddid hwn iddynt. Hyd yn oed wedi i ddrylliau ddod yn weddol rad a chyffredin yr oedd digon o ffermwyr a thyddynwyr heb unrhyw elfen mewn dryll. Ac wrth basio drwy'r clos neu droi i mewn am glonc, ar ddiwrnod garw neu ar hwyrnos gaea, roedd cwningen fach neu ffesantyn bach yn eitha derbyniol ganddynt hwy bob amser.

O fewn fy nghof i y daeth y *breech loader* i'r ffasiwn, a'i gatris hwylus y gellir eu gosod i mewn a'u tynnu allan o'r dryll fel y mynner. Mae fflasg bowdwr hen ddryll fy nhad-cu gennyf yn awr a'r bag bach lleder cryno i gadw'r siots. I lodo'r dryll hen ffasiwn fe wesgid sbring fechan ar dop y fflasg a gollwng allan, ar y tro, tua llond gwniadur go dda o bowdwr llwyd, sef swmp ergyd, i'w roi yr

Hawking had become extinct in this countryside centuries earlier, and the powder-and-shot gun, the old muzzleloader, was dear to buy, not to speak of the licence, which was heavy for the common man in the hard times of the first half of the last century. Indeed, it may be said that the gentry, the owners of the estates, who did not allow their tenants this privilege, were the only ones who carried guns at that time and for a long time afterwards. The exceptions, as I have said, were in those districts where there was no estate land, along the southern edge of the mountain, like ours from Brechfa and Gwarnogau to Llancrwys and Mynydd Mallaen – including the ancient family homes of Eurig and Llywelfryn and Gwenallt, as well as of able writers of local repute: Tom Jones Gwarcoed, author of *Manion y Mynydd*; D. O. Jenkins Esger Lyfyn, author of *Crwth Llanybydder*; Ehedydd Jones – father and son; Josi'r Gof; Uncle Josi (Trawsgoediwr); Dafydd Blaen Gorlech; and of a younger generation John Rees Daniel, the *englynwr* of Pontyberem; men who were all brought up on Liberalism and Thomas Gee's *Baner* newspaper. Later, some of the children of the neighbourhood went to Llandeilo and Llandysul and Lampeter County Schools and then disappeared from existence between the teeth of the Central Welsh Board, that machine for killing a nation.

After leaving, at last, Llywele on Rhydodyn estate and that half-baked agent who fell out with him, it is very likely that one of the first things my grandfather did was to assure the right of a free man to carry a gun on his own land, and that without taking out a Government licence. And as the only owner of a gun at that time in that neighbourhood he had a good-sized estate to walk over on his neighbours' land, as had my father after him. I don't think anyone was the worse off for extending him this privilege. Even when guns had got fairly cheap and were in common use, often enough there were farmers to whom they made no appeal. And when my father went through the fold of one of them or turned in for a chat on a stormy day or on one of the long winter nights, the little rabbit or pheasant was always found very acceptable.

The breechloader, with the handy cartridge that can be so easily put in and taken out, came into fashion within my own memory. I still have the powder-flask that belonged to my grandfather's gun and the compact little leather bag for carrying the shot. To load the old-fashioned gun a spring on the top of the flask was pressed, and a good thimbleful of grey powder, sufficient for one charge, was let

y faril. Ar ei ôl gwneid pelen fechan o bapur, a'i ramio lawr yn dynn â'r roden at y gwaith a ffitiai'r rhigol yn y canol o dan y ddwy faril. Wedyn, arllwysid i mewn tua'r un faint o siots, a ramio'r papur ar eu hôl eto – y siots manaf at adar, a'r brasaf, hyd y gellid, at y creaduriaid blewog, yn enwedig pan fyddid weithiau yn hela cadno. Canys gŵr anodd i fynd o dan ei groen ydyw ef. (Hoelen oedd gan Shemi Wâd, 'slawer dydd, yn 'i ddryll, medde fe, pan saethodd e'r cadno hwnnw drwy flaen 'i gynffon, ar Ben Caer, Abergwaun, nes 'i fod e'n hold ffast yn sgrabiniad wrth y post llidiard gyferbyn!) I danio'r ergyd, gosodid y gapsen yn y nipl, fel y'i gelwid, a thynnu'r triger i daro'r fflach. Mewn bocs pils ym mhoced ei wasgod y cadwai 'nhad y caps yn sych a diogel.

Byddai'r hen ddrylliau, gyda'u powdwr a'u siots a'u caps ar wahân, nid yn unig yn drafferthus, ond heb ofal priodol gallent hefyd fod yn beryglus. Weithiau byddai'r powdwr yn yr ergyd, o'i adael yn rhy hir yn y faril, yn lleithio, ac yn gwrthod tanio pan ddylai. Byddai wedyn raid dadlwytho'r ergyd â gwifren briodol at y gwaith – gorchwyl tra thiclis. Bryd arall, gosodai rhywun, mewn anwybodaeth, ergyd eto i mewn yn y faril ar ben yr ergyd a oedd yno'n barod – gyda ffrwydriad anochel pan daniai'r dryll. Pan own i ym Mhenrhiw rwy'n cofio am Ifan, gwas Esgair Wen, a ffiniai â ni, yn colli gwerth ei law whith am ei oes drwy i faril y dryll ffrwydro wrth iddo danio ergyd drwy fôn y berth at geiliog ffesant ar yr egin gwenith hydre; ac am John, fy nghefnder, brawd Ifan Sa'r, yr un modd, yn colli nifer o'i fysedd ar fanc y Trawsgoed, a hynny ar fore Nadolig, ac yn cerdded dros y bencydd, bedair neu bum milltir o ffordd, a'i law friwedig yn ei fynwes i lawr at Doctor Ifans ym mhentre Llansewyl, rhag i neb wybod iddo gael damwain â dryll, ac yntau heb lesens i'w gario. Roedd *exciseman* yn y pentre yr adeg honno, heblaw'r plisman.

A mynd yn ôl at y saethu eto, ynte, aderyn braidd yn anodd i'w gael i lawr yw'r cyffylog, medden nhw, oni ddeallir ei dro sydyn; ond nid tebyg cynddrwg â'r gïach chwaith. Y ffordd orau i gwympo gïach yw ei daro'n union wedi iddo godi, cyn dechrau ar ei driciau gwamalog. Ar hedfan, mae'n debyg i ddarn whecheiniog yn siglo wrth gordyn yn y gwynt. A dyna bris y deryn gynt. Fe wariwyd llawer punt erioed i geisio taro'r pisyn whech hwn i'r llawr. A chan nad yw'r deryn iach hwn, arian byw y corsydd, yn debyg o groesi

217

out to be put into the barrel. Then a little paper pellet was made and rammed in after it with a rod for the purpose, which fitted at other times into the groove in the middle underneath the barrel. Then about the same bulk of shot was poured in and paper again rammed on top of it – the smaller shot for birds and the bigger, as far as possible, for furred creatures, especially when the fox was to be hunted with the gun, as was sometimes the case. For it is difficult to get under his skin. (Shemi Wâd, in the old days, had a nail, he said, when he shot that fox through the tip of his tail on Pen Caer, Fishguard, and fastened him to a gatepost thus, where it was scratching in its efforts to get away.) To fire the gun you put a cap in the nipple, as it was called, and pulled the trigger to fire. My father carried caps in a pillbox in his waistcoat pocket, where they were safe and dry.

The old guns with powder and shot and caps separate were not only inconvenient, but sometimes, without proper care taken of them, they could be dangerous. Sometimes the powder in the charge would have got damp through being left in too long and would not fire. The gun would then have to be unloaded with a wire for the purpose, and this was a very ticklish operation. Another time, someone might put in a charge in ignorance of the one that was there already, with the inevitable burst when the gun was fired. When I was living in Penrhiw I remember Ifan, the man in service at Esger Wen, a farm adjacent to ours, losing the use of his left hand for life through the barrel of a gun bursting when he was shooting between the bottoms of two hedgerow trees at a cock pheasant that was on the autumn wheat; and my cousin John, Ifan the Carpenter's brother, lost some of his fingers in the same way on Trawsgoed hill, and that on Christmas morning, and he walked over the hills for a distance of four or five miles with his wounded hand to his breast, down to Dr. Ifans in Llansewyl village, for no one to know that he had had an accident with a gun, without a licence for it. There was an exciseman in the village at that time as well as the policeman.

To return to the shooting. The woodcock is a difficult bird to get, they say, unless you have the secret of its sudden turn in flight, but it is not nearly as bad as the snipe. The best way to bring down a snipe is to hit it straight after it has risen, before it begins its artful lodges. In flight it looks like a sixpenny-piece wagging on a string in the wind. And that used to be the price of the bird, too. Many

ein llwybr eto, cystal i mi orffen ag ef yma drwy fynegi i chwi yr anghredadwy yn fy hanes i – sef i mi, ie, fi, y saethwr salaf yn saith sir y de, unwaith, fy hunan fach, gwympo gïach cyfan i'r ddaear. (Dyw'r ffaith mai damwain noeth ydoedd hynny nac yma nac acw. Ffaith ydy ffaith, onid e?) A bore Nadolig ydoedd hwnnw, hefyd. Y ffasiwn baganaidd gyda ni, rai llefydd yn rhan uchaf plwyf Llansewyl a berthynai i ardal Rhydcymerau, yn wastad, bob bore Nadolig ydoedd mynd i hela. Y prynhawn a'r hwyr yr oedd y steddfod fawr flynyddol. Hela er mwyn yr hwyl a'r sbri o fod gyda'n gilydd a fyddem, yn hytrach na bod o dan draed y menywod wrthi yn y tŷ yn paratoi'r ginio gan na wneid dim gwaith y diwrnod hwnnw. Erbyn yr adeg hon o'r gaeaf ni fyddai rhyw lawer o gêm ar ôl, ychwaith, dim ond ambell i aderyn, a hwnnw megis 'wedi ei buro drwy dân'. Ond fe ddôi adar y gwasgariad yn ôl at ei gilydd yn rhyfedd wedyn, ac ambell un atynt o ffiniau'r stadau cyfagos, efallai, erbyn y gwanwyn ac amser dewis cymar a threfnu nyth. Os codai sgwarnog rhwng cropiau'r eithin mân ar y banc, neu o dwmpath brwyn ar y gors, gorau oll. Ac os dihangai megis â chroen 'i chlustiau, wedi i gwpwl o siots ganu heibio iddi, wel, gorau oll eto, gan y gellid, yn ddigon posib, gael torraid neu ddwy o'i hepil erbyn y gaeaf, wedyn. Fodd bynnag, rhaid fod gweddill yr adar gwylltion hyn wedi cwato'n ddifrifol o glòs y dydd hwnnw, neu yr oeddent fel yr adar dof – y gwyddau, y twrcis, y ffowls, a'r combacs yng nghân Idwal Jones – wedi cofio fod 'y Nadolig yn nesáu' yn yr ardal anwar hon, ac wedi cymryd eu hadain dros y bencydd i ryw fro mwy Cristionogol; canys yr unig beth a godwyd, wedi bore cyfan o gerdded, ydoedd y gïach tynghedus hwnnw. A chan nad oedd dim arall i'w wneud â'r ergydion, cofiaf amdanaf ar y diwedd, gyda rhyfyg llencyndod ffôl, yn cydio yn stoc dau ddryll, un ymhob llaw, a chan estyn fy mreichiau i'r awyr, yn tanio'r ddau ergyd yr un pryd – fel rhyw fath o Buffalo Bill yn trin ei bistolion. Gyda llaw, hwn oedd y Nadolig olaf i mi cyn gadael cartref am y tro cyntaf – byth i ddychwelyd mwy fel dinesydd cyflawn. Y pedwerydd o Ionor dilynol, sef Ionor 1902, rown i'n mynd i weithio i Forgannwg yn un ar bymtheg oed er diwedd Mehefin cynt, ac ni chredaf i mi fod yn hela fawr o ddim, byth wedi galanas y gïach y bore hwnnw. Gyda'r ddau ergyd rhyfygus hynny, yn gwbl ddiarwybod i mi, rhois, fel petai, y ffling olaf i'r bywyd gwledig

pounds have been spent in trying to hit down this sixpenny-piece. And as this venturesome bird, the quicksilver of the bogs, is not likely to cross our path again, I had better close my account of him here by relating the incredible fact that I, yes, I, the poorest shot in the seven counties of the south, once, on my own, brought down a whole snipe to the ground. (The fact that it was a sheer accident is neither here nor there. A fact is a fact.) And that was on Christmas Day in the morning, too. It was a custom of ours, and a pagan one it was, in the upper part of Llansewyl parish, the part which belonged to the Rhydcymerau district, to go out shooting on Christmas morning. In the afternoon and evenings the big annual eisteddfod was held. We went shooting for the fun of being out together, instead of in the women's way when they prepared the dinner, as no work was done that day. By that time of the year there wasn't much game left, only a bird or two that had been, as it were, purified through fire. But the birds of the dispersion would gather again, wonderfully, and a few along with them maybe from the edges of the adjoining estates, by mating- and nestmaking-time in the spring. If a hare started between the bushes of small gorse on the hillside or out of a clump of rushes on the bog, it was all the better for that. And if it escaped by the skin of its ears, as it were, after a few shot had whistled past it, well, that too was all to the good, as we might get a litter or two of her young by the following winter. However, the remnant of the birds must have been hiding very close that day, or, perhaps, like the domesticated ones, the geese, turkeys, fowls, and guinea fowl in Idwal Jones's song, they had recollected that Christmas was coming in these uncivilised parts and had taken flight over the hills to a more Christian region, for the only thing that was started after a whole morning's walk was that fated snipe. And, as there was nothing else to do with the cartridges, I remember how at last I caught hold of the stocks of two guns, one in each hand, in the foolhardiness of youth, and, stretching my arms up, I fired off the two into the air at the same time, like a sort of Buffalo Bill handling his pistols. Incidentally, this was the last Christmas for me before leaving home for the first time, never to return to its full citizenship. On the 4th of January next, January 1902, I was on my way to Glamorgan, sixteen years old since June, and I don't think I was ever out shooting much after the slaughter of the snipe that day. With those two highspirited shots I took my last fling, as it were, of the unspoiled rural life I

220

diledryw, y bywyd a gerais gymaint mewn atgof ar hyd fy oes – y cyntaf un o'm llinach erioed, mi gredaf, i adael y tir. 'Gwŷr a aeth Gatraeth, oedd ffraeth eu llu'. Ac megis yng Nghatraeth gynt, nid oes heddiw'n aros ond un yn unig i adrodd hanes 'cyrchu corff y gïach adre'. Roedden ni'r bore hwnnw yn whech o lanciau'n hela, cyn iached a chyn gryfed â'n gilydd, pedwar ohonom wedi ein geni o fewn pedwar mis i'n gilydd, rhwng Chwefror a Mehefin 1885; sef yn nhrefn ein hoed, Dafydd Cwmcoedifor, Ifan y Llether, Jac y Brynau a minnau; a'r ddau arall, John Cwmcoedifor ac Ifan y Brynau, ond rhyw ddwy neu dair blynedd yn hŷn. Ers rhai blynyddoedd bellach, a chwith i mi yw'r meddwl, nid oes ond myfi fy hun yn aros. Bu'r tri chyntaf, fy nghyfoedion union i, farw o fewn rhyw ychydig flynyddoedd i'w gilydd, a hynny rywle o gwmpas y trigain oed; a'r ddau arall, John ac Ifan – Jac a Ianto i ni, fynychaf – y ddau bartner ffraeth, anwahanadwy yn eu drygioni diddrwg, farw rai blynyddoedd cyn cyrraedd yr oedran hwnnw. Nid oedd Ysgolion Sir, neu Ysgolion Canol, yn beth ffasiynol yn ein hardal ni y pryd hwn, nac eto, o ran hynny, os gellir eu hosgoi. Arbedwyd y pump llanc hyn, felly, a minnau gyda hwy, rhag proses y diwreiddio a'r dieithrio dwfn a welwyd mor gyson yn y sefydliadau gwych hyn o ran eu record academaidd, a'r gwanychu enbyd a fu ar y bywyd gwledig, Cymreig, o ganlyniad – a hynny'n bennaf er mwyn porthi Llywodraeth estron â chlercod a gweision da. A phob un o'r bechgyn hyn, ynteu, o hen wehelyth y fro, ac yn ddyledus iddi am bron bopeth a feddent, tyfasant i gyd yn ddynion cyfrifol, goleuedig, glân eu bywydau, yn asgwrn cefn i'r gymdeithas y troent ynddi, ac yn deyrnged i awyrgylch iach a diwenwyn yr ardal y maged hwy ynddi.

Yn ôl y cryfder corff, yr hoen a'r iechyd a roed i bob un o'm cyfoedion hyn byddai'n rhesymol meddwl y gallent fyw i oedran teg, i ddyddiau'r addewid, a thros hynny. Bu'r pump ohonynt farw gredaf i, oherwydd gorweithio; gorweithio yn ystod y ddau Ryfel Byd oherwydd prinder dynion ar y tir a'r galw mawr am gynhyrchu rhagor, ac yn ystod y dirwasgiad rhyngddynt oherwydd yr amser caled a welodd ffermwyr yn gyffredinol. Gyda'u gofalon llawn ar eu llefydd roedd cymaint â diwrnod o wyliau bron yn amhosibl iddynt. Ni allent fynd i na ffair na marchnad heb wneud bron hanner diwrnod o waith cyn gadael y tŷ. Yn gryf, yn iach, ac yn

have loved so much in reminiscence all through my life, the first of my lineage ever to leave the land, I believe.

'The men who went to Catraeth, cheerful was the flow'. And as after Catraeth of old, now there remains only one to relate the carrying home of the snipe's corpse. We were six youths out shooting that morning, all equally strong and healthy, four of us born within four months of one another between February and June 1885 – namely, in order of age, Dafydd Cwmcoedifor, Ifan the Llether, Jac the Brynau, and myself, and the other two, John Cwmcoedifor and Ifan the Brynau, were only two years older. For some years now, and strange and sad it is to think of, I am the only one left. The first three, my exact coevals, died within a few years of each other around the age of three score, and the other two, John and Ifan – Jac and Ianto to us usually – those two witty partners, inseparable in their harmless mischief, died before reaching that age. County Schools and Intermediate Schools were not the thing at that time in our locality, nor are they at present if they can be avoided. These five youths, like myself, were spared that uprooting and deep estrangement that is to be seen continually in these institutions, which are fine as regards their academic record, along with its consequence, the fearful enfeeblement of Welsh rural life, and all this mainly in order to provide an alien Government with clerks and good servants. All these boys, coming from the old families of the neighbourhood and indebted to it for everything they possessed, grew up to be responsible, enlightened, and clean-living men, the backbone of their society and a tribute to the healthy and unvenomed atmosphere of the locality in which they were brought up.

From the physical strength and vigour and health that were given to each of these contemporaries of mine, it would have been reasonable to expect them to live to the years of promise and over. I believe the five of them died of overwork – of having overworked during the two World Wars because of the scarcity of men on the land and the great demand for more production, and in the depression between the two wars because of the hard times that farmers in general then experienced. With all the cares of their farms upon them they could hardly get as much as a day's holiday. They couldn't go to fair or market unless they did nearly half a day's work before leaving the house. Strong, healthy, and naturally genial, accustomed to hard work from their early days, they never

rhadlon wrth natur, ac yn gyfarwydd â chaledwaith o'u dyddiau cynnar, ni ddysgasant erioed roi pris ar eu cyrff, na gofalu fel y dylent am fwyd a deddfau iechyd a seibiant ysbeidiol oddi wrth eu gorchwylion. Gweithiasant eu hunain i'r pen, yn ddyfal, ddiddig, ddi-uchelgais, nes cwympo'n sydyn, ar eu traed megis. Aeth amgylchiadau'r bywyd gwledig yng nghyfnod y newid gêr o'r dyn i'r peiriant yn drech na hwy.

Gwŷr glewion oedd y pump hyn, cyfeillion difyr bore f'oes, a'u cadernid mor ddiymffrost â'r bryniau o gwmpas. Wedi elwch, tawelwch. Ardderchog yw eu coffadwriaeth i mi, bob un. Daw gair am rai ohonynt eto.

Dyma fi wedi cael fy hudo gan y gïach bach hwnnw ar lwybrau'r gweunydd nes bron colli fy llwybr fy hun drwy fynd gymaint o flaen fy stori. Yn ôl eto, ynte. Clywais 'nhad yn adrodd amdano ef a 'nhad-cu, ar ryw fore rhewllyd – yr union fore am gyffylog ym môn y coedydd, medde fe – un ohonynt y tu fewn i'r allt a'r llall y tu fa's i'r ffin, ar Gae Sam, Tan'coed – yn cwympo saith cyffylog, a hynny o fewn dim o amser, heb fisio'r un ergyd. Nid yw'r clawdd ffin hwn i gyd yn fwy na rhyw ddeg llath ar hugain. Y syndod yw fod cynifer o gyffylogiaid – canys unigolyn pendant yw'r aderyn hwn – wedi digwydd casglu mor agos at ei gilydd y tro hwnnw. Dywedir fod gan bysgotwyr, weithiau, y ddawn o weld rhif a phwysau'r ddalfa yn dyblu ac yn treblu o flaen eu llygaid. Eithr ni feddai 'nhad, na 'nhad-cu, hyd y clywais, ddim o'r ddawn gysurlawn honno. Ond nid oedd 'nhad gystal nac mor lwcus saethwr â hyn, er pan own i'n ei gofio, a hynny am reswm amlwg. Rai blynyddoedd cyn iddo briodi collodd ei lygad de drwy i ddarn bychan o'r triger neu'r gapsen neu rywbeth dasgu'n ôl yn syth i gannwyll y llygad wrth danio ergyd. Collodd ei lygad glas, cyflym, yn y man a'r lle. Bu hyn yn rhwystr go fawr iddo fel saethwr, weddill ei oes, oherwydd fel y gŵyr y cyfarwydd, y mae i ddyn a ddeil ei ddryll ar ei ysgwydd dde i gael annel gywir rhwng y barilau at wrthrych â'i lygad whith, yn gorfforol yn amhosibl. Er pan gollodd ei lygad, felly, dibynnai fy nhad yn llwyr, wrth saethu, ar dafliad naturiol y dryll i'w le ar ei ysgwydd, heb geisio anelu o gwbl. Arferasai gymaint â'i ddryll cyn hynny nes bod hyn yn ail natur iddo. Ond yn y dull hwn, fel rwyf i'n ei gofio, roedd dipyn mawr yn sicrach o daro'r sglyfaeth druan, nag o fethu. Â dryll arall dieithr ei 'dowlad' iddo, nid oedd agos cystal.

223

learnt to value their bodies and to take due thought for food and the laws of health and for relaxation from work. They worked themselves to an end, busy, contented, without ambition, and then still on their feet they suddenly fell. The transition period when the gear was changing from the man to the machine had beaten them.

These five were valiant men, the happy companions of my early days, as unassuming as the hills in their stable strength. After a shout of joy, silence. Their memory is glorious, everyone of them. I will say a word about some of them again.

I was allured by that little snipe on the moorland paths, and I lost my way and have anticipated my story. So let us return. I heard my father relating how he and my grandfather one frosty morning, just the morning for a woodcock at the bottom of the trees, he said, with one of them inside the wood and the other just outside on Cae Sam Tan'coed, had brought down seven in no time without missing a shot. This boundary hedge is not more than thirty yards long. The wonder is that there were so many woodcock gathered together so close at that time, for this bird is definitely an individualist. It is said that fishermen sometimes have the gift of being able to see the number and weight of their catch doubling and trebling before their eyes. But, as far as I ever heard, neither my father nor my grandfather was possessed of this comforting ability. But my father was not as good nor as lucky a shot as this when I remember him, and for a quite obvious reason. A few years before he married he lost his right eye when a small piece of trigger or cap or something started back right into the pupil as he fired. He lost his quick blue eye there and then. This was a great drawback to him when he was out with the gun, for, as anyone acquainted with shooting knows, it is physically impossible for a man who holds his gun to his right shoulder to get a true aim with his left eye. Ever after losing his eye my father depended on the natural throw of the gun to his shoulder without taking aim at all. He was so accustomed to the gun that this was second nature to him. Even in this way, as I remember him, he was a great deal likelier to hit the poor victim than to miss it. With another gun that had a strange throw he was not nearly so good.

The old native disposition towards the gun lasted till the end with my father. After coming to Aber-nant, where the main road went

Parhaodd hen anian y dryll yn fy nhad hyd y diwedd. Wedi dod i Aber-nant, a'r hewl fawr yn mynd heibio i fwlch y clos, roedd yn rhaid bod yn fwy gofalus. Nid oedd gan giper hawl i roi ei droed ar dir neb yn yr ardal, mae'n wir. Ond pasiai'r plisman heibio ar y ffordd yn ei dro, a'r ecseisman o Sais, yn ôl hen draddodiad manylaf dyddiau'r smyglo, yng nghar Dafys Pen Beili lle'r arhosai, a phriodi'r ferch wedi hynny. Er mawr fudd a chysur i drigolion yr ardal roedd rhyw ragluniaeth garedig wedi trefnu fod gan y car hwn bâr o olwynion cochion, tanbaid – yr unig gar o'r fath a drafaeliai'r ffordd – fel y gallai pawb ei nabod yn eglur ac o bell, a dwyn eu hunain mewn pryd o fewn syberwyd y gyfraith a chodi cap. Yn y siafft, hefyd, yr oedd caseg goch go foliog, a'i harafwch yn hysbys i bob dyn. O bai neb felly yn droseddwr *amlwg*, arno ef ei hun yr oedd y bai os câi ei ddal, gan iddo gael o leiaf filltir neu ddwy o rybudd ymlaen llaw. Weithiau, byddai Benni'r Crydd (Danni'r Crydd yn *Hen Wynebau*) a drigai yn Esgertylcau y pryd hwnnw, ymhlith ei liaws trigfannau tymhorol eraill, yn blino, wedi oriau o bwyso ar ei frest 'a churo'r lapston laith', ac yn cael ei gymell gan ryw ysbryd i ddiosg ei ffedog leder a'i thowlu ar y fainc gerllaw, a mynd â'r 'milgi main' (ei enw ef ar ei ddryll) a Vic, ei ast retreifer ddu am dro i gwm Cilwennau yr ochor draw i'r tŷ, neu dros Lan Ddu'r Llether a banc Cwm-du. (Talfyriad o 'Victoria' ydoedd 'Vic', gyda llaw, ac uchafbwynt pennaf teyrngarwch Benni i'r teulu brenhinol Seisnig ydoedd galw'r ast ragorol honno ar ôl enw 'Brenhines yr Hen Ynys Wen', y gân wladgarol a ddysgai Marged, ei ferch ieuengaf, yn yr ysgol ar y pryd.) O weld llewych 'golau coch' yr olwynion yn araf gynyddu yn y pellter draw ar dro Cwm H'wel câi Benni ddigon o amser i ddatgysylltu'r 'milgi', a'i wanu, bob yn gymal – *lock, stock and barrel* – i bocedi helaeth ei got lydanadeiniog, pocedi bron yn ddigon mawr i gynnwys Benni ei hun, oni bai am ei ben a'i farf gwrychiog. Wedi cymryd y cam cyntaf yma at hunanddiogelwch, y cam nesaf fyddai symud o lech i lwyn, yn llythrennol, a gwneud am fôn y clawdd neu'r berth a roddai'r guddfan hwylusaf iddo ef a'r ast, oherwydd rhaid cofio o hyd fod yr hewl fawr fel edefyn llwyd, hirfain, yn rhedeg yn gyfochrog â'r afon yng ngwaelod y cwm, ac yn union gyferbyn â'r bronnydd hyn – maes adloniant Benni rhwng gwaddan ac uchafed esgid nas gwarafunai neb iddo ond yr ecseisman hwn o wlad bell. Wedi i'r 'whils coch' on' fynd o'r golwg ar dro'r Llether ar y whitl

past the fold gate, he had to be more careful. The keeper hadn't the right to put his foot on anybody's land in the district, it is true. But the policeman went that way on his beat, and the exciseman, an Englishman in the most strict tradition of the days of smuggling, he went by in Dafys Pen Beili's trap, with whom he stayed and whose daughter he afterwards married. To the great advantage and consolation of the people of the neighbourhood a kind providence had arranged for the trap to have a pair of bright red wheels, which no other trap that went on that road had, so that everyone might recognise it from afar and bring himself in proper time within the decencies of law and caplifting. Also, the chestnut mare in the shafts was rather big-bellied and known to everyone for her slowness. If anyone was ever a flagrant offender it was his own fault, as he had received at least a mile or two of warning. Sometimes Benni'r Crydd (Danni'r Crydd [Danni the Shoemaker] in *Hen Wynebau* [*Old Familiar Faces*]), who lived in Esger Tyllau at the time, one of his many temporal dwellings, would be tired after many hours of pressing on his chest and beating the wet lapstone, and would be moved by some spirit to take off his leather apron and throw it on the bench and to take his slender greyhound (the name he gave his gun) and Vic, his black retriever dog, for a walk to Cilwennau dell, on the far side of his house, or Lan Ddu'r Llether and Cwm Du bank. (By the way, Vic was an abbreviation of Victoria, and the height of Benni's loyalty to the English royal family was to call this excellent bitch by the name of the 'Queen of the Blessed Old Island', the patriotic song that Margaret, his youngest daughter, was learning in school at the time.) Seeing the rays of the wheel's 'red light' slowly increasing in the far distance on Cwm H'ŵel turn, Benni would have plenty of time to disconnect the 'greyhound' and push him, every joint, lock, stock, and barrel, into the spacious pockets of his wide-winged coat-pockets that would have been almost big enough to contain Benni himself, were it not for his bushy beard. Having taken this first step towards self-security, his next would be to move stealthily, from stone to bush as it were, and make for the bottom of the hedge or hedgerow that would provide the most convenient hiding place for himself and the bitch, for it must be borne in mind that the main road was like a long grey thin thread running parallel to the river and right under these hillbreasts which were Benni's recreation

226

iddo, o wynebu'r hewl, ond nid o glyw, gobeithio – os dôi'r whim arno, ni fyddai'n ddim gan y crydd bach, beiddgar yma danio ergyd neu ddau i'r gwynt fel ffordd effeithiol o bryfocio ei arch elyn, yr ecseisman, ymhellach, yn gystal â dathlu ei fuddugoliaeth. A chyda hyn, byddai ef a'i draed bychain, buain, yn ôl fel bollt yn ei weithdy, 'y penisha', yn poeri hoelion trwy'r trwch i'w suddo gyda thri ergyd chwyrn yn niogelwch gwadn esgid rhyw gwsmer ar sedd gyferbyn. Ac os byddai lwc o'i du, hwyrach y gallai'r cwsmer hwn dystio'n ddigon geirwir fod y crydd yn ddyfal wrth ei fainc ar yr awr ddywededig y dydd a'r dydd. Nid oedd clociau'r wlad bob amser mor eirwir â'r tystion. Un fel yna ydoedd Benni – byrbwyll, i'r pen drosoch, neu i'r bôn yn eich erbyn. Ni wyddai ef reol – ond ennill y gêm; cymydog tan gamp, hyd nes y croesid ef, ac nid oedd hynny'n anodd. Dyna'n ddiau pam y symudodd ei drigfan gynifer o weithiau yn ystod ei fywyd. Gallwn enwi chwech o lefydd bach, tra thebyg i'w gilydd o ran maint, y bu Benni yn byw ynddynt yn ardal Rhydcymerau. Ac nid yno y dechreuodd ei fyd, na'i orffen, ond yn ardal Llanwnnen, gerllaw Llambed. Ac ym mynwent yr eglwys yno, rwy'n credu, y claddwyd ef, ymhell dros ei bedwar ugain oed. O'r chwech lle y bu Benni byw ynddynt yn yr Hen Ardal, a phump yn cadw buwch neu ddwy a phoni, anhepgor i Benni, nid oes heddiw yr un ohonynt a phobl yn byw ynddo! Am o gwmpas trigain mlynedd bu ei forthwyl a'i fyniawyd wrthi'n ddyfal yn llunio sgidiau cadarn, diddos i'r ardalwyr, a'i ysmaldod ar y fainc ac ar gae gwair neu lafur yn difyrru to ar ôl to o blant a phobl ifainc. Yn ei weithdy, teimlwn i bob amser fy mod i tua'r un oed â Benni. Ac mewn llawer peth nid oeddwn ymhell ohoni. Ond lle dôi'r ecseisman hwn o Sais i mewn a fynnai amddifadu dyn a'i gi o ryddid tragwyddol y bencydd, roedd Benni mor hen â'r Hen Adda ei hun.

Roedd sŵn sgarmesoedd Gwrthryfel y Degwm yn y cymoedd cyfagos wedi darfod cyn fy mod i'n ddigon hen i'w cofio. Bu'n amser go dwym yn ardal Gwarnogau lle'r oedd hen Radicaliaeth Tomos Glyn Cothi a Gwilym Marles o hyd yn dal i losgi. Ac ymhlith yr arweinwyr yno, os caf ddannod ei dylwyth ar goedd

ground, one which no one grudged him except this exciseman from a far country. When the red wheels had gone out of sight on Llether turn – to the left of him facing the road – but not out of hearing, I hope, the bold little shoemaker, if the whim came over him, would think nothing of firing a shot or two into the air as an effective means of provoking his archenemy further, as well as of celebrating his victory. Then, in no time, he and his small swift feet would be home and in his workshop, spitting nails thick and heavy and sinking them with three rapid taps each into the safety of some customer's boot, the customer sitting opposite. And if luck was on his side this customer could perhaps bear evidence honestly that the shoemaker was busy at his work at the stated hour on such and such a day. For country clocks are not always as honest as witnesses. Such a one was Benni – impulsive, and with you to the bitter end, or against you down to the ground. He knew no rule – only win the game; an excellent neighbour until you crossed him, and that wasn't a hard thing to do. I'm sure that was why he moved so many times in his life. I could name six small places where Benni once lived in Rhydcymerau district, and it was not there but in the neighbourhood of Llanwnnen near Lampeter that he began his life, and ended it. He was buried in that churchyard, well over eighty years old. Of the six places where Benni lived in the old neighbourhood, five of which kept a cow or two and the pony which was a requisite for Benni, not one is inhabited today. For about sixty years his hammer and awl were busy making strong and watertight boots and shoes for the people around, and his drollery on his bench and in the hayfield and cornfield entertained the children and young people of period after period. In the workshop I always felt myself to be the same age as Benni. In many things I was not far out. But when this exciseman, who wished to deprive a man and his dog of the everlasting freedom of the hills, came into it, Benni was as old as the Old Adam.

The sound of the skirmishes of the Tithe War in the neighbouring valleys was over before I was old enough to be able to remember them. There was a pretty hot time in Gwarnogau, where the old Radicalism of Thomas Glyn Cothi and Gwilym Marles[9] continued

---

[9] *Translator's note*: Great-uncle to Dylan Thomas.

iddo fel hyn, ac yntau'n awr yn Broffeswr ac yn ddehonglydd y Gyfraith Seisnig, yr oedd rhai o deulu agos Llywelfryn Davies, megis Ben Ifans y Brithdir, yr acsiwnêr ffraeth, cefnder i'w fam, a fu'n ddiweddarach yn ei oes yn ŵr o ddylanwad mawr ar Gyngor Sir Caerfyrddin. Fel tystiolaeth bendant yn erbyn yr Athro hyd y dwthwn hwn, gwelais yn nhŷ un ohonynt, rai blynyddoedd yn ôl, un o hen 'gyrn y degwm'. Corn tun, hir, main, a hollol ddiaddurn ydoedd hwn, yn tynnu at bum troedfedd o hyd, wedi ei lunio at y gwaith, mae'n amlwg, canys o'i chwythu fe wnâi y nadau mwyaf aflafar. Roedd un o'r cyrn hyn, gallwn feddwl, yn nhŷ pob gwrthryfelwr degwm drwy'r cymdogaethau; a phan ddôi'r beili, yn enw'r gyfraith, ar warthaf rhyw dŷ ffarm i atafaelu yn rhai o'r anifeiliaid, mewn mwdwl gwair neu helem o geirch, yn lle'r degwm y gwrthodid ei dalu, cydiai'r nesaf 'i law yn y corn hir, oernadus hwn, gan ruthro allan i ryw fan amlwg a'i chwythu â'i holl egni. O glywed y nodyn cyntaf, digamsyniol yma gan y cymdogion, gafaelent hwythau hefyd yn eu cyrn, a chyn pen dim o dro byddai'r holl wlad yn diasbedain megis pan fai rhybudd cyrch awyr yn adeg y rhyfel gyda ni; a phawb, yn hen ac ifainc, yn brasgamu am y cyntaf tua'r ffarm y seiniwyd yr arwydd cyntaf o berygl ohoni. Eu hamcan fyddai gosod rhwystrau ymhob rhyw fodd ar ffordd y beili a'i ddynion i gario allan eu gwaith o ddwyn ymaith ran o eiddo'r deiliad. Weithiau byddai'r terfysg yn chwerw. Yn ardal Pencader, yr ochor draw i'r mynydd, bu'n rhaid galw'r plismyn i amddiffyn swyddogion y gyfraith, megis mewn llawer ardal arall yng Nghymru.

Ond dyna ddigon yma, gan mai plwyf parchus iawn oedd ein plwyf ni, plwyf Llansewyl. Perthynai'r degwm yno i stad Rhydodyn, rhan o ysbail hen fynachlog Talyllychau, adeg ei chwalu, yn ddigon posib. Fodd bynnag, talem ni, y plwyfolion, ein degwm yn ddigon diddig bob blwyddyn yng ngwesty'r Black Lion Llansewyl, ac yn ôl hen draddodiad a barhaodd yn ddi-dor hyd nes y trosglwyddwyd y degwm i'r Comisiwn Eglwysig yn 1920, câi pob un, wrth dalu ei ddegwm yno ar y dydd penodedig, ei beint o gwrw yn rhad ac am ddim. Bobol fach, pa Wrthryfel y Degwm a gellid ei ddisgwyl mewn plwyf fel hwnnw?

Er na chofiaf am helynt y degwm, mae gennyf gof am frwydr bron mor gyffrous, a llawer mwy dealladwy i mi ar y pryd, yn

to burn. And among the leaders there, if I may publicly hold it against a professor and interpreter of English Law, on account of his family, there were some near relatives of Llywelfryn Davies, such as Ben Ifans Brithdir, the witty auctioneer, Llywelfryn's mother's cousin, who in later life was a great influence on Carmarthenshire County Council. As definite evidence against the professor till this day, I saw in the house of one of them some years ago one of the old Tithe Horns. It was a long, slender, completely plain tin horn about five feet in length, made to serve the purpose evidently, for when it was blown it brayed most discordantly. I should think that there was one of these in every tithe rebel's home throughout the neighbourhood, and when, in the name of the law, the bailiff descended on a farm to distrain in lieu of the tithe, which the owner would not pay, on some animals or a rick of hay or a stack of corn, the nearest at hand took hold of the horn and ran out to some prominent place and blew with all his might into the long, wailing instrument. Then, hearing the first unmistakable note, the neighbours took hold of theirs, and before long the whole countryside was resounding, just like it used to do when we got an air-raid warning; then everyone went striding to the farm where the signal was first sounded, young and old, and each going as if to be the first there. The idea was to put all sorts of obstacles in the way of the bailiff and his men in carrying out their work of taking away a portion of the tithe tenant's property. Sometimes the disturbance was bitter. In the Pencader district, the other side of the mountain, the police had to be called to defend the officers of the law, and so it was in many parts of Wales.

But enough of this, as our parish of Llansewyl was a very respectable one. The tithe there belonged to Rhydodyn estate, being part of the spoils when Talyllychau monastery was dissolved, in all probability. Anyway, we, the parishioners, paid our tithes quite willingly every year in the Black Lion Hotel, Llansewyl, and according to the old tradition that lasted without a break until the tithes were transferred to the Ecclesiastical Commission in 1920, everyone as he paid the tithe there on the appointed day was given a pint of beer free of charge. Gracious me, what sort of Tithe Riot would you expect in such a parish?

Although I do not remember the tithe trouble, I have a recollection of a battle that was quite as exciting and much more

230

sgarmes hir honno y gellid ei galw yn Achos Benni'r Crydd a'r Ast *versus* Baker yr Ecseisman. Yn Aber-nant a ffiniai ag Esgertylcau yr oedden ni erbyn hynny, wrth gwrs, a minnau rhwng y saith a'r naw oed, ac yn dechrau cymryd diddordeb byw yn helyntion fy nghyd-ddyn. Nid yw'r manylion yn glir gennyf, ond yn ôl cyfraith gwlad ar y pryd, gan nad beth amdani heddiw, caniateid i ddyddynnwr a ddaliai hyn a hyn o erwau o dir, ac yn enwedig os byddai yno ddefaid, gadw ci cyffredin at iws tŷ, heb dalu trwydded. Yn awr, yng ngolwg y gyfraith hon, fe syrthiai achos Benjamin Williams i'r llawr ar dri chyfrif: yn gyntaf, roedd Esgertylcau yn rhy fach o le; yn ail, ni chadwai ddefaid; yn drydydd, ac ar hyn y trôi'r cyfan, nid ci cyffredin mo Vic, ond gast *retriever* a'r teitl 'Royal' yn drwch yn ei thras, medden nhw. Cawsai Benni hi'n fisto bach sgleinddu, whareus, gan un o'i feibion o'r gweithiau. Roedd lesens ci yn saith a whech, ac yr oedd saith a whech ar y pryd i Benni yn bris pâr o sgidiau plentyn neu fenyw. Heblaw hynny, roedd Benni'n ymladdwr bob gwrychyn o'r traean bron ohono a oedd dan farf – yn ôl yr argraff gyntaf sydd gennyf i amdano. (Tociodd lawer ar y cnwd hwnnw'n ddiweddarach.) A da gennyf ddweud i Benni a Vic ennill y rownd gyntaf, o leiaf.

Wn i ddim llawer am werth Vic fel helwraig. Roedd hi'n rhy dew ar gyfer hynny'n ddigon posib, drwy gael byd rhy dda, a'i maldodi ormod. Ond meddai Benni ar ddawn arbennig gyda chŵn fel gyda phlant. Pan glywai Vic sain chwibanogl yr hen Charles y Post, a'r farblen honno'n dawnsio yn ei gwddwg, byddai'n croesi'r bompren dros yr afon ar waelod y cae gwair cyn pen winciad, ac i'r lan at y ffordd fawr gyferbyn, a basged fechan yn ei cheg i hôl y *mail* i'w pherchennog. A synnwn i ddim nad y clyfrwch hwn y tu hwnt i glyfrwch cynol a wnaeth frad Vic yn y pen draw; ac nad yr hen Charles y Post ei hun, druan, yn ei afiaith ddiniwed uwchben ei ail beint yn yr Angel, wedi tair milltir ar ddeg o rownd galed drwy Rydcymerau ac Esgerdawe, ei ysgwydd yn mynd yn fwy crwm o dan ei fag, a'i gam yn mynd yn fyrrach bob dydd, a fu'r bradw llwyr anfwriadol, drwy ganmol campau'r ast ryfeddol hon. Yn naturiol, fe glybu'r ecseisman, gydag amser, beth o'r hanes. On pan aeth ati ryw ddiwrnod i gael rhagor o fanylion, fe faglai'r stor gymaint ym mwstás yr hen bostman, dan wlith y trydydd peint, fe yr oedd Esgertylcau, Esgerceir, Esger Lyfyn, Esger Wen, ac Esge

231

comprehensible to me at the time, a skirmish that might be called the case of Benni the Shoemaker and the Bitch versus Baker the Exciseman. We were at that time living in Aber-nant, which bordered on Esgertylcau, of course, and I was between seven and nine years old and beginning to take an interest in my fellow men's affairs. I haven't the details clearly in my mind, but according to the law of the land at that time, whatever it be now, a smallholder with such and such an amount of land, especially if there were sheep on it, was allowed to keep an ordinary dog for household use without a licence. Now, in view of this law, Benjamin Williams's case falls to the ground on three counts. First, Esgertylcau was too small a place, and, second, he did not keep sheep, and, third – and on this the whole thing turned – Vic was not an ordinary dog, but a retriever with her title 'Royal' occurring frequently in her pedigree, they say. Benni was given her by one of his sons, home on holiday from the industrial area, and she was then a shiny, black playful puppy. A dog licence was seven and six, and seven and six at that time was the price of a woman's or child's pair of boots. More than that, Benni was a fighter, every bristle of that third part of him that lay under his beard, from the first impression I had of him. (He afterwards cut back that hirsute crop considerably.) And I am glad to say that Benni and Vic won the first round, at least.

I don't know much about Vic's value as a huntress. Possibly she was too fat for that and had been pampered too much. But Benni had a way with children and dogs. When Vic heard Charles the Postman's whistle, with that marble dancing in its throat, she would cross the footbridge over the river at the bottom of the hayfield in the winking of an eye and up the road opposite, carrying a small basket between her teeth to fetch her owner's mail. And I should not be surprised if it were this super-canine cleverness that betrayed Vic in the end, and if it were poor Charles the Postman, himself, in innocent glee over his second pint in the Angel after the thirteen miles of that hard round through Rhydcymerau and Esgerdawe, his shoulder getting more bowed under the bag, his step getting shorter every day, I should not be surprised if he became the purely unwitting traitor, through praising the exploits of this wonderful bitch. Naturally, the exciseman in time got to hear something of this. But when he set himself one day to get more details, the story got so entangled in the postman's moustache, in the dew of the third pint, that Esgertylcau, Esgerceir, Esgerlyfyn, Esger Wen, and

Owen, yn un gybolfa esgeiriog, ddryslyd, i'r Sais anghyfiaith hwn. Cyn terfyn y siarad roedd e ymhell o fod yn glir ei feddwl ymhle yn union roedd gwâl y *bitch* hon – neu'n wir, os oedd yno *bitch* o gwbwl erbyn y diwedd. Ond gwelodd y swyddog, yn amlwg, y byddai diwedd tystiolaeth flewog fel hon o flaen y fainc yn debyg o fod yn waeth na'i dechreuad. Fel tyst rhy sigledig gadawyd y postman, felly, mas ohoni.

Gwadai Benni'n eithaf cydwybodol nad oedd ganddo ef *gi* o gwbwl yn agos i'r tŷ. Nid oedd dim amdani wedyn ond i'r ecseisman fynd yno i weld â'i lygaid ei hun. Canfu Benni ef yn croesi'r cwm, ac yr oedd yn barod ar gyfer yr amgylchiad. Pan aeth ef i mewn i'r gegin benisel, yno'r oedd y crydd, a'i holl egni'n megino'r ffagl ar y tân, a'i lygaid fel y golosg eithin, yn saethu mellt trwy'r tywyllwch. Byr fu'r ymweliad hwn, yn ôl yr hanes, gan na fedrai'r ecseisman air o Gymraeg, na Benni air o Saesneg, ac yr oedd Victoria'n fud ym mocs y sgiw o dan gorpws ei pherchennog. Roedd hunanddisgyblaeth Vic a chleciadau stwrllyd y tân yn ddigon i foddi pob amheuaeth.

Mewn ateb i gwestiwn digon syml gan glerc yr ynadon ynglŷn â brid neilltuol y ci y cyhuddid Benjamin Williams o'i gadw heb drwydded, bu raid i'r erlynydd ar ran y gyfraith gyfaddef nad oedd ef wedi gweld y cyfryw wrthrych o gwbl. Yn wyneb gwendid y dystiolaeth parthed bodolaeth y gyhuddedig Victoria ni fu dewis gan y fainc namyn bwrw allan yr achos. A llyna'r modd yr enillodd Benni a Vic y rownd gyntaf yn yr ornest, er mawr ddifyrrwch i ddigrifwyr y pentre fel Ifan 'r Ardd Las, John Aly, a George bach Dicks, a llawenydd i ninnau, bawb o'r cymdogion yn y cwm.

Yn llys yr ynadon yn Llansewyl y dwthwn hwn, gellid dychmygu gweled ailactio rhywbeth tra thebyg i'r hyn a welwyd, yn ddiau, yn y cylch yma lawer tro, gannoedd o flynyddoedd ynghynt, wedi Edward y Cyntaf, ar gwymp Llywelyn Ein Llyw Olaf, gymryd meddiant o Fforest Glyn Cothi a'i throi'n faes helwriaeth iddo ef e hun: Dafys Ffrwd Fâl, clerc yr ynadon, y sgweier lleol, a'r Cymro da, agos at y bobol, yn cynrychioli'r uchelwr Cymreig; Syr James Williams Drummond o Blas Rhydodyn, cadeirydd yr ynadon, yn cynrychioli'r Celt Normanaidd; Baker, yr ecseisman, yn sefyll fel fforestydd Sacsonaidd y brenin; a Benni Esgertylcau yn aros

Esger Owen were all a hopeless middle of 'shanks' to this foreign-tongued Englishman. Before the end of the talk he was far from clear in his mind where this bitch had her couch – or, indeed, if there were a bitch at all at the end of it. But the officer saw clearly that the end of such shaggy evidence as this before the Bench would very likely be worse than its beginning. And so the postman was left out of it as being too shaky a witness.

Benni conscientiously denied that he had a *dog* anywhere near the house. There was then nothing for the exciseman to do but go and see for himself. Benni saw him crossing the valley and was ready for the occasion. When he entered the low-ceilinged kitchen there was the shoemaker blowing up the fire with the bellows with all his might, his eyes like glowing gorse charcoal shooting lightning into the dark. The visit was a short one, says the story, as the exciseman hadn't a word of Welsh or Benni a word of English, and Victoria was silent in the settle-box under her owner's beam. Vic's self-discipline and the loud crackling of the fire were enough to drown every doubt in the exciseman's mind.

In answer to the justices' clerk's question about the breed of dog that Benjamin Williams was accused of keeping without a licence, the prosecutor, on behalf of the law, had to admit that he had never seen the said dog. In view of the weakness of the evidence regarding the existence of the aforesaid Victoria, the Bench had no option but to throw out the case. That is how Benni and Vic won the first round of the contest, to the great amusement of the humorists of the village, such as Ifan Ardd Las, John Aly, and George bach Dicks, and to the joy of all of us, his neighbours in the valley.

In the magistrates' court in Llansewyl that day it could be imagined that an old scene was being acted over again without much change, one of many that must have been seen there hundreds of years ago after Edward the First, on the fall of Llywelyn Our Last Prince, took possession of Glyn Cothi Forest to be a hunting forest for himself: Dafys Ffrwd Fâl, justices' clerk, the local squire and good Welshman, close to the people representing the Welsh *uchelwr*;[10] Sir James Williams Drummond of Plas Rhydodyn, chairman of the magistrates, representing the Normanised Celt; Baker the exciseman representing the King's Saxon forester;

---

[10] *Translator's note*: Head of a family of freemen.

yn sgidiau'r Brython rhydd a'r herwheliwr beiddgar o gymoedd coediog y Cantref Mawr, wedi ei ddal a'i wysio o flaen ei well.

Fel y dywedwyd, nid oedd hela yn neb o deulu fy mam, ac yr oedd hi'n fwy parchus o fân bethau'r gyfraith na 'nhad. Er iddi dreulio'r rhan gyntaf o'i bywyd priodasol ym Mhenrhiw lle'r oedd hela megis yn rhan o'r bywyd beunyddiol, nid wyf yn credu iddi elfentu rhyw lawer yn y gwaith o gwbwl. O leiaf, wedi dod i Aber-nant, a'r hewl fowr yng ngolwg bron pob modfedd o'r tir, ni chredaf i 'nhad gydio yn y dryll unwaith heb iddi hi awgrymu'n garedig y byddai'n well iddo beidio. Ond yr oedd 'nhad a'r cymdogion, ac eithrio Benni weithiau, pan fyddai'r gŵr drwg wedi disgyn arno, yn ofalus rhag mynd i gwrdd â thrwbwl yn ddiangen; ac ni chafwyd achos o dorcyfraith o un pwys yn erbyn neb ohonynt erioed. Pwyllog a doeth oedd fy mam yn ei ffordd. Gwelai mor dreiddgar ac mor bell â neb, ond gallai gau ei llygaid a chnoi ei thafod, oni byddai rhaid caled. Unwaith yn unig y clywais amdani'n ymyrryd ym musnes yr hela.

Pan oedden ni ym Mhenrhiw, gwelsai 'mam a feddai ar lygaid eithriadol o dda, ynghyd â rhai eraill o'r teulu, un o giperiaid Rhydodyn, tua mis Mai yma, yn cerdded yn llechwraidd a chwilotgar drwy'r allt dderi yr ochr draw i'r cwm, ac yn y gwernydd a'r anialwch gyda glan yr afon. Digwyddasai hynny ddwy neu dair blynedd yn olynol. Gwyddent neges y gwalch yn dda. Chwilio am nythod ieir ffesant yr oedd a dwyn yr wyau er mwyn eu gosod o dan ieir i'w deor a'u magu o gwmpas plas Rhydodyn. Gwelodd 'mam y gŵr yma ryw ddydd Sadwrn yn marchnad Llandeilo. Y tro hwnnw methodd ddal ei thafod Dechreuodd yntau wadu na fu ef yno o gwbwl. Mae'n bur debyg na ddyedodd hi ryw lawer o eiriau. Ond buont yn ddigon. N welwyd y ciper hwn, na'r un arall, yn cerdded y ffordd honno byth wedyn.

Cyn gorffen â'r adar gwylltion yma a aeth â mi, yn ôl eu harfe wedi unwaith eu codi, i lawer man na fynnwn fynd iddo, rhaid sô am un pwynt arall a all fod o beth diddordeb cyffredinol – sef modd y gall plentyn, ie, a dyn hefyd o ran hynny, yn gwbl onest, dwyllo ei hun yn ddifrifol weithiau, a hynny'n hollol ddiarwybo

and Benni Esgertylcau standing in the Brython's shoes, the daring, outlawed hunter of the woody vales of the Cantref Mawr caught and taken before his betters.

As I have said, hunting and shooting appealed to none of my mother's family, and she had more respect for the small matters of the law than my father had. Although she spent the first part of her married life in Penrhiw, where these things were part of our daily life, I don't think she took much interest in the activities. At least, after coming to Aber-nant, with the main road in sight from every inch of the land, I don't think my father ever took hold of a gun without her suggesting kindly that he had better not. But my father and all the neighbours, except Benni sometimes when the old Nick had gone into him, took care not to go to meet trouble, and no charge of lawbreaking of any importance was brought against any of them. My mother was wise and deliberate in her manner. She saw with penetration, and no one further, but unless it were a dire necessity to do otherwise she could close her eyes and bite her lip. Only once did I hear of her intervening in the matter of game.

When we lived in Penrhiw my mother, who had exceptionally good eyesight, and some others of the family had seen one of the Rhydodyn keepers, round about the month of May, walking sneakingly and pryingly through the oak copse the other side of the vale in the alders and the places that had grown wild along the riverside. This had happened before, two or three years in succession. They well knew the rogue's business. He was looking for pheasant's eggs to put under the hens, to be hatched and reared around Rhydodyn. My mother saw this man one day in Llandeilo market, and that day she failed to hold her tongue. He began to deny ever having been there. Probably she did not utter many words, but they were honest ones. This keeper was never seen walking that way again, and neither was any other.

Before concluding what I have to say about these wild birds that after rising have taken me, as is their wont, to many places I had not intended going to, I must mention one other matter that may be of general interest – namely, how a child, yes, and a man too, can quite seriously and quite unwittingly deceive himself. It was when I

iddo. Wedi dechrau mynd i'r ysgol ddyddiol, rhwng chwech a saith oed, y deuthum i wybod, a'm rhieni gyda mi, nad oeddwn i yn hollol fel rhyw blentyn arall – cyn belled ag yr oedd gweld â'm llygaid yn y cwestiwn. Jane, fy ngh'nither, oedd yr athrawes arnom yn bennaf pan own i yn nosbarth y babanod yn y rhwm bach. Yn y rhwm mowr teyrnasai'r prifathro. Eisteddem ar feinciau bychain a osodasid yn dierau, y naill uwchben y llall, a'r lleiaf ohonom yn y rhes isaf. Gallai'r plant eraill, i gyd yn eu tro, o'u seddau sbelian y geiriau synfawr 'c-a-t- cat, s-a-t, sat, m-a-t, mat', a darllen, gyda thipyn o stacato, 'The cat sat on a mat', a llun y gath uwchben yn edrych yn foddlon iawn arnynt. Ac yna dôi 'rat' a 'bat' a'u cymrodyr rywle i mewn yn y gytgan glochaidd, bob dydd. A dyna ni, blant Rhydcymerau, a'n traed yn ddiogel ar briffordd y 'King's English', a dim ond ni ein hunain, bellach, rhyngom ac ennill yr holl fyd. Rown i'n rhyfedd o hoff o Jane a'i gwallt cringoch a'i hwyneb siriol, crwn. Parai hi i mi ddod mas i ganol y llawr a darllen y siart ar yr esel yno. Cof gennyf am athrawes arall, a hynny yn yr Ysgol Sul, yn gwthio fy mhen yn erbyn y llyfr am na allwn ddarllen ond print gweddol fras, a hwnnw o'i ddal yn lled agos at fy nhrwyn. Nid oedd sbectalau yn ein gwlad ni yr adeg honno ond rhywbeth i hen bobol.

Heb ei gael, heb ei golli. Ni theimlais innau erioed unrhyw whithdod oherwydd y diffyg hwn yn fy ngolygon. Cefais glustiau da, a chorff cryf, a hoen ac iechyd ar y cyfan, na allaf byth brisio'u gwerth, na diolch yn ddigonol amdanynt.

Ond at hyn y mynnwn i ddod. Lawer tro ym Mhenrhiw, rwy'n cofio y rhai hŷn na mi yn siarad am haid o ffesants, neu o betris, a y cae hwn neu'r cae arall – rhywun yn eu cyfrif, efallai, ac arall yn amau ei gywirdeb; yna ei hailgyfrif, wedi iddynt wasgaru neu grynhoi eto'n nes at ei gilydd wrth ddyfal loffa'r ŷd a'r tywys ar y sofl; neu, efallai, y byddai yno gogio ymladd a neidio at ei gilydd gan y ceiliogod ifainc am eiliad neu ddwy, cyn mynd yn ôl at eu gwaith eto. Nid oeddwn i yn gallu eu gweld o gwbl – rhaid nad oeddwn; a gwyddwn hynny, rywle yng ngwaelod fy meddwl, peta gennyf yr amynedd neu'r gonestrwydd i fynd lawr yno. Ond mor fyw oedd y siarad a'r disgrifio gan y perchenogion llygaid o'r cwmpas, a chymaint fy niddordeb innau yn yr adar pert hyn, a'r dychymyg yn fwy effro na'm cydwybod, fel y credwn yn bendant wn i yn y byd mawr ym mha fodd, fy mod i'n gweld â'm llygaid gnawd y cyfan a oedd yn mynd ymlaen . . . yn ddiarwybod i n

had started going to school at the age of six to seven that I got to realise, and my parents along with me, that I was not like other children – as to my eyes. When we were in the small room, in the infants' class, our teacher was usually my cousin Jane. In the big room the headmaster reigned. We sat on benches on a raised gallery, one above the other, with the smallest of us in the lowest row. All the other children in turn could spell from their seats the amazing words 'c-a-t cat, s-a-t sat, m-a-t mat,' and, with some staccato, they could read 'The cat sat on the mat' with the picture above them of the cat looking very pleased. Then 'rat' and 'bat' and their companions came daily into the ringing chorus, and there we were, the children of Rhydcymerau, our feet firmly set on the highroad of the King's English and nothing now but ourselves between us and the winning of the whole world. I was very fond of Jane, with her ginger hair and her round, cheerful face. She used to make me come out to the middle of the floor and read the chart on the easel. I remember another teacher, and in Sunday School too, pushing my face against the book because I could only read big print, and that only by holding it rather near my nose. In our district at that time spectacles were for old men and women only.

What you never have had you never miss. I have never felt aware of any loss due to my defective eyesight. I was given good ears, a strong frame, and vigour and health on the whole, that I cannot value highly enough or be thankful enough for.

But I was getting to this. Many times in Penrhiw I remember my elders speaking of a flock of pheasants or a covey of partridges in this field or that, someone counting them, perhaps, and another wondering whether he was correct and counting them for himself again after they had spread out or gathered closer together as they busily gleaned the ears of corn left on the stubble – or perhaps the young cocks would be pretending to jump at each other for a moment or two before they returned to what they were at. I couldn't see them at all. Certainly I couldn't see them. And I knew that, too, somewhere down in the bottom of my mind, had I the patience or the honesty to go down there. But the talk and the descriptions by those who had good eyes were so lively and my interest in these beautiful birds was so great and my imagination was so much more alive than my conscience that I definitely believed – I don't in the world know how – I believed that I saw with my own eyes of flesh everything that went on: unknown to me

roedd byrdra fy ngolygon wedi estyn fy nychymyg, a gwneud celwyddgi bach ardderchog a chwbl onest ohonof. Ac o wybod popeth amdano, pwy ohonom a all farnu a beio celwyddgi da, wedi'r cyfan? Un o'r gwersi cyntaf a phwysicaf a ddysgais i, gan hynny, wedi mynd i'r ysgol ddyddiol, ydoedd fy ngorfodi i weld nad oeddwn i'n gweld – gwers lawer mwy anodd i'w meistroli na dysgu darllen dan gyfarwyddyd bys pwt Jane fy ngh'nither. Lle'r oeddwn i gynt yn ddall, ond yn credu fy mod i'n gweld, yr own i'n awr yn gweled nad own i'n gweld. Dyma'n sicr un o wersi caletaf a phwysicaf bywyd i lawer ohonom, canys yn ei dyfnder hi, rywle, y mae dechreuad doethineb ac ofn yr Arglwydd.

my short sight had extended my imagination and made me an excellent and perfectly honest little fibber. And who can blame a good liar, after all, after getting to know all about him?

One of the first and most important lessons I learnt in the day school was one I was forced to learn, to see that I couldn't see, a lesson that was far harder to master than learning to read under the guidance of my cousin Jane's stumpy finger. Where before I was blind but believed I could see, now I saw that I could not see. This is surely one of the hardest of life's lessons for many of us, for somewhere in the deep of it is the beginning of wisdom and the fear of the Lord.

PENNOD IV

Gadael Penrhiw

Cyfeiriwyd yn nes yn ôl at Nwncwl Jâms a Nwncwl Bili (brawd fy nhad-cu) fel 'defaid brogle' yn hytrach nag fel 'defaid duon' y teulu. Rhaid pwysleisio mai term o hwylustod, o ddiffyg ymadrodd cymhwysach, yw'r 'brogle' a'r 'du' yn y cyswllt hwn, oherwydd ar y cyfan, nid oedd eu cnufiau na duach na gwynnach na gweddill y gorlan. Rhyw ddafad ddu yn yr ystyr o fod yn od, a gwahanol i'r lleill ydoedd hon – a nodau banc Llywele yn drwm arni, ynghyd â pheth marciau Mynydd Mallaen, y tu hwnt i Gaeo, hefyd, ar y croesiad olaf ohoni, medden nhw. Nid yn y cnufyn yn gymaint yr oedd y gwahaniaeth rhyngddi hi a'r defaid eraill, ond rywle o dan y croen, anos i'w leoli. Rhyw fath o bendro, neu bengamrwydd cynhenid ydoedd, a barai fod y gwrthrych yr effeithiai arno yn fynych yn gweld y byd yn symud yn wrthdro i bawb o'i gwmpas. Dyna i chi yn awr Nwncwl Jâms a Nwncwl Bili. Ni allai neb estyn bys at y naill na'r llall a dweud ei fod e'n drwm yng ngafael yr un o'r Saith Bechod Marwol. Yn wir, gellid dweud eu bod, ill dau, yn fwy rhydd oddi wrth yr hacraf o'r rhain – Rhagrith, Cybydd-dod, Hunanoldeb – na'r mwyafrif o'u cyfoedion. Am wn i nad eu hanfydolrwydd (nid eu harallfydedd) ydoedd eu pechod pennaf, yn ôl safonau'r byd o'u hamgylch. Ac nid oedd eu pechodau cyhoeddus yn ddim duach na thuedd mewn cwmni, ar adegau, i godi'r bys bach yn amlach nag oedd ddoeth iddynt.

Rhyw styfnigrwydd gwrthnysig nad oedd wiw ymliw ag ef, a hynny fynychaf ynghylch manion dibwys, fel y dywedwyd, ydoedd eu nod angen. Byddent yn llawer mwy wrth eu bodd yn treulio diwrnod cyfan i bilio brwynen nag wrth ymegnïo yn y gamp o gwympo derwen. Ac wrth sylwi ar y pabwyryn llwyd a difreg a grafwyd o'r frwynen erbyn diwedd y dydd, gallaf ddychmygu an Nwncwl Jâms, a'r lisb ysgafn honno, hanner y ffordd rhwng 's' a 'th', yn dweud yn galonnog, 'A, diawtht i, boith, nid pawb all wneud jobyn bach fel hyn, nawr!'

Nid hwyrach, hefyd, fod gan reddf yr artist, rywle i lawr yn y dyfnder lle y mae amser a thragwyddoldeb yr un, rywbeth i'w wneud â hyn, oherwydd fe aned Nwncwl Jâms i fod yn gantwr, a

CHAPTER IV

Leaving Penrhiw

Uncle Jâms and Uncle Bili (my grandfather's brother) were spoken of a while ago as the grizzled sheep rather than the black sheep of the family. It must be emphasised that 'grizzled' and 'black' in this connection are terms of convenience where more suitable expressions are lacking, because on the whole their fleeces were neither blacker nor whiter than those of the rest of the fold. A black sheep in the sense of an odd one, one different from the others, that is what this recurring throwback was with the Llywele mark heavy upon it, along with some Mynydd Mallaen marks too, from the last cross-breeding. The difference between this sheep and the others lay not so much in the fleece as somewhere under the skin in a harder place to find. It must have been a kind of staggers that made everything appear to the one it affected to be moving in the opposite direction to that in which others saw it move. Take Uncle Jâms and Uncle Bili now. No one could point a finger at either of them and say that he was fast in the grip of any of the Seven Deadly Sins. Indeed, it could be said that both of them were freer from the ugliest of the seven, Hypocrisy, Covetousness, and Selfishness, than the majority of their contemporaries. I'm not sure that it wasn't actually their unworldliness (not their other-worldliness) that constituted their chief sin according to the standards of the world around them. And their public sins were no blacker than a tendency at times, in genial company, to lift the elbow more often than was wise.

Their particular distinction was a stubborn contrariness for which one durst not reproach them, usually, as I have said, in really trivial matters. They would be more at their heart's content in spending the whole day 'just peeling a rush' than in addressing their energy to the feat of felling an oak. And I can imagine Uncle Jâms saying with that lisp of his, half-way between the 's' and 'th,' while he observed the unbroken wick of grey pith he had scooped out of that rush by the end of the day: '*A diawtht 'i*, everybody couldn't do a little job like that, now.'

Probably the artistic intuition dwelling in the depths where time and eternity are one had something to do with this, for Uncle Jâms was a born singer in a sense in which he was nothing else in this

yn ddim byd arall mewn bywyd. Yn y byd hwnnw yr oedd ar ei ben ei hun. Ymhob byd arall gallai fod yn niwsens, yn fwy o rwystr, yn fynych, nag o help. A math o ddiwinydd gwrthgiliol, ar faes y byd, neu o leiaf ysgrythurwr nodedig graff, ydoedd Nwncwl Bili, yn ôl y tameidiau hynny o dystiolaeth amdano sydd wedi aros ar fy nghof er yn blentyn. Gwŷr disyml, unplyg oedd y ddau ohonynt yng ngafael rhyw un nwyd, a honno, o fewn eu cylch cyfyng, diuchelgais hwy, heb obaith ei throi'n gyfrwng bywioliaeth iddynt. Ni chafodd Nwncwl Bili ddigon o ras ac o nerth yr ysbryd i drechu'r Hen Adda ynddo a'i orfodi i fynd i bregethu fel Josi ei frawd, Josi Llywele, y gŵr ifanc duwiolfrydig a fuasai farw'n bump ar hugain oed. Heblaw eu bod yn gyndyn, anhydrin wrth natur, rhwystrwyd y ddau yn eu datblygiad naturiol, a byddai'r seicolegwyr, y bobl yma sydd â'u gwybodaeth mewn rhai pethau y tu hwnt i'r Hollwybodol, yn barod i ddweud, efallai, mai dyna'r esboniad ar eu methiant cymharol mewn bywyd, gan eu gwneud yn ddefaid brogle'r teulu. Ac yn ôl y darogan bore a glywais lawer gwaith gan fy nhad druan yn ei natur wyllt, a'r storm yn torri o gylch fy nghlustiau, rown i yn olyniaeth uniongyrchol y ddafad ryfedd hon. Ond whare teg i 'nhad, roedd cael tair o'r rhain o fewn ei gorlan yr un pryd yn gryn gyfrifoldeb. A gorau po gyntaf i gropio cyrn yr oenig yn eu plith, cyn iddi ddechrau topi.

Tystiolaeth fy mam – ac yr oedd hi mor agos ati â neb, fel rheol – sydd gennyf yn bennaf am Nwncwl Bili, ac yntau, fel y dywedwyd, yn ei henaint musgrell yn treulio wythnosau a misoedd bwy gilydd ym Mhenrhiw ar adegau; ac Ann ei ferch a ofalai amdano, a Let, ei merch hithau, weithiau yno gydag ef. Yn ôl a gasglwn amdano, gallai styfnigrwydd Nwncwl Bili, o gael achos digon teilwng, wneud merthyr ohono, a'i onestrwydd egwyddorol mewn rhai pethau, ei wneud yn sant. Ond yn gymysg â hyn oll yr oedd rhyw bengamrwydd pinwyngar a'i gwnâi hi'n fynych yn anodd iawn byw gydag ef. Roedd gan fy mam, a welai ei rinweddau, megis ei eirwiredd a'i ddidwylledd, ac a edmygai ei go' a'i wybodaeth ryfeddol afaelgar o'r Beibl, eirda iddo bob amser. Ond rhaid cyfaddef nad oedd aelwyd Penrhiw, tra fyddai Nwncw Bili a'r fegin a'r ffon aflonydd honno yn bugeilio pentewynion y tân, yn lle cysurus iawn i fyw arni. Nid oedd y gweision a' morwynion, er yn parchu ei henaint ac yn mwynhau ei storïau am 'slawer dydd pan fyddai'r hwyl arno, yn malio fawr amdano, a

life. In the world of singing he was on his own. In every other world he could be a nuisance, far more of a hindrance than a help. And Uncle Bili was a kind of apostate theologian, out on the world's open field, a remarkably keen student of the Scriptures according to the bits and pieces that have stayed in my memory from childhood of what I heard others say of him. They were both simple, ingenuous men in the grip of a passion which, within the narrow and unambitious circle that was theirs, had no hope of being turned into a livelihood. Uncle Bili was never given grace and spiritual strength enough to overcome the Old Adam and compel him to turn preacher, as his brother Josi did, Josi Llywele, the godly young man who died at the age of twenty-five. And as well as being by nature intractable, both of them had been checked in their natural development, and our more than all-knowing psychologists would perhaps be ready to assert that this was the reason for their grizzled fleeces of comparative failure. And many times, with the storm of my father's hot temper breaking upon my ears, I heard early prognostications of my own succession to the role of this anomalous sheep. But, fair play to my father, it was quite a responsibility to have three of these inside the fold at the same time, and the sooner the lamb's horns were cropped the better, before he began butting.

Generally speaking, it is my mother's evidence that I have to go upon concerning Uncle Bili – and she was usually as near the truth as anyone, when he used to spend weeks on end in Penrhiw, and sometimes months, in his feeble old age, with his daughter Anne tending him, accompanied sometimes by her daughter Let. From what I sometimes heard I should say that Uncle Bili's obstinacy when it found a fit occasion could make him a martyr, and his high-principled honesty could make him a saint. But mixed with this there was that opinionated wrongheadedness that sometimes made it a very hard thing to live with him. My mother always had a good word for him, appreciating his virtues – truthfulness and sincerity – and admiring his memory and the tenacious knowledge he had of the Bible. Nevertheless, it must be admitted that when Uncle Bili was on Penrhiw hearth, minding the fire with the bellows and that restless staff of his, it was not a very comfortable hearth to live on. The serving-men and -women, although they respected his old age and enjoyed the stories he told about the old days, when he was in the mood for that, did not really care a lot for him, and Pegi and I,

byddai Pegi a finnau, yn blant bach, o dan ei gerydd am rywbeth neu'i gilydd cyn amled â neb.

Ryw ddiwrnod, gyda chreulondeb plant, dialodd y ddau gythraul bach ohonom yn ddiffaith arno. Roedd 'nhad a 'mam oddi cartref, mewn ffair neu farchnad, yn ddigon tebyg, a neb ond ni'n dau ar y pryd yn y gegin. Roedd Nwncwl Bili a gysgai yn y gwely cwpwrdd, gwely Nwncwl Jâms a finnau'n arfer bod, heb godi. Efallai fod ein wharae ni dipyn yn stwrllyd ar yr aelwyd, a'r hen ŵr am gael llonydd i gysgu ymlaen, ac iddo ein dwrdio ni. Roedd trowser rib Nwncwl Bili rywle gerllaw'r gwely yno. Cymerasom ninnau fantais ar y sefyllfa drwy ymaflyd un ymhob coes iddo, a dechrau campro o gwmpas y tŷ. Yn fuan datblygodd y trowser yn fath o gerbyd ysgafn, *phaeton*, mae'n debyg, a dau geffyl porthiannus yn ei dynnu, a'i bart ôl yn sgubo llawr y gegin mewn cylchau. Cymaint oedd yr hwyl a gaem erbyn hyn, fel nad oedd waeth i Nwncwl Bili druan weiddi arnom, fwy na pheidio. O'r diwedd, cododd atom yn ei grys a'i ddros, a'i deyrnwialen, y ffon, yn ei law. Nid oedd dim amdani wedyn ond estyn cortynnau maes yr ymryson, ac allan â ni i'r clos a'r cerbyd yn torchi wrth ein sodlau. Roedd hi'n ddiwrnod heulog braf, ganol haf. Methai'r hen ŵr, a'i wynegon drwg, ddod yn nes atom na charreg yr hiniog. Ac yno ar y creigle sych o flaen ei drwyn, gan fentro weithiau yn beryglus o agos i'r ffon, y parhawyd y gêm ddiras yma, hyd nes i ni, o'r diwedd, flino arni, a thaflu'r trowser yn ôl at ei draed, a mynd i ddifyrru ein hunain wrth rywbeth arall. Wrth feddwl am y tro mae'n flin gennyf, weithiau, am hynny. Ond fel y dywedodd Twm Coch yn yr adnod honno a ddysgodd Nwncwl Josi iddo 'slawer dydd, 'Plant yw plant, a phlant fyddan nhw dro, hefyd'.

Gosodwyd Nwncwl Bili uwchben ei draed fwy nag unwaith wrth ddechrau ei fyd – yng Nghwm Du a ffiniai â Llywele yn gyntaf oll Ond yn ymadrodd cwrtais gwŷr Dyfed am rywun yn mynd yn ôl y y byd – 'i Dre-din' yr aeth e bob tro. Diau y gallai yntau adrodd e brofiad yn weddol gywir yng ngeiriau'r hen ffermwr a wybu'r dait dwmpathog honno: 'Y ffordd *i* Dre-din, welwch chi, sy waetha, meddai hwnnw yn eitha cysurus. 'Wedi cyrraedd yno dyw hi ddir cynddrwg.' Claddodd Nwncwl Bili ei wraig yn gynnar, ac aeth e blant ar wasgar – y ddau fab i'r gweithiau, o dipyn i beth, a dyna' hanes olaf a glywais i amdanyn nhw. Bu Ann, ei ferch ddibriod, y forwyn am flynyddoedd yng nghegin y Dre Newydd, yr enw lleo hyd heddiw, ar hen blasty Dinefwr, gerllaw Llandeilo.

who were small children at the time, were often rebuked by him for something or other.

One day, we two little devils took a mean revenge on him with the cruelty of which children are capable. My father and mother were out, probably gone to a fair or market, and we were alone in the kitchen. Uncle Bili, who slept in the cupboard bed which was usually Uncle Jâms's and mine, had not got up. Perhaps we were playing rather noisily on the hearth and the old man wanted to sleep on and scolded us. Uncle Bili's corduroy trousers were near the bed. We took advantage of this and caught hold of them, one to each leg, and began capering about the house. Soon the trousers had become a light carriage, a phaeton, I suppose, drawn by two mettlesome horses, with its seat sweeping the kitchen floor in circles. By this time we were getting such fun out of it that it made no difference when Uncle Bili shouted at us, and at last he got up out of bed to us in his shirt and drawers with his sceptre, that stick of his, in his hand. There was nothing for it then but to extend the scope of the contest, and out to the fold we went with the carriage rolling at our heels. It was a sunny day in midsummer. The old man couldn't get nearer to us than the doorstep because of his rheumatism, and we went on with our graceless game on that dry, rocky place before his nose until, when we had grown tired of it, we threw his trousers at his feet and went elsewhere to find diversion. But, as Twm Coch said when he recited that verse that Uncle Josi taught him, 'Children are children, and will be for a long time to come.'

Uncle Bili was more than once set on his feet in his first years as a farmer on his own account – in Cwm Du, which bordered with Llywele, first of all. But, to use the polite Demetian expression for someone going back in the world, 'he went to Tre-din' every time. I dare say he too could say quite truthfully, in the complacent words of an old farmer who had made that rough journey, 'It's the road *to* Tre-din that's the worst of it. When you get there it isn't so bad.' Uncle Bili lost his wife early, and his children left home. His two sons went after a while to the industrial parts, and that was the last I heard of them. Ann, his unmarried daughter, was for years a kitchenmaid in Dre Newydd, the local name still for the old mansion of Dinefwr, near Llandeilo.

Clywais lawer stori am Nwncwl Bili nad oes ofod i'w hadrodd yma. Roedd ef a'i bartner, Benni Bwlch y Mynydd, gŵr nad oedd ei wreiddiolach yn y wlad, un tro wedi cymryd contract gan ryw ffarmwr digon tyn am y geiniog, i godi clawdd. Nid oedd ball ar Bili yn pwno ac yn pwno'r pridd a'r clotasau i lawr er mwyn gwneud y clawdd yn gadarn ac yn solid. 'Gan bwyll, nawr, Bili,' meddai Benni o'r diwedd, gan ledu ei gorff byr, cydnerth, o'i flaen, a dweud yn ei ffordd araf bwyllog ei hun, 'Am *godi*'r clawdd yma'r ŷn ni'n dou yn ca'l 'yn talu, ontefe, nid am 'i *wado fe lawr*,' ac ar yr un pryd yn gwanu cropyn mawr o eithin i fol y clawdd i'w gladdu yno o'r golwg. Fe ddeuthum i oddi yno cyn gwybod sut y bu hi wedyn rhwng y ddau hen ffrind. Ond yn y bwthyn bach to gwellt a'i furiau gwyngalch glân ar fwlch y mynydd fe fagodd Benni a Mari, rywfodd, ddeuddeg o blant heb fynd i ddyled neb, a'r rheini mor iach ac mor gadarn â hwy eu hunain. Y tro cyntaf i mi fod yn darlledu, 'Benni Bwlch y Mynydd' oedd fy nhestun. Haedda Benni a Mari gofiant cyflawn. Ymhen y rhawg priododd Tim, mab hynaf Benni â Mari, â Ruth, merch hynaf Dafydd â Nel 'r Efail Fach. Bu iddynt hwythau, hefyd, fel eu rhieni o'r ddwy ochr, deulu lluosog iawn. Disgynyddion iddynt hwy, a stamp yr hen stoc ragorol hon arnynt, yw asgwrn cefn cymdeithas ym mhentref eang Gwauncaegurwen heddiw.

Roedd Nwncwl Bili, mae'n debyg, o gorff llawer trymach na'i frodyr, fy nhad-cu a Jemi Cilwennau, ac o wawr gochlyd, fel petai o frid gwahanol. Dywedid, hefyd, ei fod yn ymladdwr ffyrnig, di-ildio, unwaith y cyffroid ef. Dyma'r stori a glywais i, o'r tu fewn i'r teulu, gan nad beth am y ffeithiau sylfaenol o'r tu ôl iddi, gan fod storïau fel hyn yn tueddu i dyfu fel sagas. Roedd ef a Jemi'r Wenallt wedi troi i mewn i dafarn Cwm-ann, y tu faes i dre Llambed ar ochr Sir Gaerfyrddin, ar y ffordd adref o ryw ffair Digwyddai'r stafell yr aethant iddi fod yn llawn o Gornishmen waith mwyn mynydd Cellan – wyth ohonynt, meddai'r stori. C dipyn i beth dechreuodd rhai ohonynt figitian y ddau Gymro, a thynnu cweryl. Pan welodd Jemi ei bod hi'n twymo at sgarme yno, cyrhaeddodd gic ar un o'r Cornish a dianc drwy'r drws, ga obeithio'n ddiau y byddai Bili, o dan yr amgylchiadau, yn e ddilyn. A dyna'r uwd i'r tân. Roedd allwedd y stafell yn digwyd bod yn y drws, o'r tu fewn. Clodd un ohonynt y drws, gan roi allwedd yn ei boced. Trechu neu drengi amdani bellach. Yn ôl

I heard many stories of Uncle Bili that I haven't the space to relate here. He and his partner, Benni Bwlch y Mynydd, than whom there was no one more original to be found in the country, had once taken a contract of some farmer who was tight enough in money matters, to make him a hedge-bank. There was no end to Bili's beating down the earth and clods to make it solid and strong. 'Hold on, Bili,' said Benni at last in his slow, deliberate way, broadly interposing his short, thick-set body. 'We're paid for putting it up, aren't we, not for beating it down,' and then he pushed in a whole furze-bush to be hidden from sight. And at that juncture I left them, and I don't know what followed between the two friends. But in the little straw-thatched cottage with such clean whitewashed walls on the mountain pass Benni and Mari managed to rear twelve children without getting into debt, children as strong and healthy as themselves. I took Benni Bwlch y Mynydd for my subject the first time I broadcast. Benni and Mari deserve a complete memoir. Later on, Tim, their eldest son, married Ruth, eldest daughter of Dafydd and Nel, Efail Fach. Like their parents on each side, they too had a large family, and some of their descendants, with the stamp of this excellent stock upon them, are the backbone of society today in the large and widely spread village of Gwauncaegurwen.

Uncle Bili, it seems, was a much heavier man than his brothers, my grandfather and Jemi Cilwennau, and he was reddish, as though he belonged to another breed. He was said to be a fierce and unyielding fighter once he was roused. Here is a story told me by some of the family, whatever might be the foundation for it, for stories of this kind tend to grow like sagas. He and Jemi the Wenallt had turned into Cwm-ann Inn outside Lampeter, on the Carmarthenshire side, on the way home from a fair. The room they entered was full of Cornishmen from Mynydd Cellan mine, eight of them, so the story goes. After a while one of them began to provoke the two Welshmen and to pick a quarrel with them. When Jemi saw that it was warming for a fight he kicked one of the Cornishmen and escaped through the door, hoping, I dare say, that Bili would follow him, in the circumstances. The fat was in the fire. The roomkey was in the door, on the inside. One of them locked the door and put the key in his pocket. There was nothing in front of Bili now but victory or death. The story says that the leg of a chair in Bili's

stori, eto, coes y stôl yn llaw Bili oedd yr unig ddarn cyfan o'r celfi ar ôl erbyn gorffen y dyrnu a'r malu a fu yno.

Fodd bynnag, wedi i'w gartref chwalu, drifftio a wnaeth Nwncwl Bili, a'i gael ei hun yn y canol oed yn gyrru da i Loegr. Ef oedd yr olaf ond un o'r hen yrwyr gwartheg yr wyf i'n eu cofio. Yr olaf oll oedd yr hen Ifan Pant y Crwys, a'i blant ieuengaf yn yr ysgol yr un pryd â mi – a Ianto, hir ei ên, brychlyd ei wyneb, a'i gap a chlustiau yr un ffunud â'i dad, ac yn llawn mor ddoniol, yn yr un dosbarth â mi. Mae Pant y Crwys ar y mynydd, ddwy filltir dda o'r pentre. Ar dywydd garw esgusodid y plant gan y prifathro caredig am fod yn ddiweddar yn cyrraedd yr ysgol ambell dro. Y boreau hynny, o roi coel ar Ianto'r mab, byddai pethau rhyfeddach wedi digwydd, yn fynych, na dim a welsai ei dad erioed ar ei deithiau maith i Loegr, ac yr oedd hynny'n ddweud tipyn. Un tro, roedd Dafydd, ei frawd, ac yntau, wedi darganfod rhyw ogof ar dop tir Cae Melwas, ac wedi bod ar goll yno am ddiwrnod cyfan. Dyna pam nad oeddent yn yr ysgol y diwrnod cynt. (Roedden ni wedi bod yn darllen gyda blas rhyfeddol beth amser cyn hynny am y dewin a'r llanc o ffair y Bala yn dod o hyd i Ogof Arthur a'i filwyr 'wrth droed craig fawr'.) Fore arall, wedi cyrraedd yr ysgol tuag un ar ddeg o'r gloch, yn wlyb i'r croen, roedd Wil Huws, cynydd pac bytheuaid y Neuadd Fawr, a'r ail gynydd gydag e, yn 'u cotiau cochion, wedi codi Dafydd 'i frawd ac yntau a'u gosod o'r tu blaen iddynt ar eu cyfrwyau. A dyna lle buont drwy'r bore cyfan yn calapo ac yn neidio dros y cloddiau a'r perthi dros fanc Rhiw'r Erfyn a Chefen Blaenau, Pant Streimon a Blaen Ceument. Fu erioed shwd helfa. O gwmpas y stof yr hanner dydd hwnnw, a'r mwg yn codi fel simnai oddi ar ddillad yr adroddwr, anghofiem am ein bwyd gan lyncu'r storïau hyn gyda'r un eiddgarwch ag y derbyniem stori Ogof Arthur gan Owen M. Edwards. Nid oedd Ianto'n fawr o sgoler yn y dosbarth ond am lunio rhamantau fel hyn, a'u pwysleisio ag ystum corff ac wyneb, nid oedd ei debyg yn yr ysgol. Nid oeddwn i'n byw'n ddigon agos at ei dad i glywed ganddo ef ei hun helyntion ffordd Loegr. Ond fe glywais rai o'r storïau am Nwncwl Bili a oedd, o'r ochr arall, yn boenus o fanwl a chydwybodol yn adrodd y hanesion. Rown i braidd yn rhy fach i'w gofio ef ei hun yn eu hadrodd; eu clywed gan eraill yn ddiweddarach a wneuthum i.

Rhennid y gyrroedd gwartheg o ddeucant neu fwy yn rhyw bedair neu bum carfan, mae'n debyg, a gyrrwr rhwng pob un

hand was the biggest piece of what there was left of the furniture when the threshing and grinding had finished.

However, when his home life was broken, Bili drifted, and in middle age he found himself driving cattle to England. He was the last but one of the old cattle drovers that I remember. The last was old Ifan Pant y Crwys, whose youngest children were in school with me, and Ianto was in my class, long-chinned and freckled and wearing a cap with ear-flaps to it, the image of his father and equally humorous. Pant y Crwys is on the mountain, a good two miles from the village. In rough weather our kind headmaster excused those children who came to school late. On those mornings, if we are to believe Ianto, the son, more wonderful things happened than any his father had ever seen on his long journeys to England, and that is saying a good deal. On one occasion his brother Dafydd and he had discovered a cave at the top of Cae Melwas land, and they got lost in it for a whole day. That is why they weren't in school the day before. (We had been reading with great interest and enjoyment about the magician and the boy from Bala Fair finding Arthur's cave with his soldiers in it, at the foot of a great rock). Another morning when they reached school at eleven o'clock, wet to the skin, his story was that Wil Huws, the Neuadd Fawr huntsman, and the second huntsman along with him, in their red coats, had picked up Dafydd and himself and put them in front of them on their saddles. And that's where they had been all the morning galloping about and leaping the hedges over Rhiw'r Erfyn and Cefen Blaenau, Pant Streimon and Blaen Ceument. There never was such a day's hunting. Around the stove that midday break, with the storyteller's clothes steaming like a funnel, we forgot our own existence when swallowing these stories with the same avidity as we received Owen M. Edwards's version of the story of Arthur's cave. Ianto was not much of a scholar, but for romancing in this way, heightening his narrative with the expression of his face and his postures, there was no one to touch him in the school. I did not live near enough to them to hear his father's stories of his adventures in England. But, on the other hand, I heard some of Uncle Bili's, told with painful precision in detail. I was too young really to remember him telling them himself. I heard them being retold later by others.

The droves of cattle, two hundred or more than two hundred strong, were divided into four or five lots, with a driver for each.

Byddai'r Sais a'r bargeiniwr gorau yn eu plith, fel y bydd trafaeliwr syrcas o hyd, ryw ddiwrnod da o flaen y lleill, yn trefnu am le pori i'r anifeiliaid a llety i'r gyrwyr dros nos.

Un tro, yn ôl Nwncwl Bili, gwylltiodd yr haid wartheg gan rywbeth neu'i gilydd – *estampido* yw'r gair Sbaenaidd am beth o'r fath yn ôl y geiriadur, ac y mae 'stampido', felly, yn llawn cystal gair Cymraeg ag ydyw *stampede* o air Saesneg – gan redeg yn ddistop am yn agos i dair milltir, a'r gyrwyr druain yn gorfod rhedeg gyda hwy. Bywyd caled oedd bywyd y gwŷr hyn ar y cyfan. Eu tâl pennaf ydoedd cael gweld y byd. Rhag ofn i rai o'r da geisio dianc, neu i ladron ddod yno i'w dwyn, byddai'n rhaid i un neu ddau o'r gyrwyr aros yn y cae drwy'r nos, gan gysgu cyntun weithiau ym môn y clawdd wedi i bopeth dawelu, a'r eidionnau i gyd yn gorwedd.

Oherwydd eu cyd-fagu'n blant a gwybod am ei onestrwydd digwestiwn, a'i nerth corff, efallai, bu Nwncwl Bili, yn ei gyfnod fel gyrrwr gwartheg, yn fath o *bodyguard* i'r hen Ddafydd Gilwennau (tad-cu Mrs. Vernon Lewis, Aberhonddu), pen porthmon plwyf Llansewyl, yn ei ddydd. Nid oedd banciau a sieciau'n bethau cyffredin yr adeg honno, er fod Banc yr Eidion Du a gychwynnwyd yn Llambed a Llanddyfri gan hynafiaid y Cyrnel Ifans o'r Dolau Bach, Llanybydder, yn bennaf at ddibenion y porthmyn hyn, wedi ei sefydlu'n barod. Mewn aur ac arian y telid pawb, y pryd hwnnw, ac yn hir wedi hynny. Nid oedd cario ar ei berson, felly, rai cannoedd o sofryns melyn weithiau, wedi gwerthu gyr o wartheg yn ffair Barnet neu rywle cyffelyb ym mhen draw Lloegr, yn orchwyl i'w chwennych gymaint â hynny. Roedd gwŷr llygadog, beiddgar, fel heddiw, ar ben y ffyrdd ac yn mynychu gwestyau Weithiau, yn ôl yr hanes, câi Nwncwl Bili, yn ei wisg gyffredin fel gyrrwr gwartheg, y cyfrifoldeb o ddwyn yr arian hyn yn ôl Gilwennau Isa, Llansewyl. Yn ôl yr arferiad, talai'r porthmon am y anifeiliaid, fel rheol, wedi dod yn ôl o'r ffeiriau yn Lloegr a'r arian yn ei boced. Dywedir i Nwncwl Bili, ar ryw achlysur arbennig – rhent Rhydodyn yn ddyledus ar y deiliaid ar ryw ddyddiau arbennig, efallai – gerdded yn ôl yr holl ffordd o un o'r ffeiriau hyn yng nghyffiniau Llundain mewn tridiau a theirnos, a dau cant bunnau wedi eu rhwymo arno, yma a thraw, ar ei gorff – pet ohonynt, meddai'r stori, yn ei sanau. Ffair Barnet oedd Cape Hor yr hen yrwyr hyn. Roedd y sawl a fu yn ffair Barnet ac yn ôl nifer droeon yn arwr yn ei ardal, yn enwedig os meddai ar ddawn Ifa Pant y Crwys i adrodd yr hanes.

The best of the company for bargaining, in English, would be a good day's distance ahead of the others on the journey, like a circus traveller, arranging for a place where the cattle could graze and places for the men to stay overnight.

Once, according to Uncle Bili, the drove stampeded and ran for nearly three miles without stopping, the poor cattlemen having to do likewise. These men had a hard life, on the whole. Their principal remuneration was seeing the world. Some of them had to stay on the field all night in case some of the cattle tried to get away or a thief came along with an eye to them, and when everything had got quiet and the cattle were all lying down the watchers too sometimes took a nap under the hedge.

Uncle Bili in his period as driver became a sort of bodyguard to old Dafydd Cilwennau (grandfather of Mrs. Vernon Lewis, Brecon), who was the chief drover in the parish of Llansewyl in his day, and who knew of Uncle Bili's unquestioned honesty, and possibly of his physical strength, through their having been brought up together. In those days banks and cheques were not common things, although the Black Ox Bank (Banc yr Eidion Du) had already been established in Lampeter and Llandovery actually by the forebears of Colonel Evans of Dolau Bach, Llanybydder, chiefly to serve the convenience of these drovers. At that time and long afterwards, everybody was paid in silver and gold. To have to carry on one's person some hundreds, sometimes, of gold sovereigns after selling a drove of cattle in Barnet Fair or some other fair on the far side of England was not such an enviable job as all that. Sharp-eyed and venturesome men were on the roads, like today, and frequenting the hotels. Sometimes, according to the accounts that we used to hear, Uncle Bili, had the responsibility of bringing the money back to Cilwennau dressed in his ordinary attire. It was usual for the drover to pay for the animals, on his return from the English fairs, with the money he had in his pocket. It is said that Uncle Bili on a certain occasion, perhaps when the rents of the Rhydodyn estate were about to fall due, walked the whole way home from one of the fairs in England in three days and three nights with two hundred pounds tied here and there on his body, some of the sovereigns in his stockings. Barnet Fair was the Cape Horn of these old cattlemen. A man who had been to Barnet Fair and back a number of times was a local hero, especially if he had Ifan Pant y Crwys's gift for relating the story.

Bu fy nhad-cu farw ym mis Mai 1886. Yn ei ewyllys rhannodd Benrhiw a'r Byrgwm yn ddau le drachefn, fel yr arferent fod cyn iddo ef eu prynu yn 1839, a'u gwneud yn un ffarm. Roedd hen dai'r Byrgwm wedi syrthio i bwll ymhell cyn amser fy nhad-cu, er fod peth o'u hôl yno, a'r ardd gerllaw, hyd heddiw. Roedd Nwncwl Jâms, y cyw melyn olaf, bum mlynedd yn iau na 'nhad, ac yn sengel, a chan mai 'nhad a fu'n cario baich y gwaith a'r cyfrifoldeb gyda 'nhad-cu drwy'r blynyddoedd, ac yntau'n awr yn briod ac yn dechrau magu teulu ar yr aelwyd, nid rhyfedd mai iddo ef y gadawodd yr hen ŵr yr hen gartref ym Mhenrhiw yn etifeddiaeth. Rhoddodd y Byrgwm a oedd tua'r un faint o ran erwau â Phenrhiw i Nwncwl Jâms, ynghyd â swm neilltuol o arian at godi tai ar y lle, pe digwyddai i'm hewyrth, rywdro, feddwl am hynny; a hefyd, hanner gwerth y gelltydd ar eu traed ar Benrhiw ar y pryd, pan gwympid hwy. (Ni chodwyd yno garreg byth, na breuddwydio am hynny. Ond 'diawtht i', bu raid i 'nhad dalu'r arian.) Ni allai Nwncwl Jâms, felly, achwyn ar ei lwc, yn enwedig o gofio ei gyfraniad gweddol ysgafn ef at gyllid y teulu yn ystod ei oes. Yn ôl y trefniant a wnaed rhwng y ddau frawd wedi marw eu tad, arhosai Nwncwl Jâms ymlaen ym Mhenrhiw, gan rentu'r Byrgwm i 'nhad. Roedd y drefen hon, yn ddiau, yn taro f'ewyrth yn dda, gan y rhyddheid ef yn awr o bob cyfrifoldeb am waith a chynllunio ac ymdrechu drosto'i hun. Roedd Nwncwl Jâms beth dros ei ddeg ar hugain oed ar y pryd, ac am y deng mlynedd nesaf, hyd nes iddo o'r diwedd, wedi troi'r deugain yma, briodi a dechrau ei fyd ei hun cafodd, gallwn feddwl, haf y ci coch ohoni, a threulio bywyd rhydc ac ysgyfala rhyfeddol. Fel tâl am ei fwyd a'i lety yn un o'r teulu câi weithio neu beidio yn ôl ei ewyllys, gyn lleied neu gymain ag a fynnai. A chan mai canu a charu ydoedd dwy elfer lywodraethol ei fywyd yn ystod y cyfnod rhamantus hwn yn e hanes, ni ellir casglu iddo golli rhyw lawer o chwys ar lethrau serth Penrhiw a'r Byrgwm.

I'w gynorthwyo i ddilyn ei anian yn fwy effeithiol, cadwa goben ysgafn, heini, at ei wasanaeth – Bess, neu Hen Boni Nwncw Jâms, fel y galwem hi'n fynych. Gwinau ei blewyn, hir ei chlore ydoedd Bess, a rhawn ei chynffon wedi ei siswrno'n sgwa uwchben y garrau, fel ceffyl Doctor Ifans. Weithiau, hefyd, fe llysenwid yn 'Ni-i'. Wn i ddim o'i hanes bore, ond credaf m 'nhad-cu a'i prynodd hi rywle i fod yn geffyl brwchga

My grandfather died in May 1886. In his will he broke up Penrhiw and Y Byrgwm once more into two places, as they used to be before he bought them in 1839 and joined them to make one farm. The old Byrgwm house and buildings had gone to ruin long before my grandfather's time, although traces of them are to be seen, with the garden near them, to this day. Uncle Jâms, the Last Yellow Chick, five years younger than my father, was a single man, and as it was my father who had been bearing the burden of the work and responsibility along with my grandfather throughout the years, it was to him my grandfather left the Penrhiw homestead as an inheritance. Y Byrgwm, whose acreage was about equal to that of Penrhiw, he gave to Uncle Jâms, along with a substantial sum of money with which to build a house and outhouses on the place if my uncle should wish at any time to do so, and also half the value of the woods standing on Penrhiw land at the time they were felled. (Not a stone was raised on another there, nor was such a thing ever dreamt of. But *diawtht 'i,* my father had to pay him the money.) Uncle Jâms then could not complain about his luck, especially in view of his somewhat slight contribution to the family income ever since he began to work. In accordance with the arrangements made by the two brothers when their father died, Uncle Jâms stayed on in Penrhiw, letting Y Byrgwm to my father. This arrangement undoubtedly suited my uncle, as he was now relieved of all responsibility as regards working and planning and struggling on his own account. Uncle Jâms was at that time a little over thirty years of age, and for the next ten years, until he got married and began on his own, I should say got a real good summer of it, fleeting the time carelessly. For his board and residence as one of the family he might work or not work according to his own will, and as little or as much as he liked, and as the two delights that ruled his life during this romantic period were song and love one can hardly imagine him losing much sweat on the steep hillsides of Penrhiw and Y Byrgwm.

To help him to follow more effectively the bent of his genius, he kept a lively light cob – Bess, or Uncle Jâms's Old Pony, as we often called her. Bess was brown and had a long rump, and her tail was cut square above her hocks, like Doctor Ifans's horse's tail. Sometimes, too, she was called by the nickname Nee-ee. I know nothing of her early days, but I think it was my grandfather who bought her as a riding horse for himself. She was high-spirited and

(marchocáu) iddo ef. Roedd hi o natur uchel, a gallai redeg a gweithio drwy'r dydd heb flino. Rhaid fod rhywrai wedi ei chamdrin yn ifanc, gallwn feddwl, oherwydd am ryw reswm neu'i gilydd, dim ond i chi ddweud y gair 'Ni-i', gyda thipyn o bwyslais gwichlyd arno, caech weld ei chlustiau bach, deallus, yn gwasgu'n ôl ar ei gwar, a golau byw, peryglus, yn dod i'w llygad. Cystal i'r ffwlcyn difaners a'i llysenwai felly yn ei chlyw, gadw pellter parchus rhyngddo a hi yn y mŵd hwn. Ond i'r cyfarwydd a'i triniai'n barchus roedd mor hywedd â'r oen.

Pe cawsai'r ferlen fywiog hon fenthyg safn asen Balaam am dro, diau y gallasai adrodd ambell stori ddiddan am 'nhad-cu ac am Nwncwl Jâms, ei dau brif farchogwr: am 'nhad-cu yn mynd i gyrddau'r wythnos ar ei chefn, a gweddi ac emyn ar ei wefusau, ac yn dod yn ôl o ambell ffair a rhyw lawenydd dieithr yn ei galon, gan fod yn hynod foesgar a charedig ei eiriau wrthi; ac am helyntion caru Nwncwl Jâms hyd ffyrdd cul a llydain pedwar plwyf. Digoned un neu ddwy o'r cyfryw yma'n awr.

Fy mam a glywais i'n adrodd y stori hon o ben y plisman a ddigwyddai fod yn Llansewyl tua'r adeg y bu farw 'nhad-cu, meddai hi. Noson dywyll oedd hi, ganol gaeaf, yn ôl y P.C., ac yntau ar ei rawd swyddogol. Clywai rywun yn comando ceffyl ar y ffordd. Pan ddaeth gyferbyn, dyma orchymyn pendant yn dod iddo ef o'r nos. 'Dere yma, boe, rho help llaw i fi i fownto'r creadur yma,' meddai'r llais. Jaci oedd yno ar ei ffordd yn ôl o Lambed, nid nepell o Dŷ Jem. Nid oedd ganddo syniad pwy oedd y 'boe' a'i cynorthwyodd mor ofalus yn ôl i'w gyfrwy, ac aeth i'w ffordd yr llawen ddiolchgar am y gymwynas, a'r heddgeidwad caredig i'w ffordd yntau dan chwerthin.

Rai blynyddoedd wedyn Nwncwl Jâms oedd ar ei chefn, a Neli' 'Cart', yr hen dafarnwraig ddoeth a chraff sy'n adrodd y stori. Roedden nhw newydd fod yn dewis blaenoriaid yng nghapel Rhydcymerau, a'm hewyrth druan, er chwerw siom iddo, a bod y: onest, am yr ail neu'r trydydd tro, wedi ei adael y tu allan i gylch y etholedig ymhlith yr etholedigion Calfinaidd. Prynhawn hyfryd haf ydoedd hi, a'r haul yn ei anterth uwchben. Yn sydyn, clywod Neli, medde hi, sŵn ceffyl yn carlamu'n arswydus lawr drwy pentre. Aeth i ben y drws i gael gweld beth oedd yn bod. Gyd hynny, dyma ddyn ar gefn ceffyl yn dod fel taran heibio i dro

255

could run and work all day without tiring. I should think that someone or other had ill-treated her when she was young, because, for some reason or other, if only you said Nee-ee with a squeaky accentuation you would see her intelligent little ears press back on her neck and a quick, ominous light come into her eyes. Then it would be better for the unmannerly fool who had called her by that nickname to keep a respectable distance between himself and her while she remained in this mood. But with one with whom she was familiar and who treated her well she was as gentle as a lamb.

If, some time or other, this lively pony had borrowed the jaws of Balaam's ass, I am sure she could have told us some entertaining stories about my grandfather and Uncle Jâms, her two principal riders: about my grandfather going to week-night meetings on her back with a prayer and a hymn on his lips and returning from a fair occasionally with a great and strange joy in his heart and with conspicuous courtesy and words of kindliness to her; and about Uncle Jâms's adventures in courtship on the broad and narrow ways of the four parishes. Let one or two of these suffice here.

I heard my mother tell this story, which she got, she said, from the policeman who was in Llansewyl at the time of my grandfather's death. It was a dark midwinter night, and the constable was on his beat. He heard someone on the road giving his horse commands. When he came abreast of them a very positive order came to him also out of the night. 'Come here, boy; give a hand to help me mount this animal.' It was Jaci on his way back from Lampeter, not far from Jem's Tavern. He had no idea who the boy was who had so carefully helped him back into the saddle. He went on his way blithe and grateful for that kindness, and the constable, with a laugh, went on his.

Some years later it was Uncle Jâms whom the pony had astride her, and Neli the Cart, our perceptive and prudent innkeeper, tells the story. They had recently elected deacons in Rhydcymerau chapel, and my uncle, poor fellow, to his bitter chagrin, to be honest about it, had been for the second or third time left outside the circle of the elected ones among the elected of the Calvinists. It was a beautiful summer afternoon, and the sun was radiant near the meridian. All of a sudden, said Neli, she heard a horse galloping furiously down through the village. She went to the door to see what it was. At that moment a man on horseback came round Efail Fach bend like thunder, jumping the river clean (there was no

256

Efail Fach, gan neidio'r afon heb gwrdd â'r dŵr (nid oedd pont yno'r pryd hwnnw) a disgyn 'glatsh' o flaen y drws. 'Diawtht i, Mythyth Jinkinth, petai hi'n rathith blaenoriaid ar gefen ceffyle yn Rhydcymere'r wthnoth ddiwetha, dyma'r bachan bach fydde miwn, dop y pôl,' meddai'r marchog gan sicrhau'r raens wrth y peg haearn yn y wal gerllaw.

Nwncwl Jâms oedd y gŵr hwn yn bwrw'i ddig yn fflamau tân drwy garnau 'Ni-i' yn erbyn y gymdeithas dwp na allai weld na chydnabod ei deilyngdod ef i eistedd yn sedd ei dadau. A than eneiniad peint neu ddau i ryddhau llinynnau'r galon cafodd Neli, weddill y prynhawn, rai o sylwadau byw y blaenor gadd ei wrthod am rai o'r bodau amherffaith hynny a'i blaenorodd ef yn y dewisiad ychydig ddyddiau ynghynt. Ni wiw coffáu'r sylwadau hynny yma'n awr, er y byddent, efallai, yn eitha difyr. Ond wrth basio gallaf ddweud na chlywais i neb erioed wedi ei ddonio â'r fath huodledd i ddatgelu a dannod ffaeleddau 'i gyd-ddyn ac, ar yr un pryd, i ganu clod ei rinweddau'i hunan, ag a feddai Nwncwl Jâms pan gorddid ef i'r mŵd cynhyrfus hwn. Codai i ryw fath o ecstasi, yn ymylu ar athrylith, dan ddylanwad y cyfryw ysbryd – fel petai holl egnïon rhwystredig ei natur wedi torri'n rhydd a chymryd y bit rhwng eu dannedd. Nid oedd atal yn bosib nes llwyr fynd allan o wynt – a phob gair bron yn cyrraedd adre.

'Gwedwch chi'n awr 'te, Mythyth Jinkinth, rhyngom ni'n dou fan hyn – pwy thy wedi codi thafon canu Rhydcymere i'r lle uchel y mae e ynddo ar hyn o bryd, a phob pregethwr thy'n dod i'r capel yma, oth bydd dim yn 'i glopa fe, yn canmol yn canu ni, pwy meddech chi, thy'n gyfrifol am hyn i gyd – ond y gŵr hwn – a Dafydd Ifanth y Siop, ryw dipyn, falle? A drychwch y diolch rwy wedi'i ga'l gan y diawled, a 'mod i'n gweud shwd beth. Odi, Neli mae e' n ddigon i hala thant i regi . . . A dyna Hwn-a-Hwn yto (dyn a'i lygaid yn twician yn fynych), faint o werth yw e mewn cwrdd gweddi, leicthwn i wbod – dim ond thefyll fel potht heb allu can cegod, rhoi rhyw winc dro bob llathed 'ma, a gweud ambell i 'Ha h'm' a hynny yn y man rong, bob amther. Na, wn i ddim beth thy' mynd i ddod o'r eglwyth yma. Fe fydde'r hen bobol yn troi yn ' bedde, bydden, Mythyth Jinkinth . . .'

Dro arall, ac yntau'n ŵr y Dolau yn awr, a chanddo dri o blan William John, a'r ddwy efeilles, Marged a May, dywedir amdano' dreifio i mewn drwy fwlch y clos yn y cart a'r cratsis, wedi bod yn marchnad Llanybydder, a'r olwg arno, er mawr ofid i Nanti Elino

bridge there then) and dismounting, *clatch*, in front of the door. '*Diawtht 'i*, Mithith Jenkinth, if it had been ratheth for eldership in Rhydcymerau latht week here'th the little fellow who would have got in top of the poll,' said the rider, tying the reins to the iron peg in the wall. It was Uncle Jâms, of course, casting his anger in flames through Nee-ee's hooves against the stupid society who could not see, and therefore had not acknowledged his right to sit in the seat of his forefathers. And for the rest of the afternoon, when the unction from a pint or two of beer had relaxed the heartstrings, Neli was vouchsafed the rejected elder's lively observations upon some of those imperfect beings who had triumphed over him in the election a few days previously. I dare not record them here and now, although they might perhaps prove quite entertaining. But I may say in passing that I never heard anyone so gifted with eloquence in the exposure and reproach of his fellow men's failings and the concomitant eulogy of his own virtues as Uncle Jâms when his agitation had turned into turbulence. He would rise to a kind of ecstasy bordering on genius under the influence of this spirit, as if all the frustrated energies of his nature had broken out and taken the bit between their teeth. There was no possibility of restraint until he was quite out of wind, and every word went home.

'Tell me, Mithith Jinkinth, between you and me, who wath it raithed the thtandard of the thinging in Rhydcymerau to the high plathe it ith in at prethent, with every preacher that cometh to our chapel, if there'th anything in hith head, praithing our thinging, who do you thay is rethponthible for thith, ecthept thith little man – and Dafydd Ifanth the Thop, a little, perhapth? And look what thankth the devilth have given me. Yeth, Neli, it'th enough to make a thaint thwear, and there'th (So-and-so) again (the man whose eyes frequently twitched), how much good ith he in a prayer meeting I should like to know – thtanding like a potht unable to thing a mouthful, and giving a wink every yard or tho and a ha, hm, now and again, and alwayth in the wrong plathe. No, I don't know what'th going to come of thith church. The old folk would turn in their graveth, they would, Mithith Jinkinth.'

Another time, when he was now the farmer of Y Dolau with three children, William John and the twins Marged and May, it is told of him driving the cart and cratches in through the fold gate coming back from Llanybydder market with that look on him that only too plainly revealed the truth, to poor Auntie Elinor's sorrow

druan, a'r crotesi bach, yn bradychu'r gwirionedd yn rhy amlwg o dipyn. Ond meddai Nwncwl Jâms mor llon â'r brithyll, gan neidio, whiw, o'r cart: 'Ha ferched Jeruthalem, nac wylwch o'm plegid i; eithr wylwch o'ch plegid eich hunain!'

Soniais am Nwncwl Jâms yn leico dyferyn bach, a hynny'n ddigon tebyg yn ei gadw'n ôl o gyrraedd camp fawr ei uchel nod ar hyd ei oes. Ond dylid ychwanegu nad oedd yr hyn a yfai mewn blwyddyn gron yn ddigon i roi un bŵs teidi i dincer da teilwng o draddodiadau 'i dadau. Roedd o galon ysgafn, ac yn hoff o gwmni – 'cered y byd a'r sawl a'i hoffo'. Ac fel y dywedai rhywrai amdano, roedd gweld sein tŷ tafarn yn ddigon iddo godi hwyl, heb sôn am fynd i mewn. Tua hanner yr ail lasaid, os byddai'r frawdoliaeth yn gynnes, nid syn fyddai ei glywed yn dweud: 'A, diawtht i, boith, ambell waith rŷn ni'n cwrdd fel hyn. Rhaid cael tonc bach nawr cyn madel. Do – mi – tho – do – tho – mi – do!' Ac yna bant â hi, gan sythu'n ôl ar ei gefn, cadw'r amser â'i droed, ei lygaid bach bron ynghau, wedi ymgolli yn un o hen Ddarbis eisteddfodau'r cyfnod, neu efallai mewn darn o anthem a gofiai er pan oedd e'n aelod o gôr Price bach Wern 'Digaid. Yn y cwrdd gweddi yr wythnos wedyn, hwyrach y ceid ef yn tynnu wrth raffau'r addewidion gyda'r un sobrwydd a dwyster mawr. Ond ni wnâi'r tro i ŵr a ganai mewn tŷ tafarn gamu o fewn y sêt fawr – ond i adrodd ei gyffes mewn edifeirwch.

Rown i'n hoff iawn o Nwncwl Jâms yn y cyfnod cynnar hwn, ac wrth ei gwt ymhobman. Y tebyg a dyn at ei debyg, medden nhw. Ei enw ef arnaf i cyn cael etifeddion ei hunan oedd 'tifeddyn'. A'm henw innau arno ef ar un adeg, medden nhw eto, oedd 'Nwncwl Bow Down', gan mor hoff yr oedd ef o ganu'r darn enwog hwnnw 'We Never, Never, Will Bow Down', wedi ei ddysgu rywbryd yng nghôr Price bach, yn ddigon tebyg. Ar diwrnod ffair neu farchnad pan fyddai 'nhad a'm mam oddi cartref, a Nwncwl Jâms yn frenin y dydd, y byddai rhai o'r pethau mawr hynny sydd wedi aros yn arbennig yn fy nghof i yn digwydd, fynychaf. Dyma un tro, e enghraifft, yr wy'n ei gofio bron mor glir heddiw â'r dydd digwyddodd.

Rhyw fore yn union wedi brecwast yma oedd hi, bore hyfryd tua hanner mis Mai, yn ôl yr argraff sydd gennyf am liwiau'r coed

and that of the little girls too. But Uncle Jâms, as happy as a trout in the stream, jumped down, *whew*, from the cart, saying, 'Daughterth of Jeruthalem, weep not for me, but weep for yourthelveth.'

Uncle Jâms, you gather, liked a drop, and that probably held him back from the attainment of his life's intention. But I should add that in a whole year he did not drink as much as any tinker worthy of his family tradition would consider one decent booze. He was lighthearted and fond of company – 'let the world take those who love it'. And some people said that the sight of an inn sign, let alone going inside, was enough to elevate him. About halfway through the second glass no one would be surprised to hear him say, '*A diawtht 'i*, boith, we don't often meet like thith. We mutht have a bit of a thing-thong before we leave. Do-me-thoh-do-me-do.' And away he goes, straightening himself until he leant back, keeping time with his foot, with his small eyes almost closed, lost in one of the old eisteddfod derbys of that period, or perhaps in a part of an anthem he remembered from the days when he was a member of Price Bach Wern'Digaid's choir. The following week, perhaps, he would be found in prayer meeting, in the same spirit of sobriety and great earnestness pulling the ropes of the promises. But it wouldn't do for a man who sang in a public house to step inside the precincts of the elders' seat, except for the purpose of making a confession of repentance.

I was very fond of Uncle Jâms in this early period, and I followed him everywhere. Like draws to like, they say. His name for me before he had heirs of his own was 'little heir'. And my name for him at that time, they say again, was 'Uncle Bow Down', because he was so fond of singing that noted piece 'We Never Never Will Bow Down', which he had learnt, I dare say, in Price Bach's choir. On market days or fair days, when my father and mother were out and Uncle Jâms was the one-day king, were the occasions when some of the big things that have remained in my mind in a special way usually occurred. Here, for example, is one incident that I remember today as clearly as when it had just taken place.

It was one morning straight after breakfast, a glorious morning in the middle of May, to go by the impression I have of the colour of the foliage and the freshness of the fields, and it seemed as if there

ffresni'r caeau – ac fel pe buasai wedi bod yn bwrw glaw y noson cynt. Roedd fy rhieni eisoes ymhell ar y ffordd i Landeilo neu i Lambed efallai. Wn i ddim sut y dechreuodd hi, ond yr oedd twr bach ohonom ni, y morwynion a'r gweision, Nwncwl Jâms a Pegi a finnau, a'r cŵn, gellwch fentro, rywfodd wedi casglu ynghyd wrth dalcen isa'r tŷ-byw gwyngalch, gyferbyn â'r Cwm Bach. Gwylio gwiwer fach yr oedden ni yn neidio'n hoyw o gangen i gangen ar y coed ynn a masarn a llarwydd tal sy'n cysgodi'r clos. O weld cynifer o'r bodau rhyfedd, stwrllyd hyn ar y llawr odani ac yn syllu arni, roedd y creadur bach wedi dechrau gwylltu. Er mwyn diogelwch, gellid barnu, neidiai i gangen uwch ac uwch o hyd, nes o'r diwedd ei chael ei hun ar y brigyn uchaf oll y gallai hi'n ddiogel siawnsio ei chorff ysgafn arno. Yn deg neu annheg câi'r gwiwerod y bai am niweidio blaenion y coed pîn, a thrwy hynny andwyo irder a sythder eu tyfiant. Awgrymodd rhywun i Nwncwl Jâms i fynd i hôl y dryll ati – Mari Ffidl-Ffadl, yn ddigon posib. Roedd gan f'ewyrth ddawn nodedig i lunio llysenwau ffraeth ar rai pobl. A 'Mari Ffidl-Ffadl' oedd yr enw ganddo ar groten o ail forwyn yno, rhyw dwlpen fach dew, wynepgoch a fyddai'n rhedeg drot-drot trwy'r dydd gwyn, heb fod fawr yn nes o'i dal hi erbyn nos. Ei enw, gyda llaw, ar y forwyn fowr oedd 'y Bwch', merch gref iachus, a dau lygad brown, syn yn ei phen – merch sgaprwth am dynnu gwaith drwy 'i dwylo, ond a oedd dipyn yn swrth a diseremoni yn ei dull o siarad. Erbyn heddiw, credaf fod peth o ofn 'y Bwch' ar Nwncwl Jâms. Nid oedd ganddi hi fawr o amynedd â neb yr tindwyran uwchben y gwaith. Ac weithiau, pan fyddai ef wedi bod yn fwy o rwystr nag o help, fel y gallai fod yn fynych, câi wybod e barn hi amdano mewn geiriau lled groyw. Dyna a ysbrydolodd y enw 'Bwch', yn ddigon tebyg. Ond yr oedd y Ffidl-Ffadl wrth e fodd. Iddi hi fel iddo yntau nid oedd na gwaith nac amser yn cyfri fawr o ddim mewn bywyd. 'A, diawtht i, Mari Fach, rwyt ti'n eith reit – isie ca'l mei ledi yco lawr thy,' dychmygaf f'ewyrth yn ' ddweud. 'Mae gormod o'i hôl hi ar y gelltydd yma'n barod. Cer mofyn y dryll, Harith bach.'

Fel y dywedwyd yn barod, nid oedd Nwncwl Jâms yn saethwr gwbl, oherwydd ei olygon byr. Ond yr oedd ganddo ddryll da dryll dwbwl faril a'i stoc o fahogani tywyll, ond heb agos digon gamu ynddo i neb allu cael lefel rwydd arno. Gwyddai pawl bellach, wedi i'r dryll hwn ddod i'r maes, ei bod hi i fod y ddiwrnod i'r brenin. Ac yr oedd Mari Ffidl-Ffadl, fel Mac y

had been some rain during the night. My parents were already well on their way to Llandeilo or to Lampeter, perhaps. I don't know how it began, but there was a small group of us, the maids and the men, Uncle Jâms and Pegi and myself and the dogs, you bet, gathered together for some reason or other at the lower end of the whitewashed dwelling-house opposite Cwm Bach. We were watching a sprightly squirrel jumping from bough to bough on the ashes and sycamores and tall larches that shelter the fold. Seeing so many of those queer and noisy beings on the ground beneath watching intently, the little creature began to get excited. For safety, I suppose, it jumped to a higher branch and then to still higher ones, until it found itself on the highest top branch that it could risk its light body upon. Whether fairly or not, squirrels were blamed for harming the pine-tree shoots and so spoiling the freshness and straightness of their growth. Someone suggested to Uncle Jâms that he fetch the gun to it – Mari Fiddle-Faddle possibly. My uncle had an aptitude for inventing facetious nicknames, and Mari Fiddle-Faddle was his name for our second maid, a plump, redfaced bundle of a girl who ran trot-trot the livelong day without being by the evening much nearer catching what she was after. His name, by the way, for the first maid was 'The Buck', a strong, healthy woman with wondering brown eyes, a hefty one for getting the work through her hands, but rather abrupt and graceless in her manner of speech. By today I think that Uncle Jâms was a bit afraid of 'The Buck'. She hadn't much patience with anyone who dilly-dallied with work. And sometimes, when he had been more of a hindrance than a help, as he frequently could be, he was allowed to know her opinion of him in pretty plain terms. That is what inspired the name 'The Buck', I dare say. But Fiddle-Faddle was just to his liking. With her, as with himself, work and time did not count much in life. 'A diawtht 'i, Mari fach, you're quite right – hat my lady wantth to be brought down,' I imagine my uncle saying. 'She hath left too much of her mark on the woodth already. ʾetch the gun, Harrith bach.'

As I said a while back, Uncle Jâms was no shot at all, he was so hort-sighted. But he had a good gun, a double-barrelled one with a ʾark mahogany stock, but it hadn't enough bow to give it an easy ʾim. Everyone knew when this gun came out that it was going to be ʾa day for the king', and Mari Fiddle-Faddle was, like Mac the

262

defaid, yn gwichad ac yn ysgwyd ei chynffon gan falchder. Ni fu'r fath ddiwrnod er pan ddaeth hi yno G'lan Gaea cynt.

'Jâms bach, saethwch chi byth mohoni,' myntai'r forwyn fowr o weld gwastraffu amser pawb fel hyn, a gwaith ar eu dwylo.

'A, diawtht i, ti'r Bwch thy'n siarad, ie fe? Cer i'r tŷ i roi'r cawl ar y tân, dyna gwd gerl fach.' Gwyddai Nwncwl y ffordd i'w gwneud yn ynfyd grac bob amser, drwy alw'r enw hwn arni. Ymadawodd hi yn ffrom. Roedd y Ffidl-Ffadl ormod yn ysbryd y darn i glywed y gorchymyn i'w dilyn.

Aeth y paratoadau ar gyfer y Bisley yn eu blaen, a Nwncwl Jâms yn wron y dydd. O'r diwedd, wedi anelu'n hir a phawb yn dal ei anal, dyma ddau ergyd, 'Powns! Powns!' yn dilyn ei gilydd, yn diasbedain y cymoedd. Neidiodd y wiwer frigyn neu ddau'n uwch, ond gwelodd na thalai hynny. Roedd y rhain yn rhy win-gul, ac yn ôl â hi'n syth i'r unlle, ar fforchog cangen yr ochr bellaf oddi wrth yr edrychwyr yn awr. Symudodd y cwmni ychydig i'r aswy er mwyn cael gwell golwg arni.

'A, diawtht i, fel 'na, ie fe, Mith. Fe dreiwn i bibed fach arall i chi'n awr.' Ac felly y bu; dau ergyd eto. Ond dim yn tycio; y wiwer fach yn marchog y storm dân heb fod flewyn gwaeth, hyd y gellid barnu.

Stoc y dryll a gâi'r bai gan rai o'r edrychwyr brwdfrydig; y powdwr wedi lleitho tipyn, neu'r siots yn rhy fân gan y lleill. Neb yn amau'r saethwr. Drwy ffenest sinc y llaethdy gerllaw lle'r oedd hi'n gweithio, roedd y forwyn fowr yn dirgel wylio'r cyfan, ac yn ei natur yn dirfawr lawenychu ym mhob methiant. Gan nad oedd Nwncwl Jâms yn gyfarwydd â lodo dryll, cymerai gryn amser iddo baratoi ar gyfer pob brodseid newydd. Tua'r pumed neu'r whechec cyflegriad gwelwyd darn gwyn o bren wedi ei ddirisglo tua llathai dda y tu isaf i'r targed.

'Diawl, Jâms Williams, cadwch mla'n, rŷch ar y pren reit, ta p'un,' mynte Dai'r gwas mowr. (Roedd Dai wedi cael siars bendan gan 'mam, nad oedd i iwso'r geire mowr yn 'y nghlyw i, ac yr ow i i ddweud wrthi hi os digwyddai iddo ef syrthio. 'Chlywest ti ddin nawr, do fe, gwas?' meddai Dai, a gwên yn nghil ei lygad. 'Naddo Bafydd,' meddwn innau'n ddiniwed. Mab ei dad, y digyffely Benni Bwlch y Mynydd, ydoedd y 'Bafydd' hwn, gyda llaw.)

'Diâr i, Jâms, ddaw hi ddim lawr heddi, gewch chi weld. Mae'

sheepdog, giving little squeals and wagging her tail. There hadn't been such a day since she came there to service last Allhallows.

'Jâms bach, you'll never shoot her,' said the first maid, seeing everybody's time being wasted like this with work on their hands.

'A diawtht 'i, it ith you "the Buck" thpeaking? Go to the houthe and put the broth on the fire, that'th a good girl.' My uncle knew how to make her hopping mad at any moment by calling her this name. She left, fuming. Fiddle-Faddle had too much entered the spirit of the occasion to hear her command to follow her.

The preparations for the Bisley went forward, my uncle being the hero of the hour. At least, after taking a long aim, during which all held their breath, two shots *Powns! Powns!* following each other like that echoed through the woods. The squirrel jumped one or two holds further up, but she saw that this wouldn't do. They swayed under her too much, and back she went to the same place as before, up in a fork, and this time on the far side to the spectators. The company moved a little to the left to get a better view of her.

'A diawtht 'i, ith that how it ith, mith? Well, we'll try another little pipeful.' And so he did. Two more shots. But it was of no avail. The little squirrel rode the fiery storm without being one hair the worse for it as far as one could judge.

Some of the enthusiastic spectators blamed the stock of the gun. The powder had got a bit damp, others suggested, or perhaps the shot was too small. No one suspected the shooter. Through the perforated zinc window of the dairy where the first maid was now at work she secretly watched it all, and in her sullen temper she rejoiced over each failure. As Uncle Jâms was not used to loading a gun, the preparation for each new broadside was protracted. After the fifth or sixth bombardment a white spot could be seen a good yard below the target where the tree had been barked.

'Diawl, Jâms Williams, keep at it. You're on the right tree anyway,' said Dai the head man. Dai had been charged strictly by my mother not to use bad language in my presence, and I was to tell her if he happened to fall. 'You didn't hear me, now, did you, boy?' asked Dai with a smile at the corners of his eyes. 'No, Bafydd,' said I innocently. This 'Bafydd's' father was the incomparable Benni Bwlch y Mynydd, and he was his father's son.

'Dee-ary, Jâms, she won't come down today, you shall see; the little squirrel's enjoying herself fine up there,' said Dafydd

wiwer fach yn joyo'n net lan 'na,' mynte Dafydd Trefenty, yr hen weithiwr gwedwst, cydwybodol, gan droi i adael y cwmni llawen.

'Falle y daw hi lawr i gino,' mynte Harris Bach yn fwynaidd.

Pan oedd y smaldod hwn ar waith, a'r egwyl rhwng y ddau dân dipyn yn hwy nag arfer, 'whiw!', dyma'r wiwer wawrgoch yn cymryd 'y llam ddiadlam', a chyn pen winciad roedd hi ar y pren nesa, a'r pren nesa at hwnnw, a'r pren nesa wedyn, a brigau'r coed tal ar ymyl yr hewl yn dawnsio'r holl ffordd odani draw hyd at ddiogelwch canol gallt Cwm Bach, lle y câi hi hamdden, rywdro, i adrodd wrth ei phartneres am y bore twymaf yn ei bywyd.

'Cino,' mynte'r Bwch o gornel y tŷ.

'Diawtht i, ddaw *hi* ddim 'nôl yma ar hatht i'n poeni ni oboutu'r clôth yma,' meddai Nwncwl Jâms wrth fynd i mewn at ginio gyda'r lleill mewn ysbryd gŵr a wnaethai fore gwerthfawr o waith.

Soniwyd aml dro bellach am hoffter rhyfeddol Nwncwl Jâms o ganu – ei nwyd lywodraethol mewn bywyd. A derbyn diffiniad enwog Carlyle o athrylith fel 'y gallu i gymryd trafferth diderfyn' gellid dweud fod gan Nwncwl Jâms, o fewn ei gylch gwledig ei hun, hawl go deg ar y teitl llachar hwn. Oherwydd yn ychwanegol at ei lais bas naturiol, o ansawdd a chwmpas nodedig, yn ôl tystiolaeth pawb a'i clywsai, nid oedd ball ar ei amynedd a'i ymdrech i ddeall a meistroli manion pob darn o gerddoriaeth a gymerai mewn llaw. Fe'i dysgai'n berffaith, bob iod, yn ôl y copi, a rhoddai ei liw ei hunan ar y datganiad ohono. Y Sol-ffa yn unig oedd ei gyfrwng, gan nad oedd piano yn yr ardal yn ei ddyddiau cynnar ef. Ni ddeallai neb Hen Nodiant, er fod yno rai a'i defnyddiai genhedlaeth yn gynt, cyn i'r Sol-ffa ddod yn boblogaidd drwy'r wlad. Roedd Deio'r Bwtsiwr, tad John Jenkins, Cart and Horses, yn un ohonynt, fel y clywais ddweud. Bu farw Nwncwl Jâms yn 1921 pan oedd y radio ond yn dechrau dod i siarad. Pe cawsai fyw ychydig yn hwy, a chlywed cerddoriaeth odidog y offerynnau – y cornet, y chwibanogl, y delyn, y dulsimer, y psaltring, y symphon, a phob rhyw gerdd – ynghyd â'r corau lleisio ar yr awyr, cyraeddasai ei drydedd nef ymhell cyn gadael y ddaear.

'A, diawtht i, do'th dim gwell na hyn i' ga'l gyda nhw, boith delyn aur 'r ochor draw 'co,' dychmygaf yr hen gerddor syml hw yn ei ddweud 'a deigryn yn ei lygad hen'.

Trefenty, the old worker, so taciturn and conscientious, turning to leave the merry company.

'Perhaps she'll come down to dinner,' said Harris Bach sweetly. While this facetiousness was afoot and the lull between the firing rather longer than usual, there's the little red squirrel taking the leap of no return, and in a twinkling she was on the next tree and the next and next, and twigs of the tall trees were dancing all the way under her from the roadside into the security of the middle of Cwm Bach wood, where she would find leisure in due course to tell her partner about the warmest morning of her life.

'Dinner,' said the Buck from the corner of the house.

'*Diawtht 'i, she* won't come back here in a hurry to plague uth around the fold,' said Uncle Jâms, going to dinner along with the others in the mood of a man who had accomplished a precious morning's work.

I have several times mentioned Uncle Jâms's wonderful fondness for music, the ruling passion of his life. Taking Carlyle's famous definition of genius, the power of taking infinite pains, it could be said that Uncle Jâms, in his own rural sphere, had a pretty good claim to the gleaming title. For, in addition to his natural bass voice of notable quality and compass, there was no end to his patience and his efforts to understand and master the details of every piece of music he took in hand. He learnt every jot perfectly according to the copy, and he put his own colour into his rendering of it. His only notation was Sol-fa, as there was no piano in the neighbourhood in those days. No one in those days understood old notation, although in the previous generation, before Sol-fa became popular throughout the country, there were some here who used it. Deio the Butcher, father of John Jenkins the Cart and Horses, was one of them, I heard it said. Uncle Jâms died in 1921 when the radio had only just begun to speak. Had he lived a little longer and heard the magnificent instrumental music, the cornet, the flute, the harp, the dulcimer, the psaltring, the symphon, and all kinds of music, as well as the voice choirs on the air, he would have been in his third heaven before leaving this earth.

'*A diawtht 'i*, the boyth with the golden harpth on the other thide aven't got anything better than thith,' I hear the simple old musician remarking with a tear in his aged eye.

266

Dyma'r olygfa sydd wedi ei sefydlu ei hun yn glir yn fy meddwl i o'r dyddiau hynny, golygfa a welais yn ddiau, neu rywbeth tra thebyg iddi, laweroedd o weithiau: Nwncwl Jâms yn llewys ei grys ar gornel allanol y sgiw, dan fantell y simnai lwfer; tân mawr, gwresog o foncyffion coed ar lawr y gegin; y ffenestr fach, sgwâr yn wal bridd yr hen dŷ to gwellt yn taflu ei golau o'r tu ôl iddo; cwpan go fawr o ddŵr poeth ar gyfer eillio ar y ford gron o'i flaen; trochion sebon ar rannau o'i wyneb, a brws siafo neu raser yn ei law dde. Troi ei gern dipyn i'r ochr honno i gael y golau'n well. Yn ei law whith, gan ei ddal yn rhyfeddol o agos i'w lygad (nid oedd sbectolau'n gyffredin eto) byddai darn o gerddoriaeth – rhaglen cymanfa ganu, copi o anthem, neu o ryw gystadleuaeth eisteddfodol. Ac yno y byddai, weithiau, am fore neu brynhawn cyfan wrth y gorchwyl o siafo, gan redeg dros ryw rannau anodd o'r copi o'i flaen, ddegau o weithiau efallai, a'r dŵr wedi oeri'n y llestr lawer mwy o droeon nag y byddai dŵr siafo Robert Wyn gynt wedi berwi'n sych Nid syn os byddai yno gwt neu ddau ar ei ên cyn gorffen. Ond byddai amseriad y dôn a'r curiadau, yr haneri a'r tri chwarteri a'r trawsgyweiriadau, wedi ei meistroli'n llyfn a pherffaith, a'r nodau'n darstain ac yn rhowlio'n ogoneddus drwy'r hen dŷ. Yma'n ddiau y tarddodd y teitl, 'Nwncwl Bow Down', ond nid oedd 'bow down' i fod hyd nes i'r darn ildio pob iod a thipyn o'i gyfrinach iddo ef. Os mentrai fy mam, yn gwrtais ac yn bwyllog, awgrymu ei bod hi'n bryd bwyd, a bod eisiau'r ford, neu i'r forwyn fowr roi'r un rhybudd, dipyn yn fwy swrth ac uniongyrchol, caent ateb ffraeth, neu sylw brathog, yn union fel y byddai ei hwyl ef neu hwyl y raser ar y pryd. Peth mawr yw ceisio byw dan yr un to â mab athrylith!

Gŵr lled fyr oedd Nwncwl Jâms, na thrwm nac ysgafn o gorff ac o flewyn tywyll. Golau, a rhai yn gochlyd oedd y plant eraill, a 'nhad yn llwydfrown, ryw hanner y ffordd rhyngddynt. Safa f'ewyrth yn syth fel y pin, ac wrth ganu ar lwyfan, heb gopi bron yn wastad, pwysai dipyn yn ôl ar ei gefn, gan gadw'r amser yn gyson â blaen ei droed dde. Bu ambell feirniad, o eisiau rhywbeth i'w ddweud heblaw ei ganmol, efallai, yn awgrymu peth cerydd ar yr arferiad hwn ganddo. Ond waeth hynny na rhagor roedd pedc flaen loyw ei esgid dde yn fath o symbal yng ngherddorfa Nwncw

Here is another scene from those early days that established itself clearly in my mind, one that I saw, or which approaches what I saw, very many times. Uncle Jâms in his shirtsleeves on the outer end of the settle under the open chimney mantel; a big fire on the floor throwing out into the kitchen the heat of the burning stumps of trees; the little square window in the earthen wall of that old straw-thatched house throwing behind him the light of the day; a rather big mug of hot shaving-water on the round table in front of him; lather on parts of his face and shaving-brush or razor in his right hand. He might turn his head to one side a little for the light to fall upon it better. In his left hand, holding it very near his eyes (spectacles were not yet in common use), would be a piece of music, a copy of an anthem or of some piece for competition in some eisteddfod. And there he would remain all the morning, sometimes, or all the afternoon, still in the process of shaving, running over some difficult parts in the copy he had before him dozens of times, perhaps, while the water in the mug got cold many times over, more times than Robert Wyn's kettle of old boiled dry. It was no wonder at all if he had a cut or two on his chin before he finished. But the tempo, the beats, the half and three-quarter notes, and the transpositions would have been mastered to ease and perfection, and the notes would roll and reverberate gorgeously through the old house. It was here, I am sure, the title 'Uncle Bow Down' sprang up, but there was no bowing down to be until the piece yielded to him all its secret. If my mother ventured courteously and circumspectly to hint that it was meal-time and she wanted the table, or if the maid gave him the same notice more directly and brusquely, they were given a witty reply or a biting rejoinder according to the mood he was in, or the mood his razor was in, at the time. Oh, the difficulties of living under the same roof as a man of genius!

Uncle Jâms was rather a short man, neither heavy nor light in build, dark-haired. The other children were fair-haired, and some inclined to be ginger, while my father's hair was an intermediate brown. He stood up straight as a pin, and when he sang on the platform, which he almost always did without a copy, he leant back a little and beat time with the tip of his right foot. Some adjudicators, for want of something to say, perhaps, animadverted upon this habit of his, but nevertheless the bright metal tip on his right boot was always in action like a sort of instrument, a cymbal in Uncle Jâms's orchestra. He sang not with his mouth only, but

Jâms. Canai â'r corff yn gystal ag â'r genau, yn naturiol, yn union ysbryd y darn. Yn fy marn i nid oes dim gwell na chywirach disgrifiad o fywyd a chymeriadau ardal wedi eu sgrifennu yn Gymraeg na darnau o atgofion y Parch. Eirug Davies yn *Y Dysgedydd* am gwm Gwarnogau yn ei ddyddiau cynnar ef. Gresyn enbyd i'r atgofion hyn orffen ar eu hanner, fel bywyd gwerthfawr y cofnodydd. Rhyw bedair milltir yn groes i'r bryniau a'r cymoedd sydd rhwng Rhydcymerau a Gwarnogau, ac yr oedd cyfathrach eisteddfodol gynnes rhwng y ddwy ardal. Heddiw mae waliau coed, filltiroedd o drwch, y Brechfa Forestry yn cau rhynddynt, a tho llawer tyddyn lle bu cân a phennill wedi syrthio iddo – diolch i ôfal Llywodraeth Lundain dros fywyd gwledig Cymru! Fodd bynnag, bydd cyhoeddi'r atgofion hyn yn fuan mewn llyfr yn ychwanegiad o bwys at lenyddiaeth Gymraeg, heb sôn am eu gwerth fel dogfennau cymdeithasol am gyfnod sydd ar fin diflannu. Wele ddisgrifiad o Nwncwl Jâms yn canu ar lwyfan eisteddfod Gwarnogau pan oedd Eirug yn grwt:

Yr oedd i'r fro honno (Rhydcymerau) ei champwyr mewn eisteddfodau, yn arbennig fel canwyr. Yr oedd gwylio wyneb Jâms Williams y Dolau (ewythr D. J.), pan yn canu, gystal gwledd bob tipyn ag oedd gwrando'r llais cyfoethog a roed iddo. Yr oedd pob cymal ac asgwrn yn ei wyneb ar lawn gwaith, a chwafriai gyda'r nodau a'r mynegian mewn modd rhyfeddol o gynorthwyol, fel braidd na ellid dilyn e ganu petai ei enau'n ddistaw, gan fod yr holl ystumiadau yn cadw'u trefn, a mesur nwyf yn berffaith. Ie, un o'r Hen Wynebau oedd ef heb un amheuaeth. Byddai'n filiwnêr ar y ffilmiau modern y ddidrafferth.[4]

Ato ef, hefyd, a Dafydd Ifans y Siop, dau ben cerddor yr ardal, cyfeiria Gwenallt yn y gân 'Beddau' yn *Ysgubau'r Awen*:

> *Piau'r cleiog feddrodau?*
> *Arweinyddion y corau,*
> *Dafydd Siop, Siâms y Dolau.*

[4] *Y Dysgedydd*, Awst 1950.

with his whole body, naturally, and in the spirit of the work he was rendering.

In my opinion there is nothing written in Welsh that gives a better and truer description of a locality's social life and characters than the parts of the Reverend Eirug Davies's reminiscences in *Y Dysgedydd* where he deals with the Gwarnogau in his early days. What a cause of regret it is that these reminiscences came to an end unfinished, like their author's precious life! Rhydcymerau and Gwarnogau are some four miles apart across the hills, and the eisteddfod brought them together in a warm cultural alliance. Today, wooden walls miles thick separate them, the Brechfa Forestry, and many homesteads where song and verse flourished have fallen into decay, thanks to the London Government's care for Welsh rural life. The coming publication of these reminiscences in book form will be an important addition to Welsh literature, not to speak of their value as social documents for a period that will soon have disappeared from our sight. Here is a description of Uncle Jâms singing on the eisteddfod platform in Gwarnogau when Eirug was a boy:

> *That locality had its champions in eisteddfodau, especially as singers. To watch Jâms Williams the Dolau's face when he was singing (he was D. J.'s uncle) was every bit as good a feast as to listen to the rich voice he had been given. Every facial joint and bone was in action quavering in accompaniment to the notes and the expression in such a wonderfully helpful way you could almost have followed the singing if the mouth had been silent, for the facial movements in their animation kept the order and measure of the music. Yes, he was without a doubt one of the* Hen Wynebau *(Old Familiar Faces). Today he might easily have become a millionaire film star.*

It is to him, too, and Dafydd Ifans the Shop, the two chief musicians of the locality, that Gwenallt refers in a verse of his poem *Beddau* (*Graves*) in *Ysgubau'r Awen*:

> *Whose are the clayey graves?*
> *The choir conductors*
> *Dafydd Shop, Siâms the Dolau.*

Ac o sôn am gorau, côr wyth neu gôr aelwyd oedd yr eithaf mewn rhif y cymerai Nwncwl Jâms ato. Dichon na chymerid ef ddigon o ddifri gan gôr lluosocach lle byddai mwy o ddisgyblaeth yn ofynnol. Clywais rai a fu'n canu'n ei gôr yn dweud y byddai'r gair bach a sibrydai wrthynt ar y llwyfan cyn cymryd y sŵn (nid oedd yno biano) – 'nawr 'te, amdani, boith bach,' neu rywbeth tebyg – yn rhoi ffydd a hunanfeddiant ym mhob cantwr, nes peri i'r parti cyfan ganu'n well nag a wnaeth mewn unrhyw bractis. Ac meddai wedyn, wrth ddod lawr, 'Diawtht i, mae gyda ni'r tro hyn yto, boith.' A siawns na fyddai'n iawn. Ni fu curo ar ei gwartet – Cathrin Syfigw yn soprano, Let y Trawsgoed yn alto, Rhys y Gelli – y Cynghorwr Sir, Rhys Llewelyn Evans, wedi hynny – yn canu tenor, ac ef ei hun, wrth gwrs, yn cadw'r gwaelod fel y drwm. Ond fel canwr solo yr oedd ef yn bencampwr. Swllt oedd y wobr gyffredin am unawd y pryd hwnnw. Ni fyddai'n ddim gan Nwncwl Jâms, yn hynafgwr penfrith erbyn hyn, gerdded chwech i saith milltir o wlad fryniog, arw, ddyfnder gaea i ganu, nid am y swllt glas hwn a'r bag rhubanog am ei wddf, bid sicr, ond er mwyn yr hwyl o ganu i gynulleidfa o bobl mewn hwyl i wrando canu. Dyn allan o'i le, fel petai, ydoedd ef ym mhob man arall, a heb wybod hynny, yn ceisio cael ei le, yn fynych, trwy fod yn groes ac yn styfnig. Yma, a'i draed ar lwyfan, ef oedd y brenin a phawb yn cydnabod hynny. 'Yr Hen Gerddor' ydoedd ei ffugenw eisteddfodol ymhobman, er cof gennyf i. Yn ei flynyddoedd olaf, fel yr hen Bob Roberts, Tai'r Felin ar raddfa llawer ehangach, tynnai'r tŷ i lawr bob tro y safai o flaen y dorf. Canodd drwy ei oes ymhob eisteddfod bron o fewn y pedwar plwyf ym Mlaenau Cothi – o Warnogau i Lancrwys, o Grug-y-bar i Gaersalem, Llambed. Pe canasai i'r dinasoedd ar bedwar cyfandir ni fyddai damaid mwy wrth ei fodd.

Y mae un olygfa arall a Nwncwl Jâms yn ffigur canolog ynddo wedi aros yn fyw iawn ar fy nghof. Hwyrddydd o haf, neu efallai hydref cynnar oedd hi'r tro hwn, a'r coed yn nhalcen y berllan, fe rwy'n cofio'n dda, yn eu llawn dail. Yr un oedd y cwmni, neu leiaf gwmni yr un mor barod am dipyn o sbri, â bore gorchest wiwer. Mae gennyf ryw syniad fod fy mam yno'r tro hwn. Er m dwys oedd hi wrth natur, ac yn rhy annibynnol a diragrith i al

But the biggest choirs that Uncle Jâms would take in hand were the family choir and the octet. Perhaps by bigger choirs, where more discipline was needed, he would not have been taken seriously enough. I heard some of those who had been singing in his choirs say that the few words he whispered to them on the stage before taking the note – there was no piano – 'Now for it, boyth bach', or something of the kind, put faith and confidence into every singer and made the party sing better than they had done in any practice. And then on descending he would say, '*Diawtht 'i*, we've got it thith time again, boyth,' which usually turned out to be true. His quartet – Cathrin Syfigw, soprano, Let the Trawsgoed, alto, Rhys the Gelli, later to be the County Councillor Rhys Llewelyn Evans, tenor, and himself, of course, keeping the bottom part, like a drum – was never beaten. But he was pre-eminent as a soloist. At that time the usual prize for a solo was a shilling. Uncle Jâms, when he was a grey-headed doyen, would think lightly of walking six or seven miles of rough, hilly country in the depth of winter to sing, not, of course, for the silver shilling and the ribbon bag around his neck, but for the joy of singing to a gathering who were in the mood to listen to singing. In every other place he was a man who was out of place, as it were, and who, unaware of it, was yet often seeking his place by being contrary and stubborn. Here, with his feet on the platform, he was king and was recognised as king by all. His sobriquet in every eisteddfod ever since I first remember was 'Yr Hen Gerddor' ('The Old Musician'). In his last years, like old Bob Roberts Tai'r Felin, though on a much smaller scale, he brought the house down every time he stood before a gathering. Throughout his life he sang in nearly every eisteddfod in the four parishes of the Upper Cothi, from Gwarnogau to Llancrwys and from Crug-y-bar to Caersalem, Lampeter. Had he been singing to the cities of four continents it could not have made him any happier.

One more scene in which Uncle Jâms is the central figure remains vivid in my memory. It was a summer evening, or perhaps an early autumn evening, with the trees at the end of the orchard in full leaf, I remember well. The company was the same, or, if not exactly, so equally ready for a bit of fun, as on the morning of the squirrel exploit. I have an idea that my mother was with us this time. Although she was somewhat grave by nature and too independent

cytuno fawr â ffyrdd od a rhyfedd Nwncwl Jâms, eto roedd ynddi ddigonedd o synnwyr ac o naws digrifwch yn ei ffordd ei hun, a gallai, ar achlysur fel hyn, fynd i mewn i ysbryd y darn gystal â neb. (Nid oedd fy nhad yno, mi wna'n llw, gan y byddai unrhyw ddwli o'r fath, ar hanner gwaith, fel tân ar ei groen tenau ef.) Gerllaw drws y tŷ byw yr oedd y criw llawen y tro hwn, ac o'i flaen wele Nwncwl Jâms ar gefen Bess, yr Hen Boni, wedi ymwisgo'n drwsiadus mewn dillad brethyn cartref tywyll, gwaith Dafydd Red Lion, teiliwr y teulu drwy'i oes. Roedd y si ar led ers cetyn fod 'menyw newydd' gyda Nwncwl Jâms, at y rhestr faith a fuasai ganddo'n barod, 'menyw a thipyn o dor'ad yndi o ochor Tanllyche (Talyllychau) 'na, rywle,' medden nhw. Pan welwyd, gan hynny, i Nwncwl Jâms dreulio'r bore'n gyfan i glipo rhawn y poni, a'r prynhawn i drimio 'i fwstás du a'i locsen 'i hunan, yn ôl ffasiwn y cyfnod, ac o de ymlaen i'r oruchwyliaeth ddeuol o siafo a chanu, gwyddid, yn sicr, fod yna rywbeth ar droed heblaw eisteddfod leol, neu noswaith o garu bob-dydd fel petai; gwyddid fod yna baratoadau ar gyfer noson fawr – noson, o bosib, a thynged yn hongian yn drwm wrthi. Bu gwylio a sisial a mingamu deallus wrth i bawb fynd ymlaen â'i waith yn ystod y dydd. Gellid dychmygu'r Ffidl-Ffadl wrth deimlo rhywbeth yn y gwynt yn gwichian yn uwch na'r moch bach y rhoddai wâl o redyn odanynt, a'r Bwch yn gwasgu 'i gwefusau rhag gorfod gwenu. O ganfod y march a'r marchog, a phob blewyn arnynt yn ei le, yn croesi'r clos i fynd heibio i'r tŷ roedd y criw yn gryno, drwy ryw ddamwain syn, wedi casglu ynghyd yno wrth y drws i ddymuno'n dda iddo ar y daith i'r twrnameint, a phob un â'i sylw a'i gyngor, brwd neu amrwd, yn barod i estyn cyfarwyddyd iddo ar gyfer yr hyn oedd o'i flaen.

'Peidiwch chi â gadel i honna yto fynd o'ch gafel chi, Jâm Williams,' mynte Dai Benni ar ganol y cellwair hwyliog.

'A, diawtht i, Dafydd, mae'r gŵr hwn yn weddol thaff o' dderyn, gwlei,' ebr y marchog hyderus.

'Dwy i ddim mor siŵr,' oedd ateb Dai. 'Mae 'na fwy nag u wiwer fach sionc wedi dianc rhag 'i ddryll e cyn hyn.'

'Wel, oth dihangith hon, fe fydd wedi'i shot-tho'n drwm, p'un,' meddai'n ewyrth.

Yng nghanol y rhialtwch a'r wherthin hwn, 'Ni-i!' mynte Harr Bach yn sydyn reit, o ran melltith.

A dyma'r clustiau bach yn moeli'n ôl a'r ffroenau'n crychu gas. 'Trt-trt-trt!' mynte'n ewyrth, gan sodlo'n ysgafn ochr y poni.

and sincere to be able to agree or pretend to agree to any extent with Uncle Jâms's extraordinary and surprising ways, yet in her own way she had plenty of humour in her, and on an occasion like this she could enter the mood of it as well as anyone. (My father wasn't there, I would swear to that, for any nonsense of this kind in the middle of work to be done was like fire on his skin). The merry crew are this time at the dwelling-house door, and before them is Uncle Jâms on the back of Bess the Old Pony, dressed smartly in dark woollen homespun tailored by Dafydd the Red Lion, who was our family tailor throughout his life. It had been whispered for quite a while that Uncle Jâms had added a 'new woman' to his already long list, a woman with a bit of cut about her from somewhere near Tanllyche (Talyllychau). And so when Uncle Jâms had been seen spending the whole morning clipping the pony's mane and tail and the whole afternoon trimming his own moustache to the fashion of the period it was known that there was something afoot bigger than a local eisteddfod and an ordinary evening's courting, an evening that might perhaps be heavy with fate. There had been much watching and whispering and grimacing meaningfully during the day as everyone went on with his work. One could imagine Fiddle-Faddle as she went on with her work squealing louder than the small pigs whose bracken bedding she laid, and the Buck pressing her lips tight lest she be forced to smile. And now, seeing the horse and knight immaculate, without a hair out of its place on either, crossing the fold to go past the house, the whole crew had gathered, casually as it were, to wish him well on his journey to the tournament, everyone with his own remark to make and his own advice to give, whether hot or raw, ready to offer him guidance in the matter that was facing him today. 'Don't let this one get out of your hold, Jâms Williams,' said Dai Benni in the middle of the lively banter.

'*A diawtht 'i*. Thith man ith pretty sure of hith bird, I should hay,' said the confident knight.

'I'm not so sure,' replied Dai. 'There's more than one nimble little squirrel has escaped his gun before today.'

'Well, if thith one ethcapeth she'll be well shotted, anyway,' said my uncle.

In the middle of the merriment and laughter 'Nee-ee,' said Harris Bach suddenly, out of cussedness.

The little ears turned back and the nostrils wrinkled nastily. 'Trt, rt, trt,' said my uncle, gently heeling the pony's flank. And with a

chyda ffling neu ddwy i'w choesau ôl i'r awyr, a cholli gwynt yn yr ymdrech, dyma hi bant ar drot fowr drwy fwlch y clos, draw hyd hewl Cwm Bach, a Chyw Ola Penrhiw ar ei chefn yn bwrw mas yn galonnog, unwaith eto, i edrych am wraig – ''r un fath â'r carwr cyntaf a garodd gynta 'rioed.'

Bu fy nhad-cu, Dafydd neu Deio Gwarcoed, yn briod ddwywaith, a chafodd dri o blant o bob un o'i ddwy wraig. Merch Coed Eiddig, ffarm ryw ddwy filltir o Lambed, ar ffordd Pumsaint a Llanwrda, oedd Anne, ei wraig gyntaf, mam fy mam, a'i dau frawd hŷn na hi. Roedd yng Nghoed Eiddig dri o blant eraill heblaw fy mam-gu, sef Thomas, yr Erw Wion, Ffaldybrenin, wedi hynny, a fu byw dros ei bedwar ugain a deg oed, os da y cofiaf; Sali yr enwyd fy mam ar ei hôl, ac a barhaodd ymlaen i fagu teulu yng Nghoed Eiddig; a Mari a ddaeth yn ddiweddarach yn wraig yr Esgair sy'n ffinio â Phenrhiw. Mab iddi hi oedd Evan Jones y British, fel y'i gelwid, gwerthwr glo a chargludydd dodrefn yng Nghaerdydd, a thad J. E. Emlyn Jones, perchennog llongau, a'r olaf o'r Rhyddfrydwyr, am wn i. Bu'n Aelod Seneddol dros Ogledd Dorset am gyfnod. Mab arall i'r Esgair, a chefnder fy mam, felly, plant dwy chwaer, oedd Dafydd Jones a fu, fel llawer o'r cylch hwn, yn ffermio yn Lloegr. Bu yno am yr ugain mlynedd cyntaf o'r ganrif hon, ac fe'i clywais ef ei hun yn dweud, nid heb beth ymffrost, efallai, iddo wneud mil o bunnoedd o elw am bob blwyddyn y bu yno. Fel ei gyfoedion i gyd, ganol y ganrif o'r blaen, ni chafodd fawr o ysgol. Aeth o'r Esgair, lle bryniog a driniai'n rhagorol, yn Gymro uniaith bron, gan gymryd ffarm o ryw saith can cyfer o dir da y tu allan i Birmingham. Cyn pen fawr o dro roedd yn cymryd llanciau o Saeson yno i'w dysgu i ffermio, ac yn eu rhedeg fel milgwn, fel y clywais ddweud. Ond fe ddysgent y grefft, os oedd dysgu iddynt cyn ymadael ag ef, gan fod iddo enw fel trefnydd a gŵr llygadog am anifail. Roedd yn ddychryn i ddiogi ac annibendod, ond yn y bôn dywedid gan y rhai a fu'n weision a morwynion iddo ei fod yn ddyn hael a charedig. Ni raid dweud nad o ochr ei fam, chwaer f mam-gu, y cafodd ef yr hyder Napoleonaidd hwnnw ynddo'i hu a'i nodweddai. Treuliodd ei flynyddoedd olaf, wedi reteirio, yn Al y Cloriau, Llanwrda.

fling or two of its hind legs into the air, losing its wind in the effort, away she goes at a quick trot through the fold gate over to Cwm Bach road with Penrhiw's Last Yellow Chick on her back striking out once more with a high heart to look for a wife, like the first lover that ever loved.

My grandfather Dafydd, or Deio, Gwarcoed, was twice married, and he had three children from each wife. His first wife, Anne, the mother of my mother and her two elder brothers, was a daughter of Coed Eiddig, a farm two miles from Lampeter on the Pumsaint to Llanwrda road. There were three children in Coed Eiddig besides my grandmother – Thomas, afterwards of Erw Wion, Ffald y Brenin, who died at the age of nearly ninety, if I remember correctly, Sali, after whom my mother was named and who remained in Coed Eiddig and reared a family there, and Mari, who later became the wife at Yr Esgair, which borders on Penrhiw. One of her sons was Evan Jones the British, as he was called, a coal merchant and furniture remover in Cardiff, and father of J. E. Emlyn Jones, shipowner, the last of the Liberals, as far as I know. He was at one time Member of Parliament for North Dorset. Another son of Yr Esgair, and a cousin of my mother's, therefore, was Dafydd Jones, who, like many natives of the neighbourhood, had been farming in England. He was there during the first two decades of the century. I heard him say, not without a little boasting, perhaps, that for every year he was there he made a thousand pounds profit. Like all his contemporaries in the middle part of the last century, he did not get much schooling. He left Yr Esgair, a hilly farm he had managed and treated excellently, almost a monoglot Welshman, taking a farm of seven hundred acres outside Birmingham. Before long he was taking English youths who wanted to learn farming and running them like greyhounds, I was told. But they learnt farming before they left if there was any learning in them, for he was reputed to be an excellent organiser and a keen judge of animals. He was the terror of the lazy and slovenly, but beneath it all, so said people who had been men and maids in his service, he was a kind and generous man. It need not be said that it was not from his mother, my grandmother's sister, he derived his Napoleonic self-confidence. He retired and spent his last years in Allt y Cloriau, Llanwrda.

276

Clywais ddweud gan y diweddar Barch. Eiddig Jones (brawd-yng-nghyfraith y Dr. Moelwyn Hughes) mai teulu o Annibynwyr selog a ffyddlon oedd pobl Coed Eiddig, ac yn ei ddyddiau cynnar ef, pan gynhelid cyrddau gweddi ac Ysgolion Sul ar hyd tai, fod yr hen dŷ to gwellt hwn, fel yr oedd y pryd hwnnw, a'r canhwyllau wedi eu gosod yma a thraw i oleuo ei barwydydd hirion, yn ganolfan bwysig i grefyddwyr yr ardal o gwmpas. Gan fod Coed Eiddig dipyn yn groes gwlad i ni, wedi symud i Aber-nant, unwaith yn unig, a hynny'n blentyn go fach, y cofiaf i mi fod yno. Ond soniai fy mam amdano'n fynych. Merch Nanti Sali Coed Eiddig oedd Mari, gwraig Tomos Ifans, Ffynnonrhys, ar gefn Sir Aberteifi. Hi a ch'nither arall iddi, Citi'r Esgair, Citi Glan 'r Annell, wedi hynny, ydoedd dwy o ffrindiau mawr fy mam yn ferch ifanc. Gymaint o arwyr dinod sydd mewn bywyd, yn ymladd yn ddi-ildio am oes gyfan yn erbyn amgylchiadau celyd! Ac yr oedd Citi yn un ohonynt, petai modd mynd ar ôl ei hanes yma.

Ar y cyfan, oherwydd iddynt ganghennu i wahanol gyfeiriadau, rhai i Sir Aberteifi, eraill i Forgannwg ac ymhellach, ni ddeuthum i gyffyrddiad â llawer o deulu fy mam. Yn fy marn i, Citi Glan 'r Annell, yn ei brwydrau hir yn erbyn adfyd, oedd y cymeriad mwyaf ohonynt i gyd.

Fel y dywedwyd, mab 'Fraich Esmwyth, ffarm fechan ar och Mynydd Pencarreg, yn wynebu ar ardal Llambed a Sir Aberteif oedd fy nhad-cu. Roedd y lle yn eiddo i'r teulu, ac yno y buont y byw ers cenedlaethau. Bedyddwyr oedd y bobl hyn o'r bron, ac y aelodau yng nghapel Caersalem. Yn ôl hen Feibl teulu 'Fraicl Esmwyth, fe briododd fy hen dad-cu, Thomas Morgan, â Mary merch John ac Anne Williams, Penpompren, Llanwnnen, a hynn' ar y 25 o Orffennaf, 1813, y briodferch yn ugain a'r priodfab y wyth ar hugain oed. Roedd y Mary yma, fel y cyfeiriwyd eisoes, y chwaer i David Williams ('Iwan'), ac yn hanfod o linach Eno Francis. Bu farw John Williams y tad yn 1802, ac yn 1806 f briododd ei weddw, Anne Williams, yr ail waith â David Davie gweinidog eglwys y Bedyddwyr yn Aberduar, gan symud ato ffarm Bryn Llo gerllaw, lle yr oedd yn byw. Mewn ysgrif yn *Sere Cymru* (15/8/1941) ar 'Iwan' gan y Parch. W. J. Rees, yr hanesyd dywedir fod John ac Anne Williams yn bobl gefnog e

I heard the late Reverend Eiddig Jones (Dr. Moelwyn Hughes's brother-in-law) say that Coed Eiddig people were a faithful and zealous Congregational family, and that in his early days, when prayer meetings and Sunday Schools were held in dwelling-houses, this old straw-thatched house as it was at that time, with the candles put down here and there to light its long walls, was an important centre for the worshippers of the surrounding district. As it was rather a cross-country journey to Coed Eiddig from Aber-nant, I only once remember being there, and that when I was quite a small child. But my mother often spoke of Coed Eiddig. Mari, wife of Tomos Ifans Ffynnonrhys, on the Cardiganshire upland, was a daughter of Auntie Sali Coed Eiddig. She and another cousin of hers, Citi of Esger, Citi Glan'r Annell afterwards, were my mother's big friends when she was a young girl. What a number there are of obscure heroes and heroines in life fighting throughout their days the difficulties that surround them. Citi was one of these, as you would see if I could tell you her story here.

Speaking generally, because my mother's family branched out in different directions, some into Cardiganshire and some into Glamorgan and beyond, I did not come into touch with many of them. To my mind Citi Glan'r Annell in her long battles with adversity was the greatest character among them.

As I have said, my grandfather was the son of Y Fraich Esmwyth, a little farm on the side of Mynydd Pencarreg facing Lampeter and Cardiganshire. The place was a family freehold where they had been living for generations. They were all Baptists, members of Caersalem. According to Y Fraich Esmwyth family Bible, my great-grandfather Thomas Morgan married Mary, daughter of John and Anne Williams, Penpompren, Llanwnnen, on the 25th of July, 1813, the bride being twenty and the bridegroom twenty-eight. This Mary, as has been mentioned, was a sister to David Williams ('Iwan'), and came of Enoc Francis's lineage. John Williams, her father, died in 1802, and in 1806 his widow, Anne, married David Davies, the minister of Aberduar Baptist Church, going to live with him at Bryn Llo farm nearby. In an essay in *Seren Cymru* (August 15, 1941) on 'Iwan' by the Reverend W. J. Rees, the historian, it is stated that John and Anne were well-to-do people. My mother told me a little of the family history, and that there was some opposition

278

hamgylchiadau. Clywais innau ychydig o stori'r teulu gan fy mam – fod tipyn o wrthwynebiad i'r briodas hon ar y dechrau, am nad ystyrid Thomas Morgan, mab y mynydd, yn ddigon da fel *match* i'r ferch gan ei mam a'i llysdad, y gweinidog. Fodd bynnag, fe'i profodd y priodfab ei hun yn ŵr da ac yn dad teilwng. Maged ganddo ef a'i briod bump o blant – tri mab yn gyntaf a dwy ferch – a chafodd pob un ohonynt beth gwell ysgol na phlant y cyfnod yn gyffredin. Mae'n debyg, hefyd, mai ym Mhenpompren, Llanwnnen y ganed fy nhad-cu. Gan iddo ef, y trydydd o'r plant, gael ei eni yn 1820, ymhen saith mlynedd wedi priodas ei rieni, yr unig esboniad rhesymol ar hyn yw i'm hen dad-cu, Thomas Morgan, fyw am rai blynyddoedd ar ôl priodi yng nghartref ei wraig ym Mhenpompren, cyn symud yn ddiweddarach, wedi i weddill y teulu briodi, efallai, yn ôl i'r hen nyth ym Mraich Esmwyth. Yno y maged y plant, ac yno y bu ef farw yn 1868 yn 83 oed, a'i wraig Mary, hithau, yn 1866 yn 73.

Ganed Mari, chwaer iengaf fy nhad-cu, yn 1834. Priododd yn ifanc â gŵr o ymyl Llambed, gan fynd i fyw i Lundain. Ei mab hi oedd Tom Jones, y Borth, yn ddiweddarach, wedi ei fagu yn y brifddinas, yn Sais o'r Saeson, gan lwyddo i fyw ar hyd ei oes yn ŵr bonheddig di-ystad. Gadawyd Mari, y ferch hynaf, gartref yn y wlad i ofalu am ei thad-cu a'i mam-gu o ochr ei thad. Wedi tyfu i fyny symudodd hithau i Lundain, a bu ei siop a'i thŷ yn 40, Endell Street, Bloomsbury, am gyfnod maith yn ganolfan i lawer iawn o Gymry.

Yr olaf o deulu fy nhad-cu i fyw ym Mraich Esmwyth ydoedd ei frawd hynaf, John, a aned yn 1814, ac a fu farw yno yn hen lanc yn 1888; gŵr cywir a duwiol, medden nhw. Ar ddamwain hollol, a hynny'n lled ddiweddar, drwy garedigrwydd perthynas i Anne, her forwyn iddo, y daeth i'm llaw hen Feibl y teulu y cymerir rhai o' ffeithiau hyn ohono. Adeg y chwalfa ar bethau ym Mraich Esmwyth, wedi angladd fy hen ewyrth, cymerasai hi ofal o'r Beib hwn lle cadwesid manylion am enedigaethau, bedyddiadau (mew oed, wrth gwrs, gan mai Bedyddwyr oeddent) a phriodasau teul Thomas a Mary Morgan. Yn ôl cofnod yn y Beibl hwn bedyddiwy fy nhad-cu ac Anne ei chwaer yr un pryd, Medi 1, 1838 – fy nhad cu yn ddeunaw oed a'i chwaer yn bymtheg.

to the marriage, as Thomas Morgan, the young man from the mountain farm, was not considered by the girl's stepfather, the minister, to be good enough a match for her. But the bridegroom proved a good husband and father. He and his wife reared five children, three sons coming first and then two daughters, and all of them were given some schooling of a kind that was for those days better than usual. Probably my grandfather was born in Penpompren, Llanwnnen. As he was the third son and was born in 1820, seven years after his parents' marriage, my great-grandfather must have lived several years after his marriage in his wife's home before moving, when the rest of the family there married, perhaps, back to his old home, Y Fraich Esmwyth. There the children were brought up, and there he died in 1868, at the age of eighty-three, and Mary, his wife, in 1866, at the age of seventy-three.

Mari, my grandfather's youngest sister, was born in 1834. She married at an early age a man from Lampeter and went to live in London. A son of hers was Tom Jones, Y Borth later, an Englishman of Englishmen, brought up in the capital who managed to live all his life as a gentleman without an estate. Mari, her eldest daughter, remained at home, in the country, to take care of her grandparents on her father's side. But later she moved to London also, and her house and shop at 40, Endell Street, Bloomsbury, were for a long time a centre for many Welsh people.

The last of my grandfather's family to live in Y Fraich Esmwyth was his elder brother, John, born in 1814, who died a bachelor in 1888, a sincere and devout man, they say. Quite fortuitously and recently, through the kindness of this man's old housekeeper, Anne, I received the Bible where the details of the births, baptisms (adult believers' baptisms, of course, because they were Baptists), and marriages of Thomas and Mary Morgan's family were entered. According to the note in this Bible, my grandfather and his sister Anne were baptised the same time, the 1st of September, 1838, my grandfather being eighteen and his sister fifteen.

Dau ddyddiad pendant yn unig sydd gennyf i brofi pa mor gynnar y gallaf gofio pethau cyn gadael Penrhiw yn chwech oed. Ac y mae a fynno'r cyntaf ohonynt â marwolaeth fy hen ewyrth, John 'Fraich Esmwyth, brawd fy nhad-cu, a ddigwyddodd yn haf 1888, a minnau felly'n dair oed. Aethai fy nhad a'm mam draw mewn trap, a mi gyda hwy, i 'Fraich Esmwyth y Sul yr oedd ef o dan ei grwys. Wrth gerdded ar ben rhyw fainc ar lawr pridd a chalch anwastad y sgubor, syrthiais, rywsut, wysg fy nghefn, a tharo fy ngwegil yn erbyn carreg bigfain. Torrais gwt go ddrwg, gallwn feddwl, a bu'n gwaedu'n hir. Mae gennyf beth cof o hyd am y ffws o'm cwmpas yng nghanol y gwres. Mae craith y codwm bore hwnnw arnaf hyd heddiw. Y dyddiad arall sydd gennyf yw rywbryd yn hydref y flwyddyn ddilynol, a minnau'n awr wedi troi fy mhedair oed – dydd dathlu pen blwydd un ar hugain oed Cyril Davies, mab John Morgan Davies, J.P., D.L., Uchel Sirydd Caerfyrddin ar un adeg, neu Dafys Ffrwd Fâl i ni, y bobl gyffredin a'i parchai ef a'i deulu yn fawr. Ar dop gwastad banc Cwmcoedifor, yn union uwchben Penrhiw, ac yng ngolwg yr holl wlad, o fanc Llywele hyd graig Dwrch ac o fynydd Pencarreg hyd gefen Llansadwrn, yr oeddynt wedi codi tas fawr o eithin, a gosod casgen o byg (*pitch*) fel simnai ar ei phen, yn barod i'w thanio wedi i'r nos ddisgyn. Aethwn innau yno yn llaw Dafydd y gwas i weld y rhyfeddod hwn y clywswn gymaint amdano ers dyddiau. Ar fy mhen yr oedd hat wellt fach deidi iawn. Chwythai gwynt cryf o'r gorllewin. Safem ninnau'r ochr ddwyreiniol i'r das, ochr Penrhiw iddi. Mae gennyf gof byw iawn am weld y goelcerth honno'n cynnau'n wynias, y bonion eithin yn cratsian ac yn saethu yn y gwres, a'r fflamau'n troi ac yn chwyrnellu yn awr ac eilwaith o gylch y gasgen bitsh, a wynebau coch y dyrfa o gwmpas. Ond ni sylweddolwn i, mwy na neb arall yr alanas a'n distaw oddiweddai. Oherwydd heb yn wybod i ni, fe yr oedd y pyg yn toddi yn y gwres disgynnai'n fân ysmotiau ar ben y rhai ohonom a safai'r ochr bellaf i'r gwynt. Ac yn y modd hwn fel y clywais fy mam yn gresynnu ar ôl hynny, y difethwyd fy hat wellt bert i – efallai y cyntaf a fu gennyf. Eithr onid dyna'r hanes erioed? – y gŵr mawr yng nghanol y clod a'r goleuni, a'r gŵr bach a fu'n cario ei gynffon, ar goll yn y mwg, a phitshmarc a ddinodedd arno.

I have two definite dates to prove how far back I remember before I left Penrhiw at the age of six. The first concerns the death of my great-uncle John Fraich Esmwyth, my grandfather's brother, which took place in 1888, when I was three years old. My father and mother had gone over in the trap, taking me with them, the Sunday he was lying 'under his cross', laid out for burial. As I was walking on a bench on the uneven floor of earth and lime I fell backward and struck the nape of my neck against a sharp stone that cut it so that it bled for a good while. I still remember the fuss and bother around me, and the heat. I have the scar of that fall on me to this day. The other date I have is the following autumn, when I was four years old – a coming-of-age celebration, the young person being Cyril Davies, son of John Morgan Davies, J.P., D.L., High Sheriff of Carmarthenshire at one time, or Dafys Ffrwd Fâl to us ordinary folk, who greatly respected him and his family. On the level top of Cwmcoedifor hill, right above Penrhiw and in the sight of all the country around from Llywele bank to Twrch rock and from Pencarreg mountain to Llansadwrn ridge, a large rick of furze had been built and a cask of pitch put on top of it like a chimney, ready to be fired when night descended. I had gone there with my hand in Dafydd's to see this wonder that I had been hearing so much about for days. I had a neat little straw hat on my head. A strong west wind was blowing, and we were standing to the east of the rick. I have a vivid memory of the blazing bonfire, the furze-stumps crackling and shooting in the great heat and flames, now and again turning and whirling around the cask of pitch and the red faces of the gathering all around. But I didn't anticipate any more than anyone else the disaster that was to overtake us silently. For, unnoticed by us as the pitch melted in the heat, small flecks of it began to descend on those of us who were standing to leeward, as we were ourselves. And that was the ruination of my beautiful straw hat, which I heard my mother deploring later, and it was perhaps the first hat I ever possessed. Isn't that always the way of the world, the great one going amid fame and light while the little man, his train-bearer, is lost in the smoke and given the pitchmark of nonentity?

Y flwyddyn cyn iddo briodi, o 'Fraich Esmwyth, ac yntau'n disgwyl am ffarm iddo'i hun, bu 'nhad-cu, fel y clywais fy mam yn dweud, yn was yn y Dolau Gwyrddion, ar lan Teifi, lle trigai gwrthrych yr hen faled, 'Morgan Jones o'r Dole'. Dyma bennill ohoni y digwyddaf ei gofio a ddengys mai bardd ac nid mesurwr tir oedd yr hen faledwr a'i canodd:

Mae saith milltir a saith ugen
O bont Llambed i bont Llunden;
Cerddwn rhain â'm traed a'm glinie
Er mwyn Morgan Jones o'r Dole.

Roedd 'nhad-cu yn y Dolau Gwyrddion tua 1845-6, ac yn rhyw bump ar hugain oed. Cafodd saith punt o gyflog am y flwyddyn honno ar yr amod pendant nad oedd i yngan gair wrth neb ei fod yn cael cymaint.

Dechreuodd ef a'i briod eu byd wedi hyn yng Nglan Tren, Llanybydder, a cherllaw Bryn Llo lle y maged ei fam yn rhannol. Gerllaw yma, yn y Canol Oesoedd, yr oedd Blaen Tren, yr hen blasty y sonnir amdano gan Lewis Glyn Cothi a rhai o'r hen gywyddwyr. Dwy flynedd yn unig, rwy'n credu, y bu fy nhad-cu yng Nglan Tren cyn symud i Glun Byr, ffarm dipyn yn fwy o faint yng Nghwm Wern, Rhydcymerau. Yno y ganed fy mam, Gorffennaf 13, 1852. Yno hefyd y bu farw ei mam, yn Hydref 1855, yn dair a deugain oed, gan adael tri o blant ar ei hôl, yr hynaf ohonynt ond rhyw saith oed. Ddwy flynedd yn ddiweddarach, Ŵyl Hengel 1857, a'm mam yn bump oed, fel y clywais hi'n dweud (ac yr oedd ganddi gof neilltuol o fanwl a chywir), symudodd y teulu i Riw'r Erfyn, ryw hanner milltir o bentre Rhydcymerau, ar ochr y ffordd fawr i Lanybydder. Ymhen wyth mlynedd arall symudodd fy nhad-cu drachefn yn 1865 i Warcoed a ffiniai â'i gartref cyn hynny Clun Byr, ac yn nes yn awr i Esgerdawe nag i Rydcymerau. Ac yn Ngwarcoed y bu ef wedyn hyd ei farw, y Nadolig 1898, yn 78 oed. Ni chlywais i'r un esboniad pam y symudodd ef ei le deirgwaith y ystod y deunaw mlynedd cyntaf o'i fywyd fel penteulu. Llefydd a rent oeddent i gyd, ac nid oedd rhyw gymaint â hynny wahaniaeth rhwng y tri olaf â'i gilydd. Fel fy nhad-cu Penrhiw, oedd yn ffarmwr gofalus a threfnus, ac yn weithiwr dyfal ac egnïol Clywais ddweud amdano'n aredig Cae Bryn Castell, Rhiw'r Erfyn

The year before he married, from Y Fraich Esmwyth, when he was awaiting a farm of his own as I heard my mother say, my grandfather went into service at Dolau Gwyrddion on the bank of the river Teifi, where the subject of that old ballad Morgan Jones the Dole once lived. Here is a verse of that ballad that proves that its author was a true poet and not a land surveyor:

> From Lampeter bridge to London bridge
> There are seven score miles and seven I judge,
> On my feet or my knees the journey I'd make,
> For Morgan Jones of the Dolé's sake.

My grandfather was in Dolau Gwyrddion 1845-46, when he was about twenty-five years old. He earned a wage of seven pounds that year on the explicit understanding that he was not to breathe it to anyone that he was getting so much.

He and his wife began their married life in Glan Tren, Llanybydder, near Bryn Llo, where his mother was brought up during part of her childhood. Glan Tren was called Blaen Tren in the Middle Ages, the old hall that Lewys Glyn Cothi and other cywyddwyr[11] mention. My grandfather had been there only two years when he moved to Clun Byr, a somewhat larger farm in Cwm Wern, Rhydcymerau. There my mother was born on the 13th of July, 1852. Here, too, her mother died in October 1855, at the age of forty-three, leaving three children, the eldest being seven. Two years later, Michaelmas 1857, when my mother was five as I heard her say – her memory was particularly good for details – he moved to Rhiw'r Erfyn, half a mile or so from Rhydcymerau on the road to Llanybydder. And he died in Gwarcoed Christmas 1898, at the age of seventy-eight. I heard no explanation why he moved three times in his first eighteen years as head of his household. These places were all tenancies, and the last three of them were much of a muchness. Like my Penrhiw grandfather, he was a careful and methodical farmer and an energetic and diligent worker. I remember being told about him ploughing Bryn Castell on Rhiw'r Erfyn farm, a round little hill above Rhydcymerau village, winding

---

[11] *Translator's note*: The writers of *cywyddau*, poems in *cynghanedd* consisting couplets of seven-syllabled lines. For three hundred years the greater part of our poetry was of this kind.

sy'n ffurfio bryncyn crwn, uwchben pentre Rhydcymerau, drwy ddirwyn o'i gwmpas nes dod o'r diwedd at y creigle sydd ar ei ganol lle y gallai fod unwaith hen gastell, yn ôl yr awgrym yn yr enw. Defnyddiai ddeubar o geffylau, un y bore a'r llall y prynhawn. Gwenodd Rhagluniaeth yn garedig ar lafur a diwydrwydd fy nhad-cu ar hyd ei oes. Ni ddeuthum i nabod fawr arno, er fy mod i'n dair ar ddeg oed adeg ei farw. Ni chymerai ryw lawer o sylw ohonof pan awn i weithiau gyda'm rhieni am ran o ddiwrnod i roi tro i Warcoed. Nid oedd hynny yn beth i synnu ato, efallai.

Nid oedd fy nhad-cu yng nghyfnod olaf ei oes, o leiaf, yn grefyddwr cyhoeddus. Dyn distaw, a charwr yr encilion ydoedd wrth natur. O fewn fy nghof i nid âi byth oddi cartref. Wedi gadael Caersalem lle y bedyddiwyd ef, a gadael capel Aberduar wedi hynny, a chroesi i wlad ddifedydd 'ochor draw'r mynydd' yr oedd, efallai, yn ormod o Ymneilltuwr Bedyddiedig i ymuno â'r cenedl-ddyn o Fethodus yn Rhydcymerau neu o Annibynnwr yn Esgerdawe. Ond clywais ddweud amdano gan ambell hynafgwr fel Ifan Bryn Bach a'i cofiai'n ddyn ifanc yn dechrau ei fyd yn Rhiw'r Erfyn, ei fod yn gymydog parod a chymwynasgar, ac mewn ffordd ddistaw, ddistaw, yn echwynnwr ac yn elusennwr i'r caled ei fyd yn yr amser caled hwnnw, fwy nag a wyddai neb. Y gair cywiraf am fy nhad-cu, ac am fy mam, hefyd, yw ei fod yn 'ddiddangos', o fethu cael gair gwell am y Saesneg *undemonstrative*. Meddyliai fy mam y byd o'i thad – ni allai wneud dim o'i le yn ei golwg – ac yntau ohoni hithau, mi gredaf, gan fod teyrngarwch llwyr ddigwestiwn fel hyn yn rhan o ysbryd yr aelwyd. Nid oedd ond rhyw ddwy filltir yr groes i'r bryniau o Warcoed i Aber-nant, a llai byth i Benrhiw, eto er syndod efallai, ni welais fy nhad-cu unwaith yn un o'r ddau le.

Ysgafn a thenau braidd o gorff ydoedd fy nhad-cu – blewyn golau, tonnen deg, wyneb delicet. Roedd yn gwarro tipyn, a'i hoff ddull o gerdded ydoedd gosod ffon yn groes i'w feingefn a phlygu ei elinau amdani. Tueddai at fod yn isel ysbryd, mi gredaf, ac yr oedd awgrym o'r meudwy gwasgedig ynddo, neu'r breuddwydiwr efallai. Bu'n iach ar hyd ei oes, a chadwodd ei gyneddfau – ei go a'i glyw – yn fyw hyd y diwedd. Ar un adeg bu ei olygon yn flino, ond rai blynyddoedd cyn ei farw digwyddodd peth rhyfedd ar unwaith bron, daeth drachefn i allu darllen print mân yn rhwydd heb gymorth sbectol, fel petai'r bilen honno a ddaw weithiau dros lygaid yr hen wedi torri'n sydyn ohoni ei hun. Roedd fy nhad-cu y

the furrow round and round from the outside till finally he reached the rocky place in the middle where once the castle that the name suggests might have been. He had two pairs of horses for this, one for the morning and the other for the afternoon. Providence smiled kindly on his labour and perseverance throughout his life. I did not get to know him at all well, although I was thirteen years old when he died. He did not take much notice of me when I went, sometimes with my parents, to Gwarcoed for a part of a day. Perhaps that was not to be wondered at.

My grandfather during the latter part of his life did not attend meetings for worship. He was by nature a silent and reserved man. During the time I remember him he never went from home. After worshipping in Caersalem, where he was baptised, and then in Aberduar, perhaps when he crossed to the land on the other side of the mountain where there were no fellow Baptists, he was too much of a Baptist seceder to join the Methodist gentiles in Rhydcymerau or the Congregationalists in Esgerdawe. But I had it from old men like Ifan Bryn Bach, who remembered him beginning his married life in Rhiw'r Erfyn, that he was a ready and obliging neighbour and, always on the quiet, a lender and a donor to people in hard straits to a far greater extent than anyone got to know of. Like my mother after him, he was undemonstrative. My mother thought the world of her father – in her eyes he could do no wrong – and so did ne of her. I believe this full, unquestioning loyalty was part of the family spirit. It was only two miles across the hills from Gwarcoed o Aber-nant, and still less to Penrhiw, yet I never saw him as much 's once in either place.

He was rather slim and of slight build, his hair fair, his omplexion fair, and his face delicate. He stooped a little, and his avourite way of walking was with his staff across his back with his lbows hooked round its ends. He had a tendency to low spirits, nd there was about him a suggestion of the repressed hermit, or erhaps of the dreamer. He remained healthy throughout his life, nd, to the end, his faculties of memory and hearing were nimpaired. At one time his eyesight troubled him, but a few years efore his death a strange thing happened. Almost at once he again ecame able to read small print without the help of spectacles. It as as if the film that sometimes comes over the eyes of aged ople had suddenly broken of its own accord. In the little he had say in his old age he was engaging and entertaining enough.

ddifyr ac yn ddiddan ddigon yn yr ychydig a ddywedai yn ei hen ddyddiau. Clywais ddweud, eto, fod ganddo stôr helaeth o rigymau a hen gerddi a phosys gwlad yr arferai eu hadrodd yn rhugl, gynt . . . Ie, pobl fwyn a bonheddig ydoedd pobl fy mam o'r ddau tu. O ochr fy nhad, drachefn, mae rhai o'm tylwyth mor gymysgryw ac anystywallt â mi fy hun. Wrth edrych yn ôl yn awr, a cheisio deall fy nhad-cu, tad fy mam, ymddengys i mi, yn rhan olaf ei oes, fel dyn wedi danto cryn dipyn ar ei fywyd – a hynny byth er pan ddug ei ail wraig ei drowser oddi arno, a'i wisgo ei hunan.

Yn nau frawd cyflawn fy mam, Thomas a John, hŷn na hi, o wraig gyntaf fy nhad-cu, ailadroddwyd, yn dra thebyg, bennod drist y mab afradlon, ond mai'r mab hynaf y tro hwn a aeth i wlad bell, a mynd yno, hefyd, heb ddychwelyd, yn ystyr y ddameg yn Efengyl Luc. Roedd yr hynaf, Thomas, a gawsai ei enwi ar ôl ei dad-cu, Thomas Morgan, 'Fraich Esmwyth, yn fachgen disglair ac addawol, mae'n debyg, ac yn gannwyll llygad ei dad. Cafodd addysg lew, yn ôl manteision y dydd, ac fe'i prentisiwyd fel *draper*. Clywais un a'i hadwaenai'n dda yng Nghaerdydd yn sôn amdano'n *shop walker* yn un o siopau gorau'r dref, a hynny'n gynnar yn ei fywyd. Aeth i Lundain wedyn, gan ddal swydd gyffelyb. Yna fe ddaeth y goriwaered. Does neb a ŵyr sut, na phaham, gan na ddôi byth adref yn awr. Unwaith yn unig y gwelais i ef, yn hen ŵr bychan, gwargrwm erbyn hynny, er na allai fod ond prin hanner cant oed, wedi dod adref yn fab afradlon, mewn gwirionedd, heb feddu dim ond y wisg lymrig amdano. Roedd ei dad, y bu'r gymaint gofid ac achos prudd-der iddo drwy'i fywyd, wedi marw bellach, ac yntau'n ddieithryn hollol bron i'w lysfam a'i dri hanner brawd. A chof gennyf am fy rhieni, o'u byd digon cynnil ar y ll bach Aber-nant, yn awr yn ceisio gwneud eu rhan iddo. Aeth yn ôl Birmingham lle y buasai ers tro cyn dod adref, ac yno y bu farw mewn ysbyty, ryw dipyn yn ddiweddarach.

Dyna bron y cyfan y deuthum i i'w wybod am Nwncwl Thoma druan, y dyn a welodd y byd. Ond am John ei frawd y mynnw ymhelaethu rhyw ychydig yma – Nwncwl John Gwarcoed, he lanc na chysgodd ond un noswaith oddi cartref yn ystod oes bedwar ugain mlynedd, ac a allai, hefyd, ddweud yn onest wrth dad, 'ni roddaist *fun* erioed i mi i fod yn llawen gyda'm cyfeillio

Again I heard it said that he had a store of rhymes and rustic puzzles that he used to bring out readily in the days gone by. Yes, my mother's people were gentle and courteous on both sides of the family. On my father's side some of my relations are as mixed in their nature and as unruly as myself. As I look backward now in an attempt to understand my grandfather, my mother's father, it seems to me that in the latter part of his life he was browbeaten by life, ever since his second wife took his trousers away from him and put them on herself.

In my mother's two full brothers, older than herself, from my grandfather's first wife, the sad chapter of the prodigal son was repeated very much in the original form, except that this time it was the elder who went to the far country, and went there without ever returning in the sense that that word has in the parable in Luke's Gospel. The elder brother, named Thomas after his grandfather Thomas Morgan of Fraich Esmwyth, was a brilliant and promising boy, the apple of his father's eye. He was given a good education by the standards of that period and in view of its opportunities, and was then apprenticed to a draper. I heard one who knew him well in Cardiff speak of him as a shop-walker in one of the best shops of that town, and early in life too. He went to London to take up a similar post. Then he went downhill, no one knows how or why, as he now never came home. I saw him once only, an old bent man by that time, although he could not have been over fifty, having come home, truly a prodigal son, possessing only the clothes in which he stood. His father, to whom he had been the cause of so much anxiety and sorrow throughout his life, was now dead, and he himself was almost a stranger to his stepmother and his three half-brothers. And I remember my parents, out of their meagre means on that little farm Aber-nant, trying to do their bit for them. He returned to Birmingham, where he was before he came home, and there he died in hospital some time later.

That is all I got to know of poor Uncle Thomas, the man who saw the world. But I wish to enlarge here a little on his brother John, Uncle John Gwarcoed, a bachelor who only one night in his eighty years slept away from home, and who could perhaps have said honestly to his father, 'Thou never gavest me a "woman" to be merry with my friends,' according to the happy-go-lucky reading of

– yn ôl darlleniad hwp-hapus o'r ddameg a glywais rywdro ar ddechrau cwrdd noson waith. Ac yng Nghilgerran, ger Aberteifi, y cysgodd ef y noson arbennig hon, wedi teithio i lawr yno â chart a cheffylau y deng milltir ar hugain a mwy y diwrnod cynt, gan lwytho'r meinciau llaeth a gyrchent o'r cwar enwog cyn noswylio, yn barod i gychwyn adref yn gynnar fore trannoeth.

Yn wahanol i'w frawd a'i chwaer nid oedd John yn fawr o ddysgwr yn yr ysgol. Y ffarm a'r anifeiliaid oedd ei gyfan. Yn gyhoeddus ni wnaeth ddim erioed fwy na darllen ei adnod yn yr Ysgol Sul ar-hyd-tai yng Nghwm Wern, heb fentro gwthio i'r dwfn fawr ymhellach na glan ddiogel y 'Pwy yw'r *efe*, yma?' Roedd o gorff cryf, esgyrnog. Aeth i'w fedd yn ei hen ddyddiau, heb ddant yn eisiau, na phrin flewyn brith yn y trwch o wallt gwineuddu ar ei ben. Roedd yn eirwir a chydwybodol wrth natur, ac ni chlywais iddo gael gair croes â neb erioed. Trafaeliodd yn ddiwyd ar y llethrau serth ar hyd ei oes, heb brin godi ei ben. Pe'i gwelid ef, ar ddiwedd y daith, yn hen ŵr clogyrnaidd, migyrnog, a'i esgyrn wedi crino gan galedwaith, ond yn dal i lusgo arni i wneud rhywbeth cyd gallai symud, go brin y byddai i neb ganfod ynddo arwyddion o ramant a hoywder a menter bore oes. Ac eto, yn ôl yr hanes, fe wybu amdanynt oll. Dywedir iddo fod yn caru – yn caru Leisa, Maes Teile, ffarm orau'r ardal, ac yn ffinio â Gwarcoed; ie, ei charu hi, y ferch dal, oleubryd, lygatlas, yr harddaf, a'r ffraethaf ei thafod yn y cymdogaethau, a phawb yn ceisio ei llaw. Fe briododd Leisa wedi hynny â Bili Cilwennau, cefnder fy nhad, gan achwyr ddiwedd ei hoes, fel y clywais ddweud, wedi claddu'r ail ŵr yr awr, ar 'John Gwarco'd fel carwr sobor o slo'.

Treuliodd Leisa Maes Teile fwy na hanner olaf ei hoes yn cad tafarn y Wheaten Sheaf, neu'r Tŷ Mowr, fel y'i gelwid y gyffredin, ym mhentref prydferth Abergorlech, ryw bum milltir d yn groes gwlad o'i hen gartref. Fel tafarnwraig gwlad, a Bess merch ieuengaf, yn gofalu mor dda am y cyfan, daeth Leisa y

the parable that I once heard at the beginning of a week-night meeting, the reader confusing *fun*, a word for 'woman,' with *fyn*, the word for 'kid'. It was in Cilgerran, near Cardigan, he slept that night, having journeyed there with cart and horses a distance of thirty miles during the day, and then, before he turned in, loaded the big slate milkpans that he was fetching from the quarry as they used to do, in order to make an early start for home in the morning.

Unlike his brother and sister, John wasn't much of a learner in school. The farm and its animals were everything to him. In public he did no more than read his verse in the dwelling-house Sunday Schools in Cwm Wern, not venturing to push out into the deep when questioning his fellow scholars upon it any further than the shore-hugging safety of 'Who is the *he* referred to here?' He was strongly built and bony. He died in old age without a tooth missing from his mouth, and with hardly a grey hair in all that thick growth of dark brown. He was truthful and conscientious by nature, and I never heard of him having words with anyone. He travelled diligently on those steep slopes all his life, hardly ever raising his head. If you had seen the clumsy old man at the journey's end with his big-knuckled hands, withered to the bone with hard work, still dragging himself around in order to be at something as long as he was able to move, you would hardly have discovered in him the vestiges of the romance and liveliness and venturesomeness of his early days. Yet, according to what we were told of him, he knew something of all those things. He is said to have been courting, courting Leisa of Maes Teile, the finest farm in the neighbourhood, one that bordered on Gwarcoed. Yes, in love with Leisa and courting her, the tall, blue-eyed young woman, the most beautiful and the wittiest in all the neighbourhood around, with everyone seeking her hand. Leisa afterwards married Bili Cilwennau, my father's cousin, and I heard it said that towards the end of her life, when she had lost her second husband, she complained of John Gwarcoed having been awfully slow at wooing.

Leisa Maes Teile spent more than the last half of her life keeping the Wheaten Sheaf, or Y Tŷ Mowr (the Big House), as it was usually called, in the pretty village of Abergorlech, a good five cross-country miles from her own home. As a country tavern-keeper who had her youngest daughter Bess with her minding

bersonoliaeth bron mor nodedig â Jem, Brenhines y Mowntan Cottage, neu Dŷ Jem ar lafar cyffredin. Rhyddfrydiaeth ydoedd mater enaid Jem, a honno mor gadarn a gloyw serennog â'i chwrw hi ei hun – Nymber Wan Jem o'i macsad hi ei hunan. Pum ceiniog y peint oedd ei bris, a phob cwrw ffrothog arall ond rhyw freci tair ceiniog yn ei ymyl. Cwrw i'r duwiau ydoedd cwrw Jem, ac ysbryd-iaeth ymhob dafn ohono. Ni werthai fwy na pheint o'r Nymber Wan i neb – dim hyd yn oed i'r Rhyddfrydwr rhyddfrydica'n y wlad. Câi Tori dagu'n gordyn ganddi, neu fyw ar bop. Un hanner peint a brofais i erioed o'r cwrw rhywiog hwn, a hynny'n gynnar ar nos Sul, os gwelwch yn dda, ryw hwyrddydd bendigedig o haf, yng nghwmni fy hen bartner, Dafydd Cwmcoedifor, a ninnau'n *bona fide travellers* ar feirch dwy-olwyn llwyd, yn dod yn ôl o siwrnai bell. Rhaid fod proffeswyr y ffydd ddiffuant, y 'bona fides', yn lluosog y dwthwn hwn, gan fel y sychedent ac y cyrchent am y tŷ ar 'ddydd yr Arglwydd'. Treuliasom ni'n dau weddill y dydd Sabath hwnnw yn hapus iawn, a chyrraedd adre'n blygeiniol, drannoeth. Unwaith yn fy oes y ces i ddim tebyg i'r Nymber Wan hwn wedi hynny – sef mewn tafarn bach ar fin y ffordd, nid nepell o dref Brest, ar fore poeth o Awst, wrth geisio cydgerdded (neu redeg yn hytrach) drwy Lydaw, ochr yn ochr â'r hirgoes, dalsyth William Ambrose Bebb. Glasaid o win gwyn ydoedd hi'r tro hwn, ar ben rhyw sylfaen fach, denau o sudd afalau gwridog y wlad – y cyfan yn costio dwy ffranc, grot o'n harian ni ar y pryd. Roedd pen tost gan Mr. Bebb, a hoffwn roi gair bach o dystiolaeth gywir yn y fan hon, rhag bod holi ac ystwrian mewn Lleoedd Uchel yn ôl llaw – mai cwpanaid o goffi du a gymerodd Mr. Bebb ei hunan y bore hwnnw.

Os mai Rhyddfrydiaeth Gladstone fawr a Lloyd George fwy ydoedd pwnc llosg Modryb Jem ar Fynydd Llambed, gan ta beth fyddai'r tywydd o'r tu allan, yna o'r ochr arall, bywyd ac achau a rhamant teuluoedd a thylwythau'r Pedwar Plwyf fyddai diddordeb dihysbydd Nanti Leisa Tŷ Mowr yn Nyffryn Cothi. Llawer gwyliau y croesais i fanc Llywele o'r Hen Ardal, ac i lawr yng ngolwg Craig y Gigfran, drwy Gwm Gorlech cul a dwfn, er mwyn y stôr o he hanesion, trist a difyr, llon a lleddf, ynghyd â sylwadau ffraeth threiddgar ymyl y ddalen a gawn wedi cyrraedd yno.

everything so well, Leisa became almost as notable a character as Jem, the Queen of the Mountain Gate, or Tafarn Jem, as it was known colloquially. Jem's great matter-of-the-soul was Liberalism, as strong and starrily bright as her beer, Jem's Number One, of her own brewing. It cost fivepence a pint, and every other frothed beer was only wort in comparison – that infusion of malt that still awaits fermentation. It was beer for the gods, and there was inspiration in every drop of it. She wouldn't sell anyone more than a pint of Number One, not even the most liberal Liberal in the country. She would have let a Tory choke, rope-dead, unless he elected to stay alive on pop. I only tasted half a pint of this genial beer, early one Sunday evening if you please, and a glorious summer evening, in the company of my old partner Dafydd Cwmcoedifor, and we were bona fide travellers on our grey bicycles returning from a far journey. There were many that evening professing the good faith, and there was much thirsting for the house and seeking it on the Lord's day. We too spent the rest of that Sabbath day very happily, and we arrived home towards dawn. Only once since that day have I tasted anything like Number One, and that was in a little roadside inn not far from Brest on a hot August morning when I was attempting to walk – it turned out to be more like running – through Brittany side by side with the tall and erect and long-legged William Ambrose Bebb. This time it was a glass of white wine on top of a thin foundation made from the juice of the red apples of that country, and it cost two francs, fourpence in our money. Mr. Bebb had a headache, and I should like to testify here, lest what I have said lead to inquiry in high places, that Mr. Bebb took a cup of black coffee himself.

If it was the Liberalism of the great Gladstone and the greater Lloyd George that was the burning question with Auntie Jem on Lampeter Mountain whatever the weather might be outside, the lives and genealogies and romances of the families and kindreds of the Four Parishes were Auntie Leisa Tŷ Mowr's inexhaustible interest own in the Cothi valley. During many vacations I crossed Llywele ill from home and descended in sight of Crug y Gigfran through Cwm Gorlech, narrow and deep, for the sake of the abundance of old stories, the sad ones and the amusing ones, the cheerful and the plaintive, along with the witty and penetrating observations on the margin, as it were, that I should get when I arrived there.

Mewn blynyddoedd diweddarach, pan gyfarfyddai weithiau, ar dro o siawns, y ddwy gymdoges fore oes, Sarah Gwarcoed a Leisa Maes Teile, anodd fyddai taro ar ddwy enghraifft well o'r Piwritan ac o'r Cafalier yn cymryd stoc o fywyd. Y ddau beth cyffredin rhyngddynt ydoedd eu cariad at y cwmwd bach, shiprys hwnnw, Cwm Wern, a'u dogn tirionnaidd o hiwmor. Roedd hynny uwchben cwpanaid o de yn ddigon i arbed rhwyg mewn cymdeithas.

Ond sôn yr oeddwn i am John Gwarcoed, yr hen lanc caredig, dinod, a'i 'Ie' yn ie, a'i 'Nage' yn nage. Dyna'r olwg a gawn i arno, a phawb arall yn ddiau o'r un oed â mi. Ond pan fyddai'r genhedlaeth hŷn, yn ôl hen arfer ganddi, yn dechrau sôn am y pethau mawr, y gwaith, y caledi, a gwrhydri y dyddiau gynt, o'u cymharu ag eiddilwch pitŵaidd ein dyddiau ni, ac yn enwedig os sonnid am 'y calcho mowr 'slawer dydd' – hyn-a-hyn o lwythi o galch wedi eu mofyn i'r lle-ar-lle mewn un haf o odynau'r Mynydd Du, ddeunaw i ugain milltir o ffordd, siawns fawr na ddôi enw John Gwarco'd i mewn rywle. Yn ôl y 'cyfarwyddiaid' hyn, yr oedd ar John Gwarco'd ddwy gynneddf, sef yn gyntaf y gynneddf o fod yn llwythwr gwair a llafur gorau yn yr ardal – llwyth cryno, siapus na chollai gwelltyn ohono ar y ffordd arw i'r ydlan, ac yn pwyso ymlaen ddigon er mwyn i'r ceffyl siafft, o'i gael yn lew ar ei ysgwyddau, allu ei drafod yn rhwyddach; ac yn ail, y gynneddf o fod y gyrrwr pâr o geffylau mwyaf mentrus a beiddgar, a deheuig hefyd, o bawb ar y ffordd fawr – ef, yr hen foi distaw, tawel hwn na chaech chi byth air o'i ben amdano'i hun! Rhaid fod cuddfan e hyder, pan ddôi galw amdano, rywle'n ddwfn iawn yn ei fron; mo ddwfn, fel na allai ond pâr o geffylau gosgeiddig, nerthol, a' cwarteri ôl yn pefrio gan geiniogau ei ddwyn i'r wyneb.

Fel y crybwyllwyd yn barod, byddai degau, ie ugeiniau o'r ceirt calch hyn yn aml yn dilyn ei gilydd yn un rhes faith ar y ffordd, a yn eu plith nifer dda o wŷr draw o Sir Aberteifi a'u bodis bach a' ceffylau buain, bump a deng milltir ymhellach wedyn. Meibion gweision ffermydd yng nghanol eu hoen fyddai wrth y gwaith galcho fynychaf, a hynny ym misoedd teg yr haf, o Fai hy Orffennaf, rhwng diwedd y cynhaeaf dodi a thymor lladd gwair, thipyn yn yr hydref cynnar wedyn. Gwaith caled ddigon ydoedd,

In later years when the two erstwhile neighbours of their early days, Sarah Gwarcoed and Leisa Maes Teile, met occasionally, it would have been hard to strike on a better example of the Puritan and the Cavalier together taking stock of life. The two things they had in common were their love for that little barley-and-oats commote, Cwm Wern, and their good allowances of kindly humour. And over a cup of tea these were enough to prevent a rift in the lute.

But I was speaking of John Gwarcoed, the kind but unobtrusive old bachelor whose yea was yea and whose nay was nay. That is how I and all of my age saw him. But when the older generation began to speak of those big things they spoke of, the work and hardship and the valour of the days gone by, comparing it with the feebleness and paltriness of our days, and particularly if the carting of lime from the kilns were mentioned, the big 'liming' of the old days, so many loads of lime brought to such and such a place in one summer from the Black Mountains eighteen to twenty miles away, then in all probability John Gwarcoed's name would come into it. According to these annalists, John Gwarcoed had two superlative abilities: he was the best in the district at making a load either of hay or of corn, a compact and shapely load that would not let fall a blade or straw on the rough road home, and one that threw its weight forward for the shaft horse to find it well on his shoulders and deal with it the more easily for that; and secondly, he was the most daring as well as the most dexterous of all who were on the road in driving a pair of horses – that was the quiet old fellow from whose lips you would never hear anything about himself. His secret pride of self-reliance when it was called upon must have been deep in his breast, so deep that nothing less than a pair of horses as powerful as they were handsome, as their haunches sparkled with pennies', could ever pull it up to the surface.

There would be tens, yes, scores, of these lime carts following each other in long processions on the road, and among them a good number of men from Cardiganshire with their small carts and quick horses who had come five or ten miles further still. It was farmers' sons and servingmen in their blithe young manhood who usually went liming, and they did so in the summer months from May to July, between the end of the sowing and the beginning of the haymaking, and again a little in the early autumn. It was hard enough

ddyn ac anifail, gan y golygai pob llwyth o galch deithio cyson o ryw ddeunaw i ugain awr, ac eithrio rhyw ddwyawr i'r ceffylau bori ar ben yr odyn. Cychwynnent wedi swper cynnar gan drafaelu trwy'r nos. Gwneid rhyw dair siwrnai'r wythnos fel hyn, a cholli noswaith o gysgu bob tro. Ond torrid ar undonedd y gwaith ar y tir. Gelwid am beint weithiau gyda Beto'r 'Hope' neu Sali'r 'Haff Wae', ac yr oedd swyn yng nghwmnïaeth y ffordd.

Pan ddechreuai rhywrai weiddi 'Hewl!' a chlatsian y whipau, o ran hwyl yn fwy na dim efallai, ar y cyntaf, buan y gwelid y gweddau mwyaf porthiannus yn ysgwyd eu pennau a chodi eu cynffonnau, a'r llesg a'r hen yn greddfol droi i'r ale; a dyma hi'n ras wyllt unwaith eto, fel taranau'n torri'n sydyn – y gyrwyr ar eu traed yn y part blaen ac yn gwylio pob dim, y ceirti'n bwlo, ac weithiau olwyn un cart yn cloi yn olwyn y cart o'i flaen wrth geisio pasio'i gilydd ar droeon chwyrn yr hewlydd cul a'r traciau cerigog. Nid oedd dim amdani wedyn ond aros i'w datgysylltu ar unwaith cyn i'r ddau gart fynd yn yfflon, ac i rywrai, o bosib, gael niwed. Tra fyddai hyn ar waith – gorchwyl digon anodd weithiau – byddai'n rhaid i'r gronfa hir o'r tu ôl aros hefyd, gan na allai neb basio'n awr oherwydd culni'r ffordd. Wedi cael hewl glir eto, dyma ail-gychwyn gan rai, er mwyn ceisio dal y rhai cyntaf a aethai ymlaen yn ddirwystr. Y gamp fawr ydoedd bod mor bell ymlaen ag oedd bosib erbyn yr agorai gât Cefen Trysgoed am ddeuddeg o'r gloch y nos. Na, nid whare bach oedd mynd â chart a phâr o geffylau i'r hewl yr adeg honno, mwy na mynd â char modur i'r hewl heddiw a'r ffyrdd yn drwm gan draffig.

Ac yn y gyrru hwn ar y ffordd i'r calch, fel y clywais ddweud gan lawer o'i gyfoedion, nid oedd neb yn fwy rhydd a mentrus, os nad rhyfygus yn wir, na John Gwarco'd a'i bâr o geffylau graenus. Yn rhyfedd, efallai, os rhyfedd hefyd o'i nabod yn dda, clywais e gysylltu ef yn aml â'r hen Dom Cilwennau Isa, Jehu arall ymysg y calchwyr, fel y ddau gyfaill gorau o bawb i gryts ifanc yn dechrau mynd i'r hewl eu hunain. 'Cadw di mor glòs ag y galli di, gwas, wrth gwt 'y nghart i. Fe fynnwn ni whare teg i ti.' Dyna'r cyngo brawdol yn fynych gan yr hen ddwylo celyd hyn, mae'n debyg.

Am Nwncwl Josi, brawd 'nhad o'r ochr arall, rhyw dricia direidus a goffeid amdano ef yn wastad; ond ni thâl mynd ar ei ôl e yn awr, na neb arall o'r criw difyr y clywais lawer stori amdanyn ar y siwrneion hirfaith hyn, cyn i'r trên yn gyntaf oll, a'r lori wed

work for man and beast, as every load of lime meant a journey of eighteen or twenty hours' duration, unbroken except for two hours at the kiln to give the horses a chance to graze. They started after an early supper, travelling through the night. Three journeys a week, usually, were made in this way, and a night's sleep was lost every time. But the monotony of the work on the land was broken by it. Sometimes they called for a pint with Beto Hope or Sali Halfway, and the companionship of the road had charm for them.

When some of them began to shout 'Hewl' ('Road') and crack their whips, for the fun of it more than anything else, perhaps, at first the most mettlesome teams were soon seen tossing their heads and lifting their tails, while the older and slower ones naturally turned into the roadside, and then once again it was a madcap race like a sudden clap of thunder, the drivers on their feet in the front of their carts with a watchful eye on everything, the carts grazing each other's hubs and sometimes getting locked in each other's wheels as they attempted to pass, the one the other, on the rapid turns of the narrow roads and stony tracks. Then they had to be loosed at once before both carts got shattered and the drivers hurt, possibly. While this was being done, and it was a hard bit of work, the long collection of carts was held up, for the road was too narrow for them to pass. The great thing was to be as far on as possible by the time Cefen Trysgoed gate opened at twelve o'clock midnight. No, taking a cart and horses on the road wasn't child's play in those days, any more than taking a motorcar on it is today when the roads are dense with traffic.

And, in all this, many of his contemporaries told me that no one was more venturesome, not to say foolhardy, than John Gwarcoed, with his pair of horses always in good fettle. Strange to say, if on better understanding it be strange at all, I heard him being coupled with old Tom Cilwennau Isa, another Jehu among the lime-carrying men, as the two best friends of them all that young lads could have when going the road on their own account for the first few times. Keep as close as you can behind my cart, boy. I'll see that you get fair play.' That was the brotherly advice that these old hands used to give, it seems.

As to Uncle Josi, on the other hand, it was mischievous tricks of his that were always recounted, but it won't do to pursue him now, nor any others of that happy crew of whom I heard so many stories, and of their long journeys before the train first, and then the lorry,

296

hynny, ddod i roi terfyn llwyr arnynt. 'Wyt ti'n mofyn i fi godi atat ti, bachan?' gofynnai Josi'n fygythiol un tro i ryw Gardi mawr, ddwywaith ei hyd, a geisiai yrru ei gerbyd heibio iddo ar y ffordd, ac yntau'r cestog, byrgoes ar ei draed yn barod, ym mhart blaen ei dwba dwfn.

Roedd Nwncwl John Gwarcoed, er ei fenter ym mhoethder y ras, yn yrrwr gofalus, meddai 'i hen gyfoedion amdano. Gwyddai i'r dim yr eithaf y gallai fynd, heb fynd dros ben hynny. Ond un tro daeth trasiedi i'w ran. Chlywais i ddim sut y digwyddodd hi. Ond syrthiodd y gaseg flaen arno, caseg ragorol, hefyd, mae'n debyg, a phris mawr ar geffylau ar y pryd. Yn y dryswch gwyllt aeth cart rhywun dros ei choes, a'i thorri fel garetsyn. Roedd hyn dipyn y tu isaf i Landeilo – bymtheg milltir o gartref. Dadfachodd rhywun ei geffyl blaen a gyrru adref i hôl fy nhad-cu i weld y gaseg cyn ei difetha. Ac yn ôl stori'r wlad, o leiaf, y peth cyntaf a ddywedodd Deio wrth John ei fab druan, wedi cyrraedd y fan, ydoedd: 'A gariest di'r ras, Jac bach?'

Ac ystyried tuedd dawel, ddistaw, fy nhad-cu Gwarcoed ar hyd ei oes, ymddengys i ryw bwl o ienctyd ddod drosto'n sydyn pan oedd ef tua'r hanner cant oed. Oherwydd yr adeg honno fe gymerodd iddo'i hun ail wraig – Sali Rhyd y Fallen Fach, merch hanner union ei oed ei hunan. Chwaer ydoedd hi, yr iengaf o'r plant, i Neli'r 'Cart', gwraig John Jenkins, a chadwai dŷ i'w thad, Jemi'r Gof, mewn lle bach, cadw-dwy-fuwch, ar waelod y tir. Gellir dweud hyn amdani, iddi fod yn wraig dda, hynod ddarbodus, ar hyd ei hoes. Roedd Nwncwl John yn ugain oed adeg y briodas, a'm mam yr ddwy ar bymtheg – yn ferch gref, weithgar, gydwybodol, ac erbyn hyn, gyda chroten o forwyn i'w helpu, yn fedrus yn holl waith tŷ ffarm. Roedd yn sicr yn dipyn o brawf ar fy mam a John ei brawd yr adeg hon – gweld merch y lle bach ar waelod y tir nad oedd ryw lawer yn hŷn na hwy yn dod yn ben ac yn feistres arnynt ar e haelwyd eu hunain. Ni allai ond dau beth gadw'r bywyd teuluol y llyfn a diystorm ar achlysur o'r math hwn, sef tipyn go lew o ras phwyll o'r ddau du, yn gystal â'r serch dwfn a'r ymdeimlad o barc a ffyddlondeb tuag at ei gilydd a welid yn amlwg yn nheulu f mam. Ni wneid unrhyw arddangosiad o'r teimlad hwn, ond yr oed yno yn ddigamsyniol, ac yn beth cysegredig iawn. Roed teyrngarwch a ffydd ac ymddiriedaeth yn ei chyd-ddyn yn rha

brought them to an end completely. 'D'you want me to get up to you?' Josi once threatened a big Cardi twice his height who was trying to drive past him on the road – when he was on his feet already in the front part of the deep tub, the short-legged, broad-chested fellow that he was.

Uncle John Gwarcoed, in spite of the risks he took or seemed to take in the heat of the race, was a careful driver, said his contemporaries. But one disaster befell him. I don't know how it happened, but his front mare fell, an excellent mare it seems, and horses were going at high prices at that time. In the melee, someone's cart went over her leg and broke it like breaking a carrot. It was a little below Llandeilo that this happened, some fifteen miles from home. Some driver loosed his front horse and drove home to fetch my grandfather to see the mare before they destroyed her, and according to the story I heard around, the first thing Deio said to his poor son was 'Did you win the race, Jack bach?'

Considering my Gwarcoed grandfather's usual silence and quiet reserve, it would seem that a bout of youthfulness returned and overcame him when he was about fifty years old. He took to himself his second wife, Sali Rhydyfallen Fach, a woman half his age. She was the youngest child of the family, a sister to Neli the Cart, John Jenkins's wife, and she kept house for her father, Jemi'r Gof – Jemi the Blacksmith – in a little two-cow holding at the bottom of Gwarcoed land. It can be said of her that she was always a good and wonderfully provident wife. Uncle John was twenty at the time of the marriage, and my mother was seventeen, a strong, hardworking, and conscientious young girl who, now with a young maid to help her, was skilled in all farmhouse work. It was surely a bit of a test for my mother and her brother John to see the daughter of a small place at the bottom of their land who was not much older than themselves becoming their mistress on their own hearth. Only two things could have kept the family life calm and serene on such an occasion, and did keep it so – a good bit of grace and discretion on both sides, and the deep love and respect for and fidelity to one another that was prominent in my mother's family. No show was made of this feeling, but it was there unmistakably, and it was a sacred thing. Loyalty and faith and trust in her fellow men were a

gyfansawdd o gymeriad fy mam. (Unwaith y collai'r angor hwn ei afael gadarn, nid oedd, ysywaeth, a'i cymodai'n rhwydd wedyn.) Fe welai ryw fân ffaeleddau mewn pobl yn ddigon amlwg, ond gyda chymaint haelfrydedd ysbryd fel nad oeddent yn cyfrif ganddi. A chas oedd ganddi glywed eu coffáu gan neb arall.

Gartref, yn ein tŷ ni, fe welai fy mam weithiau ryw ambell frycheuyn o ffaeledd hyd yn oed ym Mhegi, ei merch, cannwyll ei llygad. Ond amdanaf i, a whare teg i'w chalon gywir hi, roedd 'fy meiau fel mynyddau', a chawn eu clywed hefyd, heb fawr o niwl arnynt. Ystyfnigrwydd cynhenid 'y ddafad ddu' yn y teulu a rhyfyg anystyriol crwt yn llosgi'n ei groen, yn ddiau, ydoedd achos fy nghamweddau y rhan amlaf. Yn fy mhlentyndod cynnar, credaf fod fy mam, fel pob mam, yn bur hoff ohonof, fel ei phlentyn. Ond yn nyddiau fy ieuenctid, o'r deuddeg oed ymlaen, wedi i mi gymryd y bit rhwng fy nannedd a dechrau torri'r llyffetheiriau, gan rodio yn ffyrdd fy nghalon, dechreuodd yr hoffter hwn gilio – yn ymddangosiadol, o leiaf. Nid oedd yn natur fy mam, er haeled ei hysbryd, i anghofio rhai pethau. Yn anffodus i mi, ac iddi hithau hefyd, arhosai i chwerwi yn ei chof ryw ambell beth a wnaethwn i, neu na wnaethwn, efallai, wedi i'r peth hwnnw fynd yn hen angof gennyf i o dan bentwr o ddigwyddiadau ar ei ôl. Petai fy mam yn fwy arwynebol, neu yn llai dwys ei natur, diau na fuasai wedi cymryd fy rhysedd a'm hynfydrwydd ifanc i gymaint at ei chalon. Gallai chwerthin ar ben llawer o bethau, ond yr oedd eraill a'i clwyfai. Roedd hi'n rhy onest i ganmol er mwyn plesio. Am ddau beth yn unig y cawn i eirda ganddi – am fy egni fel gweithiwr, ac am sgrifennu llythyr. Deuthum yn bur gynnar yn ohebydd y teulu gan nad oedd fy nhad yn fawr o gamster yn y maes hwnnw, er e fod e'r dyn mwyaf mentrus ar ei ramadeg Saesneg ac ar ei orgraf Gymraeg o neb a welais erioed. Llawer tro y clywais i fy mam y dweud, wedi i mi orffen rhyw epistol a'i ddarllen mas: 'Wi fachgen, er dwled rwyt ti'n gallu bod yn amal, fe sgrifenni dame bach o lythyr eitha call.'

Nid oedd fy nhad, ychwaith, uwchlaw beirniadaeth yn ei dro. I droseddau pennaf ef ydoedd ei hoffter o'r bib – er mai dwy owns y wythnos oedd ei lwans, saith ceiniog yr adeg honno; ei natur wyll a'i eiriau byrbwyll, weithiau, yn y mŵd hwnnw – geiriau na chofi ef ei hun ddim amdanynt ymhen pum munud wedi hynny, gan m las, ddigwmwl, y byddai'r wybren, ond geiriau, er hynny, a all

component part of my mother's character. (Once this anchor lost its hold there was no easy means of reconciliation for her, worse luck.) She saw people's small foibles clearly enough, but with such generosity of spirit that they didn't count with her, and she hated hearing others mention them.

At home, in our house, my mother sometimes saw a mote of a failing even in her daughter Pegi, the apple of her eye. As for me, and let me be fair to her sincere heart, my faults were like mountains, and I was allowed to hear them too, with no mist on those mountains. The congenital stubbornness of the family black sheep and the inconsiderate or unconsidering foolhardiness of a boy who was burning in his skin for action were indeed the chief causes of my transgressions. In my early childhood, I think my mother was very fond of me in the way every mother is fond of her child. But in the days of my youth from twelve on, when I had taken the bit between my teeth and started breaking my fetters walking in the way of the heart, this fondness began to recede, at least apparently. In spite of her magnanimity, it was not in my mother's nature to forget certain things. Unfortunately for me and for her, some things I had done and had failed to do remained in her mind to fester when I had long since relegated them to oblivion under the heap of subsequent events. Had my mother been more superficial or less serious in her nature, she would certainly not have taken so much to heart my rashness and foolishness. She could laugh about many things, but there were some things that wounded her. She was too honest to praise merely for the sake of giving pleasure to a person. For two things only would she give me a good word, for my energy as a worker and for my letter-writing. I early became the family correspondent, as my father wasn't much of a hand at this, although of all I ever saw, he was the one who ventured the most in taking liberties with English grammar and Welsh spelling. Many times I heard my mother say when I had finished reading out a letter, 'Well, boy, however silly you are you can write a bit of a letter quite sensibly.'

Neither was my father above criticism. His chief offences were his fondness for his pipe, although his allowance was only two ounces a week, seven pennyworth in those days; his hot temper and his impulsive words sometimes when he was in that mood, words that he did not remember five minutes after the storm, the sky was all blue and cloudless, but that might remain long in my mother's

300

aros yn hir yng nghof fy mam; a'r peth arall fyddai ei anallu i adrodd yr un hanes yr eildro yn hollol yr un fath – yr hyn a allai hi, â'i sylw craff, ei chof gafaelgar, a'i chydwybod boenus o fanwl.

Enw tri hanner brawd fy mam o ail wraig fy nhad-cu ydoedd Jâms a Dafydd a Dan. Ganed Jâms yn 1870. Blwyddyn union oedd rhwng y brodyr hyn a'i gilydd. Cymeriadau lled ddinod a di-liw a fu Jâms a Dan, fel petai cysgod eu mam wedi llethu eu tyfiant, yn yr un modd ag y gwywodd eu tad odano. Daeth Dafydd yn fwy amlwg drwy adael cartref a chymryd ffugenw arno'i hun, a'i adnabod, gydag amser, fel D. Derwennydd Morgan, Pencader – Americanwr, cemist, fet, pregethwr, nofelydd dirwestol, yn gystal ag awdur 'y ddrama fwyaf hiwmoryddol yn yr iaith', yn ôl ei dystiolaeth ef ei hun amdani rywdro, mewn hysbyseb yn *Y Faner*. Fe welais i'r ddrama hon yn cael ei hactio, unwaith, yn Llambed, ac yn wir, rhwng ei waith ef ei hun a gwaith y cwmni, ni chredaf ei fod ymhell iawn o'i le! Gwnaeth Derwennydd un orchest go nodedig fel llenor: ysgrifennodd fath o hunangofiant dan y teitl *Trem yn Ôl*, y llyfr salaf oll yn yr iaith Gymraeg, yn ôl barn ostyngedig ei annwyl nai amdano. Y mae mor sâl fel y byddai'n werth ei ail-argraffu a'i astudio'n fanwl, o glawr i glawr, fel gwers-lyfr ar 'Sut i Beidio â Sgrifennu'. Ond i mi, pennaf gorchest y llyf yw i'r awdur, wrth sôn am ddyddiau 'i febyd yng Ngwarcoed, a choffáu am ei frodyr wrth eu henwau, anghofio'n llwyr am fodolaeth ei unig chwaer, neu ei hanner chwaer yn hytrach, sef fy mam – a hithau wedi ei fagu a'i anwylo o'i fabandod, ac yn ei symlrwyd didwvll a'i balchder ohono wedi edrych arno ar hyd ei hoes fel proffwyd a mab yr athrylith a ddisgynasai ar ei haelwyd hwy. On whare teg i'm hewyrth, rhag gwneud cam ag ef, collodd ei iechy yn ifanc ar ei ffordd i fynd yn feddyg, ac effeithiodd hynny'n ddia arno. Roedd yn ddyn mwyn a diddan yn ei gwmni, ac yn ŵ diwylliedig yn yr ystyr o fod wedi cwrdd â bywyd mewn llaw man. Ac nid arno ef ei hun y bu'r bai os na fu ef o leiaf ry gymaint elwach o bob man a gyffyrddodd. Bu farw yn wer pensen fach go lew o arian, medden nhw.

Y peth y ceisiwn ei ddangos yw hyn: y gallai fy mam, carediced a haeled ei hysbryd, gydnabod rhyw ambell ffaeled bach, digon dynol yn rhai o'i chyd-ardalwyr; y gallai hi, yn ddigc clir, ganfod pechodau a gwendidau rhai ohonom ni ar ei haelwy

mind; and the other thing was his inability to tell the same true story twice in exactly the same way, as she could do herself with her keen observation, her retentive memory, and her anxious conscience.

My mother's three half-brothers, sons of my grandfather's second wife, were Jâms, Dafydd, and Dan, whose births were in that order with exactly a year between them. Jâms was born in 1870. Jâms and Dan were rather colourless and featureless personalities, as though their mother's shadow had overlain and oppressed them as they grew, in the same way as their father withered under it. Dafydd became more prominent through leaving home and taking a sobriquet as a writer, and was known in time as D. Derwennydd Morgan, Pencader – American, chemist, vet, preacher, novelist of temperance, as well as author of the most 'humoristical' play in the language, to quote his advertisement of it in *Y Faner*. I saw it acted, and between the company's performance and the author's, I should say that that advertisement wasn't far out. He performed one feat as an author. He wrote a sort of autobiography entitled *A Look Back* (*Trem yn Ôl*), the worst book in the language in his humble nephew's opinion. It is so bad that it would be worthwhile issuing another edition of it to be studied from cover to cover as a textbook on How Not to Write. But the book's greatest feat is that the author, while he recounts his early days and mentions his brothers by name, remains in complete forgetfulness of the existence of his only sister, or half-sister, I should say – that is, my mother, who had nursed him and cherished him from the time he was a baby, and in her guileless simplicity and her pride in him had looked upon him throughout her life as the prophet and the son of genius who had descended upon their hearth. But, to be fair to my uncle, he lost his health when a young man on the way to becoming a doctor, and this affected him, undoubtedly. He was a gentle person and interesting company, and in the sense of having touched life in many places, he was cultured. And it was not entirely his own fault he didn't profit much from some of those contacts. He died worth a pretty penny, they say.

I have tried to show that my mother, though her nature was kind and generous, could recognise some human enough failings in her neighbours in the district around, and could clearly enough perceive our sins and weaknesses, those of some of us, on her own

302

a'n hargyhoeddi yn bwyllog, ond yn gwbl gadarn, ohonynt. Ond am ei hen gartref hi ei hun yng Ngwarcoed, ei thad a'i brodyr, Cwm bach y Wern a'i Ysgol Sul a'i gyrddau gweddi ar-hyd-tai, Henry Jones y gweinidog, ei chyfoedion bore oes, yn hen ac ifainc, y fath ydoedd y 'pietas' cysegredig a gylchynai y rhain i gyd iddi hi fel nad oedd na bai na ffaeledd yn bod yn neb na dim yno. Ond y peth sy'n rhyfedd i mi, ac ni allaf ei esbonio hyd heddiw yn rhyw foddhaol iawn, yw hyn – er cymaint fy mharch i bopeth a barchai fy mam, fe arhosais i yn fath o niwtral hollol cyn belled ag yr oedd teulu Gwarcoed yn y cwestiwn. Ni pherthynem i'r un ardal yn hollol, na mynd i'r un capel o ganlyniad, ac nid oedd yno neb o'r un oed â mi – diau fod hynny'n esbonio peth o'r dieithrwch, ac yn un rheswm pam nad oedd gennyf duedd i fynd yno. Cofiaf fod gennyf, yn grwt go fach, fwy o ddiddordeb yn y ceffylau yn y stabal, yn yr ast a'r cŵn bach duon ar ben y gwair, ac yn y lip yn y sgubor ar hanner ei gwneud gan fy nhad-cu, nag mewn dim arall yno. Lle mwrnaidd a distaw a dieithr ydoedd Gwarcoed i mi yn blentyn, ac arhosodd y düwch hwnnw arno ar hyd fy oes.

Dyddiad priodas fy rhieni yn Esgerdawe oedd Tachwedd 17, 1883 a'r Parch. Henry Jones, y gweinidog, yn gweinyddu'r seremoni Mae'n debyg iddynt fod yn gariadon er yn blant, yn ystod eu hychydig ysgolia ym misoedd y gaeaf yn Rhydcymerau, a pharhau'r garwriaeth yn nhymor llencyndod. Yna bu gwahanu am gyfnod – y naill fel y llall yn dilyn ei ffansi. Fodd bynnag, bu ail gynnau'r tân, a phriodi yng nghyflawnder y blynyddoedd bellach - fy mam un ar ddeg ar hugain oed, a 'nhad dair blynedd yn hŷn. N ellir dweud fod priodas fy rhieni yn un o'r ychydig briodasa hynny a wnaed yn y nefoedd, gan fod tymheredd y ddau mor gwl wahanol i'w gilydd – mor wahanol â'r gwanwyn a'r hydref, (geni'r ddau, ganol haf. Fodd bynnag, gellid dweud yn ddigon te iddi fod yn briodas lawn mor ddedwydd â'r mwyafrif mawr briodasau, gan fod anhepgorion y cartref hapus, diddig, yno bob un o'r ddau tu, yn gadarn a diogel – yr ewyllys a'r parodrwyd ddwyn yr iau yn gydradd a charedig, yn ymdrechgar ac yn ddidwy

Etifeddodd fy nhad a'm mam, fel ei gilydd, gyfansoddia eithriadol o gryf. Cyffredin oeddent o ran maintioli cyrff, fy nha ond rhyw bump a whech, fel finnau. Ond yr oedd yno wytnwch

303

hearth, and could convince us of them with gentle and deliberate firmness. But of her own house in Gwarcoed, her father and her brothers, Cwm bach y Wern and its Sunday School and dwelling-house prayer meetings and Henry Jones the minister and her acquaintances of early days, old and young, such was the sacred pietas that surrounded them to her that there could be no fault or failing among them all. But what seems strange and inexplicable to me to this day, to any satisfactory degree, is that, in spite of my great respect for everything my mother respected, I remain a strict neutral as it were when the Gwarcoed family is in question. We didn't belong to the same district exactly, nor go to the same chapel, there was no one there of an age with myself, and these things explain in part my feeling of being out of it over there and my never feeling like going there. I remember, too, that as a small boy I was more interested in the horses in the stable, the bitch with the black pups on the hay, and in the creel that my grandfather hadn't finished making in the barn, than in anything else. Gwarcoed was a silent and oppressive place to me as a boy and alien to my heart, and that sombreness has remained upon it all my days.

The date of my parents' marriage in Esgerdawe, with the Reverend Henry Jones ministering the ordinance, was November the 17th, 1883. They had been lovers in childhood, it seems, during some short periods of schooling in Rhydcymerau in the winter months, and the courtship continued in the years of their youth. Then they separated for a while, each following his or her fancy. However, the old fire was re-lit, and they got married in fullness of time, my mother being thirty and my father thirty-three. It cannot be said that my parents' marriage was one of the few that are made in heaven, or their temperaments were as different as spring and autumn, although they were both born in the middle of summer. But it can be said fairly enough that it was quite as happy as the great majority of marriages, as both sides of it possessed firmly and safely the requisites of a happy and contented home, the will and readiness to bear the yoke equally and amiably, strenuously and without guile.

They both inherited exceptional strength of constitution. They were ordinary as regards stature – my father like myself was only five foot six – but both of them had the toughness and hardiness of

dycnwch anghyffredin yn y ddau, fel eu hil o'r ddwy ochr, os caf ddweud hynny – hen hil y bryniau wedi eu magu yno drwy'r canrifoedd. Ond er caleted y stoc wrth natur, dôi hen haint greulon y ddarfodedigaeth a wnaeth gymaint hafoc yng Nghymru i mewn yno, hefyd. Bu farw fy nwy fam-gu o'r clefyd hwn yn union wedi gorffen dwyn plant, a'r ddwy ohonynt ond tair a deugain oed. Nid oedd fy nhad, adeg claddu ei fam, ond deuddeg oed, a thri o'r wyth plentyn a adawyd ar ôl yn iau nag yntau. Disgynnodd y cyfrifoldeb am fywioliaeth y tŷ a'r aelwyd, felly, wedi claddu eu mam, ar ddwy chwaer hynaf fy nhad, ac Anne ar y pryd yn bedair ar bymtheg oed, a Let yn ddwy ar bymtheg. A chofio mor ifanc y byddai pawb wrthi y dyddiau hynny, gellid ystyried eu bod hwy yn ddigon hen i ofalu am aelwyd glyd a chysurus i'r teulu lluosog. Ond hyd y gallwn gasglu, er eu bod yn ferched caredig iawn, ni feddent, yn ddigonol, y ddawn werthfawr o fod yn ddarbodus ac yn drefnus wrth gadw tŷ. Priododd y ddwy ferch yn ddiweddarach, heb fod yn rhy lwcus yn eu rhan, ychwaith. Bu cyfnod wedyn o ddibynnu ar forwynion, hyd nes i Jane, yr iengaf o'r teulu, ddod mewn oed i ofalu am bethau. Dyn glew oedd fy nhad-cu, mae'n wir, ond er ei lewed ni allai fod ym mhobman a threfnu popeth. Y canlyniad ydoedd na chafodd y plant iengaf y gofal a'r cysuron aelwyd arferol lle bo mam dda a chyfrifol yn gofalu am y teulu yn gyfan.

Heblaw'r gwaith ffarm arferol yr oedd coedwigo, hefyd, fel y gwelwyd, yn rhan gyson o'r bywyd ar Benrhiw: plannu coed, cau o'u cwmpas, chwynnu rhyngddynt, a'u teneuo; a phan ddôi gall i'w hoed mwyaf manteisiol – ei chwympo; ac am gyfnod, o leiaf cario coed i'w golosgi yng ngwaith oel Brechfa, tra fu hwnnw a gerdded. Ac yn nhymor y gaeaf yr âi'r gorchwylion hyn ymlaen yn bennaf – gwaith gwlyb ac oer a slafus ddigon. A 'nhad, gyda'i egr diflino a'i ddeall hoffus o ddyn ac anifail, fyddai'n wastad dan be trymaf y gwaith. Tra fu 'i iechyd a'i nerth cynhenid ganddo fe' gwariai'n afradus a difeddwl. Roedd fy nhad, fel y dywedwyd, natur gynnes a chymdeithasol. Ar ôl bod wrthi'n galed drwy'r dyd yn y coed, yn wlyb hyd at y croen, efallai, neu wedi cetyn o he' yng ngwlybaniaeth y tir garw ac anialwch gwernog y godre, y hytrach na mynd adref i newid a chael dillad sychion, dewisac fyddai ganddo'n fynych droi i mewn i dŷ un o'r cymdogion, ac yr y byddai wedyn, yn 'whilia' (chwedleua) a gwrando storïau, gan a a thrydydd fwynhau 'i storïau 'i hunan, yn ddiau, mewn afiai

the family on each side of it, if I may say so, nurtured throughout the centuries on the hills around. Hardy though the stock was, the cruel disease consumption that wrought so much havoc in Wales made inroads here. Both my grandmothers died of it as soon as they had finished bearing children, both only forty-three years old. My father was only twelve when his mother died, and three of the eight children she left were younger than he. The responsibility for the hearth and home descended upon my father's two sisters, Anne, the eldest, who was at that time nineteen, and Let, who was seventeen. Remembering how early one started work in those hard days, one may consider them to have been old enough to have the care of the cosy hearth and the big family. But I gather that although they were very kind young maidens the precious gift of thrift and order in housekeeping was not theirs, sufficiently. They both married later, and neither was too fortunate. Then there was a period of dependence upon maids until Jane, the youngest of the family, became old enough to take charge. My grandfather was the sort of man who is equal to everything almost, but he couldn't be everywhere arranging everything. The result was that the youngest children didn't get the home comforts that are usual when a good and dependable mother is taking care of the family.

Besides the farm work there was also forestry to be done, as we have seen, as a constant element in Penrhiw life, the planting and enclosing and thinning out of the trees and, at the most advantageous time, the felling of them, and, for a period at least, the hauling of them to the Brechfa oilworks to provide charcoal as long as that venture lasted. These activities were carried on chiefly in winter, and the work was cold and wet and extremely laborious. It was my father, with his untiring energy and his kindly understanding for both man and animal, who always had his shoulder under the heavier end of the burden. While he had his health and congenital vigour he spent them lavishly without taking thought. My father's nature, as I have said, was warm and sociable. When he had been in the wood all day, wet through to the skin perhaps, or after being out with the gun through the wet of the rough land and aldergrown wilderness at the bottoms, rather than go home to change into dry clothes, he would turn into a neighbour's house, and there he would stay chatting and listening to stories and enjoying himself telling his own stories for the second and third time in this ardent and innocent mirth, with his

306

frwd, ddiniwed, a'i ddillad gwlybion yn mygu amdano drwy'r hwyrnos o flaen y tân coed gwresog ar lawr yr aelwyd.

Oherwydd gyr diatal ei ynni a'i lwyr ddiofalwch amdano'i hun, nid rhyfedd i iechyd fy nhad, o'r diwedd, dorri lawr. O fewn y flwyddyn wedi priodi ac i'm mam symud ato i Benrhiw fe'i trawyd yn wael iawn, hyd at angau ymron, gan lid yr ysgyfaint. Wedi i'w iechyd unwaith roi ffordd yn y pwl cyntaf hwnnw ni fu yr un byth wedyn. Dôi'r naill ddolur ar ôl y llall o hyd i'w ran. Cafodd y dwymyn wynegon, a'r fflamwydden ar ôl hynny, yn ddrwg iawn, a bu'n dioddef ar hyd ei oes, ac am un cyfnod yn arteithiol, gan ddrwg yn ei arennau. Poenid ef yn enbyd, hefyd, gan y niwralgia a chur pen mynych. Ac fel yna, o bwl i bwl o afiechyd, y bu ef am y deng mlynedd cyntaf o'i fywyd priodasol. Wedi symud i Aber-nant un salwch difrifol a gafodd. Ryw ddiwrnod, fodd bynnag, cafodd bresgripsiwn gan yr hen Ddoctor Ifans a fyddai'n sicir wrth fodd calon llawer un: dwy lond llwy de dda, ac yn llifo drosodd, o whisgi, yr O.V.H. – ni wnâi dim y tro ond yr Old Vatted Highland – ar ben ei fasnaid bara te bob bore i frecwast. Ai dyna a wnaeth y wyrth ai peidio, nis gwn. Ond o hynny ymlaen, er yn wanllyd ddigon, bu ei iechyd yn llawer iawn gwell, weddill ei oes.

Drwy gydol ei fywyd bu gofal a thynerwch ac amynedd fy mam yn ddiderfyn tuag ato. Ac y mae hyn yn bendant i'w gofio: odid y bu erioed, gredaf i, ddioddefydd (*patient*) mwy anodd i'w drin na 'nhad. Yn ystod ei salwch, oni fyddai'n rhy wael i wybod dim amdano'i hun, fel y bu fwy nag unwaith, fe fyddai mor anystywallt ac mor amhosibl gael ganddo iwsio gronyn o reswm â phan oedd yn anterth ei hoen a'i iechyd. Cyn gynted ag y byddai'n dechrau gwella a theimlo rhyw naws o'i hen ynni anesmwyth yn dod yn ôl iddo, ni wrandawai ar y doctor, na 'mam na neb arall. Ar ôl pwl o salwch a allai'n hawdd fod wedi lladd dyn o galon lesgach, ni cheid ganddo ar un cyfrif aros yn y gwely, neu hyd yn oed yn y tŷ, nes ail ennill ei nerth dipyn yn rhagor. Na; cyn pen fawr o dro byddai allan drachefn, ac wrth ryw orchwyl, cyd gallai ei nerth ei gario, mor ddiarbed ag erioed, hyd oni fyddai'n rhaid iddo ildio eilwaith, mynd yn ôl i orwedd. Roedd ei ddewrder ysbryd yn anorthrech, a' ryfyg byrbwyll mor eithafol â hynny. Wedi hanner oes o salwch hanner gwella ysbeidiol fel yna ni ddysgodd, hyd y diwedd, y wer fwyaf elfennol parthed cadw deddfau iechyd. Ond dyn bach d iawn oedd fy nhad yn sicr, er gwaethaf ei wylltineb a'i ddiffy gweld, yn fynych, fynych. Ai dros ei ben i helpu pawb, ganol nc

307

wet clothes steaming on him all the evening in the warmth of the wood fire.

As a result of the incessant drive of his energy and his complete lack of care of himself, it was no wonder his health broke down in the end. Within a year of his marriage and my mother's joining him in Penrhiw he was taken seriously ill, almost dying of inflammation of the lungs. He was never quite the same afterwards. One illness after another fell to his lot. He got rheumatic fever and erysipelas afterwards, very badly, and he suffered throughout his life afterwards from kidney trouble, and at one period excruciatingly. He also had bad neuralgia and headaches. And so from bout to bout he went through the first ten years of married life. After moving to Aber-nant he had only one serious illness. One day during that illness old Doctor Ifans gave him a prescription that I am sure would be to the liking of many of us – two full-to-overflowing spoonfuls of whisky – O.V.H. only, the Old Vatted Highland, would do – poured into his basin of tea and bread for breakfast daily. From that time forward, although he was not at all strong his health was much better.

All through his married life my mother's care and tenderness for him and her patience with him were boundless. And you must remember that there never was a more difficult patient than my father. In his illnesses, if he wasn't too ill to be conscious of himself, as he was more than once, he would be as unmanageable and as incapable of availing himself of a grain of reasonableness as he was in the fullness of his health and vigour. As soon as he began to mend and to feel the touch of the old vital unrest, he would listen not to the doctor nor to my mother nor to anyone else. After an illness that might easily have killed a man whose heart was weaker than his, he could not be prevailed upon on any account to stay in bed, or even in the house, until he had regained a little more strength. No. In no time at all he would be out and about again and at some job or other while his strength could carry him, until he had to give in again and go back to bed. His courage was invincible and his impetuous daring equally extreme. After half a lifetime of intermittent bad health and partial recuperation, he never learnt the most elementary lesson on observing the rules of health. But he was indeed a good little man in spite of his precipitancy and lack of forethought. He would go headlong to the aid of others in the middle of the night as

fel canol dydd. Nid oedd rhithyn o dwyll nac o eiddigedd yn ei natur. Ei ddawn bennaf ydoedd ei ddawn gweddi. Roedd yn hyfrydwch gwrando arno ar ei liniau. Mi gredaf ei fod, yn gyson, ar delerau da â'i Greawdwr. Mi wn ei fod ar y telerau gorau posib â'i gymdogion bob awr o'r dydd, a phob dydd o'r flwyddyn gron. Dyna ran o gyfrinach bywyd yr Hen Ardal.

Cyn dod at hanes gadael Penrhiw, a'r achos pennaf am hynny, rhaid i mi sôn yma am un peth arall sydd wedi aros yn ddigon byw yn fy meddwl, sef y ddyletswydd deuluaidd. Fe'i cynhelid bob bore yn ddifwlch hyd y gallaf gofio, cyn codi oddi ar frecwast. Roedd yno gegin lawn, rhyw naw neu ddeg, rhyngom ni'r ddau blentyn, yn bresennol bob amser, ac yn nyddiau'r cynhaeaf byddai'r nifer yn wastad dipyn yn ychwaneg – a'r rhan fwyaf ohonynt yn medru canu. (Rown i'n rhy ifanc ar y pryd i allu tystio'n fanwl am y canu hwnnw'n awr. Ond gwn fod yno, yn fy amser i, gôr aelwyd o bedwar llais yn canu mewn eisteddfod weithiau – er nad da gan fy nhad o gwbl oedd cystadlu. Nwncwl Jâms, wrth gwrs, fyddai'n arwain, a 'nhad ac yntau'n canu'r tenor a'r bas, a'r merched a'r gweddill yno, pwy bynnag fyddent, yn gofalu am y lleisiau eraill. Clywais ddweud i Mari Ffidl Ffadl, a feddai lais bach net ac yn dwli ar ganu, mae'n debyg, ddod i mewn cyn pryd mewn rhyw gytgan un tro, ac i'r côr golli'r wobr!) Wedi i bawb fwyta'i damaid olaf, distawai'r gleber ohoni ei hun a symudai 'nhad o'r ford fach a gornel y ford fowr gerllaw'r ffenestr. Cenid emyn cyfarwydd i ddechrau, ac yna darllenid rhan o'r ysgrythur a mynd i weddi. Weithiau cymerai Nwncwl Jâms, neu Jontomos, a'i fod yno, at y rhan hon yn ei le. Nid oedd y gweithwyr achlysurol eraill yn

NODYN
Bu farw fy nhad o'r ffliw honno a ysgubodd y wlad yng ngaeaf gwanwyn ofnadwy y Rhyfel Mawr, 1916-17, a'r niwmonia yn gafael ynddo wedyn. Chwe wythnos yn gynt, o'r ffliw honno, claddesid fy mam a ofalodd fel angyles amdano drwy bob salwch – -ef yn 67 oed a hitha dair blynedd yn iau. Rown i yn Rhydychen ar y pryd, a Phegi fy chwaer yn nyrs gyda'r fyddin yn yr India. Rhwng popeth, colli fy rhieni mor agos i'w gilydd, a cholli fy nghartref o ganlyniad, poen beunyddiol y rhyfel oedd ar bawb, a bygwth parhaus y tribiwnlys arnaf fel gwrthwynebwr cydwybodol, blwyddyn galetaf fy mywyd i mi a fu'r flwyddyn 1917-18.

in the middle of the day. His nature had no trace of deceit or of jealousy. His great gift was the gift of prayer. It was a joy to listen to him when he knelt. And I think he was always on good terms with his Creator. I know he was on the best terms possible with his neighbours every hour of the day and every day of the year. That was a part of the secret of the life of the Old Neighbourhood.

Before I come to the story of our leaving Penrhiw and the chief reason for our doing so I must speak of one thing that remains vividly in my mind – family devotions. They were held every morning, without a break as far as I remember, before we rose from breakfast. The kitchen was full, nine or ten of us, counting us two children, being present every time. And in harvest-time the number was always a little bigger, and the greater part of them were able to sing. Being so young at the time, I cannot speak of that singing in any detail. But I know that there was there in my time a home choir of four voices that sometimes sang in eisteddfodau, although my father did not care for competing. Uncle Jâms, of course, conducted, my father and he sang tenor and bass respectively, and the women and the rest, whoever they might be, took the other parts. I heard that Mari Fiddle-Faddle, who had a good little voice and doted on singing, came in too soon in the chorus once and lost the prize for the choir. When everyone had finished breakfast the chatter ceased of its own accord, and my father moved from the small table to the end of the bigger one near the window. A familiar hymn was sung to commence devotions, and then a portion of the Scripture was read and someone led in prayer. Sometimes Uncle Jâms or Jontomos, if he was there, did this. The other casual

A NOTE
My father died of the flu that swept the country in that terrible winter and spring of the Great War, 1916-17, succumbing to pneumonia. My mother, who had succoured him like an angel in every illness, had died of the flu six weeks before. He was sixty-seven, and she was three years younger. I was at Oxford at the time, and my sister Pegi was a nurse with the Army in India. With all this, losing my parents so soon after one another, losing my home in consequence, as well as the continual hurt of the War which everyone felt daily and the continual threat of the tribunal for me as a conscientious objector, 1917-18 was the hardest year of my life.

'ddynion cyhoeddus'. Rhwng fy nhad-cu a 'nhad ar ei ôl, cadwyd y ddyletswydd deuluaidd ar aelwyd Penrhiw ac aelwyd Aber-nant, wedi hynny, yn ddi-dor am dros drigain mlynedd. Ymhellach, a chyda phob gwyleidd-dra ysbryd y mynnwn ei grybwyll yma, y mae'n bosib fod y traddodiad hwn, pe gellid ei ddilyn, yn mynd yn ôl i hen aelwyd Llywele, ac wedi dod i lawr o dad i fab er dydd tröedigaeth Wiliam Sion, tad-cu fy nhad-cu, a dechreuad Methodistiaeth yn y cylch bron can mlynedd cyn hynny.

Fel y gŵyr y rhan fwyaf o barau priod, mi gredaf, hyd yn oed y rhai hynny sy'n dechrau byw yn eu cartref newydd eu hunain o dan yr amgylchiadau mwyaf ffafriol posib, nid gorchwyl rhwydd a syml iddynt yw eu cymhwyso'u hunain ar gyfer ei gilydd fel ag i gyddynnu'n esmwyth o dan yr un iau weddill eu hoes. A pho gryfaf, arbenicaf, neu hynotaf, os mynner, y bo'r ddau wrth natur, anhawsaf oll yw'r broblem. Mae pob gwahaniaeth mewn tymheredd, tuedd, a delfryd, yn ei dwysáu. Rhamant ac iddi o leiaf elfen o gellwair anghyfrifol yr ifanc yn chwilio pob peth cyn profi'r hyn sydd dda, gobeithio, yw cyfnod y caru. Ond yn y cyflwr priodasol fe geir drama gyflawn bywyd yn ymagor yn llawn posibiliadau teg yn gystal â pheryglon tywyll. Eithr pan groesawo person rywun o'r tu allan i mewn i'w aelwyd ei hun ar achlysur priodas, neu pan elo'r person hwnnw ar ei briodas ei hunan i mewn i aelwyd y teulu-yngnghyfraith i fod, bellach, yn aelod o'r teulu hwnnw, y mae'r broblem yn sicr yn fwy anodd ac yn fwy cymhleth byth. Oherwydd mewn gwirionedd, nid y ddau unigolyn a unir yn awr, er gwell neu er gwaeth, ond yr unigolyn a chymblaid o unigolion, boed eu rhif cyn leied ag y bo, sydd wedi hen wladychu a sefydlu yno o'i flaen yn eu ffyrdd arbennig hwy eu hunain. Gall gwrthdarawiad ag unrhyw un o'r aelodau hyn fod yn ddigon i andwyo dedwyddwch pawb.

Daeth i ran fy mam fynd drwy'r ddau brofiad go anodd hwn. Yn gyntaf yn ferch ifanc, fel y gwelwyd, pan ddaeth Sali Rhyd y Faller Fach, drwy ail briodas fy nhad-cu, i mewn i Warcoed yn llysfam i'm mam a John ei brawd, ac yn feistres y tŷ. Yn ail, ar ddechrau ei bywyd priodasol hi ei hun wrth fynd i mewn i Benrhiw at fy nhad a 'nhad-cu a Nwncwl Jâms yno'n barod yn rhannu'r aelwyd, heb sôn am y gwasanaethyddion. Er nad oedd cymodi a chynefino â'r drefn newydd yng Ngwarcoed, yn ddiau, yn beth hawdd a dymunol fel y gellid disgwyl, i'm mam, a'i brawd gyda hi, eto daethant drwy'r prawf hwn yn llwyddiannus, a hynny'n bennaf, yn sic

workers were not 'public men'. Between my grandfather and my father after him these family devotions were observed in Penrhiw and Aber-nant for over sixty years without a break. Moreover, if I may suggest it in all humility, it is probable that this tradition, if it could be traced, reached back to the old home in Llywele, and had come down from father to son from the conversion of Wiliam Sion, my grandfather's grandfather, and the beginnings of Methodism in the vicinity a hundred years before the sixty I have spoken of.

Most young couples, even those who begin their married life in their own home and in the most favourable circumstances, know, I think, that it is not an easy and simple matter to adapt themselves to each other and pull together under the same yoke for the rest of their lives. Every difference of temperament, tendency, and ideal intensifies the problem. The period of courtship is a romance that has in it at least an element of young, irresponsible make-believe, seeking all things before trying that which seems good. But in married life we get the full drama opening, with its fair possibilities as well as its dark perils. But when one welcomes another from outside into one's home on the occasion of a marriage, or when, on getting married oneself, one enters the house of the in-laws to be ever afterwards a member of that family, the problem must indeed be still more difficult and complex. Because it isn't two individuals that are being united really, but now, for better or worse, an individual and a party, let the number in that party be as small as it may be, of people who have settled there long before that individual and established their particular ways. A clash with any of the members may be enough to destroy the comfort of all.

It fell to my mother's lot to go through both of these difficult experiences. First as a young woman, as we have seen, when Sali Rhyd y Fallen Fach on my grandfather's second marriage came to Gwarcoed as a stepmother to her and her brother John and as mistress of the house. And the second at the beginning of her own married life when she went to Penrhiw to join my father, my grandfather and Uncle Jâms being ready to share the home with her, not to speak of those in service. Although it was not easy or pleasant for my mother and her brother to reconcile and accustom themselves to the new order in Gwarcoed, they came through this trial successfully, and that was due to the peacefulness and natural

oherwydd y tangnefedd a'r parch cynhenid tuag at ei gilydd, a'r teyrngarwch i'r penteulu a fodolai yno erioed. Ym marn onest fy mam, fel y dywedwyd, ni allai ei thad wneud dim o'i le. Dewisodd ef ailbriodi; a dyna'r drefn wedi ei setlo. Er nad oedd amheuaeth pwy oedd ben, bu gan y ferch ifanc a'r llysfam ifanc ddigon o synnwyr cyffredin ac o barch at ei gilydd i gyd-dynnu'n hapus ddigon yn ystod y blynyddoedd wedi hynny y buont o dan yr un gronglwyd. Ac nid bychan o deyrnged oedd hynny i'r naill a'r llall, o gofio eu bod mor agos i'w gilydd o ran oed – y ferch, fel y gwelwyd, yn ddwy ar bymtheg, a'i llysfam yn bump ar hugain.

Mae'r digrifddyn, y gŵr ysgyfala, neu'r dyn a'r asyn dan ei groen yn peri iddo'n anorfod styfnigo a dal yn gyndyn groes i bawb, yn haws fel rheol i fwynhau ei gwmni o bell nag o fyw dan yr un to ag ef. Roedd Nwncwl Jâms yn gyfuniad o'r tri, gyda'r lle anrhydedd, yn ddios, yn eiddo i'r olaf. Ond gallai fod yn ddigrif hefyd, yn enwedig yn sioncyn bach, neu wedi ei gynhyrfu – ac nid peth anodd mo hynny – gan ddweud pethau gwreiddiol a brathog ar adegau.

Gellir dweud yn gywir, mi gredaf, fod fy mam wedi ei chynysgaeddu'n deg â'r doniau gofynnol i wneud llwyddiant o'i bywyd priodasol wrth ddod i mewn dan amgylchiadau digon anodd i aelwyd gymysg Penrhiw. Roedd yn ddoeth a phwyllog a hunan-ymwadol, yn deimladwy a charedig wrth natur, yn drefnus a gweithgar, ac o gorff cryf ac iach. Dôi hi a'i thad-yng-nghyfraith, Jaci Penrhiw, ymlaen yn rhagorol gyda'i gilydd. Yn ei gystudd blin ym mlwyddyn olaf ei oes gofalodd amdano gyda'i thynerwch anghyffredin at bob un mewn salwch neu boen, boed ddyn neu anifail. Ar ôl ei farw ef ymhen rhyw ddwy flynedd a hanner wedi iddi symud i Benrhiw, ac iechyd fy nhad, bellach, wedi rhoi ffordd yn ddrwg, dyna'r adeg y dechreuodd gofidiau fy mam, ac y daeth trafferthion ac anghysur i'w bywyd. Ac nid oedd raid mynd ymhell i chwilio am yr achos. Canys yno yr oedd Nwncwl Jâms, chynneddf arbennig 'dafad ddu Llywele' yn drwm arno – y ystyfnigrwydd cynhenid hwnnw, y reddf anorthrech i godi rhwystra a dal yn groes, gan whilibawan ar lwybr pawb a fynnai weithio. Tr fyddai fy nhad yn gallu dal uwchben ei draed, rywfodd, a'i iechyd rhwng y pylau mynych, yn oilin bach, âi popeth ymlaen yn wedd iawn. Roedd fy nhad, fel y dywedwyd, bum mlynedd yn hŷn r

respect for one another and the loyalty to the head of the household that existed there. In my mother's honest opinion, as I have said, her father could do nothing wrong. He decided to marry again. The matter was settled. Although there was no doubt who was supreme, the young daughter and her young stepmother had enough common sense and respect for each other to pull together happily all the years they were under the same roof. And that was no small tribute of each to the other, remembering how near their ages were, the daughter's as we have seen, seventeen and her stepmother's twenty-five.

The humorist, the carefree man, and the man who has the donkey under his skin, making him obstinately contrary to all, are usually better appreciated as company from a certain distance than in the intimacy of the same house. Uncle Jâms was a combination of the three, with honours, absolutely, to the last. But he could be humorous too, especially when he was a little merry or when he was agitated, and it was not difficult to make him so. He could then make original and mordant remarks.

It may be truly said, I think, that my mother was well gifted to make a success of married life when she came into the mixed household of Penrhiw in difficult circumstances. She was wise, gently deliberate, and self-denying, very feeling and kind by nature, orderly and diligent, and physically strong and healthy. She and her father-in-law Jaci Penrhiw got on wonderfully together. In his sore affliction in the last years of his life she cared for him with that exceptional tenderness of hers for all in illness and pain, whether humans or animals. After his death some two and a half years after he came to Penrhiw, when my father's health was beginning to give way badly, my mother's trouble started, and worries and embarrassments entered her life. And one need not have gone far to find the cause. For there was Uncle Jâms with the transmitted characteristics of the black sheep of Llywele heavy in his make-up, that innate obstinacy and insuperable tendency to raise hindrances and to stay put contrary to all and to dawdle in the path of everybody who wanted to get on with his work. While my father was able to keep himself on his feet somehow in fair health, between his frequent illnesses, everything went on pretty well. My mother, as I have said, was five years older than Uncle Jâms and had

314

Nwncwl Jâms, ac wedi blaenori ymhob gwaith erioed. Roedd yno gwympo mas poeth rhwng y ddau frawd ar adegau, fel y mae gennyf beth cof, er nad oedd gennyf i, dan y chwech oed, yr un syniad pam. Edrych yn syn a wnawn i, a rhyfeddu pam yr oedd y ddau ohonynt yn gweiddi cymaint a hwythau yn ymyl ei gilydd. Ond ni fyddai amynedd gan fy nhad i ymdaeru'n hir. Gwyddai fod dadlau â 'Jim 'y mrawd' fel y galwai ef yn y mŵd hwn 'fel dadlau â chlacwydd'. Âi ymlaen â'r gwaith gan adael ei frawd o dan sylw i bilio'i frwynen ei hunan, neu i fynd i'r tŷ am awr neu ddwy o siafo a chanu yn llewys ei grys, fel paratoad ar gyfer taith ar gefen Bess, yr Hen Boni, ar sgawt eisteddfodol neu garwriaethol yn hwyrach y dydd.

Mewn gwirionedd, po bellaf y byddai Nwncwl Jâms o gartref, gorau oll y llewyrch ar bob gwaith yno; er, pe gwrandewid arno'n siarad gellid meddwl mai ef oedd y 'thlafwr' pennaf o gylch y tŷ, ac oni bai am 'y gwaith caled' a wnâi ef, ac y soniai amdano mor fynych, y byddai ar ben ar bopeth yno ers tro. Ac o'i nabod wedi i mi dyfu i fyny yr wyf o'r farn y credai ef hynny yn onest. Dyna ran o eironi chwithig ei gymeriad – digrif i'r byd o'r tu allan, ond difrif, ie, creulon o ddifrif, o dan yr amgylchiadau, i un o bersonoliaeth ddwys a llednais fy mam ar aelwyd Penrhiw.

Wyth mlynedd y bu fy mam yn byw ym Mhenrhiw, sef o ddydd ei phriodas yn Nhachwedd 1883 hyd ddydd y symud i Aber-nant yn union wedi Gŵyl Fihangel 1891. Er gwaethaf afiechyd fy nhad, blynyddoedd o lewyrch ac o lwyddiant tymhorol fu y rhain. Nid oedd dim a gâi gam ym Mhenrhiw o dan lygad craff a gofal manwl fy mam. Un creadur a gofiaf i yn trigo yno erioed, a'r hen Swch Fain oedd hwnnw, rhyw haflo diraen, er dydd ei fwrw, a gadwai e hen-got amdano bron hyd yr hydre. Roedd gan fy mam law a chalon y wir nyrs. Byddai hi ei hun farw cyn y câi neb na dim arall farw ganddi.

Gellir dweud fod ym Mhenrhiw, dan ofal fy mam, aelwyd lawn llawen, a phob gwas a morwyn a dyn hur yn aelod cyflawn chydradd ohoni. Ac yr oedd i bob perchen anadl, ar fuarth ac a faes, ei ran yn y gymdeithas wâr a chynnes hon. Gyda llaw, hefyd hyd y clywais i, o leiaf – ac yr own i, yn anymwybodol, yn wrandaw go glustfain ar bob siarad ar yr aelwyd er fy nyddiau cynnar, cynna – ni thorrodd neb ar ei gyflog o Benrhiw yn ystod oes fy 'nhad-c nac yn amser fy nhad ar ei ôl – drigain a dwy o flynyddoedd (183 91). Diau nad oedd hynny yn rhyw lawer o eithriad mew cymdogaethau fel yma lle'r oedd y berthynas rhwng pawb o dan

315

always taken the lead in all the work. The brothers sometimes fell out hotly, as I myself slightly remember, although, being under six years old, I failed to understand why. I looked on in surprise that the two should shout so loudly when they were so near each other. My father hadn't the patience to remain wrangling for long. He knew that arguing with 'my brother Jim', as he called him, when he was in this mood was like arguing with a gander. He would get on with his work, relegating his brother to a place beneath his notice where he 'peeled his rush' or went to the house for an hour or two to shave and sing in his shirtsleeves preliminary to a ride on Bess the Old Pony, an eisteddfod, or a courting expedition.

In fact, the further from home Uncle Jâms was, the more the work prospered, although if one listened to his talk one might regard him as the greatest worker around, and if it were not for the hard work he 'did' and talked about so often one might have thought it would have been all over with us long ago. And from my acquaintance with him when I grew up, I believe he honestly thought it was so. That is the bitter irony of his character, funny to the world around but serious, and in the circumstances cruelly serious, to one of my mother's serious and delicate nature.

My mother lived eight years in Penrhiw from November 1883 to the day she moved to Aber-nant after Michaelmas 1891. Despite my father's ill-health they were gracious and prosperous years. Nothing was wronged in Penrhiw under my mother's keen and watchful eye. I remember only one animal dying, old Swch Fain, that untidy summer calf that kept on its summer coat till autumn almost. My mother had a nurse's heart and hand. She would have died before letting another die under her care.

It may be said that Penrhiw under my mother's care was a full and happy home in which every man and maid and person whose labour was hired casually was a full and equal member. And everything that had breath on fold and field had its share too in this warm and gentle society. Incidentally, as far as I ever heard, and I was, though unconsciously perhaps, a pretty close listener to all the talk on the hearth from very early days, no one in service in Penrhiw ever broke contract either in my grandfather's time or my father's – sixty-two years (1839-91). Indeed, this was not exceptional in neighbourhoods where the relationship that existed between everybody under the same chimney mantel was close and family-

un fantell simnai mor agos a theuluol. Clywais am fy mam, er enghraifft, un bore, o weld Dai, y gwas mowr, yn pendwmpian uwch cyrn yr aradr ar ben tir, a'i ben yntau, mae'n amlwg, bron hollti wedi rhyw sbri y noson gynt, yn peri iddo ollwng y ceffylau a mynd i'r gwely am gwpwl o oriau; a'r sgwat bochgoch, ffraeth ei dafod hwnnw, yn ufuddhau gydag ochenaid ddiolchgar.

Yr adeg honno roedd i neb ymadael â'i le cyn Calan Gaeaf, oni fyddai rhyw amgylchiad arbennig, yn dipyn o anfri ar feistr ac ar was neu forwyn. Ar y ffermydd brasach, yn nes at lan Tywi, y dechreuodd y gagendor ledu a dyfnhau rhwng y ford fach a'r ford fawr. Gyda'r wyth awr o Lundain, gan nad beth fo'r tywydd, seliwyd y gwahaniaeth yn swyddogol. Aeth y gwas i'w faes a'i feistr i'w fasnach – heb fod yng nghwmni ei gilydd.

Ond er y llewyrch a'r graen digon cysurus ar bethau ym Mhenrhiw, bu fy mam, ar adegau, yn ystod ei blynyddoedd olaf yno, bron torri ei chalon. Dwy ffordd oedd i drin Nwncwl Jâms: dweud ei les yn dew ac yn denau wrtho, fel y gwnâi fy nhad weithiau, pan fyddai ei stwbwrndra adwythig wedi bod yn fwy o rwystr nag arfer, a'i adael, wedyn, dan sylw; neu, ynteu, ei ddenu a'i ganmol fel y gwnâi ei briod, Nanti Elinor, yn ddiweddarach, gydag amynedd y tu hwnt i amynedd gwragedd. Rwyf o'r farn onest i Nwncwl Jâms, gyda'r lwc ryfedd honno a'i dilynai, yn wyneb pob afreswm, gael iddo'i hun yn wraig yr unig fenyw ar y ddaear a allai wneud rhyw drefen ohono. Ni ellir trechu asyn a'i cythrel wedi lodjo yn ei ên. Ond o oglais tipyn arno yn y mannau iawn fe'i ceir, weithiau, yn ei amser da ei hun, i symud peth mwy ymlaen nag yn ôl. A dyma'r eithaf a allodd rhyfedd amynedd fy modryb Elinor ei wneud o'm Hewyrth Jâms wedi oes o fyw gyda' gilydd.

Achos pennaf dioddefaint fy mam ym Mhenrhiw, fel achos y pri ddioddefydd ymhob trasiedi, ydoedd ei bod hi, wrth natur, wedi e hanghymwyso i gyfarfod â'r sefyllfa arbennig honno y'i cafodd e hun ynddi. Wedi colli cefnogaeth gadarn fy nhad-cu, drwy ei farw a'i chaethiwo gan ei phryder a'i gofal parhaus am fy nhad yn e stafell wely, ni feddai hi'r bersonoliaeth feistrolgar, heriol honno allai droi ar ei brawd-yng-nghyfraith a'i osod yn ei le, ac yr oed hi'n rhy ddidwyll a chywir ei chymeriad i geisio'i hudo a'i dder

317

like. For instance, I heard of my mother seeing Dai the head man one morning nodding above the handles of the plough on the headland, with his head evidently splitting after some spree of the previous night, telling him to loose the horses and go to bed for a couple of hours, and that red-cheeked, squat little man whose tongue was usually so ready obeyed her with a sigh of gratitude.

At that time, if one left one's place before Allhallows, unless there were extenuating circumstances, it was somewhat of a disgrace to both the master and the man or maid. It was on the richer farms, near the banks of Tywi, that the rift between the small table and the big one widened and deepened. The eight-hour day from London whatever the weather might be sealed the difference officially. The servant went to his field and the master to his market and were no longer in each other's company.

But in spite of the true air of prosperity and temporal comfort in Penrhiw, during our last years there my mother's heart was nearly breaking. There were two ways of dealing with Uncle Jâms: to tell him plump and plain for his own good what you thought of him, as my father sometimes did when that disastrous stupidity of his was more of a hindrance than ever, and then to leave him beneath notice, or else to try to coax him out of it with commendation, which his wife, Auntie Elinor, used to do later with patience beyond the patience of women. I am of the honest opinion that Uncle Jâms, with the surprising good fortune that always followed him, in the face of all unreason, got for himself as a wife the only woman on the face of this earth who could have made anything of him. A donkey who lodges a devil in his jaw can't be beaten. But by tickling him a little in the right places he can sometimes be got, in his own good time, to move a little forward than backward. And that is all that Auntie Elinor's surprising patience could make of Uncle Jâms after a lifetime of living together.

As in the case of the principal sufferer in every tragedy, the chief cause of my mother's suffering in Penrhiw was that her nature was not adapted to meet the particular situation in which she found herself. Having lost my grandfather's firm support through his death and being confined by her anxiety and continual care for my father in his bedroom, she did not have the masterly and challenging personality that would have enabled her to turn on her brother-in-law and put him in his place, and she was too sincere and honest to try to charm him and humour him in any other way. Uncle Jâms in

drwy ffordd arall. Roedd rhywbeth yn ddigon brawdol yn Nwncwl Jâms yng ngwaelod ei natur. Nid dyn cas mohono ond dyn dan effaith cynneddf, megis – dyn od, ac fel ei rywogaeth yn gyffredin, na allodd erioed weld ei fod yn od; a'r odrwydd hwnnw yn taro fy mam mewn rhigol yn ei harfogaeth. O'i magu ar aelwyd fwyn a heddychlon fy 'nhad-cu Gwarcoed, lle ni chodai neb byth ei lais yn uwch na'i gilydd, ni allai hi feddwl am ddadlau ac ymryson ag ef. Roedd hi'n rhy fonheddig. 'Ateb arafaidd a ddetry lid, ond gair garw a gyffry ddigofaint', oedd ei hadnod fynych hi. Ni allaf gredu iddi hi a John ei brawd gweryla â neb yn eu bywyd. Daliai ei thafod; eithr daliai at ei barn mor sicr â hynny. Ond ysywaeth, ni allai anghofio, unwaith y digiai'n ddwys.

Yn ystod pylau o afiechyd fy nhad, ymgymerai fy ewyrth, weithiau, yn ddigon cywir ei galon, mae'n sicr, â'r cyfrifoldeb o drefnu'r gwaith mas yn ei le. Ond oherwydd ei gymhlethdod a'r dynged chwithig honno a roed arno, ni wnâi ei drefnu a'i dafodi pigog, ffraethlym, pan na wrandewid arno, ond ffwndro a rhwystro pawb; byddai'r diwedd yn waeth na'r dechreuad. Pe cadwai f'ewyrth at ei hoff ddiddordebau o ganu a charu, a gadael i'm mam i gael ei ffordd a'i threfen ei hun ar bethau, fe ddôi hi a'r gwasanaethyddion i ben â'r cyfan yn iawn. Ond mynnai ef ddal yn groes o hyd, gan ymyrryd â phopeth ac andwyo popeth. Os mentrai fy mam, weithiau, yn bwyllog a deheuig, fel y medrai hi, daflu awgrym mai fel arall y byddai orau efallai, fe ddechreuai ef arni gyda'i genllysg diatal o eiriau a'i syfrdanai hi ar y pryd; geiriau fyddai'r rhain a lynai fel saethau bachog yn ei chalon ddwys a theimladol hi weddill ei hoes, ond a aethai'n hen angof ganddo ef yn ôl pob tebyg, erbyn y dôi ei wres yn ôl i'r normal. Unwaith neu ddwy wedi i mi dyfu i fyny y clywais i Nwncwl Jâms wrthi yn ei afiaith ddifriol, a dyna'r danodwr mwyaf ysgubol ddawnus glywais i erioed. Roedd pob brawddeg yn tynnu gwaed fel whi Deio Esger Corn. Megis wrth ganu, âi i ysbryd y darn fel dyn wed ei feddiannu; ac yr oedd ei anal yn hir.

Nid oedd dim a glwyfai fy mam mor ddwfn â chlywed awgry angharedig am Warcoed a'i gysylltiadau. Mae'n debyg pan fydda Nwncwl Jâms yn ei hwyliau mwyaf difenwol yn erbyn fy mam, a yn methu taro deuddeg, weithiau y byddai'n dannod iddi hi ddod mewn i Benrhiw 'yn hen borcen', fel y dywedai, heb ond hyn-a hyn o waddol priodas ganddi. Wn i ddim a oedd unrhyw sail i dannod hwn âi peidio, ynteu rheitheg dyn ym mhoethder ei dym

the depth of his nature had something that was brotherly enough. He was not a nasty man, but one under the influence of a destined attribute, an odd man who, like his category in general, couldn't see that he was odd, and that oddness was of such a nature that it struck my mother through the joints of her armour. Brought up on my grandfather's peaceful and gentle hearth, Gwarcoed, where no one ever raised his voice above the others, she could not dream of arguing and contending with him. 'A soft answer turneth away wrath, but a rough word stirreth anger,' was her frequent verse. I cannot believe that she and her brother John ever quarrelled. She held her tongue, but as surely she held to her opinion. But also, once someone had offended her deeply, she could not forget it.

During my father's bouts of illness, my uncle sometimes quite true-heartedly took the responsibility for organising the outdoor work on the place. But because of his complexity and the density that had been put on him, all his arranging and his testy and pungent scolding, when it was listened to, only confused and hampered everybody, and the end was worse than the beginning. If my uncle had kept to his great interests of singing and courting, my mother would have had her way with the managing, and she and the serving-men would have compassed things all right. But he would oppose her, intervening everywhere and spoiling everything. If my mother sometimes, with the deliberation and dexterity that was hers, ventured to throw out a hint that it might be better this way perhaps, he would begin with his ceaseless hailstone words that stunned my mother at the time, and words that stuck like barbed arrows in the earnest and sensitive heart for the rest of her life, but which would have been forgotten by him very probably by the time his temperature had returned to normal. Once or twice when I had grown up I heard Uncle Jâms at it at the top of his derogatory gusto. Every sentence drew blood like Deio Esger Corn's whip. As when singing he went into the spirit of the piece like a man possessed, and his breath was long.

Nothing wounded my mother so deeply as an unkind insinuation about Gwarcoed and its connections. It seems that when Uncle Jâms was in the mood for abusing my mother and was not able to 'strike twelve' he would taunt her that she had come into Penrhiw a naked woman with a dowry of only so much and nothing else. I don't know whether there was any substance in this taunt or whether it was the rhetoric of a man in the hotness of his temper

ydoedd, yn barod i gydio mewn rhywbeth a allai ddolurio rhagor; ac o'i weld yn effeithiol unwaith, yn cael blas ar ei ailadrodd. Ond mi wn i hyn glwyfo balchder distaw fy mam yn ei theulu yn fwy na dim. Onid oedd yn cyffwrdd ag anrhydedd ac enw da ei thad, cannwyll ei llygad hi? Ys gwir nad ef, o bosib, oedd yn gyfrifol yn bennaf yn awr yng Ngwarcoed, wedi'r ail briodas. Ond fe wyddai fy mam yn dda, yn well na neb, am haelioni dison ei thad, ac am ei lawer cymwynas ddirgel i'r caled ei fyd yn ystod y blynyddoedd anodd hynny pan oedd e'n byw yn Rhiw'r Erfyn. Ni ellid dychmygu amdani hi yn ateb yn ôl. Ond fe arhosodd y fflangellu cignoeth, diangen yma yng ngŵydd y cyhoedd, yn greithiau yn ymwybyddiaeth fy mam hyd ei bedd.

Nid oedd unrhyw argoel, ar y pryd, fod iechyd fy nhad yn debyg o wella. Sylweddolai fy mam yn ddwysach o hyd fod byw fel hyn yn amhosib. Nid oedd dim amdani ond gadael y lle. Ie, ei adael o'u hanfodd, costied a gostio, a chwilio am ryw le bach, cadw dwy neu dair buwch, y gallai fy mam ddod i ben ag ef ei hunan, fwy neu lai. Roedd hynny'n well na rhyw gynnwrf parhaus, heb unrhyw debygolrwydd y dôi pethau'n well. Yr unig ymwared posib fyddai i'm hewyrth briodi a mynd i fyw i'w gartref ei hun. Ond er ei fynych gariadon a'i ddyfalbarhad yn y gwaith hwn, cilio'n araf a wnâi'r arwyddion o hynny fel y nesâi ef at y deugain oed. Gadael Penrhiw, gadael yr hen gartref! Rhwyg go fawr oedd hyn fel y gellid disgwyl, yn enwedig i 'nhad. Ni ŵyr neb wir ystyr gadael 'hen dud ei dadau' ond y sawl a aned ar y tir lle y mae pob cae a chamfa, pob llwybr a pherth, pob cwm a llwyn a nant ac afon, yn frith o atgofion iddo er y dydd y dechreuodd gerdded; heb sôn am adael hen gymdogion, a gweld yr anifeiliaid yn cael eu gwerthu a acsiwn heb wybod pwy a'u câi.

Wedi unwaith benderfynu symud, aeth fy rhieni ati i weld a ystyried mwy nag un lle a ddigwyddai fod yn rhydd – Llety Lleucu ger Crug-y-bar, a Phenybont, yng nghanol pentref Llansewyl. On ar Aber-nant, lle bach o brin dau gyfer ar hugain, tua milltir dda y union groes i'r bryn o Benrhiw, a milltir arall ar y ffordd fawr Rydycymerau, y salaf o'r tri lle, y syrthiodd y coelbren. Bûr weithiau, fel y bu llawer un tebyg, yn ddiau, yn ceisio dyfalu p wahaniaeth, o bosib, ynof fi fy hun a wnaethai (a bod hynny o ry bwys) pe buaswn i, a mi yn chwech oed, wedi digwydd symu

ready to catch hold of anything that would hurt even more, and who, having once seen how effective it was, enjoyed repeating it. But I know that this more than anything wounded my mother's secret pride in her family. Did it not touch the honour and good repute of her father, the apple of her eye? True, it was not he who was responsible for this in Gwarcoed after his second marriage. But my mother knew well, no one better, of her father's clandestine generosity, his many secret kindnesses to hard-up people in the difficult years when he was living in Rhiw'r Erfyn. She cannot be imagined answering him back. But this raw-flesh flagellation, public and needless, remained in scars on my mother's consciousness until she died.

At the time, there was no sign of my father's health improving, and my mother realised ever more deeply that it was impossible to go on living like this. There was nothing to do but leave the place. Yes, leave it against one's will, let that cost what it might, and look for a small place that would keep two or three cows which my mother could manage to run on her own more or less. That would be better than this continual disturbance with no likelihood that things would improve. The only other deliverance would be for my uncle to get married and go to live in a home of his own. But in spite of his frequent sweethearts and his perseverance in this direction, the signs of success were slowly receding as he was drawing towards his forty years of age. To leave Penrhiw, to leave the old home. To tear ourselves away, especially for my father to do so, was no small matter. No one knows the real meaning of leaving the old land of his fathers but one who was born on the land, where every field and stile and every path and bush, every valley and river and stream, are thick with memories for him since the day he began to walk – not to speak of leaving the neighbours and seeing the animals being sold by auction without knowing who are to get them.

Once my parents decided to move, they visited and considered more than one place that happened to be free – Llety Lleucu near Crug-y-bar and Penybont in the middle of Llansewyl. But it was on Aber-nant the lot fell, a little place barely twenty-two acres a good mile across the hills from Penrhiw, a mile along the road from Rhydcymerau, the poorest of the three places. Like many other people no doubt, I have sometimes tried to conjecture what difference it might have made in me (if that were of any importance) if when I was six years old I happened to move with

322

gyda'm rhieni i ardal Llansewyl neu Grug-y-bar yn lle i ardal Rhydcymerau. Anodd tynnu dyn oddi ar ei dylwyth, medd yr hen air. Anodd hefyd dynnu dyn oddi ar ei ardal. Oherwydd y mae i bob ardal ei hawyrgylch a'i thraddodiadau arbennig ei hun. Gall un gymdogaeth ymffrostio yn ei meirch, ei moch, a'i maip; ac ardal arall sôn am 'y beirdd a chantorion, enwogion o fri' a faged yno. Rhaid wrthynt i gyd i wneud gwlad a chenedl. Nid oedd gan Rydycymerau na meirch na mawrion, namyn yr hen bregethwr ffraeth a gwreiddiol, Dafy Dafys, i ymddigrifo ynddynt – dim ond boddloni'n syml ar ei symlrwydd ei hun. Ond pe symudasai fy rhieni y pryd hwnnw i ardal Llansewyl neu Grug-y-bar, diau y tyfwn i fyny yn llawn mor falch o ardal fy mebyd yno ag yr wyf wedi bod erioed o hen ardal fach Rhydcymerau. Ond nac ateger y ddadl hon â'r ddihareb am y cyw hwnnw.

Prynodd fy rhieni Aber-nant wedi mynd i fyw iddo, gan dalu'n rhannol amdano o arian yr arwerthiant ym Mhenrhiw. Nanti Jane, chwaer iengaf fy nhad, a'i phriod, Dafydd Jones, brawd hynaf i fam Gwenallt, y bardd, a ddaeth i fyw i'r lle ar ein hôl ni, a'i gael am rent a oedd yn deg rhwng brawd a chwaer. Yr un ddimai yw ei rent wedi bod o hynny hyd heddiw, am drigain mlynedd cyfan, er fod prisiau popeth bron wedi dwbwl-dreblu yn y cyfamser. Rhwng y costau ato ar hyd y blynyddoedd, a'r dibrisio yng ngwerth y lle gan bwysiced yw hwylustod hewl fawr at bob dim bellach, fe geir rhyw syniad am elw breiniol y landlord erbyn hyn! Oherwydd ystyfnigrwydd Nwncwl Jamsaidd ei berchennog sentimental yn gwrthod hyd yr eithaf ei werthu i'r Llywodraeth, math o or-ynys ydyw Penrhiw heddiw, uwchlaw Cantre'r Gwaelod y Brechfa Forest.

Rhyw ychydig flynyddoedd y bu fy ewyrth a'm modryb fyw yn Mhenrhiw cyn iddynt ymfudo i Loegr, i ffermio gerllaw Leamington yn swydd Warwick, a thrwy hynny ddilyn y ffasiwn gan gynifer o ffermwyr rhwng Tywi a Theifi tua diwedd y ganrif o'r blaen a dechrau'r ganrif hon. Dywedid, ar un adeg, y clywid bron cymaint o Gymraeg ar brif stryd Rugby ar ddydd marchnad ag a glywid yn Llandeilo, hen dref marchnad yr ymfudwyr hyn. Erys yn destun ymchwil diddorol i rywun i gofnodi hanes y gwŷr ymdrechgar anturus hyn, ar adeg wan mewn amaethyddiaeth, a adawodd e

323

my parents to Llansewyl or Crug-y-bar instead of to Rhydcymerau. It is hard to draw a man from his kindred, says the proverb. It is hard to draw a man from his commote too. For every district has its atmosphere and its own tradition. One neighbourhood can boast of its horses, its pigs, and its turnips, another of the poets and musicians of fame that were reared there. All are necessary to make a country and a nation. Rhydcymerau had no horses or great men either to delight in, except the witty and original old preacher Dafy Dafys. But it contented itself simply with its simplicity. But if my parents had that day moved to the neighbourhood of Llansewyl or Crug-y-bar I would undoubtedly have grown up as proud of that place as I have always been of the little district of Rhydcymerau. But don't let us support this argument by quoting that proverb about a certain chick.

My parents bought Aber-nant after they had gone to live there, paying for it partly out of the proceeds of the sale in Penrhiw. Auntie Jane, my father's youngest sister, and her husband Dafydd Jones, Gwenallt's mother's eldest brother, came to live in the place when we left, and they got it at a rent that was fair as between brother and sister. The rent has been the same, to the halfpenny, ever since for the whole of sixty years, although the price of everything has doubled and then trebled in the meantime. Between the cost of upkeep and the depreciation in the value of the place due to the increasing importance of convenient roads, you can obtain some idea of the right royal profit the landlord gets by today! Because of the Uncle Jâmsian and sentimental stubbornness of its owner in refusing to the end to sell it to the Government, Penrhiw is a kind of peninsula today in the sea that has submerged the Lowland Hundred, the Brechfa Forest.

My uncle and aunt stayed in Penrhiw for just a few years before they moved to England to a farm near Leamington, in the county of Warwick. In doing so they followed the fashion among a number of farmers between Tywi and Teifi towards the end of the last century and the beginning of the present one. It used to be said that as much Welsh could be heard on Rugby High Street on market day as in Llandeilo, the emigrants' old market town. The recording of the history of these striving and adventurous men at a poor time for farming, who left their hilly and comparatively small farms on the

ffermydd llethrog, bychain mewn cymhariaeth, ar fronnydd Sir Gaerfyrddin, am erwau gwastad, braf, swyddi Northampton, Leicester a Warwick, gan ychwanegu bloneg ar gorff a sglein ar bilyn, gan nad beth am ras yn y galon a goleuni yn y pen. Daw plant y rhain a'u hwyrion yn ôl, o hyd, fel eu tadau, i farchnadoedd Dyffryn Tywi a Dyffryn Teifi i brynu da stôr i'w tewhau ar eu tiroedd brasach hwy. Wedi dysgu diwydrwydd a chynildeb o'r crud, gartref, o'u cymharu â'r 'gentleman farmer' am y ffin â hwy yn Lloegr, eithriad oedd i neb ohonynt beidio â llwyddo a dod ymlaen yn y byd. Claddwyd Nanti Jane, druan, ymhen ychydig flynyddoedd wedi gadael Cymru, a chwalodd y teulu wedi ei cholli hi.

Ac yn awr rhaid dwyn y rhan yma o'r stori i ben ar ddydd fy ymadawiad â Phenrhiw, yn cwhech a chwarter oed. Fe gofiaf rannau o'r dydd arbennig hwnnw yn fy hanes yn dda. Diwrnod euraid o hydref cynnar oedd hi – y dail crin ar hyd y clos, y coed uchel o gwmpas yn amryliw eu gwisg, a'r caeau sofl yn wynion yn y pellter. Roedd y tŷ bron bod yn wag, y celfi, gan mwyaf, wedi eu symud y dyddiau cynt; Penfraith a Blacen, y ddwy fuwch fwyaf blithog a gadwyd gennym, heb eu gwerthu ar yr acsiwn, wedi croesi dros fanc Esgair Wen yn gynnar y bore hwnnw ar ôl eu godro, i'w cartref newydd yn Aber-nant; Blac yn bendrist a myfyrgar fel y byddai hi weithiau cyn twymo ati, yn y car o flaen y tŷ. Roedd nifer o bobl yno, er na chofiaf pwy oedd neb ohonynt heddiw. Diau fod yr hen wraig fach, sionc, Rachel y Pandy, yn un gan ei bod hi ym Mhenrhiw ar bob amgylchiad pwysig. Buasai Nwncwl Jâms, drwy'r bore, yn eistedd yn isel ei ben yn y cornel o flaen y tân coed mawr ar yr aelwyd. Ni châi neb air ganddo ers oriau – a finnau'n synnu beth oedd yn bod arno, mor wahanol i'w arfer. Buom yn aros amdano, fel hynny, am amser go hir, a'r gaseg yn y car yn barod i gychwyn. Roedd fy rhieni am iddo ddod draw gyda'r fudfa i Aber-nant i gynhesu'r aelwyd newydd y noso gyntaf. Ond yno yr oedd yn welw a sobr, heb symud o'r fan. Aeth fy nhad i'r tŷ i geisio'i berswadio unwaith eto. Ond yn ofer. By oedd amynedd fy nhad ar y gorau; ac yr oedd yr amser yn rhede ymlaen.

Ond cyn rhoi'r arwydd 'Trt – Trt!' i Blac i symud, a ninnau i gy yn y car yn awr, Pegi y pedair oed yn eistedd ymlaen rhwng

hillbreasts of Carmarthenshire for the level and pleasant acres of Northampton and Leicester and Warwick, adding avoirdupois to their bodies and distinction to their garments whatever might be said of grace in the heart and light in the head – all this remains an interesting research subject for somebody. The children and grandchildren of these people return like their fathers to the Tywi valley and the Teifi valley to buy store cattle to fatten on their own fuller land. Having learnt from their cradles the industry and thrift at home in comparison with the gentlemen farmers on the other side of the border in England, it was an exception if any of them failed to get on in the world. Auntie Jane died a few years after leaving Wales, and after losing her the family dispersed.

And now this part of my story must be brought to an end on the day of our departure from Penrhiw, when I was six and a quarter years old. I remember clearly some parts of that outstanding day in my history. It was a golden day in early autumn, the withered leaves all over the fold, the tall trees around variegated in colour and the stubble fields white in the distance. The house was almost empty, as the furniture for the most part had been removed the previous day. Penfraith and Blacen, the two best milch cows we kept, which were not put up to auction, had crossed Esger Wen bank early that morning, after being milked, to their new home in Aber-nant. Blac was drooping and pensive as she used to be before she warmed to it, in the trap in front of the house. There were a number of people there, but I don't remember now who they were. Doubtlessly that nimble old woman, Rachel the Pandy, for one, as she was in Penrhiw on every important occasion. Uncle Jâms throughout the morning had been sitting with his head low in the inglenook before the big fire. No one had got a word from him for hours, and I wondered what on earth was the matter with him; he was so different from his usual self. We waited for him a good while with the mare in the trap ready to start. My parents wanted him to come over with the removal party to Aber-nant to warm the new hearth on the first night. But there he was, pale and serious, and not moving at all. My father went to the house to try once more to persuade him. But in vain. My father's patience was short at best, and the time was getting on.

But before he gave the signal 'Trt, trt' for Blac to move, and when we were all in the trap, Pegi, the four-year-old, sitting in front

rhieni, a finnau y tu ôl, dyma fy mam yn dweud: 'Cer i'r tŷ yto, Pegi fach, cydia yn llaw Nwncwl Jawse (ei henw plentynnaidd hi arno) a gwed wrtho fe – "Dewch mas 'da fi, Nwncwl Jawse bach, i ni ga'l mynd 'da'n gilydd yn y car." Ac i lawr yr aeth Pegi, ac i'r tŷ, mor llon â'r brithyll. Wn i ddim sut y bu hi yno.

Ond cyn pen hir iawn dyma hi'n dod mas a Nwncwl Jawse, 'Cyw Ola Penrhiw, diawtht i', gyda hi, gerfydd ei law, bron mor llon â hithau erbyn hyn, a chwmwl du y gwasgariad, neu beth bynnag ydoedd, wedi cilio'n sydyn, gellid barnu, a'r ffurfafen yn olau drachefn.

Yn hwyrach y dydd yr oedd math o Noson Lawen yn Aber-nant i wresogi'r aelwyd: canu emynau a hen ddarnau eisteddfodol – Tomos yr Hafod Wen (rhagflaenydd John Thomas), un o'r dynion mwynaf a fu erioed, a 'nhad yn canu tenor fel dwy ffliwt; Beni'r Crydd a'i nodau bas fel organ dan ei fynwes farfog; a'r barwn cestog, Nwncwl Josi, a'i fabinogi raenus yno yn rhywle, heblaw'r cymdogion newydd, yn hen ac ifainc. Ond y peth diwethaf ac amlycaf oll sydd wedi aros ar fy meddwl i, cyn mynd i'r gwely y noson gyntaf honno yn Aber-nant, ydoedd Nwncwl Jâms yn pwyso'n ôl ar ei wegil dan fantell y simnai fawr, ei lygaid yn hanner cau, wedi ymgolli yn afiaith yr hen alaw odidog honno, 'Hobed o Hilion', unig gân Harris Bach 'y nghe'nder pan orfyddid arno ganu gynt:

Pan oeddwn i'n fugail yn Hafod y Rhyd
A'r defaid yn dyfod i'r gwair ac i'r ŷd . . .

a'r gweddill yn torri i mewn gydag ef, ymhell cyn iddo orffen y pennill cyntaf. Ar gadair dderw solid ger y cloc mowr wrth ddrws y llaethdy eisteddai'r hen ŵr tal, brith-farf, Wiliam Thomas, y Saer Llansewyl, a phen ei forthwyl gloyw yn cadw'r amser ar y fricsen las wrth flaen ei droed. Rhaid fod y croeso'n frwd gan fod y craciau a wnaed yn y fricsen y noson honno i'w gweld yno hyd heddiw.

Ac fel yna y darfu'r dydd cyntaf o'm bywyd i yn Aber-nant. Ar yr ugain mlynedd nesaf o'm cysylltiad â'r lle rhaid aros am lyfr arall, os Duw, a'r darllenydd, a'i myn.

between my parents and I at the back, my mother said 'Go to the house, Pegi, and catch hold of Uncle Jawse's hand (her child name for him) and say, "Come out with me, Uncle Jawse bach, for us to go in the trap together."' And down went Pegi, and into the house she went as happy as a trout in the stream. I don't know what happened then. But before long she came out with Uncle Jawse, 'Penrhiw's Last Yellow Chick, *diawtht 'i*,' hand in hand with her and almost as happy as she was, with the dark cloud of separation, or whatever it was, blown away suddenly, I should think, and the sky again bright.

Later that day there was a sort of Merry Evening in Aber-nant, to warm the hearth: hymn-singing and the singing of old eisteddfod pieces – Tomos Hafod Wen (John Thomas's predecessor there), one of the gentlest persons that ever were, and my father with him singing tenor like two flutes, Benni the Shoemaker with his bass notes like an organ beneath his beard-hidden breast; and the broad-chested baron Uncle Josi with his polished *mabinogi* was there somewhere, not to speak of the neighbours young and old. But the last and most prominent thing that has remained in my memory, before going to bed that night, was Uncle Jâms leaning back on the nape of his neck against the wall under the chimney mantel, with his eyes quite shut, completely lost in the delight of the splendid old melody 'Hobed o Hilion' ('A Peck of Seed'), the only song that Harris Bach would sing when he was obliged to sing long ago:

When I was a shepherd in Hafod y Rhyd,
With my flock in the hayfield, for what did they heed . . .

with the rest of the company breaking in with him long before he had finished the first verse. On the solid oak chair by the big clock near the dairy door sat the old grey-bearded Wiliam Thomas the Carpenter, Llansewyl, and the bright head of the hammer in his and beat the time on the grey brick at his feet. The welcome must have been warm, for the cracks made in that brick that night are to be seen today.

So ended my first day in Aber-nant. For the next twenty years of my connection with the place another book, if it be God's will and the reader's, will have to be awaited.

GEIRFA

(Dynoda'r rhif cyntaf y dudalen a'r ail y llinell y ceir y gair ynddi)

bigitian, 7, 6; 157, 26; 247, 33: rhyw gellwair chwareus, pryfoclyd.
bredych, 143, 7: edlych, eiddilyn.
brogle, 241, 2 a 4; 243, 16: cymysg o ddu a gwyn. Fe'i cyfyngir yn bennaf i
   ddefaid.
bros (broes), 143, 8: gwaell bren y dirwynid yr edau amdani.
brwchgau, 29, 14; 253, 39: marchocáu, marchogaeth.
bŵl, bylau, 85, 13; 133, 37: both -au. S. *nave of a wheel.*
bwt, 9, 5; 41, 5: bwlch, gwagle.
bylog, 179, 16: ans. o bwlyn, bylau. S. *knob.*

capian, 7, 1: ymbil yn daer.
carsi-mêr, 99, 39: *cashmere.*
casgis, 21, 17: S. *casks.*
ciwdodaeth, 113, 27: dinasyddiaeth.
cloego, 137, 4: bras-ddyrnu â ffust gan adael tipyn o'r grawn ar ôl; curo.
clotasau, clotas, un. clotasen, clotsen,clytsen, 247, 5: S. *clods.*
cludwair, 175, 27 a 30 a 31 a 34; 177, 1 a 5 a 15: carn o goed tân yn ymyl y tŷ
cwat, 87, 13; 185, 30; 219, 22: cuddfan; b. cwato.
cwcsog, 147, 30: diserch, anfoddog; ll. cwcs-au; cf. cwpsau, cwpsog, yn Nyfed.
cwrbyn, 135, 1, ll. cyrbau: cameg-au. (Gwêl I Bren. vii, 33). S. *felly.*
'cyfarwydd', 29, 3; 137, 28; 293, 17: adroddwr stori wrth ei swydd ymhlith y
   Cymry gynt.

drefa, 137, 4: pedair ar hugain o ysgubau. S. *thrave.*
durfin, 21, 16: caled ac iraidd serennog. Am ymenyn yn unig y clywid ei
   ddefnyddio.

ffusto, 209, 36: curo'r perthi a'r twmpathau i godi'r helwriaeth.

garetsyn, 297, 12: ll. garets; moron; S. *carrots.*
gwandde, 121, 23: gwadnau esgid.
gwaunlle, 5, 26: cornelyn o gae rhy wlyb i dyfu ŷd ynddo ac a gedwid yn wai
   neu'n borfa.
gwêr, ix; 19: man cysgodol rhag gwres yr haul.
gwned (gwynad), 41, 15: yn gofyn march.

helem, 137, 7; 229, 13: tas gron o ŷd, yn bigfain fel helm.

ielffust, 137, 14 gwieilffust: pen y ffust, tua dwy droedfedd o hyd, a gysylltid y
   llac â charrai gref wrth y coes.
ielstyn, 143, 33: llefnyn main o grwt ar hanner ei dwf.

lweth, 141, 10; 143, 4 a 26: eilwaith.
lip, 303, 15: basged hirgron wedi ei phlethu o wellt gwenith a drysïen hollt y
   rhwymo'r haenau. Fe'i defnyddid yn fynych i gario *chaff* i geffylau.

329

EDITOR'S NOTE:

D. J. Williams included a list of regional vocabulary at the end of *Hen Dŷ Ffarm* (see left), which Waldo Williams did not translate into English.

'Llwyn Niclas', 119, 20: ymddengys fod y pren afalau hwn yn llewyrchu o hyd mewn gwahanol rannau o Sir Gaerfyrddin.

llywanen, 141, 27: canfas garw at gario gwair a gwellt i anifeiliaid.

macsu, 39, 11: gwneud cwrw o frag (*malt*) yr haidd; macsad cartre: *home brew*. mhoelyd, 129, 32: (1) ymchwelyd. S. *to overturn*. (2) aredig, e.e. mhoelyd y tir.
pibis, 25, 35: cintachlyd, pigog; S. *peevish*.
plwmwns, 119, 17: S. *plums*.

rhico, 199, 11: canmol gwag, ffuantus.
rhip, 143, 34: darn hirsgwar o bren tua throedfedd o hyd at hogi pladur; o iro 'i ochrau â bloneg a'i drochi mewn swnd mâl o garreg neilltuol gweithredai fel *sandpaper* i'w dynnu gyda graen y min i wneud awch. S. *strickle*.
rhogle, 141, 28: aroglau.
rhwyth, 81, 2; 27, 19 a 21: llyn o ddŵr marw a erys, weithiau, lle bo afon wedi newid ei chwrs. Clywir y ffurf 'yr wyth' ar beth tebyg ar lan Tywi, yn ôl y Parch. Gomer Roberts. Ceir dau le o'r enw 'Glan Rwyth', un ar lan Tywi a'r llall ar lan Cothi. Am 'rhwyth' ac 'yr wyth' cymharer 'rhiniog' ac 'yr hiniog'.

sgaram, 17, 16: rhyw greadur tal, esgyrnog, tenau. (Cyfyngid y term i geffyl, ac i ddyn).
sgwlc: rhywbeth a ddygid ar y slei; b. sgwlcan. Cf. S. *skulk*.
shiprys, 191, 21; 293, 5: cnwd cymysg o haidd a cheirch.
siwrl, 199, 30: y rhawn garw ar egwydydd ceffyl.
siwrwd, 161, 2: rhywbeth wedi ei chwalu yn fân, fân. Cf. sorod.
sprotgwm, un sprotgi, 00, 00 potsier, sglwci, b. sgwlcast. Cf. S. *sport*.
strodur, ystrodur, 125, 32: S. *cart-saddle*.

têl, -au, 45, 3: pum winshin (*bushel*) o ŷd.
toien, 141, 28: tôen; coflaid o wellt wedi ei ddyrnu a'i rhwymo â rheffyn.
trallwng, 81, 2: ceunant serth a dwfn uwchben afon neu dir corsog. S. *ravine*.
tryfer, i, 201, 27; 203, 19: fforch deirpig, adfachog i drywanu pysgod.
twician, 257, 30: *to twitch*.

uchafed, 225, 37: cefn a gwddf yr esgid, sef o'r gwadn i fyny. S. *uppers*.

wablin, 15, 7; 137, 17: ffroth, e.e. wablin chwys, wablin sebon.
wben, 141, 14: ubain, sgrechain.
whimlyd, 125, 25: syflyd.
whithryn, 7, 38: y dim lleiaf. Cf. rhithyn.
winben (neu wimben), 135, 39: ewinbren; y trawst croes sy'n gwneud triaw cwpwl y tŷ. S. *tie beam*.
windrewog, 159, 35: ewin-rew-og. Cf. Henry a Hendry.
win-gul, 263, 14: sigledig ac ansicr i roi pwysau arno. Cf. gwan + cul.
winshin, 43, 37; 137, 7 (ll. winshisteri): S. *Winchester bushel* o ddyddiau Ha VII; mesur o ŷd yn amrywio mewn pwysau yn ôl dwyster y grawn, e.e. ceir tua 40 pwys, haidd 56, gwenith 60.